SÉRIE: LEGADO DOS PI

O GRANDE MOVIMENTO ADVENTISTA

J. N. Loughborough

 Adventist Pioneer Library

Título do original em inglês:

The Great Second Advent Movement: Its Rise and Progress

Publicado em 1905 por: *Review and Herald Publishing Association*

Republicado em 1992 por: *Adventist Pioneer Library*

© 2014 ADVENTIST PIONEER LIBRARY
Light Bearers Ministry
37457 Jasper Lowell Rd
Jasper, Oregon, 97438, USA
+1 (877) 585-1111
www.LightBearers.org
www.APLib.org
www.EditoraDosPioneiros.com.br

Apoio: CENTRO DE PESQUISAS ELLEN G. WHITE – BRASIL

Tradução: vários tradutores
Revisão e editoração: Uriel Vidal e Neumar de Lima

ISBN: 978-1-61455-020-4

SÉRIE: LEGADO DOS PIONEIROS ADVENTISTAS

O GRANDE MOVIMENTO ADVENTISTA

"O livro do pastor Loughborough deve receber atenção. Nossos líderes têm de verificar o que pode ser feito para a circulação desse livro."

Ellen G. White,
Conselhos aos Escritores e Editores, p. 96.

J. N. Loughborough

Adventist Pioneer Library

JOHN NORTON LOUGHBOROUGH
26 de janeiro de 1832 – 7 de abril de 1924

ÍNDICE

Prefácio à Edição Brasileira

Considerando que esta obra foi originalmente publicada pela *Review and Herald* em 1905, muitos poderiam indagar: Qual a necessidade de mais um livro sobre a história do adventismo? William G. Johnsson demonstrou a importância de se conhecer as raízes de qualquer movimento como algo fundamental para sua real compreensão, identidade e razão de existência. Escrevendo em 1983 sobre a história do adventismo no editorial da edição extra da *Adventist Review*, ele declarou: "Unicamente ao entendermos quem somos – de onde viemos, e por que somos o que somos – é que poderemos encontrar paz e plenitude". Além disso, Ellen White, uma das pioneiras do movimento adventista, declarou que muitas vezes lhe foi mostrado que "a experiência passada do povo de Deus não é para ser contada como fatos mortos". E disse ainda: "Não devemos tratar os fatos das experiências passadas como um almanaque do ano anterior [desatualizado e irrelevante]. Os mesmos devem ser guardados na mente, pois a história se repete" (Ellen G. White ao Presidente da Associação Geral A. G. Daniells, 1º de Novembro de 1903 [Carta 238, 1903, em *Manuscript Releases*, vol. 5, p. 455]).

Ao nos aprofundarmos no conhecimento de nossa história, temos confirmada a certeza de que a mão de Deus, que dirigiu essa igreja no passado, também a sustém no presente. Aquilo que a apologética é incapaz de realizar, principalmente diante da incredulidade do contexto pós moderno, alcança-se pela simples narração da história de um povo e sua descoberta das verdades bíblicas. No livro *O Grande Movimento Adventista*, o pastor J. N. Loughborough, testemunha ocular de diversos fatos descritos, apresenta de maneira simples e atrativa, não somente a história do adventismo, mas uma visão bíblica do surgimento desse movimento no contexto do grande conflito.

Ellen G. White solicitou a ampla circulação deste livro como algo que deveríamos disseminar ao povo. No livro *Conselhos aos Escritores e Editores*, ela declara:

> O registro da experiência vivida pelo povo de Deus no início da história de nosso trabalho deve ser publicado. Muitos dos que desde então aceitaram a verdade não conhecem a maneira como o Senhor atuou. A experiência de Guilherme Miller e seus companheiros, do capitão

José Bates e dos pioneiros da mensagem adventista precisam ser mantidas diante de nosso povo. *O livro do pastor Loughborough deve receber atenção.* Nossos líderes têm de verificar o que pode ser feito para a circulação desse livro (Ellen G. White, *Carta* 105, 1903, grifo nosso).

Embora J. N. Loughborough tenha abraçado a terceira mensagem angélica em 1852, ocasião em que se uniu aos adventistas do sétimo dia, ele bem conhecia os fatos tão amplamente divulgados nos Estados Unidos acerca do grande movimento da segunda vinda de Cristo. Por diversas vezes ele acompanhou a Tiago e Ellen White nas viagens que faziam. Consequentemente, obteve precioso conhecimento ao testemunhar ocorrências descomunais no estabelecimento do movimento.

Esteve presente em pelo menos 50 ocasiões em que Ellen White recebeu visões e relata os fascinantes fenômenos que acompanhavam o momento. Na parte final de sua vida, quando muitos estavam negando que Deus havia dirigido o movimento adventista, a voz do irmão Loughborough devia ser ouvida declarando o que havia visto e ouvido. Ellen White fez claros chamados a esse respeito. Em 1890 ela fez a seguinte declaração:

> Eu digo: Deixem o irmão Loughborough desempenhar uma obra da qual as igrejas necessitam. Deus quer que a voz dele seja ouvida como a de João, declarando as coisas que viu e ouviu, as quais ele mesmo vivenciou no surgimento e progresso da mensagem do terceiro anjo. [...] Permitam que o irmão Loughborough permaneça em seu devido lugar, como um Calebe, vindo à frente e apresentando um decidido testemunho em face da incredulidade, dúvidas e ceticismo. Certamente podemos subir e possuir a boa terra. Deus declarou acerca dele: "Meu servo Calebe [...] perseverou em seguir-Me; Eu o farei entrar na terra." Calebes são extremamente necessários nas igrejas hoje. [...] Não amarrem o irmão Loughborough em canto algum; não o prendam a qualquer Associação em especial (*The Ellen G. White 1888 Materials*, p. 716-717).

Estamos confiantes de que o leitor irá se surpreender com a narrativa de fatos que parecem ter sido grandemente esquecidos e sua relação com as profecias bíblicas.

Jean Zukowski
Professor de história do adventismo
Faculdade Adventista de Teologia, UNASP-EC

PREFÁCIO

Existem muitos livros úteis nas mãos do povo, e a razão que apresento para acrescentar outro à lista é que, nestas páginas, eu informo muitos eventos a respeito dos adventistas, especialmente dos adventistas do sétimo dia, até o momento não apresentados ao povo desta forma. Além disso, muitos dos que abraçaram a causa em anos recentes, sem terem testemunhado os fatos aqui mencionados, solicitaram encarecidamente uma narração desses fatos e experiências daqueles anos iniciais. Visto que estive familiarizado com o movimento adventista em 1843 e 1844, e, a partir de 2 de janeiro de 1849, passei a proclamar a doutrina, inicialmente como adventista, e, desde 1852, como adventista do sétimo dia, considero um prazer "falar daquilo que vi e ouvi".

Apresentei um relato sobre o movimento adventista que se espalhou a cada nação civilizada do globo de 1831 a 1844.

Desde 1845, houve outros grupos de adventistas que proclamaram, e ainda proclamam, a iminente vinda de Cristo. Em vez de fazer referência a todos estes grupos, foi meu propósito descrever, com certa profundidade, a ascensão e progresso dos adventistas do sétimo dia. Dei especial atenção aos pontos que, na providência de Deus, auxiliaram no desenvolvimento de um povo que, mesmo partindo da pobreza e de um humilde começo, e embora numere apenas cem mil pessoas, alguns de seus oponentes têm afirmado: "Considerando a energia e zelo com que trabalham, poderíamos imaginar que seu número seja de dois milhões".

Mesmo os que pouco conhecem da história dos adventistas do sétimo dia sabem que, desde 1845, Ellen G. White tem estado de forma significativa associada ao movimento como palestrante e escritora. Também sabem que, em ligação com sua obra, houve manifestações singulares ou dons. Foi meu privilégio estar presente e testemunhar a manifestação desse dom por cerca de 50 vezes. Nas páginas que se seguem, chamo a atenção para cerca de 26 predições específicas feitas por Ellen White que se cumpriram de modo extremamente preciso.

Além de minhas próprias observações, também apresento o relato de outras testemunhas oculares a respeito de suas experiências. Tais fatos deveriam ter maior relevância para o leitor sincero do que declarações aleatórias feitas por pessoas que nunca estiveram presentes nessas ocasiões.

Dedico esta obra aos leitores, na esperança de que, com a bênção de Deus, a leitura destas páginas possa ser um meio de promover a causa de Cristo em muitos corações, confiante de que todos, ao lerem, manterão em mente as palavras de Paulo aos Tessalonicenses: "Examinai tudo. Retende o bem".

J. N. Loughborough.
Mountain View, Califórnia, 1° de maio de 1905.

Capítulo 1

Introdução

Quando falamos sobre o segundo advento de Cristo, estamos abordando um tema que tem sido a esperança do povo de Deus desde que nossos primeiros pais foram expulsos do jardim do Éden. Nas palavras proferidas à serpente de que a semente da mulher feriria sua cabeça, havia uma garantia de que, finalmente, um restaurador viria, anularia os enganos de Satanás e cumpriria o propósito de Deus na terra. Supõe-se que Adão e Eva imaginaram que esta obra seria prontamente realizada, e que um de seus descentes imediatos seria o Libertador. Contudo, no plano de Deus, a promessa de um Salvador que traria livramento da aparente ruína abarcava tudo o que, desde então, tem se desenvolvido na realização de "Sua própria determinação e graça que nos foi dada em Cristo Jesus, antes dos tempos eternos" (2 Timóteo 1:9).

Se Adão e Eva houvessem, de uma só vez, tido noção da miséria e desgraça que sobreviriam ao mundo durante os longos séculos entre a ruína e a restauração, seu sofrimento teria sido insuportável. O Deus do Céu, em Sua terna misericórdia e compaixão, escondeu deles essa realidade, permitindo que acariciassem a doce esperança de logo receber a gloriosa liberdade dos filhos de Deus. Alimentando a esperança de que a redenção estava próxima, eles seriam naturalmente incentivados a preparar-se para tal evento com maior empenho.

O mesmo tem acontecido com o povo de Deus em todas as gerações desde os dias de Adão. Tinham certeza de que um evento significativo estava para ocorrer no futuro – que Cristo finalmente viria e estabeleceria Seu reino. Assim como Adão e Eva, eles também acreditavam que o evento estava às portas, sem saber o que ainda estava para ocorrer entre a sua época e o esperado evento; do contrário, poderiam ter se desanimado de prosseguir em direção ao prêmio.

Isso pode ser ilustrado nos acontecimentos ocorridos antes de grandes descobertas. As pessoas que as fizeram estavam, sem saber, cumprindo o propósito de Deus; mas foram motivadas por ideias que nem sempre estavam em harmonia com as próprias teorias que as levaram à ação.

Efeitos de longo alcance das descobertas de Colombo

Montgomery, em seu livro *História Americana*,[1] comentando a respeito da teoria que levou Colombo a iniciar sua viagem e a executar seu plano de alcançar as Índias navegando para o oeste, relata:

> Colombo pensou que poderia aprimorar o projeto do Rei de Portugal. Ele tinha certeza de que havia um caminho melhor e mais curto, para se chegar às Índias, do que aquele traçado por Diaz. O plano do marinheiro genovês [Colombo] era tão ousado quanto original. Em vez de navegar para o leste, ou para o sul e depois para o leste, ele propôs que navegassem direto para o oeste. Acreditava possuir três boas e convincentes razões para um empreendimento dessa natureza: primeiro, de acordo com a melhor geografia de sua época, Colombo estava convencido de que a Terra não era plana, como a maioria supunha, mas redonda. Em segundo lugar, supunha ser o globo terrestre muito menor do que realmente é, sendo constituído, em sua maior parte, por terra, em vez de água. Em terceiro lugar, como não sabia ou sequer suspeitava da existência do continente americano ou do Oceano Pacífico, imaginou que a costa da Ásia ou as Índias eram diretamente opostas à Espanha e à costa ocidental da Europa. Estimou que a distância total até Cipango, ou o Japão, provavelmente não excederia os 6.400 quilômetros.
>
> Seu plano era o seguinte: começaria pela Europa; apontaria o navio para o oeste, na direção do Japão, e seguiria a curvatura do globo terrestre até chegar ao destino almejado. Para ele, o plano parecia tão seguro e simples quanto para uma mosca andar ao redor de uma maçã. Se fosse bem sucedido na expedição, teria uma imensa vantagem: entraria nas Índias diretamente pela porta de entrada, em vez de rodear por uma entrada lateral, como faziam os portugueses.
>
> Vemos que esse homem, que conhecia matemática prática, geografia e navegação tão bem quanto qualquer outro de sua época, estava certo quanto ao primeiro ponto – o formato da Terra – mas completamente errado quanto aos outros dois pontos.

Um feliz equívoco

Surpreendentemente, seus erros, de certa forma, o ajudaram. O equívoco com relação à distância foi o mais sortudo. Se Colombo tivesse calculado corretamente o tamanho da terra e a verdadeira duração da viagem, provavelmente não a empreenderia, pois logo veria que a rota proposta pelos portugueses era muito mais curta e econômica.

---

[1] David Henry Montgomery, *The Leading Facts of American History*, edição de 1902, p. 8 e 9.

Além disso, se imaginasse ou, de algum modo, previsse a existência do continente americano em seu trajeto, tal fato possivelmente o desanimaria quanto a iniciar uma viagem de descobrimento, já que seu objetivo não era encontrar um novo país, mas um novo caminho a um país já conhecido.

A grande esperança dos séculos

De modo semelhante, o povo de Deus tem mantido perante si, ao longo dos séculos, a esperança da vinda de Cristo como "âncora da alma, segura e firme" (Hebreus 6:19). Apesar de muitas vezes clamarem angustiados, em meio a tristezas e aflições, dizendo: "Quanto tempo haverá, Senhor, até que venha o livramento?", todavia, continuam avançando, e, como Paulo, declaram: "Pois quem é a nossa esperança, ou alegria, ou coroa em que exultamos, na presença de nosso Senhor Jesus em Sua vinda? Não sois vós?" (1 Tessalonicenses 2:19).

Paulo foi confortado pela esperança

Nesse contexto, será suficiente apresentarmos algumas ilustrações do conforto que essa esperança é capaz de proporcionar. Quando Paulo compareceu perante Félix, recebendo permissão para falar por si mesmo, afirmou:

> Porém confesso-te que, segundo o Caminho, a que chamam seita, assim eu sirvo ao Deus de nossos pais, acreditando em todas as coisas que estejam de acordo com a lei e nos escritos dos profetas, tendo esperança em Deus, como também estes a têm, de que haverá ressurreição, tanto de justos como de injustos (Atos 24:14 e 15).

Em seu hábil apelo, quando trazido perante Agripa, Paulo declarou:

> E, agora, estou sendo julgado por causa da esperança da promessa que por Deus foi feita a nossos pais, a qual as nossas doze tribos, servindo a Deus fervorosamente de noite e de dia, almejam alcançar; é no tocante a esta esperança, ó rei, que eu sou acusado pelos judeus. Por que se julga incrível entre vós que Deus ressuscite os mortos? (Atos 26:6-8).

Quando finalmente em Roma, para comparecer perante César, ele disse aos judeus: "Porque é pela esperança de Israel que estou preso com esta cadeia" (Atos 28:20).

Ele falou abertamente dessa esperança em sua carta a Tito:

> Porque a graça salvadora de Deus se há manifestado a todos os homens, Ensinando-nos que, renunciando à impiedade e às concupiscências mundanas, vivamos neste presente século sóbria, e justa, e piamente,

Aguardando a bem-aventurada esperança e o aparecimento da glória do grande Deus e nosso Senhor Jesus Cristo (Tito 2:11-13, ACF).

Pedro se alegrou na esperança

Pedro menciona a mesma esperança nas seguintes palavras:

Bendito o Deus e Pai de nosso Senhor Jesus Cristo, que, segundo a Sua muita misericórdia, nos regenerou para uma viva esperança, mediante a ressurreição de Jesus Cristo dentre os mortos, para uma herança incorruptível, sem mácula, imarcescível, reservada nos céus para vós outros que sois guardados pelo poder de Deus, mediante a fé, para a salvação preparada para revelar-se no último tempo. Nisso exultais, embora, no presente, por breve tempo, se necessário, sejais contristados por várias provações, para que, uma vez confirmado o valor da vossa fé, muito mais preciosa do que o ouro perecível, mesmo apurado por fogo, redunde em louvor, glória e honra na revelação de Jesus Cristo (1 Pedro 1:3-7).

O propósito de Deus na criação

As Escrituras revelam o propósito de Deus ao criar o mundo. Mediante a palavra profética, aprendemos sobre Seus planos quanto ao futuro:

Porque assim diz o Senhor, que criou os céus, o Deus que formou a terra, que a fez e a estabeleceu; que não a criou para ser um caos, mas para ser habitada (Isaías 45:18).

Deus criou a Terra e em seguida a entregou ao homem. Diz o salmista: "Os céus são os céus do Senhor, mas a terra, deu-a ele aos filhos dos homens" (Salmos 115:16). Mas no momento em que Deus entregou o planeta ao homem, este era fiel, conforme expressa o sábio Salomão: "Eis o que tão-somente achei: que Deus fez o homem reto, mas ele se meteu em muitas astúcias" (Eclesiastes 7:29).

Quanto ao modo de Deus lidar com a raça humana, lemos assim: "Quando o Altíssimo distribuía as heranças às nações, quando separava os filhos dos homens uns dos outros, fixou os limites dos povos, segundo o número dos filhos de Israel", ou seja, de acordo com o número do verdadeiro Israel que será finalmente ajuntado na terra, como súditos de Seu reino futuro. Paulo expressa o mesmo pensamento com as seguintes palavras:

Deus [...] de um só fez toda a raça humana para habitar sobre toda a face da terra, havendo fixado os tempos previamente estabelecidos e os limites da sua habitação; para buscarem a Deus se, porventura, tateando, O possam achar, bem que não está longe de cada um de nós; pois nEle vivemos, e nos movemos, e existimos (Atos 17:26-28).

Quando esse propósito original em relação à Terra for cumprido, "todos os do Teu povo serão justos" (Isaías 60:21). Novamente se afirma a respeito dos que estarão naquela condição: "Nenhum morador de Jerusalém dirá: Estou doente; porque ao povo que habita nela, perdoar-se-lhe-á a sua iniquidade" (Isaías 33:24). Aquele será o tempo em que "os mansos herdarão a terra e se deleitarão na abundância de paz" (Salmos 37:11).

A segunda vinda de Cristo não é uma fábula

Na segunda epístola de Pedro, lemos o seguinte:

> Porque não vos demos a conhecer o poder e a vinda de nosso Senhor Jesus Cristo seguindo fábulas engenhosamente inventadas, mas nós mesmos fomos testemunhas oculares da Sua majestade, pois Ele recebeu, da parte de Deus Pai, honra e glória, quando pela Glória Excelsa Lhe foi enviada a seguinte voz: Este é o Meu Filho amado, em quem Me comprazo. Ora, esta voz, vinda do céu, nós a ouvimos quando estávamos com Ele no monte santo. Temos, assim, tanto mais confirmada a palavra profética, e fazeis bem em atendê-la, como a uma candeia que brilha em lugar tenebroso, até que o dia clareie e a estrela da alva nasça em vosso coração (2 Pedro 1:16-19).

Nessa passagem, o apóstolo se refere à transfiguração no monte como prova da segunda vinda de Cristo. Antes daquela cena, nosso Salvador informou a seus apóstolos: "Em verdade vos digo que alguns há, dos que aqui se encontram, que de maneira nenhuma passarão pela morte até que vejam vir o Filho do Homem no Seu reino" (Mateus 16:28); e, conforme registrado por Lucas: "Verdadeiramente, vos digo: alguns há dos que aqui se encontram que, de maneira nenhuma, passarão pela morte até que vejam o reino de Deus" (Lucas 9:27).

Essa promessa foi cumprida literalmente no próprio evento da transfiguração. Nessa "visão" no monte, viram a Jesus glorificado, da forma como Ele aparecerá quando vier em Seu Reino. Viram Elias, que foi levado ao Céu sem experimentar a morte, representando aqueles que serão trasladados – sendo transformados de mortais em imortais – "num momento, num abrir e fechar de olhos", por ocasião da vinda do Senhor (1 Coríntios 15:52). Também viram Moisés, que havia passado pela morte, mas agora representava os que serão ressuscitados dentre os mortos para o encontro com o Senhor. Portanto, nessa "visão" os discípulos tiveram um vislumbre de Cristo vindo em Seu reino, conforme Sua promessa.

Profecias: a palavra confirmada

Embora os apóstolos tivessem presenciado essa gloriosa cena no monte da transfiguração, e ouvido a voz de aprovação de Deus, o apóstolo Pedro afirma: "Temos, assim, tanto mais confirmada a palavra profética" (2 Pedro 1:19). Com esta afirmação, ele não está desconsiderando o que tinham visto e ouvido naquela memorável ocasião da transfiguração. Ali, tinham ouvido a voz de Deus uma vez; mas nas grandes profecias, que se estendem até a segunda vinda de Cristo, a voz de Deus é repetida. De fato, toda clara predição profética cumprida, ou registrada na história, representa a voz de Deus falando a nós. É nesse sentido que a palavra da profecia é "mais segura" [*King James Version*]. A *Versão Revisada*[2] traduz como "confirmada". A profecia é confirmada por cada especificação cumprida. Cada evento predito, ao cumprir-se, é uma garantia de que os eventos restantes certamente ocorrerão.

Características da profecia

Os seguintes testemunhos com relação às características da profecia, apresentados por notáveis estudiosos da Bíblia, são bem convincentes. Thomas Newton declara:

> Profecia é história antecipada e resumida; história é profecia cumprida e expandida. Tem havido oráculos mentirosos no mundo, mas toda a perspicácia e malícia de homens e demônios não podem produzir profecias como as que encontramos nas Sagradas Escrituras.

Isaac Newton testificou que "dar ouvidos aos profetas é uma característica fundamental da igreja verdadeira".

O Dr. A. Keith afirma:

> Profecia é equivalente a qualquer milagre, e é em si mesma miraculosa. [...] Somente a voz da Onipotência poderia chamar do túmulo os mortos, somente a voz da Onisciência poderia contar o que está escondido num obscuro futuro, que para o homem é tão impenetrável quanto as mansões dos mortos – ambos os casos constituem a voz de Deus.

Matthew Henry comenta:

> No tempo de Deus, que é o melhor tempo, e à maneira de Deus, que é a melhor maneira, a profecia certamente se cumprirá. Cada palavra de Cristo é completamente pura e, portanto, totalmente confiável.

---

[2] A *Revised Version*, publicada em 1885, é a versão revisada da Bíblia *King James Version* em inglês.

O objetivo da profecia

Nas palavras de Cristo a Seus apóstolos, podemos descobrir um dos objetivos de Deus em conceder as profecias. Falando profeticamente do que aconteceria a Judas, disse Jesus: "Desde já vos digo, antes que aconteça, para que, quando acontecer, creiais que EU SOU" (João 13:19).

O Senhor também declara mediante o profeta Isaías:

> [...] Eu sou Deus, e não há outro; Eu sou Deus, e não há outro semelhante a Mim; que desde o princípio anuncio o que há de acontecer e desde a antiguidade, as coisas que ainda não sucederam; que digo: o Meu conselho permanecerá de pé, farei toda a Minha vontade (Isaías 46:9 e 10).

E ainda:

> As primeiras coisas, desde a antiguidade, as anunciei; sim, pronunciou-as a Minha boca, e Eu as fiz ouvir; de repente agi, e elas se cumpriram. [...] Por isso to anunciei desde aquele tempo e to dei a conhecer antes que acontecesse, para que não dissesses: O meu ídolo fez estas coisas; ou: A minha imagem de escultura e a fundição as ordenaram. Já o tens ouvido; olha para tudo isto; porventura, não o admites? Desde agora te faço ouvir coisas novas e ocultas, que não conhecias. Apareceram agora e não há muito, e antes deste dia delas não ouviste, para que não digas: Eis que já o sabia (Isaías 48:3, 5-7).

Nessas palavras, a força do cumprimento profético é apresentada como prova da origem divina das profecias, pois demonstra que o poder do Senhor é maior que todos os deuses pagãos. Esses versos também mostram que a profecia ocupa um lugar muito importante na Palavra da verdade. Sendo assim, é realmente estranho que tão pouca atenção seja dada ao estudo das porções proféticas das Escrituras Sagradas.

A profecia não está selada

Os incultos dizem que são ignorantes e que, portanto, não podem entender as profecias. Por outro lado, muitos dentre os instruídos, e mesmo alguns dentre os ministros, afirmam: "As profecias estão seladas e não podem ser compreendidas. Todos sabemos que o livro do Apocalipse é um livro selado".

No Apocalipse, o amado João recebeu uma ordem especial para não selar o livro (Apocalipse 22:10). Nesse mesmo livro, é também pronunciada uma benção sobre "aqueles que leem e aqueles que ouvem as palavras da profecia e *guardam* as coisas nela escritas" (Apocalipse 1:3, grifo nosso). Como poderia o conteúdo de um livro selado ser *guardado* [ou observado] se não pudesse sequer ser compreendido? O Senhor, por intermédio de Moisés, declarou:

> As coisas encobertas pertencem ao Senhor, nosso Deus, porém as reveladas nos pertencem, a nós e a nossos filhos, para sempre, para que cumpramos todas as palavras desta lei (Deuteronômio 29:29).

Nas palavras de Cristo aos discípulos, fica evidente que o Senhor planejou que as profecias de Daniel fossem compreendidas. Está escrito assim: "Quando, pois, virdes o abominável da desolação de que falou o profeta Daniel, no lugar santo (quem lê entenda)" (Mateus 24:15). Isso significa literalmente: "Entendam as profecias de Daniel".

O Senhor expõe a falácia dos que afirmam que as profecias não podem ser entendidas nas seguintes palavras:

> Toda visão já se vos tornou como as palavras de um livro selado, que se dá ao que sabe ler, dizendo: Lê isto, peço-te; e ele responde: Não posso, porque está selado; e dá-se o livro ao que não sabe ler, dizendo: Lê isto, peço-te; e ele responde: Não sei ler. O Senhor disse: Visto que este povo se aproxima de Mim e com a sua boca e com os seus lábios Me honra, mas o seu coração está longe de Mim, e o seu temor para comigo consiste só em mandamentos de homens, que maquinalmente aprendeu, continuarei a fazer obra maravilhosa no meio deste povo; sim, obra maravilhosa e um portento; de maneira que a sabedoria dos seus sábios perecerá, e a prudência dos seus prudentes se esconderá (Isaías 29:11-14).

Tivesse o povo, a quem o profeta se refere, seguido as seguras palavras da profecia, não precisaria ter se afastado da lei de Deus, substituindo-a por preceitos e mandamentos de homens.

A profecia não é de interpretação pessoal

Não é pelo fato de a profecia possuir significados profundos, ocultos e misteriosos que tantos falham em compreendê-la. A esse respeito, o apóstolo Pedro declarou:

> Sabendo primeiramente isto: que nenhuma profecia da Escritura é de particular interpretação. Porque a profecia nunca foi produzida por vontade de homem algum, mas os homens santos de Deus falaram inspirados pelo Espírito Santo (2 Pedro 1:20 e 21, ACF).

Desse verso, claramente se percebe que o item essencial para a compreensão da profecia é receber o Espírito que falou por meio dos profetas. Sobre esse Espírito, prometido a todos os que O buscam, está escrito: "Ele vos guiará a toda a verdade" (João 16:13).

O cumprimento profético

Ao estudarmos as profecias, precisamos manter em mente certos fatos: Deus, o Ser infalível, é o autor da profecia. Quando chegar o tempo para o cumprimento de uma predição, esse evento vai ocorrer. Em outras palavras, quando o Senhor determina o tempo em que algo irá acontecer, visto ter Ele o poder de prever tudo o que o homem faz, quando esse tempo chegar, o verdadeiro cumprimento da profecia acontece. Sendo assim, um falso cumprimento da profecia no tempo determinado para o verdadeiro cumprimento é uma impossibilidade. Em harmonia com essa suposição básica, podemos dizer que, quando chega o tempo de Deus para ser transmitida ao mundo a mensagem da verdade, tal mensagem sempre se propaga.

Certa ocasião, após um sermão que preguei sobre o cumprimento das profecias, um senhor incrédulo, presente na plateia, veio à frente e disse: "Preciso parabenizar vocês, intérpretes das profecias, como pessoas realmente sortudas. Em seu estudo da história, vocês parecem facilmente encontrar algo que se encaixe perfeitamente com a profecia". "Sim", foi nossa resposta, "encaixa porque foi feito para encaixar. Se você fosse a uma loja de luvas para comprar um par, você esperaria encontrar alguma que se encaixasse em suas mãos?". Ele respondeu "É claro que eu esperaria, porque elas foram feitas para encaixar". "Então", disse eu, "Deus, sabendo exatamente o que os homens fariam, fez predições a seu respeito, e quando esses homens entraram em cena, fazendo as coisas preditas, os verdadeiros historiadores registraram suas ações, que se encaixam perfeitamente com as predições feitas".

Profecia: uma luz na escuridão

O apóstolo Pedro diz que deveríamos dar ouvidos à profecia como a uma luz brilhando em um lugar escuro. Sem a lâmpada da profecia, o futuro seria totalmente obscuro. O propósito da luz é dissipar as trevas quando se passa por lugares escuros, e revelar claramente o caminho para que o viajante possa, passo a passo, avistar o trajeto e ser capaz de escolher o caminho a seguir. Declara o salmista: "Lâmpada para os meus pés é a Tua palavra e, luz para os meus caminhos" (Salmos 119:105). O sábio diz: "Mas a vereda dos justos é como a luz da aurora, que vai brilhando mais e mais até ser dia perfeito" (Provérbios 4:18). Assim, ao avançarmos no tempo, vemos que a Palavra de Deus, especialmente em seus cumprimentos proféticos, se abrirá mais e mais, deixando cada vez mais claro, ao estudioso da Bíblia, que ele está no caminho que conduz à luz e ao dia eterno.

Três eventos marcantes desde o Éden até o fim

Se considerarmos, à luz das Escrituras, o caminho trilhado pelo povo de Deus desde o Éden até o fim, veremos três eventos que se destacam de modo especial. O primeiro deles é a primeira vinda de Cristo – a encarnação, a vinda de Emanuel, Deus manifesto na carne. O segundo evento é a grande Reforma Protestante, ocorrida após a Idade das Trevas – também conhecida como Idade Média, um período de 1.260 anos de opressão em que o povo quase não teve acesso à Palavra de Deus. Com a reforma, a igreja saiu de sua fase no deserto e a Bíblia se tornou acessível, o que permitiu que todos a lessem e conhecessem a vontade de Deus. O terceiro evento é a segunda vinda de Cristo, para introduzir a restauração de todas as coisas, da qual falaram Seus santos profetas desde o princípio do mundo. Este último evento encerrará o "conflito dos séculos", conflito entre o pecado e a justiça, e dará início à era de glória para a qual todas as outras eras apontavam.

A profecia demarca o caminho para o fim

Ao darmos ouvidos à palavra profética, que revela o caminho certo como uma luz a guiar nossos passos em meio à escuridão, encontraremos claramente traçado em suas linhas o percurso que vem desde o princípio até a segunda vinda de Cristo. Assim, aqueles que seguem de perto a luz profética não apenas identificarão os sinais e símbolos que revelam que o grande dia está próximo, mas também reconhecerão a obra de Deus, que avança firmemente com verdades destinadas a preparar um povo para encontrá-Lo em paz em Sua vinda.

Ao mesmo tempo em que as Escrituras declaram que o dia do Senhor virá sobre as multidões como "um ladrão à noite" (1 Tessalonicenses 5:2; 2 Pedro 3:10), elas também falam a respeito dos que permanecem no conselho do Senhor: "Mas vós, irmãos, não estais em trevas, para que esse Dia como ladrão vos apanhe de surpresa; porquanto vós todos sois filhos da luz e filhos do dia" (1 Tessalonicenses 5:4 e 5)

Lembrar da direção do Senhor

Ao lembrarmos de como Deus dirigiu o movimento adventista, é importante notarmos que sempre foi Seu desígnio que o povo se lembrasse das manifestações de Sua providência e de Seu poder em favor deles. Descrevendo as razões da apostasia de Israel, o salmista declara:

> Esqueceram-se de Deus, seu Salvador, que, no Egito, fizera coisas portentosas, maravilhas na terra de Cam, tremendos feitos no mar Vermelho (Salmos 106:21 e 22).

Se era essencial que o povo de Israel lembrasse de como Deus os dirigiu, não seria também para nós? Com grande ânimo o salmista afirmou novamente: "Bendize, ó minha alma, ao Senhor, e não te esqueças de nem um só de Seus benefícios" (Salmos 103:2).

Em todas as épocas, o Senhor, por Sua graça, tem enviado importantes verdades, planejadas para libertar um povo da escravidão do pecado, e prepará-lo para entrar na Canaã celestial. Será muito proveitoso considerar o procedimento de Deus para com aqueles que têm proclamado essas verdades.

Grandes resultados decorrentes de pequenos instrumentos – O testemunho de D'Aubigné

D'Aubigné, em seu livro *História da Reforma*, escreve:

> Deus, que prepara Sua obra ao longo das eras, em Seu próprio tempo a executa mediante os mais frágeis instrumentos. Alcançar grandes resultados por meio de pequenos instrumentos, esta é a lei de Deus. Essa lei, que prevalece em toda a natureza, também é encontrada na história (*História da Reforma,* livro 2, cap. 1, paragrafo 1).

Em tempos antigos, Deus começou a separar um povo especial a fim de estabelecê-lo como nação peculiar para Si mesmo, ao chamar um homem – Abraão – que habitava entre os pagãos, em Ur dos Caldeus. Dele nasceu uma numerosa descendência. Quando esta foi exaltada à posição de nação, Deus declarou a seu respeito:

> Não vos teve o Senhor afeição, nem vos escolheu porque fôsseis mais numerosos do que qualquer povo, pois éreis o menor de todos os povos (Deuteronômio 7:7).

Posteriormente, ao livrar Seu povo da escravidão do Egito, Deus escolheu como líder alguém que, em sua infância, fora escondido por três meses na casa de sua mãe, colocado em seguida num cesto rústico e humilde, feito de junco e coberto com piche, o qual foi entregue aos cuidados do Rio Nilo. Porém, este mesmo Moisés, chegando à maturidade, escolheu sofrer humildemente com o povo de Deus em vez de "por um pouco de tempo ter o gozo do pecado" (Hebreus 11:25, ACF).

A vitória de Gideão

Mais tarde, visando livrar Israel dos midianitas e amalequitas, que, "como gafanhotos" (Juízes 6:5), destruíam os frutos da terra "e não deixavam em Israel sustento algum, nem ovelhas, nem bois, nem jumentos" (Juízes 6:4), o Senhor enviou um anjo a Gideão. Esse filho de Joás empobreceu a tal ponto de debulhar um pouquinho de trigo e escondê-lo de seus inimigos. Quando o anjo o avisou de que deveria livrar Israel, Gideão perguntou espantado: "Ai, Senhor meu, com que livrarei Israel? Eis que a minha família é a mais pobre em Manassés, e eu, o menor na casa de meu pai" (Juízes 6:15). Esse mesmo homem, pobre e humilde, saiu com trezentos homens, com meros jarros e tochas – o que pareceria tolice aos olhos humanos –, e fazendo de Deus a sua força, alcançou grande vitória. Antes do livramento, é possível que Gideão tenha se lamentado como o profeta Amós, que questionou: "Como subsistirá Jacó? Pois ele é pequeno" (Amós 7:2).

O Bebê na manjedoura

No tempo determinado por Deus, nasceu o Salvador da humanidade. Os pastores O encontraram deitado em uma manjedoura. Sua família terrestre tinha ocupações humildes, porém honestas. O Salvador disse o seguinte a respeito de Sua pobreza aqui na Terra: "As raposas têm seus covis, e as aves do céu, ninhos, mas o Filho do homem não tem onde reclinar a cabeça" (Mateus 8:20). Ele escolheu Seus apóstolos "dentre uma classe social inferior, que não era a mais pobre, mas não chegava ao nível da classe média. Assim foi para que se manifestasse ao mundo que o trabalho não era de homens, mas de Deus".

Não foram chamados muitos sábios

Falando da obra nos dias da igreja primitiva, Paulo declara:

> Porque a loucura de Deus é mais sábia do que os homens; e a fraqueza de Deus é mais forte do que os homens. Irmãos, reparai, pois, na vossa vocação; visto que não foram chamados muitos sábios segundo a carne, nem muitos poderosos, nem muitos de nobre nascimento. Pelo contrário, Deus escolheu as coisas loucas do mundo para envergonhar os sábios e escolheu as coisas fracas do mundo para envergonhar as fortes. E Deus escolheu as coisas humildes do mundo, e as desprezadas, e aquelas que não são, para reduzir a nada as que são; a fim de que ninguém se vanglorie na presença de Deus (1 Coríntios 1:25-29).

Homens humildes na Reforma protestante

Encontramos esse mesmo princípio exemplificado na vida dos grandes reformadores do século 16. Diz o historiador:

> O reformador Zuínglio emergiu de uma choupana de pastores nos Alpes; Melanchton, o teólogo da Reforma, de uma loja de armeiro; e Lutero, da cabana de um pobre mineiro.

Lutero disse a respeito de si mesmo:

> Meus pais eram muito pobres. Meu pai era um pobre lenhador (depois se tornou mineiro) e minha mãe frequentemente carregava madeira nas costas a fim de conseguir meios para criar os filhos. Eles suportaram os mais árduos trabalhos em nosso favor.

Escrevendo sobre o chamado para servir ao Senhor, o apóstolo Tiago declarou:

> Ouvi, meus amados irmãos: Não escolheu Deus os que para o mundo são pobres, para serem ricos em fé e herdeiros do reino que Ele prometeu aos que O amam? (Tiago 2:5).

Os primeiros Metodistas

Ao examinarmos o avanço da obra dos reformadores até chegar aos primeiros dias do metodismo, tempo em que a doutrina da livre graça era assiduamente pregada, percebemos que esta foi acompanhada pelo poder de Deus. Ao ser ela fielmente exposta ao povo, com a ternura e o amor de Cristo, e acolhida por viva fé, os crentes não somente encontravam remissão de pecados passados, mas um poder santificador para viver uma vida santa. O metodismo teve começo humilde e foi abençoado segundo a fé e sincera confiança tanto de ministros como de leigos.

Ao recordar os incidentes e experiências ligadas ao movimento do advento, como se dá em toda obra do Senhor em que o homem é agente, descobrimos que esse movimento se originou entre os pobres e desconhecidos; no entanto, que ninguém se decida contra ele por esse motivo, sem examinar cuidadosamente as evidências que sustentaram essa grande obra, a não ser que queira ser encontrado entre aqueles a quem o Senhor perguntará: "Pois quem despreza o dia dos humildes começos?" (Zacarias 4:10).

A réplica de Eck a Lutero

Para beneficiar os que decidem se um ponto doutrinário é correto ou incorreto com base no número de pessoas que o aceitam, citamos, em parte, a controvérsia entre Lutero e Eck. Ao Lutero se posicionar a favor das Escrituras, ousando questionar o direito de as pessoas valorizarem as próprias opiniões acima da Palavra de Deus, Eck retrucou com ironia:

> Estou surpreso com a humildade e modéstia com as quais o respeitável Doutor se encarrega de se opor, sozinho, a tantos pais ilustres, e pretende saber mais que os soberanos pontífices, os concílios, os doutores e as universidades! [...] Seria surpreendente, sem dúvida, que Deus tivesse escondido a verdade de tantos santos e mártires até que chegasse o reverendo Padre.

Essa réplica poderia muito bem ser confrontada com a resposta apresentada por Zuínglio a John Faber, em Zurique. Após Faber expressar seu

> espanto diante da situação a que as coisas chegaram, quando costumes antigos, que duraram por 12 séculos, foram esquecidos, deduzindo-se claramente que a cristandade havia estado em erro por 14 séculos,

Zuínglio rapidamente respondeu que

> o erro não era menos erro devido ao fato de nele se crer por 14 séculos; e que, na adoração a Deus, a antiguidade dos costumes não representava nada, a não ser que pudesse ser encontrado fundamento ou autorização para eles nas Escrituras Sagradas.[3]

Palavra de Deus X sabedoria humana

O perigo de apoiar-se em opiniões de homens, em vez de determinar "O que é a verdade?" pela Palavra de Deus, é claramente descrito pelo profeta Oséias com as seguintes palavras: "Arastes a malícia, colhestes a perversidade; comestes o fruto da mentira, porque confiastes nos vossos carros e na multidão dos vossos valentes" (Oséias 10:13). A tendência do coração humano sempre foi confiar no homem. Contudo, ao nos aproximarmos do tempo em que o Senhor irá "se levantar para espantar a terra", o profeta Isaías exorta: "Afastai-vos, pois, do homem cujo fôlego está no seu nariz. Pois em que é ele estimado?" (Isaías 2:21 e 22).

Sendo assim advertidos nas Escrituras com relação ao risco que corremos, que ninguém condene precipitadamente o movimento do advento, como se fosse indigno de consideração devido a seu humilde começo, ou porque os chamados *grandes* aos olhos do mundo não abraçaram essa causa. Pelo contrário, que todos pesem cuidadosamente suas declarações. A verdade possui valor inestimável. Comparadas a ela, meras opiniões humanas não passam de palha, destituídas de qualquer valor.

---

[3] James Wylie, *História do Protestantismo*, cap. 12, par. 16, 17; Edição Cassel, p. 458.

Capítulo 2

O Plano da Salvação Desdobrado

"A esperança que se adia faz adoecer o coração, mas o desejo cumprido é árvore de vida" (Provérbios 13:12).

"Pois assim diz o Senhor dos Exércitos: Ainda uma vez, dentro em pouco, farei abalar o céu, a terra, o mar e a terra seca; farei abalar todas as nações, e as coisas preciosas de todas as nações virão, e encherei de glória esta casa, diz o Senhor dos Exércitos" (Ageu 2:6, 7).

Desde o tempo em que Adão foi banido do jardim do Éden e da árvore da vida, as palavras dirigidas a Satanás a respeito da semente da mulher – "Este te ferirá a cabeça"(Gênesis 3:15) – têm alimentado a esperança de que o mal finalmente será derrotado e seus astutos projetos destruídos, e de que seremos restaurados à árvore da vida. Foi assim que o Esperado – a Semente prometida – Se tornou o "Desejado de todas as nações".

Na citação de Ageu, mencionada acima, parece que a vinda desse Desejado está ligada com o tempo em que o Senhor abalará os céus e a Terra. Paulo, escrevendo aos Hebreus, coloca esse acontecimento no futuro ao afirmar:

> Ainda uma vez por todas, farei abalar não só a terra, mas também o céu. Ora, esta palavra: ainda uma vez por todas significa a remoção dessas coisas abaladas, como tinham sido feitas, para que as coisas que não são abaladas permaneçam. Por isso, recebendo nós um reino inabalável, retenhamos a graça, pela qual sirvamos a Deus de modo agradável, com reverência e santo temor (Hebreus 12:26-28).

Essa linguagem, referente ao abalo ainda por vir, parece colocá-lo em íntima ligação com o estabelecimento final do reino de Deus por meio de Cristo – a Semente prometida, o "Desejado de todas as nações".

A restauração que será realizada por Cristo pode ser claramente conhecida, nestes últimos dias, por todos os que têm a totalidade da Bíblia aberta diante de si. Não era assim com os antigos. A palavra do Senhor veio a eles "preceito sobre preceito, preceito e mais preceito; regra sobre regra, regra e mais regra; um pouco aqui, um pouco ali" (Isaías 28:13). Naquela época, a revelação do plano da salvação era semelhante à vereda dos justos, comparada com "a luz da aurora, que vai brilhando mais e mais até ser dia perfeito" (Provérbios 4:18). É de grande interesse, portanto, que estudemos brevemente o desdobramento gradual desse plano de Deus ao Seu antigo povo.

A princípio, a demora não foi revelada

O Senhor não lhes pospôs a esperança de imediato, revelando-lhes que se passariam centenas de anos até a vinda da Semente prometida; isso lhes entristeceria o coração. Podemos deduzir a partir do relato que lhes foi permitido pensar que a primeira criança nascida seria a Semente, e que, de alguma maneira, o Éden seria logo restaurado e novamente teriam acesso à árvore da vida. Quando Caim nasceu, Eva exclamou: "Adquiri um varão com o auxílio do Senhor". Alguns eruditos da língua hebraica defendem que, traduzido de forma fiel, o texto diria: "Adquiri um varão: o Senhor". Ou seja, aqui está a Semente que realizará o tremendo feito de derrotar Satanás. Não há registro de que Eva tenha pronunciado algo parecido por ocasião do nascimento de Abel. Ela naturalmente poderia e deveria supor que seria no primogênito que a promessa se cumpriria. Suas esperanças devem ter diminuído, ou mesmo morrido, ao ser-lhe revelado o caráter de Caim e ao testemunhar a conduta perversa que o levou a matar o irmão. Seguramente, antes de Abel ser assassinado, a família deve ter recebido luz e conhecimento a respeito do sacrifício futuro a ser feito em seu favor. Foi por essa razão que Abel, divinamente instruído, trouxe como oferta um cordeiro do seu rebanho, ao passo que Caim, que recebera as mesmas instruções que o irmão, trouxe uma oferta dos frutos da terra e a misturou com o espírito de ira e ciúmes. A oferta de Abel foi mais aceitável que a de Caim, pois foi feita "pela fé". Comentando sobre a influência positiva da fé de Abel, Paulo escreve: "mesmo depois de morto, [ele] ainda fala" (Hebreus 11:4).

Seria Sete a Semente prometida?

Após a morte de Abel, Sete nasceu, revivendo então a esperança. Eva declarou: "Deus me concedeu outro descendente em lugar de Abel, que Caim matou" (Gênesis 4:25). Mais tarde, Sete foi incluído na linhagem dos descendentes de Adão (ver Gênesis 5:3), ao passo que Caim, o verdadeiro primogênito, não entrou na genealogia. Eva muito provavelmente supôs que Sete era agora a Semente prometida. O registro bíblico relata que, depois do nascimento de Sete, os homens passaram a chamar-se pelo nome do Senhor.[4] Talvez agiram assim supondo que Sete seria o governante final – o Senhor – que derrotaria o domínio usurpado por Satanás.

Esperança centralizada em Noé

No breve registro de eventos entre a época de Adão e o nascimento de Noé, pouco além da genealogia da raça humana está registrado. Com o nascimento de Noé ("o justo"), a esperança brotou novamente. As pessoas exclamaram: "Este nos consolará dos nossos trabalhos e das fadigas de nossas mãos, nesta terra que o Senhor amaldiçoou" (Gênesis 5:29). A Bíblia não declara o modo pelo qual esperavam receber esse conforto; mas entretinham a esperança de que a maldição da terra seria, de alguma forma, atenuada. Não lhes foi revelada então a grande maldade que existiria nos dias de Noé, nem que as pessoas encheriam a Terra de tanto pecado e violência que a raça seria varrida do planeta por um dilúvio, com apenas Noé e sua família escapando da destruição. Tampouco lhes foi revelado o fato de que, por 120 anos, ele iria advertir o mundo de sua iminente destruição.

Babel é construída

Após o dilúvio, Noé instruiu o povo a repovoar a Terra. Mas ao começarem a se multiplicar, rejeitaram o plano do Senhor de governá-los. Ninrode estabeleceu o reino de Babel – posteriormente chamado de Babilônia, o primeiro dos governos terrestres (Gênesis 9:1; 10:9, 10). Pouco tempo depois, começaram a edificar a torre de Babel, tendo em vista construir para si mesmos um nome e impedir que fossem espalhados pela face da terra – justamente o oposto daquilo que o Senhor lhes havia ordenado por intermédio de Noé. Ao invés de esperarem pacientemente pelo cumprimento dos propósitos de Deus, tomaram o assunto em suas próprias mãos. A consequência foi que Deus lhes confundiu a linguagem e os espalhou.

Abraão: o herdeiro do mundo

Acompanhando o registro, até chegar ao décimo descendente de Noé, nos deparamos com o chamado de Abraão. Deus lhe disse:

> Porque toda essa terra que vês, Eu ta darei, a ti e à tua descendência, para sempre. Farei a tua descendência como o pó da terra; de maneira

---

4   Ver texto alternativo na margem da KJV sobre Gênesis 4:26.

que, se alguém puder contar o pó da terra, então se contará também a tua descendência. Levanta-te, percorre essa terra no seu comprimento e na sua largura; porque Eu ta darei (Gênesis 13:15-17).

Apesar de Abraão receber a promessa de que possuiria a terra, foi-lhe assegurado que ele morreria. Paulo declara que Abraão saiu "a fim de ir para um lugar que devia receber por herança" (Hebreus 11:8). O cumprimento da promessa da Semente foi, sem dúvida, esclarecido a Abraão em visão proveniente de Deus, pois ele "aguardava a cidade que tem fundamentos, da qual Deus é o arquiteto e edificador" (Hebreus 11:10). Em Romanos 4:13, declara-se que a promessa era que ele seria "herdeiro do mundo", não no estado em que este se encontrava, mas em algum momento após sua ressurreição.

Do ponto de vista humano, Abraão não podia compreender de que forma a Semente prometida poderia surgir de sua própria descendência. Portanto, sugeriu que Eliézer, seu mordomo, fosse escolhido como a Semente. Deus lhe disse, porém: Não será assim, "mas aquele que será gerado de ti será o teu herdeiro" (Gênesis 15:4). O Senhor agora passa a lhe revelar que a obra final da Semente não se completaria de forma imediata. Disse então a Abraão:

> Sabe, com certeza, que a tua posteridade será peregrina em terra alheia, e será reduzida à escravidão, e será afligida por quatrocentos anos. [...] E tu irás para os teus pais em paz; serás sepultado em ditosa velhice (Gênesis 15:13-15).

A própria esposa de Abraão propôs um plano precipitado para apressar o cumprimento da promessa. Contudo, após o nascimento de Isaque, o verdadeiro filho de Abraão com Sara, sua legítima esposa, o Senhor falou a respeito de Ismael e sua mãe Agar: "rejeita essa escrava e seu filho" (Gênesis 21:10).

No teste de fé a que foi submetido, o de oferecer Isaque sobre o altar, Abraão aprendeu uma lição acerca da ressurreição dos mortos. Dele se diz:

> Considerou que Deus era poderoso até para ressuscitá-lo [a Isaque] dentre os mortos, de onde também, figuradamente, o recobrou (Hebreus 11:19).

A verdadeira Semente

Certa vez, Abraão foi instruído de que a Semente verdadeira, por meio da qual todas as nações seriam abençoadas, embora fosse seu descendente segundo a carne, seria, em realidade, o Cristo de Deus, pois o

Senhor não lhe disse: "descendentes, como se falando de muitos, porém como de um só: E ao teu descendente, que é Cristo" (Gálatas 3:16). A esse respeito, o apóstolo Paulo declarou: "Ora, tendo a Escritura previsto que Deus justificaria pela fé os gentios, preanunciou o evangelho a Abraão: Em ti, serão abençoados todos os povos" (Gálatas 3:8). A promessa a Abraão foi renovada a Isaque e a sua descendência (Gênesis 28:13), e, posteriormente, a Jacó.

Como Jacó teve doze filhos, a pergunta naturalmente poderia ser feita: por qual deles seria traçada a linhagem da Semente verdadeira? No testemunho inspirado, proferido por Jacó a respeito de seus filhos, encontramos a resposta: "O cetro não se arredará de Judá, nem o bastão de entre seus pés, até que venha Siló; e a ele obedecerão os povos" (Gênesis 49:10). Em cumprimento dessa profecia, é importante ressaltar que os Israelitas tiveram a permissão de possuir seu Sinédrio, mesmo quando subjugados por outras nações. Assim, Judá – a tribo dos judeus – tinha voz em seu governo até Siló (Cristo) chegar de fato.

O tempo havia sido encoberto

Os patriarcas possuíam algum conhecimento sobre a restauração e vinda da Semente prometida. Não lhes foi revelado, contudo, precisamente quando ou quanto tempo passaria até Sua vinda. Quando a posteridade de Jacó começou a se multiplicar no Egito, e o Faraó-Assírio (Isaías 52:4) que "não conhecia a José" (Êxodo 1:8; Atos 7:18) passou a oprimi-los, suas mentes naturalmente se voltaram à promessa feita a Abraão de que sofreriam aflições e permaneceriam temporariamente como estrangeiros durante 400 anos (efetivamente 430), esperando que sua libertação introduziria a herança prometida.

Após o nascimento de Moisés, seus pais perceberam que "a criança era formosa" (Hebreus 11:23). Provavelmente, foi-lhes revelado que, pelo poder de Deus, ele de alguma forma libertaria Israel da cruel servidão. Esse conhecimento foi sem dúvida comunicado a Moisés, pois, aos 40 anos de idade, este decidiu permanecer ao lado dos oprimidos israelitas e sofrer suas aflições, em vez de ser chamado filho da filha de Faraó e herdeiro do trono egípcio.[5] Quando ele começou a pleitear a causa de seu povo, a ponto de matar um egípcio, surpreendeu-se de que não reconhecessem sua missão, já que "cuidava que seus irmãos entenderiam que Deus os queria salvar por intermédio dele" (Atos 7:25).

---

[5] Ver *Antiguidades dos Judeus*, escrito por Flávio Josefo, Livro 2, cap. 9, par. 7; Ellen G. White, *Spiritual Gifts*, Vol. 1, p. 162-164.

Ao chegar o tempo determinado por Deus para que os israelitas saíssem do Egito, eles partiram, e isso no dia exato (Êxodo 12:40, 41). Moisés não poderia ser considerado como o último governador, nem como a Semente a quem se fizera a promessa, pois ele era da tribo de Levi. Além disso, não havia sido dito por Jacó, em sua predição inspirada, que Judá lhes governaria até que viesse Siló?

"Eu O verei, mas não agora"

Quando os israelitas estavam a caminho de Canaã, Balaque, rei de Moabe (descendente de Ló), pediu que Balaão amaldiçoasse Israel. Deus, porém, transformou sua maldição em benção. Tal bênção trouxe luz adicional, pois mostrou que o livramento final da usurpação de Satanás não ocorreria imediatamente após entrarem em Canaã. Sobre esse assunto, o relato das Escrituras informa que Balaão, em visão de Deus, declarou:

> Vê-Lo-ei, mas não agora, contemplá-Lo-ei, mas não de perto; uma estrela procederá de Jacó, de Israel subirá um cetro, que ferirá as têmporas de Moabe, e destruirá todos os filhos de Sete (Números 24:17).

Esta numerosa semente, nascida de Abraão, é mencionada por Paulo no seguinte contexto:

> Por isso, também de um, aliás já amortecido, saiu uma posteridade tão numerosa como as estrelas do céu e inumerável como a areia que está na praia do mar. Todos estes morreram na fé, sem ter obtido as promessas; vendo-as, porém, de longe, e saudando-as, e confessando que eram estrangeiros e peregrinos sobre a terra (Hebreus 11:12, 13).

O coração do povo de Israel não precisava desfalecer diante da predição de Balaão de que a consumação de sua esperança ocorreria "não agora", nem "perto", pois o Senhor, não muito antes dessa profecia, havia jurado por Sua própria vida que ela viria. Por meio de Moisés, Ele declarou: "Porém, tão certo como Eu vivo, toda a terra se encherá da glória do Senhor" (Números 14:21, KJV). Nos dias do profeta Habacuque, cerca de 863 anos depois, a mesma verdade foi reafirmada. Esta, porém, foi citada como um evento ainda futuro: "Pois a terra se encherá do conhecimento da glória do Senhor, como as águas cobrem o mar" (Habacuque 2:14).

Ritual do santuário: um tipo do verdadeiro

Quando o Senhor tirou Israel do Egito, proclamou Sua lei moral aos ouvidos de todo o acampamento e deu-lhes uma cópia escrita em pedra por Seu próprio dedo, de modo que pudessem ser continuamente direcionados àquele Salvador que Se sacrificaria em favor deles. Ora, a fim de serem purificados de seus pecados mediante Seu precioso sangue, ordenou-lhes que construíssem um santuário no deserto. Moisés foi exortado a construí-lo exatamente conforme o padrão mostrado pelo Senhor no monte (Êxodo 25:40; 26:30; 27:8; Atos 7:44). O ritual desse santuário era uma sombra do verdadeiro ritual de Cristo no santuário celestial (Hebreus 8:3-5; 9:8-12). Enquanto o propósito de Deus, com as ofertas e sacrifícios do santuário, era apresentar aos homens uma sombra dos "bens futuros" (Hebreus 10:1), o esforço de Satanás era o de levar as pessoas a se concentrar na oferta em si, o tipo, em vez de enxergarem nela Cristo e Seu efetivo sacrifício, o antítipo. Assim, Satanás procurou fazer que confiassem em suas próprias obras para a salvação.

Era o propósito do Senhor dirigir Seu povo – os israelitas –, em suas batalhas ao eles subjugarem as nações. Deus tinha Seu próprio método de governo, evidenciado no seguinte texto:

> E destruindo a sete nações na terra de Canaã, por sorte lhes repartiu sua terra. E depois disto, quase quatrocentos e cinquenta anos lhes deu Juízes até o profeta Samuel (Atos 13:19, 20, Almeida antiga).

Israel clama por um rei

Os israelitas, evidentemente, não se agradaram do modo como o Senhor os governava. Contudo, o propósito e a vontade de Deus era que fossem um povo peculiar, distinto de todos os outros povos ao redor. Se houvessem seguido estritamente as instruções divinas, as nações falariam acerca deles:

> Este grande povo é gente sábia e inteligente. Pois que grande nação há que tenha deuses tão chegados a si como o Senhor, nosso Deus, todas as vezes que o invocamos? (Deuteronômio 4:6, 7).

Em sua insatisfação, pediram que Samuel instituísse sobre eles um rei. O Senhor disse então a Samuel: "[O povo] não te rejeitou a ti, mas a Mim, para Eu não reinar sobre ele" (1 Samuel 8:7). Novamente, disseram a Samuel num tom mais imperativo: "Constitui-nos, pois, agora, um rei sobre nós, para que nos governe, como o têm todas as nações" (1 Samuel 8:5). Diante disso, Samuel cuidadosamente lhes informou sobre a opressão que um rei lhes traria. O povo, porém,

> não atendeu à voz de Samuel e disse: Não! Mas teremos um rei sobre nós. Para que sejamos também como todas as nações; o nosso rei

poderá governar-nos, sair adiante de nós e fazer as nossas guerras (1 Samuel 8:19, 20).

Israel teve reis por cerca de 500 anos. No início, havia apenas um reino, sob o governo de Saul, Davi e Salomão. Após esse período, o reino se dividiu em dois, Israel e Judá. Poucos reis foram bons e justos. A maior parte deles era constituída de reis ímpios que levavam o povo à idolatria e a terríveis iniquidades. Dessa forma, o povo se tornou como as outras nações, não só no fato de ter um rei, mas também na perversidade, esquecendo-se do Deus de seus pais e adorando ídolos e as hostes do céu.

A respeito dessa forma de governo, o Senhor declarou pelo profeta Oséias:

> A tua ruína, ó Israel, vem de ti, e só de Mim, o teu socorro. Onde está, agora, o teu rei, para que te salve em todas as tuas cidades? E os teus juízes, dos quais disseste, Dá-me rei e príncipes? Dei-te um rei na Minha ira e to tirei no Meu furor (Oséias 13:9-11).

A ruína do reino

O governo por meio de reis continuou até que os Caldeus incendiaram Jerusalém, tomaram os utensílios do templo e levaram Judá cativo para Babilônia, onde permaneceu por 70 anos, como havia sido predito. Ao final desse período monárquico, o Senhor, por meio do profeta Ezequiel, disse a Zedequias, o último rei:

> E tu, ó profano e perverso, príncipe de Israel, cujo dia virá no tempo do seu castigo final; assim diz o Senhor Deus: Tira o diadema e remove a coroa; o que é já não será o mesmo; será exaltado o humilde [o rei de Babilônia] e abatido o soberbo [este tão autoexaltado rei da tribo de Judá]. Derribarei, derribarei, derribarei; e já não será, até que venha Aquele a quem ela pertence de direito; a Ele a darei (Ezequiel 21:25-27, ARA adaptado).

Este legítimo governante, a verdadeira Semente, é Cristo. Miquéias escreveu o seguinte a respeito dEle:

> A ti, ó torre do rebanho, monte da filha de Sião, a ti virá; sim, virá o primeiro domínio [domínio sobre a Terra, restaurado em Cristo], o reino da filha de Jerusalém (Miquéias 4:8).

Quando Israel perdeu o cetro, este passou às mãos do rei de Babilônia. Ao passarem sucessivamente sob o domínio da Media-Pérsia, Grécia e Roma, o reino foi por três vezes derrubado. No reinado de César Augusto, imperador de Roma, Cristo nasceu, o legítimo herdeiro do trono de Davi – a verdadeira Semente da mulher, de Abraão e de Davi – da forma como havia sido predito.

Para que o povo soubesse que seu legítimo Governador, a verdadeira Semente, era mais do que um homem mortal comum detentor de reino vitalício apenas temporário, o Senhor inspirou o salmista a escrever:

> Fá-lo-ei, por isso, Meu primogênito, o mais elevado entre os reis da terra. Conservar-Lhe-ei para sempre a Minha graça e, firme com Ele, a Minha aliança. Farei durar para sempre a Sua descendência; e, o Seu trono, como os dias do céu. A Sua posteridade durará para sempre, e o Seu trono, como o sol perante Mim. Ele será estabelecido para sempre como a lua e fiel como a testemunha no espaço (Salmos 89:27-29, 36, 37).

Isaías profetiza a respeito da vinda desse Soberano:

> Porque um menino nos nasceu, um filho se nos deu; o governo está sobre os Seus ombros; e o Seu nome será: Maravilhoso, Conselheiro, Deus Forte, Pai da Eternidade, Príncipe da Paz; para que se aumente o Seu governo, e venha paz sem fim sobre o trono de Davi e sobre o seu reino, para o estabelecer e o firmar mediante o juízo e a justiça, desde agora e para sempre. O zelo do Senhor dos Exércitos fará isto (Isaías 9:6, 7).

A trasladação de Enoque e Elias

Existem registros de pessoas da antiguidade que foram trasladadas para o Céu sem experimentar a morte. A respeito de Enoque, o sétimo depois de Adão, a Bíblia declara:

> Andou Enoque com Deus e já não era, porque Deus o tomou para Si (Gênesis 5:24).
> Pela fé, Enoque foi trasladado para não ver a morte; não foi achado, porque Deus o trasladara. Pois, antes da sua trasladação, obteve testemunho de haver agradado a Deus (Hebreus 11:5).

Novamente, enquanto Elias e Eliseu caminhavam juntos,

> indo eles andando e falando, eis que um carro de fogo, com cavalos de fogo, os separou um do outro; e Elias subiu ao céu num redemoinho. O que vendo Eliseu, clamou: Meu pai, meu pai, carros de Israel e seus cavaleiros! E nunca mais o viu (2 Reis 2:11, 12).

Enoque profetizou a respeito da vinda de Cristo como o juiz de toda a Terra nas seguintes palavras:

> Eis que veio o Senhor entre Suas santas miríades, para exercer juízo contra todos e para fazer convictos todos os ímpios, acerca de todas as obras ímpias que impiamente praticaram e acerca de todas

as palavras insolentes que ímpios pecadores proferiram contra Ele (Judas 1:14, 15).

Jó ensinou a respeito da vinda do Senhor

Jó, aparentemente contemporâneo de Moisés, tinha certo conhecimento a respeito da vinda de Cristo e da ressurreição, pois declarou:

> Quem me dera fossem agora escritas as minhas palavras! Quem me dera fossem gravadas em livro! Que, com pena de ferro e com chumbo, para sempre fossem esculpidas na rocha! Porque eu sei que o meu Redentor vive e por fim Se levantará sobre a terra. Depois, revestido este meu corpo da minha pele, em minha carne verei a Deus. Vê-Lo-ei por mim mesmo, os meus olhos O verão, e não outros (Jó 19:23-27).

Trono de Davi: trono do Senhor

O trono de Davi foi chamado de trono do Senhor. "Salomão assentou-se no trono do Senhor, rei, em lugar de Davi, seu pai" (1 Crônicas 29:23). O Senhor havia jurado a Davi

> que do fruto de seus lombos, segundo a carne, levantaria o Cristo, para O assentar sobre o seu trono. Nesta previsão, disse da ressurreição de Cristo, que a Sua alma não foi deixada no Hades, nem a Sua carne viu a corrupção (Atos 2:30, 31, ARC).

Posteriormente, é dito que Cristo, em Seu reino futuro, Se assentaria sobre o trono de Davi (ver Isaías 9:7). Lemos ainda:

> Os reis da terra se levantam, e os príncipes conspiram contra o Senhor e contra o Seu ungido. [...] Eu, porém, constituí o Meu Rei sobre o Meu santo monte Sião. Proclamarei o decreto do Senhor: Ele me disse: Tu és Meu Filho, Eu, hoje, Te gerei (Salmos 2:2, 6, 7).

Outra vez: "Disse o Senhor ao meu Senhor: Assenta-Te à Minha direita, até que Eu ponha os Teus inimigos debaixo dos Teus pés" (Salmos 110:1).

Os judeus ficaram perplexos

Esses textos deixaram os judeus perplexos. Havia neles um problema que não podiam resolver: Se Davi O chamou de Senhor, como então seria Ele seu filho? Como poderia ser Ele uma criança nascida da semente de Davi, e ainda assim ser Emanuel – Deus conosco? Todavia, Isaías, o próprio profeta deles, havia declarado: "Eis que a virgem conceberá e dará à luz um filho e lhe chamará Emanuel" (Isaías 7:14).

Cristo sabia como silenciar a capciosa objeção dos fariseus, e por isso lhes perguntou:

> Que pensais vós do Cristo? De quem é filho? Responderam-lhe eles: De Davi. Replicou-lhes Jesus: Como, pois, Davi, pelo Espírito, chama-lhe Senhor, dizendo: Disse o Senhor ao meu Senhor: Assenta-te à minha direita, até que eu ponha os teus inimigos debaixo dos teus pés? Se Davi, pois, lhe chama Senhor, como é ele seu filho? (Mateus 22:42-45).

Davi refere-se ao mesmo assunto no Salmo 45:6 e 7:

> O Teu trono, ó Deus, é para todo o sempre; cetro de equidade é o cetro do Teu reino. Amas a justiça e odeias a iniquidade; por isso, Deus, o Teu Deus, Te ungiu com o óleo de alegria, como a nenhum dos Teus companheiros.

Com esses textos em mente, o povo judeu tinha elevadas expectativas quanto ao caráter do futuro Soberano e Restaurador. E não poderia ser diferente.

O Descendente de origem divina

Descrições minuciosas haviam sido dadas sobre Cristo e Seu nascimento. O Senhor, por meio do profeta Miquéias, revelou Sua origem divina e até mesmo o pequeno vilarejo onde nasceria:

> E tu, Belém Efrata, pequena demais para figurar como grupo de milhares de Judá, de ti me sairá o que há de reinar em Israel, e cujas origens são desde os tempos antigos, desde os dias da eternidade (Miquéias 5:2).

A presença de Deus é manifesta no Shekinah e na nuvem

Mais adiante na história dos israelitas, quando Salomão terminou a construção do templo – considerado por ele extremamente "magnífico" –, o Shekinah da glória de Deus se manifestou entre os querubins sobre o propiciatório. O relato diz que, por ocasião da dedicação do templo, ao saírem os sacerdotes do lugar santo,

> uma nuvem encheu a casa do Senhor, de tal sorte que os sacerdotes não puderam permanecer ali, para ministrar, por causa da nuvem, porque a glória do Senhor enchera a Casa do Senhor (1 Reis 8:10, 11).

A presença do Senhor no templo foi manifestada perante os olhos do povo na nuvem de glória. Na ocasião, o Senhor respondeu à oração de

Salomão e disse-lhe: "Ouvi a tua oração e escolhi para Mim este lugar para casa do sacrifício" (2 Crônicas 7:12).

O povo pecou, entregando-se à idolatria, e, consequentemente, sua cidade e seu santuário ficaram em ruínas por 70 anos. Após o cativeiro, o templo foi reconstruído sob a mão de Zorobabel. Embora o segundo templo fosse inferior em esplendor àquele construído por Salomão, o Senhor, através de Seu profeta, declarou acerca dele: "A glória desta última casa será maior do que a da primeira, diz o Senhor dos Exércitos" (Ageu 2:9). Esta casa foi embelezada por Herodes e nela o Salvador ensinou. Na casa anterior, uma nuvem de glória representava o Senhor; mas a segunda casa recebeu o próprio Salvador, o Criador de todas as coisas.

O glorioso reino da raiz de Jessé

Nos dias de Isaías, suas visões proféticas a respeito dos gloriosos eventos ligados à redenção final certamente fortaleceram e encorajaram os que os aguardavam com ansiedade. Essas profecias traçavam a linhagem do aguardado Libertador da seguinte maneira:

> Do tronco de Jessé sairá um rebento, e das suas raízes, um renovo. Repousará sobre Ele o Espírito do Senhor, o Espírito de sabedoria e de entendimento, o Espírito de conselho e de fortaleza, o Espírito de conhecimento e de temor do Senhor. Deleitar-Se-á no temor do Senhor; não julgará segundo a vista dos Seus olhos, nem repreenderá segundo o ouvir dos Seus ouvidos; mas julgará com justiça os pobres e decidirá com equidade a favor dos mansos da terra; ferirá a terra com a vara de Sua boca e com o sopro dos Seus lábios matará o perverso (Isaías 11:1-4).

Os profetas ensinaram acerca da ressurreição

O profeta Isaías também ensinou a doutrina da ressurreição dos mortos por meio das seguintes palavras de conforto:

> O Senhor dos Exércitos dará neste monte a todos os povos um banquete de coisas gordurosas, uma festa com vinhos velhos, pratos gordurosos com tutanos e vinhos velhos bem clarificados. Destruirá neste monte a coberta que envolve todos os povos e o véu que está posto sobre todas as nações. Tragará a morte para sempre, e, assim, enxugará o Senhor Deus as lágrimas de todos os rostos, e tirará de toda a terra o opróbrio do Seu povo, porque o Senhor falou. Naquele dia, se dirá: Eis que este é o nosso Deus, em quem esperávamos, e Ele nos salvará; este é o Senhor, a quem aguardávamos; na Sua salvação exultaremos e nos alegraremos (Isaías 25:6-9).

O reino na Terra renovada

O mesmo profeta declara que haverá uma Terra renovada, na qual o reino final deverá ser estabelecido:

> Pois eis que Eu crio novos céus [céus atmosféricos] e nova terra; e não haverá lembrança das coisas passadas, jamais haverá memória delas. [no Hebraico, nem chegarão ao coração, isto é, não serão desejadas novamente]. Mas vós folgareis e exultareis perpetuamente no que Eu crio; porque eis que crio para Jerusalém alegria e para o seu povo, regozijo. E exultarei por causa de Jerusalém e Me alegrarei no Meu povo, e nunca mais se ouvirá nela nem voz de choro nem de clamor. Não haverá mais nela [depois da criação da nova Terra] criança para viver poucos dias [criança que tenha vivido pouco], nem velho que não cumpra os seus [velhice prematura]; porque morrer aos cem anos é morrer ainda jovem [nos dias em que os homens atingiam os novecentos anos, crianças poderiam ter cem anos], e quem pecar só aos cem anos [em anos posteriores em que a vida total era de cem anos] será amaldiçoado. [Os que morrem quando a nova terra é estabelecida são aqueles que morrem na perdição dos homens ímpios (2 Pedro 3:7)]. Eles edificarão casas e nelas habitarão; plantarão vinhas e comerão o seu fruto. Não edificarão para que outros habitem; não plantarão para que outros comam; porque a longevidade do Meu povo será como a da árvore, e os Meus eleitos desfrutarão de todo as obras das suas próprias mãos (Isaías 65:17-22).

Ezequiel observa o panorama do tempo até à futura ressurreição dos mortos. O Senhor diz por meio dele: "Eis que abrirei a vossa sepultura, e vos farei sair dela, ó povo Meu, e vos trarei à terra de Israel" (Ezequiel 37:12).

"Ele carregou as nossas enfermidades"

A provação, os sofrimentos e a morte do Salvador em favor dos homens foram revelados mais claramente a Isaías, o profeta do evangelho. Diz o profeta:

> Quem creu em nossa pregação? E a quem foi revelado o braço do Senhor? Porque foi subindo como renovo perante Ele e como raiz de uma terra seca; não tinha aparência nem formosura; olhamo-Lo, mas nenhuma beleza havia que nos agradasse. Era desprezado e o mais rejeitado entre os homens; homem de dores e que sabe o que é padecer; e, como um de quem os homens escondem o rosto, era desprezado, e dEle não fizemos caso. Certamente, Ele tomou sobre Si as nossas enfermidades e as nossas dores levou sobre Si; e nós O reputávamos por aflito, ferido de Deus e oprimido. Mas Ele foi traspassado pelas

nossas transgressões e moído pelas nossas iniquidades; o castigo que nos traz a paz estava sobre Ele, e pelas Suas pisaduras fomos sarados (Isaías 53:1-5).

Tanto o povo como o profeta devem ter se perguntado: "Será que esses eventos tão maravilhosos irão acontecer em nossos dias?" A resposta teria sido: "Não acontecerão agora; ainda não é chegado o tempo para a vinda do grande Libertador". Mas o profeta declara: "Os teus olhos verão o rei na Sua formosura, verão a terra que se estende até longe" (Isaías 33:17).

As profecias de Daniel revelam o futuro

Foi, contudo, por meio do profeta Daniel que o Senhor começou a revelar a Seu povo a sequência dos reinos que se levantariam e dominariam até o estabelecimento de Seu reino eterno. Revelou também um período especial de tempo, um evento ainda por ocorrer, isto é, o aparecimento efetivo do Messias e Sua morte. A interpretação do sonho de Nabucodonosor revelou que os quatro reinos que deveriam governar o mundo enfraqueceriam de forma equivalente à proporção do valor do ouro, prata, bronze e ferro, e que, finalmente, a desunião dos reinos divididos seria comparada à fragilidade do ferro misturado com o barro lamacento. Então viria o reino dos Céus, que seria introduzido após a destruição desses reinos. Estes, por sua vez, se tornariam como palha da eira do verão, de modo que não se acharia mais o lugar deles. O reino de Deus, porém, encheria toda a Terra.

Na visão do capítulo 7, sob o símbolo de quatro grandes animais, o mesmo assunto é abordado novamente, e outras características são acrescentadas. Nesse capítulo, é traçado o avanço e a obra do poder do "chifre pequeno", que se levantaria, após a divisão do quarto reino em dez partes, derrubando e dominando três deles para estabelecer a si mesmo como governante espiritual sobre todos eles. Esse poder papal deveria prosseguir, na situação fragilizada e dividida do quarto reino, por 1.260 anos. Assim, foram revelados eventos que abrangem o tempo em que Cristo receberá o reino de Seu Pai, e o dará aos santos do Altíssimo; um reino que deverá, finalmente, governar toda a Terra e permanecer para sempre.

Os 2.300 dias

No capítulo 8 de Daniel, na visão sobre o cordeiro, o bode e o "chifre pequeno que se tornou muito forte" (Daniel 8:9), o profeta é novamente levado ao fim dos tempos. Nos versos 13 e 14, sua atenção é direcionada a um período de tempo de 2.300 dias que se estendem até o juízo. Seria um longo período de tempo, e foi assim que o profeta entendeu, pois o anjo lhe informou que a visão era ainda para muitos dias. Como, na ocasião, a data de seu início não havia sido revelada, Daniel encerra o capítulo dizendo: "Espantei-me acerca da visão, e não havia quem a entendesse" (Daniel 8:27).

As 70 semanas até o Messias

O capítulo 9 relata que um anjo veio até Daniel, em resposta a sua petição, para lhe dar capacidade e entendimento. O anjo lhe informou sobre um período de 70 semanas (cada dia da semana representando um ano). Sessenta e nove dessas semanas de anos [conforme os estudiosos, este é o significado da palavra shevooim, "semanas", ou seja, "semanas de anos"] se estenderiam até o Messias. O ponto de início desse período – a "ordem para restaurar, e para edificar a Jerusalém" (Daniel 9:25) – ainda não havia sido declarado. Surge então a pergunta: como poderia Daniel saber quando terminariam as 69 semanas? No capítulo 12, a questão do tempo é novamente considerada. Quando Daniel pergunta: "Qual será o fim destas coisas?" (Daniel 12:8), é-lhe dito que siga seu caminho, pois as palavras estariam "fechadas e seladas até ao tempo do fim", momento em que os "sábios entenderão" (Daniel 12:10).

Sem dúvida alguma, esta questão do tempo é uma das coisas a que Pedro se refere quando diz:

> Foi a respeito desta salvação que os profetas indagaram e inquiriram, os quais profetizaram acerca da graça a vós outros destinada, investigando, atentamente, qual a ocasião ou quais as circunstâncias oportunas, indicadas pelo Espírito de Cristo, que neles estava, ao dar de antemão testemunho sobre os sofrimentos referentes a Cristo e sobre as glórias que os seguiriam (1 Pedro 1:10, 11).

O destino dos ímpios

Malaquias, o último dos profetas do Antigo Testamento, deixa uma impressionante descrição da destruição final dos ímpios: "Pois eis que vem o dia e arde como fornalha; todos os soberbos e todos os que cometem perversidade serão como o restolho; o dia que vem os abrasará, diz o Senhor dos Exércitos, de sorte que não lhes deixará nem raiz nem ramo. Mas para vós outros que temeis o Meu nome nascerá o Sol da justiça, trazendo salvação nas Suas asas; saireis e saltareis como bezerros soltos da estrebaria. Pisareis os perversos, porque se farão cinzas debaixo das plantas de vossos pés, naquele dia que preparei, diz o Senhor dos Exércitos" (Malaquias 4:1-3).

Visto que os Israelitas possuíam o registro de todos esses acontecimentos preditos no Antigo Testamento, que lhes revelava tantas características do plano da salvação, quão grande deve ter sido o interesse dos aplicados estudiosos das Escrituras, ao perceberem que o momento da chegada da Semente prometida se aproximava. Ao passo que as multidões, e mesmo os que liam as Escrituras nas sinagogas todos os sábados, deixaram de compreendê-las (Atos 13:27), os devotos e estudiosos, que fielmente examinavam as Escrituras sob a direção do Espírito, oravam intensamente, à semelhança do apóstolo João em sua despedida: "Vem, Senhor Jesus, e vem depressa!"

Capítulo 3

A Vinda da Semente Prometida

"Vindo, porém, a plenitude do tempo, Deus enviou seu Filho,
[...] nascido sob a lei, para resgatar os que estavam sob a lei,
a fim de que recebêssemos a adoção de filhos" (Gálatas 4:4, 5).

"Ora, àquele que é poderoso para vos confirmar segundo o meu
evangelho e a pregação de Jesus Cristo, conforme a revelação
do mistério guardado em silêncio nos tempos eternos, e que,
agora, se tornou manifesto e foi dado a conhecer por meio das
Escrituras proféticas, segundo o mandamento do Deus eterno,
para a obediência por fé, entre todas as nações, ao Deus único
e sábio seja dada glória, por meio de Jesus Cristo, pelos séculos
dos séculos" (Romanos 16:25-27).

"Pois, segundo uma revelação, me foi dado conhecer o mistério,
conforme escrevi há pouco [...] o qual, em outras gerações, não foi
dado a conhecer aos filhos dos homens, como, agora, foi revelado
aos seus santos apóstolos e profetas, no Espírito. [...] A mim,
o menor de todos os santos, me foi dada esta graça de pregar
aos gentios o evangelho das insondáveis riquezas de Cristo e
manifestar qual seja a dispensação do mistério, desde os séculos,
oculto em Deus, que criou todas as coisas" (Efésios 3:3-9).

Tem-se afirmado que no Antigo Testamento o evangelho está escondido, e no Novo Testamento ele é revelado. Conforme expresso por outro autor:

> À medida que se afastaram de Deus, os judeus, em grande medida,
> perderam de vista os ensinamentos do serviço do santuário. Esse ser-
> viço tinha sido instituído pelo próprio Cristo. Era cheio de vitalidade
> e beleza espiritual, e em cada detalhe simbolizava a Ele. Mas os judeus
> perderam a vida espiritual de suas cerimônias, e agarraram-se a formas

mortas. Confiavam nos próprios sacrifícios e ordenanças, em vez de descansar nAquele a quem eles apontavam. [...]

Buscavam um governador temporal

Embora os judeus desejassem a vinda do Messias, não tinham qualquer noção de Sua missão. Não buscavam redenção do pecado, mas libertação dos romanos. Esperavam que o Messias viesse como um conquistador, para quebrar o poder do opressor, e exaltar Israel ao domínio universal. Assim, estava preparado o caminho para rejeitarem o Salvador. [...]

O povo, em trevas e opressão, e os governantes, sedentos de poder, ansiavam pela vinda de alguém que vencesse seus inimigos e restaurasse o reino de Israel. Haviam estudado as profecias, mas sem discernimento espiritual. Desse modo, negligenciaram as escrituras que apontavam para a humilhação do primeiro advento de Cristo, e aplicaram erroneamente as que falavam da glória de Sua segunda vinda. O orgulho obscureceu-lhes a visão; interpretaram a profecia de acordo com seus desejos egoístas. (Ellen G. White, *O Desejado de Todas as Nações*, p. 16-17).

Por mais de mil anos, o povo judeu tinha esperado a vinda do Salvador. Depositaram suas mais ardentes esperanças nesse evento. Na música e na profecia, no ritual do templo e nas orações domésticas, tinham entesourado Seu nome. Mesmo assim, não O conheceram na Sua vinda. O amado do Céu era para eles "como raiz de uma terra seca"; Ele não tinha "aparência nem formosura; olhamo-Lo, mas nenhuma beleza havia que nos agradasse" (Isaías 53:2). "Veio para o que era Seu, e os Seus não O receberam" (João 1:11) (Ibid., p. 15).

Da linhagem de Davi

À medida que o tempo previsto por Daniel se aproximava, quando o "Messias, o Príncipe" – o Ungido – apareceria, o povo judeu poderia ter argumentado – e de fato o fez – da seguinte maneira: O Messias, segundo a carne, é para vir da casa e da linhagem de Davi. Portanto, seu nascimento deve ser dessa linhagem, e, de acordo com os regulamentos e costumes da lei judaica, ele deve ser ungido para o serviço público com a idade de trinta anos. Se ele deve surgir como o ungido nessa idade, então o seu nascimento deve acontecer trinta anos antes do término das 69 semanas de anos, que se estenderiam até à vinda do Messias.

Predições de Simeão e Ana

Nessa época, todo o Israel estava em expectativa. Os sinceros e dedicados estudantes das Escrituras estavam procurando pelo nascimento daquele que seria seu Soberano e Governador. Ao idoso e piedoso Simeão, "revelara-lhe o Espírito Santo que não passaria pela morte antes de ver o Cristo do Senhor".

Quando o bebê Salvador foi levado ao templo, Simeão soube que essa criança era Aquele cujo nome seria "o Cristo".

Simeão O tomou nos braços e louvou a Deus, dizendo: Agora, Senhor, podes despedir em paz o Teu servo, segundo a Tua palavra; porque os meus olhos já viram a Tua salvação, a qual preparaste diante de todos os povos: luz para revelação aos gentios, e para glória do Teu povo de Israel (Lucas 2:28-32).

Simeão os abençoou [José e Maria] e disse a Maria, mãe do menino: Eis que este menino está destinado tanto para ruína como para levantamento de muitos em Israel, e para ser alvo de contradição (também uma espada traspassará a tua própria alma), para que se manifestem os pensamentos de muitos corações (Lucas 2:34-35).

Havia uma profetisa, chamada Ana, filha de Fanuel, da tribo de Aser. [...] E, chegando naquela hora, dava graças a Deus e falava a respeito do menino a todos os que esperavam a redenção em Jerusalém (Lucas 2:36-38).

Anjos visitam os pastores

Antes disso, anjos haviam anunciado as boas novas do nascimento do Salvador aos pastores nas planícies de Belém. Aos ouvidos atentos dos pastores, os anjos cantaram esses acordes melodiosos:

Glória a Deus nas maiores alturas, e Paz na terra entre os homens, a quem Ele quer bem (Lucas 2:14).

Os sábios do oriente visitam Belém

Depois disso, vieram os sábios do Oriente, que viram o "surgir da estrela", como previsto por Balaão. Seguindo-a em seu curso, chegaram a Jerusalém, e ali indagaram a respeito do recém-nascido monarca. Sendo instruídos de que Belém seria a cidade natal do Desejado, puseram-se a caminho. Guiados então pela estrela que havia reaparecido, foram levados ao berço do humilde Salvador. Lá adoraram esse divino bebê, presenteando-O com ouro, incenso e mirra. Em seguida, retomaram a longa viagem de retorno.

O Salvador, aos doze anos de idade

Até os doze anos de idade, pouco é relatado sobre Cristo, o Salvador, exceto Seu crescimento em sabedoria, estatura e Sua respeitosa submissão aos pais. Mas com a idade de doze anos, tendo acompanhado José e Maria a Jerusalém para assistir à festa anual, surpreendeu os sacerdotes com o conhecimento revelado por suas perguntas, bem como pelas respostas aos complicados problemas que eles Lhe apresentavam. Desde então, até o início de seu ministério público, honrou a humilde ocupação de carpinteiro, e a exerceu junto a José, marido de Maria.

A missão de João Batista

Seis meses antes de seu ministério público, a missão de Cristo foi anunciada por João Batista. Grandes multidões vinham ouvir João, sendo por ele batizadas.

> Estando o povo na expectativa [esperando a vinda do Messias], e discorrendo [racionalizando, ou debatendo] todos no seu íntimo a respeito de João, se não seria ele, porventura, o próprio Cristo; João respondeu a todos eles dizendo: Eu, na verdade, vos batizo com água, mas vem o que é mais poderoso do que eu, do qual não sou digno de desatar-Lhe as correias das sandálias; Ele vos batizará com o Espírito Santo e com fogo. A Sua pá, Ele a tem na mão, para limpar completamente a Sua eira e recolher o trigo no Seu celeiro; porém queimará a palha em fogo inextinguível (Lucas 3: 15-17).

Jesus é batizado

Enquanto batizava, João assim se expressou ao ver Jesus vindo para ser batizado:

> Eis o Cordeiro de Deus, que tira o pecado do mundo. [...] E João testemunhou, dizendo: Vi o Espírito descer do céu como pomba e pousar sobre Ele. Eu não O conhecia; Aquele, porém, que me enviou a batizar com água me disse: Aquele sobre quem vires descer e pousar o Espírito, Esse é o que batiza com o Espírito Santo. Pois eu, de fato, vi e tenho testificado que Ele é o Filho de Deus (João 1:29-34).

A voz vinda do Céu

A divindade de Cristo foi confirmada, não apenas pela descida visível do Espírito Santo em forma de pomba, mas também por uma voz vinda do céu. No evangelho de Mateus, lemos assim:

> Batizado Jesus, saiu logo da água, e eis que se Lhe abriram os céus, e viu o Espírito de Deus descendo como pomba, vindo sobre Ele. E eis uma voz dos céus, que dizia: Este é o meu Filho amado, em quem Me comprazo (Mateus 3:16, 17).

Apesar de João não ter realizado "nenhum sinal", o povo, quando viu o enorme poder que caracterizava o ministério de Cristo, foi constrangido a dizer: "tudo quanto [João] disse a respeito deste era verdade" (João 10:41).

Cristo foi ungido de acordo com a Lei

Ligado ao relato de Lucas quanto ao batismo e à unção do Espírito Santo sob a forma de pomba, lemos: "Tinha Jesus cerca de trinta anos" (Lucas 3:23).

Lemos o seguinte a respeito de Cristo após o longo jejum de 40 dias a que Se submeteu, e após as terríveis tentações do demônio no deserto após Seu batismo:

> Indo [Jesus] para Nazaré, onde fora criado, entrou, num sábado, na sinagoga, segundo o Seu costume, e levantou-Se para ler. [...] O Espírito do Senhor está sobre Mim, pelo que Me ungiu para evangelizar os pobres. [...] Então, passou Jesus a dizer-lhes: Hoje, se cumpriu a Escritura que acabais de ouvir (Lucas 4:16-21).

O tempo está cumprido

Marcos, ao registrar o mesmo evento, disse: "O tempo está cumprido, e o reino de Deus está próximo; arrependei-vos e crede no evangelho" (Marcos 1:15). O tempo previsto para o aparecimento do Ungido havia chegado. Ele havia recebido a unção do Espírito Santo em Seu batismo, iniciando Seu ministério exatamente no tempo e da forma predita pelos santos profetas de outrora.

Prova visível do ministério de Cristo como Messias

O ministério de Cristo foi acompanhado de uma constante realização de milagres. Para o povo, apesar de falharem em compreender completamente Suas parábolas e palavras, esse fato era prova visível de que Ele era Emanuel, e que "Deus estava com Ele" (Atos 10:38; João 3:2). Através desses milagres, Cristo demonstrava possuir o poder de Deus, e revelava Sua bondade e Seu caráter. Após Filipe passar três anos com Cristo e testemunhar Seus poderosos milagres, pediu: "Senhor, mostra-nos o Pai, e isso nos basta". Jesus lhe respondeu então:

> Filipe, há tanto tempo estou convosco, e não Me tendes conhecido? Quem Me vê a Mim vê o Pai; como dizes tu: Mostra-nos o Pai? [...] Crede-Me que estou no Pai, e o Pai, em Mim; crede-Me ao menos por causa das mesmas obras (João 14:8-11).

João fica perplexo

João testemunhou a descida visível do Espírito Santo sobre Cristo e ouviu a voz do céu que O declarava Filho de Deus. Ele mesmo declarou que Cristo era "o Cordeiro de Deus que tira o pecado do mundo". No entanto, os eventos foram se desenrolando de forma tão oposta às suas expectativas que, em sua prisão sombria, ficou conturbado e confuso. Assim escreve uma autora:

> Como os discípulos do Salvador, João Batista não compreendia a natureza do reino de Cristo. Esperava que Jesus tomasse o trono de Davi; e, ao passar o tempo, e o Salvador não reclamar nenhuma autoridade real, João ficou perplexo e turbado (*O Desejado de Todas as Nações*, p. 144).
>
> E João, chamando dois [de seus discípulos], enviou-os ao Senhor para perguntar: És Tu aquele que estava para vir ou havemos de esperar outro? [...] Naquela mesma hora, curou Jesus muitos de moléstias, e de flagelos, e de espíritos malignos; e deu vista a muitos cegos. Então, Jesus lhes respondeu: Ide e anunciai a João o que vistes e ouvistes (Lucas 7:19-22; Mateus 11:4).

Foi com dificuldade que o povo judeu, ou mesmo os discípulos, conseguiram entender claramente muitas das verdades que o Salvador anunciava, pois todos estavam firmemente estabelecidos na crença de que, quando o Messias viesse, Este quebraria o jugo romano que tanto os incomodava e restauraria imediatamente o reino de Davi, governando como rei temporal.

Jesus começou sua pregação dizendo: "Arrependei-vos, porque está próximo o reino dos Céus" (Mateus 4:17). Quando Seus apóstolos foram enviados, levaram a mesma mensagem: "Está próximo o reino dos Céus" (Mateus 10:7). Mais tarde em Seu ministério, ao enviar Ele os setenta, instruiu-os a dizer as mesmas palavras: "A vós outros está próximo o reino de Deus" (Lucas 10:9).

O povo se maravilhou com a obra de Cristo

As maravilhosas palavras e ensinamentos de Cristo levaram o povo a exclamar: "Jamais alguém falou como este homem" (João 7:46). Quando Ele curou um homem cego e mudo, "Toda a multidão se admirava e dizia: É este, porventura, o Filho de Davi?" (Mateus 12:23). Em outras palavras: Não é esta a semente de Davi, o Salvador prometido?

> E, chegando à Sua terra, ensinava-os na sinagoga, de tal sorte que se maravilhavam e diziam: Donde Lhe vêm esta sabedoria e estes poderes miraculosos? Não é este o filho do carpinteiro? Não se chama sua mãe Maria, e Seus irmãos, Tiago, José, Simão e Judas? (Mateus 13:54, 55).

Aproximadamente no terceiro ano do ministério de Cristo, indo Ele ao templo para a festa da dedicação, vieram a Ele os judeus e Lhe perguntaram: "Até quando nos deixarás a mente em suspenso? Se Tu és o Cristo, dize-o francamente" (João 10:24). No ano anterior, quando fez o maravilhoso milagre de alimentar 5 mil pessoas com "cinco pães de cevada e dois peixinhos", "sabendo, pois, Jesus que estavam para vir com o intuito de arrebatá-Lo para O proclamarem rei, retirou-Se novamente, sozinho, para o monte" (João 6:15).

Cristo conta aos discípulos acerca de Sua morte

No ensino a Seus discípulos, Cristo dissipou a ideia do estabelecimento de um reino temporal de começo imediato, e mostrou-lhes que deveria morrer e ressuscitar, partir e, então, voltar outra vez. Portanto, perguntou-lhes: "Que será, pois, se virdes o Filho do Homem subir para o lugar onde primeiro estava?" (João 6:62). Após adverti-los "de que a ninguém dissessem ser Ele o Cristo", lemos:

> Desde esse tempo, começou Jesus Cristo a mostrar a Seus discípulos que Lhe era necessário seguir para Jerusalém e sofrer muitas coisas dos anciãos, dos principais sacerdotes e dos escribas, ser morto e ressuscitado no terceiro dia. E Pedro, chamando-O à parte, começou a reprová-Lo, dizendo: Tem compaixão de Ti, Senhor; isso de modo algum Te acontecerá (Mateus 16:20-22).

Na mesma ocasião, Ele lhes disse que alguns deles não morreriam até ver o Filho do homem vindo em Seu reino (Mateus 16:28, Lucas 9:27). Cerca de oito dias depois, essa profecia se cumpriu. O apóstolo Pedro se refere à "visão" de Cristo vindo em Seu reino como prova da segunda vinda de Cristo, ainda futura (2 Pedro 1:16-19).

Certa vez, quando Cristo e Seus discípulos estavam na Galileia, Ele lhes declarou:

> O Filho do homem está para ser entregue nas mãos dos homens; e estes O matarão; mas, ao terceiro dia, ressuscitará. Então os discípulos se entristeceram grandemente (Mateus 17:22, 23).

No entanto, eles ainda não haviam entendido ou captado o que Ele queria dizer. Pois, enquanto Cristo tentava impressionar a mente dos discípulos com a verdade solene sobre Sua morte e ressurreição, eles discutiam sobre quem deveria ser o maior no reino dos Céus (Mateus 18:1; Marcos 9:33, 34).

Em outra ocasião, Pedro disse a Jesus:

> Eis que nós tudo deixamos e Te seguimos; que será, pois, de nós? Jesus lhes respondeu: Em verdade vos digo que vós, os que Me seguistes, quando, na regeneração, o Filho do homem Se assentar no trono da Sua glória, também vos assentareis em doze tronos para julgar as doze tribos de Israel (Mateus 19:27, 28; Lucas 22:28-30).

Mesmo assim, a ideia de que um reino seria estabelecido imediatamente predominou na mente deles; e como seres humanos, começaram a ambicionar as posições mais altas no reino.

Em seguida, surge a ambiciosa mãe de Tiago e João, filhos de Zebedeu, pedindo que Cristo favorecesse seus filhos com altos cargos – um à direita e outro à esquerda do Seu trono; ou talvez, que um fosse o Primeiro Ministro e o outro o Secretário de Estado. Mas Cristo disse claramente: "Não sabeis o que pedis" (Mateus 20:20-24).

A entrada triunfal em Jerusalém

Não muito depois desses acontecimentos, Lázaro, morto havia quatro dias, foi ressuscitado. Esse poderoso milagre assombrou o povo a tal ponto que os fariseus ficaram alarmados, convocando de pronto, juntamente com os sacerdotes, um concílio. Em suas deliberações, perguntaram:

> Que estamos fazendo, uma vez que este homem opera muitos sinais? Se O deixarmos assim, todos crerão nEle; depois, virão os romanos e tomarão não só o nosso lugar, mas a própria nação (João 11:47, 48).

Ao mesmo tempo em que um poder satânico tomava conta dos que tentavam destruir Cristo, um poder do alto movia as massas para glorificá-Lo e cumprir o que havia sido predito a Seu respeito.

Nessa ocasião, o povo saiu em massa, não só para ver Jesus, mas também a Lázaro, a quem Ele ressuscitara dos mortos. Agora, parecia-lhes seguro que Jesus era o tão esperado rei. Ao encontrá-Lo a caminho de Jerusalém, montado num jumentinho, as seguintes palavras das Escrituras vieram com força à mente deles: "Não temas, filha de Sião; eis que o teu Rei aí vem, montado em um filho de jumenta" (João 12:15). Um forte clamor de triunfo se ergueu daquela vasta multidão, o que deixou os astutos e insensíveis fariseus perturbados. Disseram entre si: "Vedes que nada aproveitais! Eis aí vai o mundo após Ele" (João 12:19). Então, pediram que Cristo fizesse calar tais aclamações, ao que Ele respondeu: "Asseguro-vos que, se eles se calarem, as próprias pedras clamarão" (Lucas 19:40). Sobre essa ocasião, a ordem do Mestre era: "Clamai!". Se o povo não obedecesse, Ele daria voz às pedras do caminho, e elas clamariam, porque Sua palavra iria se cumprir.

Cristo deve partir e retornar

O Salvador não procurou apenas mostrar aos discípulos que Ele estava para morrer e ressuscitar em seguida. Buscou também ensinar-lhes que Seu reino não viria enquanto Ele não partisse e retornasse. Referindo-se a Sua crucificação, disse:

> E Eu, quando for levantado da terra, atrairei todos a Mim mesmo. Isto dizia, significando de que gênero de morte estava para morrer. Replicou--lhe, pois, a multidão: Nós temos ouvido da lei que o Cristo permanece para sempre; e como dizes Tu ser necessário que o Filho do Homem seja levantado? Quem é esse Filho do Homem? (João 12:32-34).

Cristo disse o seguinte para impressionar ainda mais as mentes dos discípulos com o fato de que precisava partir e retornar antes do estabelecimento do Seu reino na Terra:

> Filhinhos, ainda por um pouco estou convosco; buscar-Me-eis, e o que Eu disse aos judeus também agora vos digo a vós outros: para onde Eu vou, vós não podeis ir; [...] Perguntou-Lhe Simão Pedro: Senhor, para onde vais? Respondeu Jesus: Para onde vou, não me podes seguir agora; mais tarde, porém, Me seguirás (João 13:33-36).

Então, Ele lhes encorajou o coração aflito e preocupado com as seguintes palavras:

> Não se turbe o vosso coração; credes em Deus, crede também em Mim. Na casa de Meu Pai há muitas moradas; se assim não fora, Eu vo-lo teria dito. Pois vou preparar-vos lugar. E, quando Eu for e vos preparar lugar, voltarei e vos receberei para mim mesmo, para que, onde Eu estou, estejais vós também (João 14:1-3).

A parábola do homem nobre

Ainda com o intuito de corrigir a falsa ideia de que Seu reino seria estabelecido imediatamente, o Salvador contou-lhes outra parábola enquanto subia para Jerusalém com Seus discípulos:

> Certo homem nobre partiu para uma terra distante, com o fim de tomar posse de um reino e voltar. Chamou dez servos seus, confiou--lhes dez minas, e disse-lhes: Negociai até que eu volte. [...] Quando ele voltou, depois de haver tomado posse do reino, mandou chamar os servos a quem dera o dinheiro, a fim de saber que negócio cada um teria conseguido (Lucas 19:11-15).

Nessa parábola, Cristo é representado pelo homem nobre. Ele estava de saída para um país distante – para seu Pai – onde receberia o reino, antes de voltar para reinar.

Em resposta à pergunta dos discípulos: "que sinal haverá da Tua vinda e do fim do mundo?" (Mateus 24:3, ARC), o Salvador delineou os eventos que sobreviriam à igreja até a grande tribulação, e os claros sinais que ocorreriam. Quando tais eventos ocorressem, os discípulos saberiam que Sua vinda estava próxima, mesmo às portas, e que a geração que presenciara esses sinais não deixaria o palco de ação até que Ele viesse (Mateus 24; Lucas 21; Marcos 13).

Abandonado por todos os discípulos

Apesar de todas as instruções que Cristo dera aos discípulos acerca de Sua morte e humilhação, eles fracassaram completamente em compreender a verdade que Ele lhes havia revelado sobre Seu julgamento e crucificação. Tinham uma concepção tão fraca da verdade que, em vindo a provação, morreu-lhes a esperança, e "deixando-O, todos fugiram" (Marcos 14:50). Até mesmo Pedro, discípulo sempre fervoroso, que havia prometido que nunca O abandonaria, mesmo se todos o fizessem, poucas horas depois negava seu Senhor, jurando que não O conhecia. Quando o Senhor afirmava que, no terceiro dia após a crucificação, Ele ressuscitaria dentre os mortos, os discípulos questionavam e discorriam entre si sobre o "que seria o ressuscitar dentre os mortos" (Marcos 9:10). Tão faltos de fé eram eles que, depois de Sua morte, quando Seu corpo foi colocado no túmulo novo de José, fizeram os preparativos para o embalsamarem. Tendo perdido a esperança – como se sepultada com Cristo no túmulo – podemos imaginar que terrível sábado foi aquele para os discípulos! Com o coração carregado de tristeza e decepção, e sem ter por perto seu piedoso e compassivo Salvador – cuja vida havia sido repleta de atos de ternura e misericórdia – para os confortar e fortalecer, quão desoladora era sua condição!

Comoventes eventos na manhã da ressurreição

Amanhece o primeiro dia da semana! Há grande movimentação no Céu e na Terra! Um poderoso anjo desce do reino da glória até o túmulo de José, ordenando que o Filho de Deus ressuscite.

> E eis que houve um grande terremoto; porque um anjo do Senhor desceu do Céu, chegou-se, removeu a pedra e assentou-se sobre ela. O seu aspecto era como um relâmpago, e a sua veste, alva como a neve. E

os guardas tremeram espavoridos e ficaram como se estivessem mortos (Mateus 28:2-4).

Abriram-se os sepulcros, e muitos corpos de santos, que dormiam, ressuscitaram; e, saindo dos sepulcros depois da ressurreição de Jesus, entraram na cidade santa e apareceram a muitos (Mateus 27:52, 53).

Imagine testemunhas como essas entrando em Jerusalém, aparecendo às portas de seus amigos com a mensagem de que o Cristo crucificado ressuscitara dentre os mortos, e que, por Seu poder, Ele as havia trazido de volta à vida, a fim darem testemunho a respeito de Sua ressurreição. Que agitação deve ter havido entre os discípulos e as santas mulheres, correndo aqui e ali para contar as alegres novas: "Ele ressurgiu dentre os mortos, pois nós O vimos e falamos com Ele!"

Jesus caminhando pela região

Outro evento que merece destaque é o encontro de Jesus com dois discípulos na estrada para Emaús. Assim diz o relato bíblico:

> Naquele mesmo dia, dois deles estavam a caminho de uma aldeia chamada Emaús, que distava de Jerusalém cerca de sessenta estádios [doze quilômetros]. Iam conversando a respeito de tudo aquilo que se havia sucedido. E aconteceu que, enquanto conversavam e arrazoavam juntos, o próprio Jesus se aproximou e se uniu a eles na jornada. Os olhos, porém, estavam-lhes como que impedidos de O reconhecer. Então, Jesus lhes perguntou: Que é isso que vos preocupa e de que ides tratando à medida que caminhais? E eles pararam entristecidos. Um, porém, chamado Cleopas, respondeu, dizendo: És o único, porventura, que, tendo estado em Jerusalém, ignoras as ocorrências destes últimos dias? Ele lhes perguntou: Quais? E explicaram: O que aconteceu a Jesus, o nazareno, que era varão profeta, poderoso em obras e palavras, diante de Deus e de todo o povo, e como os principais sacerdotes e as nossas autoridades O entregaram para ser condenado à morte e O crucificaram. Ora, nós esperávamos que fosse Ele quem havia de redimir a Israel; mas, depois de tudo isto, é já este o terceiro dia desde que tais coisas sucederam. É verdade também que algumas mulheres, das que conosco estavam, nos surpreenderam, tendo ido de madrugada ao túmulo; e não achando o corpo de Jesus, voltaram dizendo terem tido uma visão de anjos, os quais afirmam que Ele vive. De fato, alguns dos nossos foram ao sepulcro e verificaram a exatidão do que disseram as mulheres; mas não o viram. Então, lhes disse Jesus: Ó néscios e tardos de coração para crer tudo o que os profetas disseram! Porventura, não convinha que o Cristo padecesse e entrasse na Sua glória? E, começando por Moisés, discorrendo por todos os Profetas, expunha-lhes o que a Seu respeito constava em todas as Escrituras (Lucas 24:13-27).

Quando Ele estava com eles à mesa, tomou o pão, e, tendo dado graças, o partiu.

Então, se lhes abriram os olhos, e O reconheceram; mas Ele desapareceu da presença deles. E disseram um ao outro: Porventura, não nos ardia o coração, quando Ele, pelo caminho, nos falava, quando nos expunha as Escrituras? (Lucas 24:31, 32).

Os discípulos finalmente compreenderam, após ouvirem uma completa explicação do grande mistério que os inquietava, que tinha de haver uma morte e uma ressurreição relacionadas à missão do Salvador. Mas como deveriam considerar a questão sobre Seu reino?

A estes, também, depois de ter padecido, se apresentou vivo, com muitas provas incontestáveis, aparecendo-lhes durante quarenta dias e falando das coisas concernentes ao reino de Deus. E, comendo com eles, determinou-lhes que não se ausentassem de Jerusalém, mas que esperassem a promessa do Pai, a qual, disse Ele, de Mim ouvistes. Porque João, na verdade, batizou com água, mas vós sereis batizados com o Espírito Santo, não muito depois destes dias (Atos 1:3-5).

"Será este o tempo em que restaures o reino?"

Então, os que estavam reunidos lhe perguntaram: Senhor, será este o tempo em que restaures o reino a Israel? [Como se dissessem: nós aprendemos que era necessário que o Senhor fosse crucificado, e ressuscitasse dentre os mortos, segundo as Escrituras; mas não vai restaurar o reino agora?] Respondeu-lhes: Não vos compete conhecer tempos ou épocas que o Pai reservou pela sua exclusiva autoridade; mas recebereis poder, ao descer sobre vós o Espírito Santo, e sereis minhas testemunhas tanto em Jerusalém como em toda a Judeia e Samaria e até aos confins da terra. Ditas estas palavras, foi Jesus elevado às alturas, à vista deles, e uma nuvem O encobriu dos seus olhos. E, estando eles com os olhos fitos no céu, enquanto Jesus subia, eis que dois varões vestidos de branco se puseram ao lado deles e lhes disseram: Varões galileus, por que estais olhando para as alturas? Esse Jesus que dentre vós foi assunto ao céu virá do modo como O vistes subir (Atos 1:6-11).

Jesus deveria permanecer no Céu até a restauração

Agora que o Salvador havia partido, e os discípulos O haviam visto "subir para onde estava antes", tinham a certeza de que o Espírito Santo lhes revelaria o momento em que o reino viria. Então, Pedro, em suas instruções ao povo após receberem o Espírito Santo, disse:

E que envie Ele o Cristo, que já vos foi designado, Jesus, ao qual é necessário que o Céu receba até os tempos da restauração de todas as coisas, de que Deus falou por boca dos seus santos profetas desde a antiguidade (Atos 3:20, 21).

O Espírito Santo também revelou a Pedro os fatos referentes aos três mundos: primeiro, o mundo antes do dilúvio, destruído pela água; segundo, o mundo atual reservado para o fogo – fogo com o qual a terra é armazenada, como diz a *Versão Revisada* – aquele fogo que será a perdição, ruína e destruição dos ímpios; terceiro, a Nova Terra "[na qual] habita a justiça", ou, como alguns traduzem "onde os justos habitarão" (2 Pedro 3:5-13).

O apóstolo Paulo fala da ressurreição do povo de Deus e da transformação de todos os Seus santos, de mortais em imortais, "num abrir e fechar de olhos, ao ressoar da última trombeta" (1 Coríntios 15:52). Disse aos Coríntios que Cristo está, atualmente, no trono do Pai, e lá Ele permanecerá até que todos os seus inimigos sejam submetidos a Ele. Ou seja, até que o reino – Seu reino – seja entregue em Suas mãos pelo Pai, como profetizado em Daniel 7:13, 14 e Salmos 2:8, 9. Para os Tessalonicenses, ele apresentou a vinda e a ressurreição de Cristo como sua única esperança, o verdadeiro consolo frente à morte de seus entes queridos.

O retorno do Mestre não estava totalmente claro

No entanto, a igreja não sabia o tempo exato em que o Mestre iria voltar. Quando o apóstolo, em sua primeira carta aos Tessalonicenses, disse: "Depois nós, os vivos, os que ficarmos, seremos arrebatados" (1 Tessalonicenses 4:17), os irmãos entenderam erroneamente que Cristo viria enquanto alguns deles ainda estivessem vivos. Em sua segunda epístola, ele corrigiu a compreensão errônea deles com base na carta anterior, dizendo:

Porque isto não acontecerá sem que primeiro venha a apostasia e seja revelado o homem da iniquidade, o filho da perdição, o qual se opõe e se levanta contra tudo que se chama Deus ou é objeto de culto (2 Tessalonicenses 2:3, 4).

A apostasia

A igreja, porém, foi deixada a tatear no escuro, quanto ao *tempo* da segunda vinda de Cristo. Os irmãos entenderam que haveria uma apostasia, mas não sabiam qual seria sua duração. Essa questão foi respondida na visão dada a João na ilha de Patmos, mediante os símbolos encontrados nos capítulos 12 e 13 do Apocalipse – "um tempo, tempos e metade de um tempo", os "quarenta e dois meses" e os "mil duzentos e sessenta dias" (anos); o evento, porém, que dá início a esse longo período ainda não havia ocorrido. Assim, a igreja aguardava a vinda de Cristo, sem saber o momento exato em que ela ocorreria, pois quando o tempo da tribulação tivesse passado, haveria ainda um período de conflito e triunfo para a "igreja remanescente".

Nos registros finais do Novo Testamento, o tema da segunda vinda de Cristo nos é claramente apresentado. Cerca de um em cada 30 versos menciona, de alguma forma, a segunda vinda de nosso Senhor Jesus Cristo.

O milênio temporal

Acerca da posição da igreja com respeito a essa esperança que se estende até os tempos modernos, Robert Patterson, D.D., assim se expressa num periódico chamado *O Interior*, sob o título "A Bendita Esperança":

> Quando nosso Senhor deixou Sua igreja na terra para ir para o Pai, estava ela em uma condição lamentável. Seus quinhentos discípulos foram cercados por seus inimigos, organizados em religiões e governos anticristãos por uma das maiores inteligências, liderados por uma malícia extremamente venenosa, e educados por séculos na prática dos mais eficientes métodos de destruição. O Senhor sabia do perigo que corríamos, e não o amenizou em Seus últimos discursos, nem mesmo prometeu qualquer alívio da inimizade do mundo e das tribulações da igreja. Mas prometeu que voltaria para derrotar seus inimigos, e que nos sustentaria até esse bem-aventurado dia. "O mundo vos odeia" (João 15:19). "No mundo, passais por aflições" (João 16:33). "Vós ficareis tristes, mas a vossa tristeza se converterá em alegria. [...] Assim também agora vós tendes tristeza; mas outra vez vos verei; o vosso coração se alegrará, e a vossa alegria ninguém poderá tirar" (João 16:20-22). "E, quando eu for [...] voltarei e vos receberei para mim mesmo, para que, onde Eu estou, estejais vós também" (João 14:3).
>
> Com a bem-aventurada esperança de Seu retorno pessoal, confortou Ele sua igreja ao partir. Disse que, em sua ausência, sofreríamos tribulações; e assim tem sido. Se desfrutarmos de um período de paz exterior durante Sua ausência, se Sua igreja for liberta dos ataques do mundo, se houver um tempo de pureza em que o joio não crescerá no meio do trigo, ou se, na Sua vinda, Ele for bem recebido pelos habitantes de uma terra cheia da glória do Senhor, ou até mesmo encontrar fé na terra, será para Ele a mais inesperada surpresa. Jesus não sabia de um milênio assim. Declaramos que Ele não tinha conhecimento disso, porque nunca disse nada a esse respeito. Ele diz: "Tenho-vos chamado amigos, porque tudo quanto ouvi de Meu Pai vos tenho dado a conhecer" (João 15:15). Mas em nenhum de seus discursos e parábolas há indicação de que devemos aguardar um período de paz ou de gló-

ria antes de Sua vinda. Os apóstolos também não sabem de nenhum milênio sem Cristo. Ao longo dos trezentos anos que se seguiram à partida de nosso Senhor, a bendita esperança da Igreja foi a esperança de Seu retorno.

Mas a partir do momento em que a noiva de Cristo, no decorrer da sua predita apostasia, começou a consolar-se na Sua ausência, obtendo a amizade dos reis da terra, ela automaticamente desviou seu olhar do céu oriental e do retorno de seu Senhor, que poria fim a sua grandeza mundana. Quando os reformadores fizeram soar a trombeta do evangelho [...] os sonhos de um milênio sem Cristo foram imediatamente varridos, [...] e a igreja voltou a aguardar a vinda do Senhor para destruir o anticristo. [...] Em suas cartas, sermões e profissões de fé, os reformadores proclamaram suas esperanças pré-milenialistas.

A Assembleia de Westminster conclui seu juramento com uma declaração de fé na segunda vinda do Senhor, em palavras que expressam de maneira plena a fé dos pré-milenialistas. Eles a proclamam de forma momentosa: "Do mesmo modo que Cristo queria que fôssemos plenamente persuadidos de que haverá um dia de juízo, tanto para dissuadir os homens do pecado, quanto para uma maior consolação dos justos nas suas adversidades, do mesmo modo decidiu Ele não revelar esse dia aos homens, a fim de que abandonem toda a segurança carnal e estejam sempre atentos, pois não sabem a que hora o Senhor virá. Precisam estar sempre preparados para dizer: Vem, Senhor Jesus, e vem depressa!"

Nossos antepassados reformadores fortaleceram seus corações aguardando a vinda do Senhor, e encorajaram uns aos outros dizendo: "Aguentem firmes! Pois Ele vem com legiões de socorro" – um sentimento incorporado recentemente a um hino popular de reavivamento, mas familiar aos antigos escoceses guardadores da aliança.

Mas não demorou muito para que uma segunda apostasia se estabelecesse entre as igrejas reformadas. Era conhecida na Escócia como moderatismo; na Inglaterra, como o arianismo; e, mais recentemente, como amplo igrejismo; na América, chamava-se unitarianismo; e na Alemanha, racionalismo. Estabelecendo a razão humana como juiz, tendo nossa tão limitada observação moderna como evidência, e afirmando que nenhum evento poderia ocorrer se não estivesse de acordo com as leis observadas na natureza, essa filosofia reduziu Jesus à posição de um rabino, um pouco à frente de Sua época, mas totalmente ignorante quanto à ciência moderna. Consequentemente, a crença de que alguém assim voltaria do mundo invisível para reinar sobre a terra foi remetida à mitologia hebraica.

Daniel Whitby fala sobre o milênio

Um autor assim se expressa sobre a concepção de Daniel Whitby sobre o milênio:

> As promessas de Sua segunda vinda e de Seu reino sobre a Terra foram interpretadas como significando apenas a propagação de Seu evangelho e a sujeição de grande parte do mundo ao cristianismo por um período de 1000, ou, como alguns pensavam, 360.000 anos; durante esse período, a humanidade deveria avançar nas artes da civilização e desfrutar de paz e prosperidade sem precedentes. No final desse período tão longo, demasiadamente vasto para ser compreendido por mentes comuns, uma grande comoção da natureza poderia ocorrer, e seria dito que o Senhor iria vir e destruir o mundo, convocando a raça humana para juízo. Esta teoria foi elaborada e disseminada por um comentarista Inglês chamado Whitby [Daniel Whitby morreu em 1726], que, por suas cartas publicadas, provou ser um ariano, mas cujos comentários eram populares entre seu próprio grupo, e cujo milênio mitológico foi recebido com favor por muitos dos pensionistas ortodoxos e amigos das igrejas Estatais da Europa, às quais ele prometia um longo arrendamento de dízimos e homenagens. Por sua influência, essa filosofia foi importada para a América, onde foi imediatamente utilizada como matéria para embasar chavões e discursos bombásticos.

Essas eram as teorias nas variadas partes do mundo ao nos aproximarmos do momento em que o Senhor enviou o solene aviso de que Sua vinda estava "às portas" (Mateus 24:33).

Capítulo 4

O Tempo do Fim

"Então eu disse: meu senhor, qual será o fim destas coisas? Ele respondeu: Vai, Daniel, porque estas palavras estão encerradas e seladas até ao tempo do fim. [...] Os perversos procederão perversamente, e nenhum deles entenderá, mas os sábios entenderão" (Daniel 12:8-10).

"Ele me disse: Entende, filho do homem, pois esta visão se refere ao tempo do fim ..." (Daniel 8:17).

"Tu, porém, Daniel, encerra as palavras e sela o livro, até ao tempo do fim; muitos o esquadrinharão, e o saber se multiplicará" (Daniel 12:4).

Que significa a expressão "tempo do fim"? Não pode ser o fim de tudo, pois, nesse caso, a porção "selada" da profecia de Daniel não teria qualquer proveito para a humanidade. Uma vez que as coisas "reveladas nos pertencem a nós" (Deuteronômio 29:29), essa porção precisa ser aplicável a algum período de nossa história. Assim, a expressão "tempo do fim" parece referir-se a um período pouco antes do fim propriamente dito, no qual as coisas apresentadas a Daniel seriam compreendidas.

O dia da Sua preparação

Isso sem dúvida se refere ao tempo ao qual o profeta Naum chama de o "dia da Sua preparação" (Naum 2:3). Nesse trecho o profeta fala da destruição de Nínive: "Eis o estalo de açoites e o estrondo das rodas; o galope de cavalos e carros que vão saltando" (Naum 3:2). Mas a atenção do profeta é primeiro chamada para uma calamidade maior que viria sobre todo o mundo:

> Os montes tremem perante Ele, e os outeiros se derretem; e a terra se levanta diante dEle, sim, o mundo e todos os que nele habitam. Quem

pode suportar a Sua indignação? E quem subsistirá diante do furor da Sua ira? A Sua cólera se derrama como fogo, e as rochas são por Ele demolidas. [...] Ele mesmo vos consumirá de todo; não se levantará por duas vezes a angústia (Naum 1:5-9).

Carros com tochas flamejantes

Mais adiante, o profeta fala sobre esse dia de preparação:

> Os carros como tochas flamejantes no dia da sua preparação, e os ciprestes serão terrivelmente abalados. Os carros correrão furiosamente nas ruas, colidirão um contra o outro nos largos caminhos; o seu aspecto será como o de tochas, correrão como relâmpagos. Ele se lembrará dos seus valentes; eles, porém, tropeçarão na sua marcha; apressar-se-ão para chegar ao seu muro, quando o amparo for preparado (Naum 2:3-5, ACF).

Que acurada descrição dos modernos trens correndo qual relâmpagos, com o condutor constantemente contando e recontando seus passageiros de uma estação a outra! E como andam tropeçando quando o trem está em movimento! Além disso, há um enorme consumo de árvores para construir ligações ferroviárias, cavaletes de trabalho, coberturas contra a neve, etc. Diz-se que uma estrada ao longo das Montanhas de Sierra Nevada possui 75 quilômetros de coberturas contra a neve feitas com árvores. E isso, o profeta disse que ocorreria no "dia da sua preparação".

O profeta Joel também fala do tempo do fim, quando é dada a seguinte ordem aos servos do Senhor:

> Tocai a trombeta em Sião e dai voz de rebate no Meu santo monte; perturbem-se todos os moradores da terra, porque o Dia do Senhor vem, já está próximo (Joel 2:1).

E o profeta Sofonias mais uma vez fala sobre esse mesmo tempo:

> Concentra-te e examina-te, ó nação que não tens pudor, antes que saia o decreto, pois o dia se vai como palha; antes que venha sobre ti o furor da ira do Senhor, antes que venha sobre ti o dia da ira do Senhor. Buscai o Senhor, vós todos os mansos da terra, que cumpris o seu juízo; buscai a justiça, buscai a mansidão; porventura lograreis esconder-vos no dia da ira do Senhor (Sofonias 2:1-3).

Para entender mais claramente o que significa a expressão "tempo do fim", bem como seu início, vamos citar outro caso em que o mesmo termo é usado. Em Daniel 11, lemos sobre um poder perseguidor que manteria seu domínio até o tempo do fim. O Senhor diz a respeito dele:

Alguns dos sábios cairão para serem provados, purificados e embranquecidos, até ao fim do tempo, porque se dará ainda no tempo determinado (Daniel 11:35).

A obra do chifre pequeno

A maioria dos comentaristas protestantes concordam em aplicar o poder do "chifre pequeno" de Daniel 7 à igreja romana, que tinha o poder civil em suas mãos durante o "tempo determinado". Esse tempo determinado foi de "um tempo, dois tempos e metade de um tempo" (Daniel 12:7). Esses foram os 1.260 dias proféticos – 1.260 anos – do governo civil do chifre pequeno, que se estenderam de 538 a 1798 d.C. Nessa última data [1798], o poder do chifre pequeno foi retirado – no "tempo determinado". Nessa data, o povo cessou de "cair" pela mão desse poder, como tinha sido o caso até aquele momento [Daniel 11:35]. Portanto, o ano de 1798 marca o início desse período de tempo profético chamado "tempo do fim".

Em 1798 encerraram-se os "mil duzentos e sessenta dias" – 1.260 anos – durante os quais as "duas testemunhas" (Antigo e Novo Testamentos) do Senhor deviam "profetizar […] vestidas de saco" (Apocalipse 11:3). Durante a Idade das Trevas, marcada pela perseguição, as Escrituras foram mantidas nos idiomas grego e latim, desconhecidos para as pessoas comuns. Essa restrição quanto ao acesso à Bíblia se compara a estar ela "vestida de saco".

As duas testemunhas são assassinadas

Quando tiverem, então, concluído o testemunho que devem dar [vestidas de saco], a besta que surge do abismo pelejará contra elas [Satanás incitando e usando homens mundanos], e as vencerá, e matará, e o seu cadáver ficará estirado na praça da grande cidade que, espiritualmente, se chama Sodoma e Egito, onde também o seu Senhor foi crucificado [é crucificado, Versões Dinamarquesa e Revisada]. Então, muitos dentre os povos, tribos, línguas e nações contemplam os cadáveres das duas testemunhas, por três dias e meio, e não permitem que esses cadáveres sejam sepultados (Apocalipse 11:7-9).

O reino de terror

O assassinato dessas testemunhas ocorreu no chamado "reino de terror", na França, de 1792 a 1795 – ou seja, por três anos e meio. Apesar da Revolução Francesa continuar por cerca de seis ou sete anos, durante os primeiros três anos e meio, grandes esforços foram empregados na tentativa de destruir a Bíblia, a religião e todos os que se atrevessem a defendê--las. Declarando guerra à monarquia e ao sacerdócio, a Revolução Francesa transformou-se numa luta para exterminar tanto Deus quanto a Bíblia. A seguinte citação fala sobre o tempo imediatamente anterior à Revolução:

> Nunca se esqueçam de que, antes da Revolução de 1792, os promotores de infidelidade na França se uniram e gastaram cerca de 4,5 milhões de dólares em um ano, comprando, imprimindo e disseminando livros, com o fim de corromper as mentes do povo e prepará-las para tomar medidas desesperadas (Christopher Anderson, *The Annals of the English Bible*, p. 494).

Escritores descrentes

> O caminho para essa revolução foi preparado pelos escritos de Voltaire, Mirabeau, Diderot, Helvetius, D'Alembert, Condorcet, Rousseau, e outros do mesmo gênero. Nesses livros, os autores se esforçaram por disseminar princípios subversivos, tanto da religião natural quanto da revelada. A revelação não foi apenas contestada, mas deixada completamente de lado. A Divindade foi banida do universo e substituída por um fantasma imaginário sob o nome de "deusa da razão" (Thomas Dick, *On the Improvement of Society*, p. 154).

A situação tomou uma dimensão tal que, no ano de 1793, artistas teatrais eram ruidosamente aplaudidos por sua blasfema zombaria contra Deus e a Bíblia. Eis um exemplo:

> O comediante Monert, na Igreja de St. Roche [Paris], alcançou as alturas da impiedade. "Deus", disse ele, "se existes, vingues o Teu nome ofendido! Dou-Te o desafio. Tu permaneces em silêncio. Não ousas lançar Teus trovões. Quem, depois disso, vai acreditar em Tua existência?" (Adolphe Thiers, *The History of the French Revolution*, vol. 2, p. 371).

Obra blasfema em Lyon, França

Vale ressaltar que esses que mataram as Testemunhas estavam "de novo, crucificando para si mesmos o Filho de Deus e expondo-O à ignomínia". Esse fato pode ser visto nos procedimentos para uma festa realizada por Fouché, em Lyons, em honra de Chalier, o governador de Lyons que havia sido morto. Antes de sua chegada a Lyon, Fouché ordenou que

> todos os símbolos religiosos devessem ser destruídos, e fosse escrito nos portões dos cemitérios: a morte é um sono eterno. [...] A estátua de Chalier foi conduzida pelas ruas, seguida por uma imensa multidão de assassinos e prostitutas. Depois deles, veio um jumento levando o evangelho, a cruz, e os vasos de comunhão, que logo foram entregues

às chamas; e o jumento foi obrigado a beber, na taça da santa ceia, o vinho consagrado (Ibid., p. 338).

A "Festa da Razão", realizada em Paris, é descrita da seguinte forma:

Dirigiram-se, como procissão, até a convenção, e a plebe [...] caricaturava, da forma mais ridícula possível, as cerimônias da religião. [...] Homens, usando sobrepeliz e veste sacerdotal, cantavam aleluias e dançavam a Carmanhola diante do bar da convenção. Lá depositaram a hóstia, as caixas em que esta era guardada, e as estátuas de ouro e prata. Proferiram discursos cômicos. [...] "Ó vós", exclamou uma comitiva de São Denis, "Ó vós, instrumentos de fanatismo, santos abençoados de todos os tipos, ao menos sede patriotas; levantai-vos em massa e servi ao país, indo para a Casa da Moeda para serem derretidos" (Ibid., p. 365).

A Palavra de Deus emerge da obscuridade

"Mas, depois dos três dias e meio, um espírito de vida, vindo da parte de Deus, neles penetrou" (nas Testemunhas), e "subiram ao céu numa nuvem; e os seus inimigos as contemplaram" (Apocalipse 11:11, 12). Chegara o momento de Deus trazer Sua palavra do anonimato e expô-la perante o mundo. Chegara o momento (1798) de realizar-se um trabalho missionário em todo o mundo. Em 1804, a Sociedade Bíblica Britânica foi organizada. A isso seguiu-se a organização de dezenas de outras Sociedades Bíblicas. A Bíblia agora está traduzida em todos os principais idiomas do mundo. Desse modo, o destaque das Escrituras (as duas Testemunhas), que ocupam agora um lugar acessível a todos, compara-se a sua ascensão ao céu numa nuvem.

No tempo da Revolução Francesa, Voltaire afirmou que, em cem anos, a Bíblia seria totalmente obsoleta. Ao invés disso, no centésimo ano, mais Bíblias haviam sido distribuídas, só na França, do que todas existentes no momento de sua afirmação. E diz-se que a própria casa em que ele fez tal declaração é agora usada como uma casa da Bíblia.

Descoberta a pedra Roseta

Há dois pontos relacionados ao ano de 1798 e ao povo francês que devemos observar. Em primeiro lugar, naquele ano, o exército francês, sob o comando do general Bertier, derrubou o governo papal em Roma, cumprindo, sem saber, a profecia relativa a esse evento, registrada no livro contra o qual eles [o povo] guerreavam. Em segundo lugar, no mesmo ano, no Forte St. Julien, no braço do Nilo chamado Roseta, o exército francês fez uma escavação e descobriu a famosa pedra Roseta, que se encontra agora no Museu Britânico. Essa pedra possui uma inscrição em três formas: Hieróglifos, a escrita utilizada pelos sacerdotes [egípcios], o demótico, forma de escrita utilizada pelas pessoas comuns, e o grego. A comparação entre essas inscrições foi a chave que permitiu decifrar os escritos demóticos e hieróglifos até então enigmáticos. "Agora" disse alguém, "a pá e a picareta, desenterrando estes escritos em caracteres demóticos, fornece mais provas da exatidão dos antigos registros bíblicos do que qualquer outra fonte fora das Escrituras". Dessa forma, as próprias pessoas que planejavam exterminar a Bíblia ajudaram, sem perceber, a cumprir a profecia de que o domínio do papado se encerraria ao final dos 1.260 anos, e a descobrir também a chave para os escritos que confirmavam a veracidade da Bíblia, que tão arduamente procuravam destruir.

"Deves permanecer na tua herança"

O que o anjo disse a Daniel que deveria ocorrer por ocasião do tempo do fim? Desde o momento em que ele ouviu o santo dizer: "Até duas mil e trezentas tardes e manhãs; e o santuário será purificado" (Daniel 8:14), ele se questionou quanto ao que seria "o fim destas coisas", e quanto tempo elas deveriam durar (Daniel 12:6-8). Finalmente, é-lhe dado a entender que o conhecimento do tempo não era para seus dias. Foi-lhe dito: "Tu, porém, segue o teu caminho até ao fim; pois descansarás e, ao fim dos dias, te levantarás para receber a tua herança [estarás na tua sorte, ARC; *stand in thy lot*, KJV]" (Daniel 12:13).

Alguns supõem que essa passagem se refira ao fim do mundo, quando Daniel, em companhia do restante do povo do Senhor, receberá sua recompensa e permanecerá em sua herança. A palavra hebraica correspondente a "herança" (lote herdado, pedaço de terra, sorte, etc.), conforme os especialistas, é *gheh-vel*. No entanto, não é essa a palavra que, nessa passagem, se traduz por *herança*. A palavra aqui é *go-rahl*. Eruditos em hebraico nos dizem que *go-rahl* ocorre 76 vezes no Antigo Testamento, e é a mesma palavra usada para mencionar a purificação típica do santuário, momento em que eram lançadas sortes para determinar qual dos dois bodes seria morto. Enquanto o sumo sacerdote pegava o sangue do bode para o Senhor e entrava no santuário para realizar a purificação, todo o Israel afligia sua alma e confessava seus pecados a fim de serem purificados, e então receber a bênção do sumo sacerdote quando este saía do santuário. Assim, naquele dia, Israel permanecia ou estava em sua sorte.

Quando viesse a purificação final do santuário, ao fim dos 2.300 dias, o caso de Daniel, juntamente com os de todos os justos mortos, seria revisado perante Deus. É assim que Daniel deveria permanecer ou estar em sua sorte.

Palavras seladas até 1798

Em resposta à pergunta de Daniel, "Meu Senhor, qual será o fim destas coisas?" (Daniel 12:8) é dito: "Estas palavras estão encerradas e seladas até ao tempo do fim" (Daniel 12:9). O aspecto que deixou a mente de Daniel intrigada foi "quando?" ou "quanto tempo?" e "qual será o fim?". Esses foram os pontos que deixaram o profeta perplexo e preocupado, e somente esses pontos é que deveriam permanecer cerrados e selados até o "tempo do fim", e não o livro todo de Daniel, como alguns imaginavam. Antes de 1798, houve estudiosos das profecias que receberam luz sobre as 70 semanas e entenderam que seu início ocorreu em 457 a.C., e que o ministério público de Cristo, Sua morte, etc., estavam contemplados nessa profecia. Foi o cumprimento exato dessas profecias referentes à missão do Salvador que lhes serviu de grande prova de que Ele era o verdadeiro Messias e de que a data do início das 70 semanas estava inalteravelmente determinada. No entanto, foi a falta de compreensão de que as 70 semanas constituíam a primeira parte dos 2.300 que deixou o assunto selado até depois de 1798, conforme predito.

A chave para os 2.300 dias

Analisemos, agora, alguns fatos. Até o ano 1798, os intérpretes das profecias não possuíam luz a respeito do fim do período dos 2.300 dias. Eles conseguiam entender os símbolos, a imagem e as bestas do livro de Daniel, mas não sabiam quando os 2.300 terminariam, justamente por não saberem a data de seu início. Como prova disso, lemos no *Midnight Cry* [Clamor da meia-noite], um periódico do início do movimento adventista, datado de 15 de junho de 1842:

> É muito interessante descobrir os vários escritores independentes que, desde 1798, perceberam o que antes era completamente imperceptível: que as 70 semanas eram a chave para os 2.300 dias.

Muitos descobrem a luz

Assim como esse conhecimento havia sido "selado" até a data determinada por Deus em que seria aberto à compreensão de Seu povo, da mesma forma, quando o "tempo do fim" chegou, muitos, em conformidade com a profecia de Daniel 12:4, passaram a investigar as Escrituras, "esquadrinhando-a" a fim de entender esse assunto. Comparando algumas traduções desse texto bíblico, a ideia ficará bem clara:

O Dr. Adam Clarke diz: "Muitos buscarão pesquisar o sentido; e, desta maneira, o conhecimento aumentará".

Na Bíblia alemã de Lutero, versão revisada, lemos: "Assim muitos se porão sobre ele, e encontrarão grande entendimento".

A Bíblia Alemã Paralela diz: "Muitos o percorrerão por inteiro, e assim o conhecimento aumentará".

A Bíblia alemã de L. Van Ess, também aceita pelo papa para os leitores católicos, traduz assim: "Muitos o pesquisarão, e o conhecimento será grande".

A Bíblia sueca declara: "Muitos nele pesquisarão, e o conhecimento se tornará grande".

A versão dinamarco-norueguesa revisada afirma: "Muitos pesquisarão avidamente, e o conhecimento se tornará abundante".

No *Midnight Cry* de 15 de junho de 1842, lemos sobre essa busca e consequente compreensão do que estava selado antes de 1798: "Não é uma coincidência maravilhosa que tantos escritores, sem qualquer conhecimento uns dos outros, tenham chegado às mesmas conclusões, quase ao mesmo tempo?"

A seguir, apresentamos uma lista com 20 pessoas distintas que descobriram a verdade sobre o fim dos 2.300 dias, não por se comunicarem entre si, mas por pesquisarem diligentemente as Escrituras, guiados pela influência do Espírito de Deus. Encabeçando a lista, está Guilherme Miller, do Estado de Nova Iorque; em seguida vem A. J. Krupp, de Filadélfia, na Pensilvânia; David McGregor, de Falmouth, Maine; Edward Irving, da Inglaterra; Archibald Mason, da Escócia; W. E. Davis, da Carolina do Sul; Joseph Wolff, que trabalhou em várias partes da Ásia; Alexander Campbell, em seu debate com Robert Dale Owen, em 1829; o capitão A. Landers, de Liverpool, Inglaterra; Leonard Heinrich Kelber, de Stuttgart, Alemanha; Lacunza, da Espanha; Hentzepeter, de The Hague, Holanda; Dr. Capadose, de Amsterdam, na Holanda; Rau, da Bavaria; sacerdotes da Tartária, em 1821; estudantes da Bíblia do Iêmen, em seu livro chamado *Seera*; Hengstenberg, em outra parte da Alemanha; russos no Mar Cáspio; Molokaners nas margens do Báltico, etc.

A citação a seguir explica como esse assunto foi revelado, de tempo em tempo, a diferentes estudantes da profecia que não se conheciam.

Lemos o seguinte no *Midnight Cry* de 15 de junho de 1842:

> Acabo de receber um livro com o título "Dois Artigos sobre os 2.300 Dias Proféticos de Daniel, e o Dever Cristão de Investigar Acerca do Livramento da Igreja, por Archibald Mason, ministro do evangelho, Wishawtown, Escócia, Newberg. Impresso a partir da edição de Glasgow, por M. Ward Gazeley, 1820". Neste livro, Mason diz: "Recentemente, vi um pequeno panfleto, publicado pela primeira vez na América pelo Rev. William E. Davis, da Carolina do Sul, e republicado em 1818 em Warkington, no sul da Inglaterra. Esse autor afirma que os 2.300 dias tiveram início com as setenta semanas (Daniel 9:24). Sou obrigado a concordar com essa ideia".

Davis, da Carolina do Sul

Nesse mesmo volume do *Midnight Cry*, o editor afirmou: "O livro de Davis deve ter sido escrito por volta de 1810". Ao analisar o raciocínio seguido no livro, ele afirma:

> O leitor pode realmente se deleitar com as produções de Miller, Litch, Storrs ou Hale, mas cremos que ninguém dos atuais escritores sobre o segundo advento sabia da existência desse livro até semana passada. O editor desse jornal [*Midnight Cry*] nunca tinha ouvido falar dele. A posição de Davis quanto ao tempo, confirmada por Mason, era que os 2.300 dias terminariam no ano judaico de 1843, isto é, em 1844 de nossa era.

Joseph Wolff e outros vinte escritores

No *Midnight Cry* de 31 de agosto de 1843, lemos que "em 1822, Joseph Wolff (da Inglaterra), publicou um livro intitulado *Ele Virá Outra Vez, O Filho do Homem nas Nuvens do Céu*". E mais:

> Em 1826, 20 pessoas, de todas as crenças ortodoxas, reuniram-se em Londres, com o Sr. Wolff, para estudar a Bíblia. Chegaram a essa mesma conclusão de forma unânime. Acrescentaram 45 anos aos 1.260.

Se somarmos 45 anos aos 1.260 anos, chegaremos a 1843 (ano judaico), que em realidade é o ano 1844 de nossa era.

A posição de Alexander Campbell

No mesmo volume do periódico, afirma-se sobre Alexander Campbell:

> Em 1829, ele teve seu aclamado debate com o infiel Robert Owen, no qual sustentou que as visões de Daniel se estendem até o fim do tempo, que os 2.300 dias são anos, e que terminarão cerca de 1.847

anos após o nascimento de Cristo, que ocorreu, segundo seus cálculos, quatro anos antes da contagem comum.

Assim, em seu cálculo, os 2.300 dias terminariam ao final do ano judaico inteiro de 1843 da era cristã – em realidade, nosso 1844.

No *Midnight Cry* de 21 de setembro de 1843, encontramos uma declaração a respeito de um livro intitulado:

> *Uma voz para a Bretanha e para a América, numa Declaração das Escrituras sobre a Segunda Vinda de Nosso Senhor e Salvador, pela qual diariamente oramos, dizendo: "Venha o Teu reino, seja feita a Tua vontade, assim na Terra como no Céu"* [Mateus 6:10], escrito pelo capitão A. Landers, de Liverpool, e publicado por S. Kent and Co., em 1839.
>
> Ele, assim como os outros, fornece um cálculo do tempo, estabelecendo o fim dos 2.300 dias para 1.847 anos após o nascimento de Cristo.

O cálculo chegaria até o nosso ano de 1844, já que Seu nascimento ocorreu quatro anos antes da contagem comum.

Leonard Heinrich Kelber

Na *Review and Herald* de 17 de maio de 1892, há um artigo do irmão L. R. Conradi, de Hamburgo, Alemanha, que diz:

> A maioria de nossos leitores provavelmente já ouviu falar do notável prelado Luterano Bengel, [de acordo com Schaff, Bengel morreu em 1751], que fixou, no século passado, a data do aparecimento de nosso Senhor para o ano de 1836, baseando seus cálculos no número 666 do Apocalipse. Contudo, muito tempo antes desse período expirar, outro estudioso, um diretor geral chamado Leonard Heinrich Kelber, começou a escrever sobre o assunto. Seu primeiro panfleto, *O Fim está Próximo*, surgiu em 1824, contendo uma explicação de Mateus 24 e 25. Foi impresso na Baviera. Em 1835, ele publicou em Stuttgart um panfleto maior, com o mesmo título, contendo 126 páginas. Este é de especial interesse. Para prover a nossos leitores uma ideia melhor sobre o material, incluo a tradução do título: *O Fim Vem: está comprovado de forma detalhada e convincente a partir da Palavra de Deus e dos últimos acontecimentos; ficam totalmente invalidados todos os preconceitos contra aguardar a vinda de nosso Senhor, ou contra os cálculos de tempo, e mostrado claramente como o prelado Bengel equivocou-se em sete anos com referência ao grande ano decisivo, pois o término não é em 1836, mas no ano de 1843, quando a grande luta entre a luz e as trevas terminará, e começará na Terra o tão esperado reinado de paz de nosso Senhor Jesus.*
>
> Uma segunda edição surgiu em 1841, também em Stuttgart, e, até onde sei, outra na Saxônia. Como indicado no título, após confrontar os preconceitos comuns, o panfleto mostra de forma clara e explícita a

conexão existente entre os 2.300 dias de Daniel 8 e as 70 semanas de Daniel 9, levando-nos ao ano de 1843 (Ano Judaico de 1843, e ano de 1844 de nossa era). Ele mostra então no restante do livro, mediante os sinais dos tempos, que esse evento está próximo.

Só o fato de ter surgido várias edições revela o interesse que esse panfleto despertou. O irmão Schache, residente agora na Austrália, viu uma propaganda acerca dele na distante província de Cilícia. Depois de solicitar uma cópia, leu-a com grande interesse, de portas trancadas. No livro, não existe nenhuma indicação de que o autor conhecesse qualquer movimento semelhante acontecendo no mundo. No entanto, pelo Espírito de Deus, ele chegou às mesmas conclusões que os demais.

Em 1842, esse autor escreveu um panfleto ainda maior, de 286 páginas, também em Stuttgart, intitulado: *Pensamentos Primordiais e Escriturísticos Referentes à Criação e à Duração do Mundo; ou uma resposta completa à pergunta: Por que Deus criou o mundo em seis dias sucessivos – a proximidade de nosso Senhor para julgar o anticristo – os grandes e alegres eventos do ano de 1843.*

"Ben Ezra" (Manuel Lacunza)

Em 1812, Lacunza publicou na Espanha um livro intitulado *La venida del Mesías en Gloria y Majestad* [A Vinda do Messias em Glória e Majestade]. O escritor assumiu o pseudônimo "Ben Ezra", e supõe-se que ele fosse um judeu convertido. Edward Irving, da Inglaterra, depois de começar a produzir sua obra sobre a segunda vinda, traduziu o livro de Ben Ezra para o Inglês. Desse modo, sua história é narrada em pelo menos dois idiomas.

É realmente interessante empreender, anos depois, a tarefa de reunir as conclusões dos vários estudiosos que, desde o início do século passado até 1840, calcularam o período dos 2.300 dias e colocaram as 70 semanas como a primeira parte desse período, e descobrir que todos eram unânimes de que o término do período se daria em 1844.

1844 – o verdadeiro fim dos 2.300 dias

Pode-se perguntar: podemos ter certeza de que 1844 é a data certa para o encerramento dos 2.300 dias? Sim! Tão certo como uma falsa profecia não pode se cumprir na hora certa, concluímos que o ano de 1844 é o verdadeiro fim para os 2.300 dias. Deus selou esse conhecimento até 1798 e prometeu que, *a partir de então*, brilharia luz a esse respeito. Ele guiou, por intermédio de Seu infalível Espírito, os que O buscavam com sinceridade visando obter uma correta compreensão quanto ao tempo. Havia chegado o momento de o "conhecimento" sobre o assunto "ser multiplicado". Assim, Deus enviou a *verdadeira luz* sobre o assunto.

Conscientes de que o término do tempo foi revelado no "tempo do fim", é apropriado que indaguemos acerca da importância dessa descoberta. Com efeito, descobrimos que esse período, referente ao encerramento da obra do evangelho, revela um tempo definido para o início do juízo. Diz João:

> Vi outro anjo voando pelo meio do céu, tendo um evangelho eterno para pregar aos que se assentam sobre a terra, e a cada nação, e tribo, e língua, e povo, dizendo, em grande voz: Temei a Deus e dai-Lhe glória, pois é chegada a hora do Seu juízo; e adorai Aquele que fez o céu, e a terra, e o mar, e as fontes das águas (Apocalipse 14:6, 7).

Não são anjos literais que pregam o evangelho aos homens. O homem é o agente escolhido pelo próprio Deus para pregar o evangelho até o fim. Portanto, esse anjo, mencionado no texto bíblico, simboliza a proclamação de que chegou a hora de começar o juízo "pela casa de Deus" (1 Pedro 4:17). Tal mensagem não poderia ser dada, biblicamente, antes que se descobrisse na Bíblia o tempo que conduz ao juízo. Como já foi sugerido, os 2.300 dias levam ao juízo investigativo do povo de Deus.

O Dia da Expiação – um tempo de juízo

O Dia da Expiação, ou seja, a purificação do santuário terrestre, era, e ainda é, entendido pelos judeus como um dia de juízo. E mesmo agora, estando dispersos pelo mundo, e embora não efetuem todo o ritual relacionado a esse dia solene, ainda o observam como um dia de julgamento. Como prova disso, citamos primeiramente um artigo publicado num periódico judaico, em São Francisco, Califórnia, intitulado *The Jewish Exponent* [O Intérprete Judeu], órgão dos judeus ortodoxos residentes no oeste das Montanhas Rochosas. Na edição de setembro de 1892, foi anunciado que, antes da impressão do volume seguinte, viria o sétimo mês e o Dia da Expiação. O nome do sétimo mês é Tishri, e o do sexto é Elul. Observem o que diz o documento:

> Estamos no mês de Elul, e os sons de advertência do Shofar [trombeta que soava do primeiro ao décimo dia do sétimo mês; Salmos 81:3, 4] serão ouvidos todas as manhãs nas sinagogas ortodoxas, anunciando a preparação para o dia de memorial e do juízo final de Yom Kippur.

Como estavam no fim de Elul, o sexto mês, e Tishri, o sétimo mês, estava para iniciar-se, ouviriam, a cada manhã, por dez dias, a trombeta anunciando o julgamento final anual naquele sistema típico.

O testemunho de um rabino judeu

Em 1902, Isidore Myer, rabino de uma grande congregação de judeus em São Francisco, Califórnia, fez a seguinte declaração ao anunciar o Dia da Expiação:

> Ao cruzar o limite de tempo de um ano ao outro, o israelita é compelido a lembrar-se da criação e da soberania universal do Criador, e chamado a celebrar, ao soar da trombeta, o aniversário, por assim dizer, do nascimento do tempo e da coroação do grande Rei. Ele é, também, convocado pelo som da mesma trombeta, ou Shofar, a investigar retrospectivamente suas ações durante o ano que se passou, enquanto treme diante do olho do Eterno Juiz, que tudo vê, sentado no trono de julgamento.

Como no serviço do templo judaico o santuário era purificado uma vez por ano, deve ter ficado evidente a Daniel que esta purificação do santuário ao final dos 2.300 dias fosse necessariamente ligada a algo mais do que apenas o serviço típico anual. O Senhor já havia instruído Seu povo quanto ao fato de que, ao se depararem com símbolos usados nas profecias, o tempo deveria ser contado "cada dia por um ano" (Números 14:34; Ezequiel 4:6-7). Assim, o período de 2.300 dias, como vimos, atinge o final da obra de Cristo como sumo sacerdote no santuário celestial – o juízo investigativo daqueles cujos casos foram trazidos, mediante confissão, a esse santuário.

A mensagem do juízo – prevista para o ano de 1844

A partir do momento em que se descobriu o período em que o julgamento dos santos teria início, na providência divina, e conforme delineado na profecia, um caminho foi aberto para que fosse proclamada a mensagem: "É chegada a hora do Seu juízo" (Apocalipse 14:7). Notem: não é dito que a mensagem seria proclamada imediatamente após a descoberta do tempo determinado [os 2.300 dias], mas que a luz, previamente "selada", seria revelada. Temos evidências claras de que esse fato se cumpriu. Na realidade, veremos, nos capítulos seguintes, que, da mesma forma que Deus definiu o exato momento em que a mensagem do advento deveria ser proclamada, esse mesmo Deus dirigiu os eventos para que essa proclamação se cumprisse literalmente.

Capítulo 5

A Mensagem do Segundo Advento

"Aprendei, pois, a parábola da figueira: quando já os seus ramos se renovam e as folhas brotam, sabeis que está próximo o verão. Assim também vós: quando virdes todas estas coisas, sabei que está próximo, às portas. Em verdade vos digo que não passará esta geração sem que tudo isto aconteça. Passará o céu e a terra, porém as Minhas palavras não passarão" (Mateus 24:32-35).

Nesta passagem, nossa atenção é dirigida ao *tempo* em que nos é possível saber que a vinda de Cristo está "às portas" com a mesma segurança que *sabemos* estar próximo o verão ao vermos as primeiras tenras folhas nascendo nas árvores. Também podemos saber que é nascida a geração que não passará do palco de ação até que o próprio Cristo venha. Ao chegar o momento de *aprender* a parábola, podemos estar certos de que é chegado o tempo em que Deus vai levantar mestres para ensiná-la. A indagação do apóstolo, pronunciada em outra ocasião, é igualmente aplicável aqui: "E como ouvirão, se não há quem pregue? E como pregarão, se não forem enviados?" (Romanos 10:14 e 15).

O tempo dos sinais

No capítulo anterior, vimos como foi descoberta a data para o término do período de 2.300 dias. Vimos também que esses dias se estenderiam até a "hora do Seu juízo". No trecho bíblico aqui apresentado, somos transportados ao tempo determinado por Deus no qual essa parábola, bem como a mensagem do "juízo", deveriam ser proclamadas ao mundo. Após falar da grande "tribulação" que viria sobre Seu povo – e que seria "abreviada" –, o Salvador declarou:

> Logo em seguida à tribulação daqueles dias, o sol escurecerá, a lua não dará a sua claridade, as estrelas cairão do firmamento, e os poderes dos céus serão abalados. Então, aparecerá no céu o sinal do Filho do Homem (Mateus 24:29 e 30).

Devemos observar que não é dito aqui que o último sinal mencionado é um sinal de Sua vinda, mas um sinal de que o Filho do homem está ali, de que Ele é visto chegando. Os eventos que o texto menciona, sobre os quais devemos basear a fé de que Sua vinda está próxima, são os sinais no sol, na lua e nas estrelas. Os outros eventos que se seguem acontecem em conexão com Sua própria vinda nas nuvens do Céu. Imediatamente após o terceiro daqueles sinais – o das estrelas –, vem o tempo em que Deus suscitará mestres para ensinar que a vinda de Cristo está às portas.

Mas quando esses sinais deveriam ocorrer? A Bíblia declara que o sol deveria escurecer *imediatamente* após a tribulação (Mateus 24:29). Como Marcos registra, seria "naqueles dias, *após* a referida tribulação" (Marcos 13:24). Nosso Salvador havia dito que os dias seriam abreviados. Mediante o decreto de Maria Teresa, e os Atos de Tolerância desde 1773 a 1776, a perseguição contra o povo de Deus foi encurtada. Embora o poder perseguidor tenha mantido o controle do braço civil até 1798, suas perseguições se encerraram por volta de 1773. Ao compararmos essas declarações do Salvador, verificamos que o cumprimento do primeiro desses sinais ocorreria entre 1773 e 1798.

O dia e a noite escuros

Em 19 de maio de 1780, o sol escureceu de maneira sobrenatural. Não houve eclipse, pois na noite anterior a lua estava cheia. Não obstante, houve escuridão por todo o nordeste dos Estados Unidos das 11 horas da manhã às 11 horas da noite. Na ocasião, não apenas o sol escureceu, mas a lua recusou-se a refletir a luz do sol. Foi uma escuridão que impediu o sol de brilhar sobre a lua. Como expressou Noah Webster muitos anos depois: "Nenhuma explicação satisfatória foi apresentada para essa escuridão".

O astrônomo Herschel declarou o seguinte a respeito desse dia escuro:

> O Dia Escuro na América do Norte foi um desses maravilhosos fenômenos da natureza, sobre o qual sempre se lerá com interesse, mas que a filosofia não consegue explicar.

Os que descreveram a escuridão da noite de 19 de maio de 1780 disseram que, apesar de haver lua cheia, "se todos os corpos luminosos do universo tivessem sido removidos, a escuridão não teria sido mais completa".

A queda das estrelas

O terceiro desses sinais, a queda das estrelas, se cumpriu no dia 13 de novembro de 1833. Naquela noite, ou melhor, cinco horas antes do amanhecer, houve uma chuva de meteoros que alguns compararam a fluxos de fogo descendo do céu. Outros a compararam a centelhas saindo de grandes fogos de artifício. Esse fenômeno atingiu toda a América do Norte, desde o Golfo do México, ao sul, até a Baía de Hudson, ao norte; das ilhas Sanduíche, a oeste, até a algumas centenas de quilômetros de Liverpool, ao leste. De onde quer se olhasse, era visto como um contínuo aguaceiro de estrelas que caíam tão densas quanto flocos de neve numa tempestade.

Acerca da chuva de estrelas ocorrida em 1833, citamos também o seguinte, do *Connecticut Observer* de 25 de novembro de 1833:

> O editor do *Old Countryman* considera a questão das "estrelas cadentes" como algo muito sério. Ele assim afirma: "Declaramos que a chuva de fogo, que vimos na manhã da última quarta-feira, é um símbolo terrível, um fiel precursor, um sinal misericordioso do grande e terrível dia que os habitantes da Terra hão de presenciar, quando for aberto o sexto selo. O tempo é chegado, descrito não somente no Novo Testamento, mas também no Antigo Testamento; e seria impossível contemplar um quadro mais preciso de uma figueira lançando seus frutos, quando movida por um forte vento".

A predição de Thomas Burnett

O povo havia sido ensinado por seus ancestrais a buscar um cumprimento literal desse sinal. Thomas Burnett, em sua "Teoria da Terra", publicada em Londres no ano de 1697, fez o seguinte comentário a respeito de Mateus 24:29:

> Naquele dia, haverá, com absoluta certeza, toda sorte de meteoros fumegantes; e, entre outros, as chamadas estrelas cadentes que, embora insignificantes quando consideradas isoladamente, se caíssem em grande número, como diz o profeta, como as folhas da videira ou os frutos da figueira, produziriam uma visão assombrosa. [...] Não devemos considerar essas coisas como tendências exageradas ou poéticas, mas como profecias sem disfarce, e coisas que realmente acontecerão.

O testemunho do professor Olmstead

O professor Olmstead, do Colégio Yale (Massachusetts), que foi chamado "O maior meteorologista da América", fez a seguinte declaração a respeito da queda das estrelas de 13 de novembro de 1833:

A extensão da chuva de 1833 foi tão grande que atingiu uma parte considerável da superfície da Terra, desde o meio do Atlântico, ao leste, até o Pacífico, ao oeste; e da costa norte da América do Sul até regiões indefinidas entre os territórios Britânicos, ao norte. A exibição das estrelas cadentes não foi apenas visível, mas apresentou a mesma aparência em todos os lugares.

Esse professor declara o seguinte a respeito dessa exibição, que começou por volta das 11 horas da noite do dia 12 de novembro e continuou até cerca de 4 horas da manhã do dia 13:

Os que tiveram a sorte de testemunhar a exibição das estrelas cadentes, na manhã de 13 de novembro de 1833, provavelmente viram a maior exibição de fogos celestes registrada desde a criação do mundo, ou pelo menos entre os anais cobertos pelas páginas da história.

A chuva de estrelas também é vista na Europa

Em um livro publicado em 1835 por Leonard Heinrich Kelber [*Das Ende kommt*], em Stuttgart, Alemanha, descobrimos que esse sinal foi repetido no lado europeu do Atlântico, no mesmo mês, porém alguns dias depois. Ele diz:

Em 25 de Novembro de 1833, houve uma agradável exibição de estrelas cadentes no continente europeu. [...] em Minsterburg [na Silésia], as estrelas caíram como uma chuva de fogo. Elas foram acompanhadas de bolas de fogo, tornando a noite tão clara que as pessoas pensaram que suas casas vizinhas estivessem em chamas.
Ao mesmo tempo, em Prin (Áustria), houve uma queda de estrelas que atingiu mais de 1300 quilômetros quadrados. Esse acontecimento foi descrito por alguns como torrentes de fogo descendo do céu. Alguns o chamaram de chuva de fogo. Os cavalos se assustaram com ela e caíram ao chão. Muitas pessoas adoeceram de medo.

Aplicação da parábola

Ao prosseguir na descrição profética, após o cumprimento do terceiro sinal (a queda das estrelas), nosso Salvador ordena: "Aprendei, pois a parábola da figueira". Essa linguagem não se aplica à geração que vivia quando essas palavras foram pronunciadas, mas à geração que veria esses acontecimentos, não enquanto estivessem *ainda* se cumprindo, mas *já cumpridos*. Os eventos que anunciarão a proximidade da volta de Cristo não incluem o abalo dos céus, que ocorrerá quando Ele realmente for visto em Seu retorno. Os sinais de que Ele está próximo incluem este terceiro sinal, o das estrelas. O tempo determinado pelo Senhor para que o povo aprenda a lição da parábola da figueira se inicia, portanto, depois de 1833. Este é o tempo no qual o Senhor determinou que o mundo fosse desperto para a grande verdade de que Sua vinda está às portas. Este é também o tempo cuja geração, que ouviu essa parábola de Cristo, não passaria. Podemos perceber, portanto, como esta profecia demarca o momento em que a grande proclamação do advento deveria ser dada ao mundo.

Uma proclamação mundial

Em cumprimento dessa predição, percebemos que, naquele momento e naquele lugar (1833), o Senhor levantava Seus mensageiros e ministros em várias partes do mundo. Esses arautos proclamaram, de 1833 a 1834, que a vinda de Cristo estava próxima, "mesmo às portas". Ensinaram a parábola da figueira, apontando para os sinais de Sua vinda, como Cristo os havia instruído a fazer. Essa mensagem, pelo ensino pessoal ou pela página impressa, chegou a todas as estações missionárias no mundo e a todos os portos da Terra.

O alcance da mensagem foi descrito de forma precisa pelo editor da *Voz da Verdade*, de Rochester (Nova Iorque), em uma edição de Janeiro de 1845:

> O evangelho eterno, conforme descrito em Apocalipse 14:6 e 7, tem sido pregado a toda nação, tribo, língua e povo, dizendo em grande voz: "Temei a Deus e dai-Lhe glória, pois é chegada a hora do Seu juízo; e adorai Aquele que fez o céu, e a terra, e o mar, e as fontes das águas" (Apocalipse 14:7). Não há caso que possa ser mais comprovado com fatos do que este: de que esta mensagem foi levada a toda nação e língua debaixo do céu nos últimos poucos anos, por meio da pregação da vinda de Cristo para o ano de 1843 (1843 no calendário judaico; 1844 no nosso calendário), ou para um futuro muito breve. Através de palestras e publicações, o clamor foi ouvido por todo o mundo, e as palavras chegaram até aos confins da Terra.

Algumas pessoas, desatualizadas quanto aos acontecimentos, consideram que o movimento do segundo advento ficou limitado a certa área geográfica, supondo que a obra fosse algo ligado a Guilherme Miller e a algumas centenas de ministros com ele associados na porção Norte dos Estados Unidos. Pode ser uma surpresa, para tais pessoas, descobrir que o movimento na América, onde Miller e Himes foram líderes proeminentes, representou apenas uma pequena porção de um grande movimento que, como mencionado acima, chegou "aos confins da Terra".

Início do movimento em vários países

Chegou o tempo determinado pelo Senhor para que essa proclamação fosse levada ao mundo todo. Em mais de 12 diferentes partes da Terra, de forma quase simultânea, homens foram levantados, sem conhecimento da obra um do outro, e saíram para ecoar essa mensagem por todas as partes da Terra. As pessoas mencionadas no capítulo 4, que haviam recebido luz quanto ao término dos 2.300 dias, com exceção de A. Campbell, foram movidas a se empenhar na proclamação da mensagem do primeiro anjo de Apocalipse 14. Isso também se deu pela atuação direta do Espírito de Deus, e não por transmitirem a luz entre si.

Comparado à Reforma

Se aplicarmos a esse movimento a mesma regra que D'Aubigné aplicou à grande Reforma do século 16, ele certamente será classificado como a mensagem de Deus, no tempo de Deus. O historiador declara o seguinte sobre a Reforma como um todo:

> A Alemanha não comunicou a verdade à Suíça, ou a Suíça à França, ou a França à Inglaterra. Todos esses países a receberam de Deus, do mesmo modo que uma parte do mundo não transmite luz a outra parte; mas o mesmo sol é que a comunica, de forma direta, a toda a Terra. Cristo, *o Sol nascente das alturas* [Lucas 1:78], infinitamente exaltado acima de toda a humanidade, foi, no período da Reforma, assim como no estabelecimento do cristianismo, o divino fogo que deu vida ao mundo. No século 16, uma mesma doutrina foi logo estabelecida nos lares e igrejas as mais distantes e em diversas nações. A razão é que o mesmo Espírito estava trabalhando por toda parte, produzindo a mesma fé.
>
> A Reforma da Alemanha e da Suíça demonstram esta verdade. Zuínglio não teve qualquer comunicação com Lutero. Havia, sem dúvida, um elo entre esses dois homens, mas precisamos buscá-lo acima da Terra. Aquele que, do Céu, concedeu a verdade a Lutero, também a revelou a Zuínglio. Deus foi o meio de comunicação entre eles. "Comecei a pregar o evangelho", diz Zuínglio, "no ano do Senhor de 1516; em outras palavras, num tempo em que o nome de Lutero jamais se havia ouvido em nosso país. Não aprendi a doutrina de Cristo por meio de Lutero, mas sim da Palavra de Deus. Se Lutero prega a Cristo, ele faz o que eu faço; isso é tudo" [*History of the Reformation*, Livro 8, cap. 1, par. 2, 3].

Referindo-se ao trabalho de Farel e Lefèvre, na França, o historiador declara:

> A Reforma na França, portanto, não foi uma importação estrangeira. Teve seu nascimento em solo francês. Ela germinou em Paris. Suas primeiras raízes brotaram na própria universidade, que constituía o segundo poder na cristandade romana. Deus colocou os princípios dessa obra nos corações honestos de homens da região de Picardia e Delfinado antes que ela tivesse início em qualquer outro país.
> Vimos que a Reforma suíça foi independente da Reforma alemã. A Reforma francesa, por sua vez, foi independente de ambas. O trabalho começou de forma simultânea nesses diversos países, sem nenhuma comunicação entre si. Assim como, numa batalha, todas as diferentes tropas que compõem o exército se movem ao mesmo tempo sem que uma tenha de dizer à outra para marchar, pois uma mesma ordem, vinda do comandante-chefe, é ouvida por todos. O tempo estava cumprido, o povo estava preparado, e Deus iniciou a Reforma de Sua igreja em todos os países simultaneamente. Tais fatos demonstram que a grande Reforma do século 16 foi uma obra divina [Ibid., Livro 12, cap. 3, par. x].

D'Aubigné faz ainda a seguinte declaração sobre a Reforma na Inglaterra, encabeçada por Thomas Bilney, Fryth, Tyndale e outros:

> A Reforma na Inglaterra começou, portanto, independentemente de Lutero e Zuínglio, dependendo unicamente de Deus. Em todos estes países da cristandade, houve uma ação simultânea da palavra divina. A origem da Reforma em Oxford, Cambridge e Londres foi o Novo Testamento Grego publicado por Erasmo [Tyndale e Thomas Bilney retiraram-se de Cambridge em 1519]. Houve um tempo em que a Inglaterra se orgulhava dessa elevada origem da Reforma [*History of the Reformation*, Livro 18, cap. 2, par. 12].

A proclamação do advento iniciou-se de maneira semelhante à da Reforma, como descrita acima. Homens foram movidos simultaneamente, porém em número de localidades na Terra superior a quatro vezes os locais da Reforma. Tal fato ocorreu sem conhecimento ou qualquer comunicação de sentimentos entre si. Os reformadores começaram a proclamar as mesmas verdades das Escrituras, não apenas em *quatro países do mundo, mas em todo o mundo civilizado.*

O trabalho de Joseph Wolff

Nesse ponto, é interessante chamar a atenção do leitor aos fatos relativos à extensão da proclamação do advento:

Em 1831, Joseph Wolff, D.D., foi enviado da Grã-Bretanha como missionário para trabalhar entre os judeus da Palestina. De acordo com seu diário, até o ano de 1845, proclamou a iminente vinda do Senhor nas regiões da Palestina, no Egito, nas praias do Mar Vermelho, na Mesopotâmia, na Criméia, na Pérsia, na Geórgia, por todo o Império Otomano, na Grécia, na Arábia, na Turquia, em Bokhara, no Afeganistão, na Caxemira, no Hindustão, no Tibete, na Holanda, na Escócia, na Irlanda, em Constantinopla, em Jerusalém, em Santa Helena, a bordo de navio no Mediterrâneo, e na cidade de Nova Iorque, a todas as denominações. Declara haver pregado entre judeus, turcos, muçulmanos, persas, hindus, caldeus, sírios, sabeus, xeiques paxá, xás, aos reis de Organtsh [Khiva] e do Uzbequistão, à rainha da Grécia, etc. [*Voice of the Church*, p. 343].

No Iêmen, região habitada pelos descendentes de Hobabe, sogro de Moisés, Joseph Wolff viu um livro, a respeito do qual declara:

Os árabes deste local têm um livro chamado *Seera*, que trata da "Segunda vinda de Cristo, e Seu reino em glória" [*Wolff's Mission to Bokhara*].

Nesse país, ele passou seis dias com os recabitas, dos quais afirma:

Eles não bebem vinho, não plantam vinhas, não semeiam, vivem em tendas, e lembram das palavras de Jonadabe filho de Recabe. Com eles, estavam alguns dos filhos de Israel, da tribo de Dã, que residem perto de Terim em Hadramaute, que esperam, assim como os filhos de Recabe, a breve chegada do Messias nas nuvens do Céu.

Na descrição acima podemos perceber que, nesses 14 anos, o próprio Wolff havia proclamado que a vinda de Cristo estava às portas em mais de 20 países diferentes. Durante o mesmo período, a doutrina era extensivamente agitada na Alemanha, especialmente no sul, entre os morávios.

A mensagem na Alemanha e na Rússia

Um escritor inglês, Mourant Brock, nos informa que "em Württemberg, havia um agrupamento de cristãos, contado em centenas, que esperava o breve advento de Cristo". A doutrina foi proclamada em outras partes da Alemanha, por Hengstenberg, considerado naquela época como o mais talentoso teólogo na Alemanha.

Na *Review and Herald* de 13 de Dezembro de 1892, o irmão L. R. Conradi, da Alemanha, afirma:

Bengel, na Alemanha, acendeu em muitos corações o amor pelo aparecimento de nosso Senhor, o que levou milhares a estudar a palavra profética como nunca dantes. [...] A luz brilhou na Alemanha, e lá circularam várias publicações explicando os 2.300 dias. Um despertamento religioso foi desencadeado, especialmente em Württemberg. Como se despertou a perseguição, centenas de famílias foram para o sul da Rússia, e lá espalharam essa luz entre seus próprios conterrâneos, que haviam mudado para lá havia muitos anos. À medida que os pastores fechavam suas igrejas, a grande maioria deles mantinha suas "stunden", ou "hora" de reunião, em casas particulares, e centenas de pessoas eram convertidas. Mesmo naquela época o sábado era discutido entre eles, mas por ninguém tomar a dianteira, ele foi abafado. Um fazendeiro russo foi convertido no "stunden", começando o mesmo trabalho entre os russos. Isso resultou, finalmente, no grande movimento atual "Stundist", cuja influência alcança os lugares mais longínquos da Sibéria e do Trans-Cáucaso.

Na *Review and Herald* de 31 de Julho de 1891, encontramos uma declaração do irmão Conradi sobre o irmão Schache, da Austrália, que, no momento ao qual se refere, morava na Silésia e trabalhava parte do tempo na missão doméstica do Padre Gosner, notável evangelista alemão. Ele faz a seguinte declaração a respeito do livro de Kelber:

> Depois de 1836, ou quando o cálculo de Bengel expirou, foi encontrada, no jornal do condado de Schweidnitz, uma observação referente a um livro de L. Heinrich Kelber, vinda da livraria do Sr. Sommerfeldt, sobre os grandiosos e alegres eventos que teriam lugar nos anos de 1843 e 1844. Eu não lembro o título exato do livro. Procuramos o dito livro, e o lemos com muitas pessoas interessadas, a portas trancadas, no ano de 1839-1840. O livro mostrava, com base em Daniel, no Apocalipse e em Mateus 24, que o fim estava bem próximo, e continha também uma tabela de cálculo, mostrando como se chegara à conclusão acima.

A mensagem na Grã-Bretanha

Em uma publicação inglesa intitulada *O Milênio*, declara-se que "700 ministros da Igreja da Inglaterra estavam proclamando o retorno do Redentor". Entre os que proclamavam a doutrina do advento na Inglaterra, de 1840 a 1844, estavam alguns dos mais talentosos ministros daquele tempo. Desses, mencionamos os nomes de Bickersteth, Birks, Brooks, Brock, Habershon, Plyn, Fremantle, Nathan Lord, McNeil, Winters, Cummings, J. A. McCaul, D.D., Dr. Nisbett, Rev. A. Dallas, M.A. [em seu livro *Olhe para Jerusalém*, p. 114, ele aplica a parábola de Mateus 24 a esta geração), Burgess, Routon, Gunner, Barker, Bonham, Dealtry, etc.

A mensagem na Holanda

A doutrina do segundo advento foi proclamada na Holanda por Hentzepeter, considerado, naquele tempo, o mais talentoso ministro no país. Era zelador do Museu Real, no Hague, indicado pelo rei. Numa carta escrita ao editor do *Midnight Cry*, em Junho de 1844, ele declara que sua atenção foi chamada ao assunto por um sonho muito impressionante. Investigou as Escrituras, e, no ano de 1830, publicou um panfleto demonstrando a doutrina. Em 1841, Hentzepeter publicou outro panfleto sobre o fim do mundo. Na mesma carta, ele declara que foi em 1842, ao conversar com um senhor que viera da América para a Holanda, que recebeu a primeira informação sobre Guilherme Miller e outros que publicamente anunciavam a doutrina do breve retorno de Cristo.

A mensagem na Tartária

Desde 1821, a doutrina da vinda do Senhor já estava sendo crida e anunciada na Tartária. Nessa época, um missionário Irlandês foi enviado a esse país, e um sacerdote Tártaro perguntou-lhe o seguinte: "Quando Cristo virá pela segunda vez?" Ele respondeu que nada sabia a esse respeito. O sacerdote expressou grande surpresa ao ouvir tal resposta de um missionário que supostamente deveria lhes ensinar as doutrinas bíblicas. Mencionou que achava ser possível a "todos que tivessem uma Bíblia, conhecer o assunto". Então o sacerdote apresentou seu ponto de vista, declarando crer que Cristo viria por volta de 1844. Esse fato é relatado na *Revista Irlandesa* de 1821.

A mensagem na América, na Índia e no Continente Europeu

No vol. 2, p. 135 do *Advent Tracts* de 1844, Mourant Brock, da Inglaterra, diz:

> Não é somente na Grã-Bretanha que a expectativa do breve retorno do Redentor tem sido acariciada, e a voz de advertência ouvida, mas também na América, na Índia e no continente Europeu. Na América, cerca de 300 ministros da palavra pregam "este evangelho do reino", ao passo que, em nosso país, cerca de 700 pessoas da Igreja da Inglaterra fazem ecoar o mesmo clamor.

A todos os portos marítimos da Terra

E. R. Pinney, de Seneca Falls (Nova Iorque), consagrado ministro batista que dedicou sua vida à proclamação da doutrina do advento, em sua obra *Exposição de Mateus 24*, p. 8 e 9, afirma:

> Desde 1842, publicações sobre o segundo advento haviam sido enviadas a todas as estações missionárias na Europa, Ásia, África e América, a ambos os lados das Montanhas Rochosas. [...] Os comandantes de nossas embarcações e os marinheiros relatam que não há porto em que cheguem onde esta proclamação não os tenha precedido, e frequentes inquéritos a esse respeito são feitos por eles.

Três mil proclamam a mensagem

O pastor G. W. Mitchel, de Zanesville, Ohio, outro ministro que pessoalmente anunciou essa doutrina, contou-me, em Newark, Ohio, no dia 8 de agosto de 1894, que, numa conversa em McConnellsville, Ohio, em setembro de 1844, Guilherme Miller lhe disse ter os

> nomes e endereços de 3 mil ministros, em várias partes do globo, que estavam proclamando: "Temei a Deus e dai-Lhe glória; pois é chegada a hora do Seu juízo" (Apoc.14:7), sendo que a maior parte deles encontra-se na América do Norte e na Grã-Bretanha.

Guilherme Miller, ao descrever o vasto crescimento deste "clamor", disse:

> Um ou dois, em cada canto do globo, têm proclamado as novas, e *todos concordam* quanto ao *tempo* – Wolf (Ásia), Irving (Inglaterra), Mason (Escócia); Davis (Carolina do Sul); e, em nossa região, um número considerável está, ou tem estado a proclamar a mensagem [*William Miller's Lectures*, p. 238, 1843].

A *Voz de Elias*, disseminada por Hutchinson

O irmão R. Hutchinson, em 1837, foi enviado da Inglaterra ao Canadá como missionário Wesleyano, e se estabeleceu afinal em Montreal. Tinha vasto conhecimento sobre os países estrangeiros. Nos anos de 1843 e 1844, publicou um periódico chamado a *Voz de Elias*, no qual tratava da doutrina do advento. Com pronto acesso a navios que viajavam para outros países, tendo o privilégio de enviar grande quantidade de seus jornais sem o custo da postagem, distribuiu-os, em grande quantidade, por todas as partes da Terra. Relata que os enviava liberalmente à Nova Escócia, Nova Brunsvique, Terra Nova, Inglaterra, Irlanda, Escócia, País de Gales,

França, Alemanha, Constantinopla, Roma, e a todas as partes do reino Britânico e suas colônias.

Nas Ilhas Sandwich

No *Midnight Cry* de 12 de Outubro de 1843, havia uma carta da Sra. O. S. Burnham, de Kaloa, Ilha de Kaui, Ilhas Sandwich. Ela e seu esposo eram professores numa das escolas daquele local. Eles aceitaram a doutrina do advento, e passaram a proclamá-la na região, e, nas ilhas, um grupo de crentes estava adorando juntamente com eles.

A mensagem é comparada à de João Batista

Assim, vemos que a doutrina do advento foi proclamada com tal amplitude que veio a cumprir o que as Escrituras haviam predito.

O profeta Isaías apresenta a mensagem que deveria anunciar o primeiro advento de Cristo:

> Voz do que clama no deserto: Preparai o caminho do Senhor; endireitai no ermo vereda a nosso Deus. Todo vale será aterrado, e nivelados, todos os montes e outeiros; o que é tortuoso será retificado, e os lugares escabrosos, aplanados. A glória do Senhor se manifestará, e toda a carne a verá, pois a boca do Senhor o disse (Isaías 40:3-5).

Essa profecia foi cumprida na obra de "João Batista [que pregava] no deserto da Judéia e dizia: Arrependei-vos, porque está próximo o reino dos Céus" (Mateus 3: 1 e 2).

Esse homem, sozinho, em seis meses de trabalho no país da Judéia, cumpriu essa maravilhosa predição. Embora essa profecia limitasse o trabalho de João a um determinado tempo e lugar, não é este o caso com as profecias relacionadas à proclamação do segundo advento, pois o trabalho deveria ser feito com um "*alto clamor*", abrangendo o mundo inteiro.

Baseados nos fatos apresentados, podemos perceber que a profecia acerca da mensagem do advento foi cumprida de forma precisa. Havia chegado o tempo determinado por Deus para que a parábola da figueira fosse ensinada, e a mensagem do primeiro anjo anunciada pela primeira vez. Para esse propósito Ele levantou mensageiros para anunciar o clamor a todas as nações, povos, e línguas.

Capítulo 6

A MENSAGEM E OS MENSAGEIROS

"Escreve a visão e torna bem legível sobre tábuas, para que a possa ler quem passa correndo. Porque a visão é ainda para o tempo determinado, mas se apressa para o fim, e não enganará; se tardar, espera-O, porque certamente virá, não tardará" (Habacuque 2:2, 3, ACF).

"E vi outro anjo voar pelo meio do céu, e tinha o evangelho eterno, para o proclamar aos que habitam sobre a terra, e a toda a nação, e tribo, e língua, e povo. Dizendo com grande voz: Temei a Deus, e dai-Lhe glória; porque é vinda a hora do Seu juízo. E adorai Aquele que fez o céu, e a terra, e o mar, e as fontes das águas" (Apocalipse 14:6 e 7, ACF).

Aqueles que participaram na proclamação do advento reivindicaram que esta "visão" com tempo "determinado", mencionada pelo profeta Habacuque, incluía as visões das profecias de Daniel e de João. Eles as representaram de forma tão clara em seus esboços dos quadros proféticos que todos que lessem a interpretação poderiam de fato "correr" e transmitir a informação a outros.

Uma mensagem definida

A proclamação dada pelo povo adventista não era meramente o anúncio feito por Paulo perante Félix, "Justiça, temperança e juízo *por vir*". Tampouco era ela a declaração feita por Martinho Lutero, pouco antes de sua morte e após concluir sua tradução da Bíblia. Ele afirma: "Estou convencido de que o juízo não está muito longe; de fato, o Senhor mesmo não ficará ausente mais que 300 anos". A proclamação adventista não era também a declaração feita por João Wesley, ao dizer que "achava que o milênio poderia começar em cerca de cem anos". Os adventistas alegaram estar dando a mensagem simbolizada em Apocalipse 14:6, 7, que diz: "É chegada a hora do Seu juízo"; e também o clamor de Apo-calipse 10:6, que afirma: "Não haverá mais tempo". Uma profecia assim não poderia se cumprir por meio do anúncio de um evento *"por vir"*, ou previsto para *"300 anos"*, ou mesmo *"100 anos"*, mas num tempo definido e presente: "é chegado". E foi exatamente esta a mensagem anunciada ao mundo inteiro pelo povo adventista, com uma definição tão precisa quanto a exigida pelas profecias mencionadas anteriormente.

O Juízo na vinda de Cristo

Na época em que essa mensagem foi anunciada pela primeira vez, todas as denominações cristãs criam que o juízo ocorreria na segunda vinda de Cristo. Portanto, sob essas circunstâncias, crendo que seria as-sim, qualquer um que anunciasse a mensagem de que a hora do Juízo havia chegado, iria necessariamente proclamar a segunda vinda de Cristo. Em realidade, o que deu força à mensagem, comovendo poderosamente o povo, foi a proclamação de tempo definido. Primeiro, eles alegaram que o fim do mundo viria em algum momento durante o "ano Judaico" de 1843, e que isso era delimitado pelo período de tempo entre 21 de março de 1843 e 21 de março de 1844. Passado esse tempo, encontramos no *Midnight Cry* do ano de 1844 que o dia definido para o término dos tempos proféticos havia sido fixado. Tratava-se do décimo dia do sétimo mês judaico, correspondendo a 22 de outubro de 1844.

Calculando os 2.300 Dias

A data de "1843" tinha como base os 2.300 dias de Daniel 8. Alega-va-se que, como esses "dias" estavam ligados a profecias em que animais haviam sido escolhidos para representar reinos, os "dias" deveriam ser utili-zados também simbolicamente para representar anos, segundo a interpre-tação de tempo simbólico dada por Deus em Números 14:34 e Ezequiel 4:5, 6 [e 7 na Almeida Revista e Atualizada]. Também se alegava que as 70 semanas, ou "490 dias", de Daniel 9 constituíam a primeira parte dos 2.300 dias, e que os dois períodos começavam juntos. O evento dado em Daniel 9, que marcou o início das 70 semanas, foi a "saída da ordem para restaurar e edificar Jerusalém". Esta ordem foi dada no sétimo ano de Ar-taxerxes Longímano, no ano 457 a.C., conforme registrado em Esdras 7.

Que essa era a verdadeira data para o início das 70 semanas fica demonstrado pelo fato de que, exatamente após 69 semanas, isto é, "483 anos", partindo de 457 a.C. e chegando a 27 d.C., Cristo foi batizado por João e iniciou Seu ministério. Neste ano, precisamente, Cristo disse: "O tempo está cumprido" (Marcos 1:14, 15, etc.). O início do ministério de Cristo no ano 27 d.c., sua crucificação três anos e meio a partir dessa data, "na metade da [septuagésima] semana", o término da obra especial entre os judeus, no ano 34 d.C., e a rápida conversão de Saulo, o apóstolo para os gentios, provaram que as 70 semanas terminaram naquela data, e, por conseguinte, que elas começaram em 457 a.c. Os pioneiros da mensagem adventista fizeram o seguinte cálculo: 2.300 menos 457 é igual a 1.843. Como os 457 anos transcorreram antes de Cristo, o término dos 2.300 dias ocorre no fim de 1843.

Confissões de opositores

Tem-se afirmado acertadamente que "confissões em favor da verdade vindas das fileiras dos adversários fornecem evidências da mais alta ordem". Nenhum dos adversários da mensagem do advento jamais insinuou que o juízo investigativo do povo do Senhor fosse um evento a ter lugar antes da vinda de Cristo, mas raciocinavam nesta questão em harmonia com os adventistas. Como prova disso, vamos citar dois oponentes proeminentes.

Em oposição aos adventistas, pregando na Capela da Rua Marlboro, Boston, em 1842, o Sr. N. Colver disse:

> Se esses dias são anos, o mundo vai acabar em 1843. Qualquer criança de escola consegue ver isso, pois, se os 490 anos terminaram com a morte de Cristo, os 2.300 dias terminariam em 1843, e o mundo deve acabar, a menos que se possa demonstrar que algum outro evento deva ocorrer, e não consigo ver como isso pode ser feito.

O Professor Stuart, na mesma época, disse:

> É um fato singular que por muitos anos a grande massa de intérpretes no mundo inglês e americano ficam a desejar quanto a entender que os *dias* designados em Daniel e no Apocalipse representam ou simbolizam *anos*. Tive dificuldades em rastrear a origem dessa tendência geral, ou quase universal, eu diria.

Testemunho do professor Bush

O professor Bush disse: "Quem ataca o Sr. Miller na questão de *tempo*, o está atacando em seu ponto mais forte. Ele está correto quanto ao tempo, mas equivocado quanto ao evento a ocorrer". Bush era adepto da crença de que o mundo inteiro se converteria antes da vinda de Cristo. Sua teoria era que o milênio teria início em 1844.

Os ministros da fé no advento ensinavam, em seus discursos públicos, que a história mundial demonstrava que as várias nações estavam exatamente na condição simbolizada pela imagem de Daniel 2, em que a pedra deveria ferir a imagem nos pés e o Deus do céu estabeleceria Seu reino, bem como na condição predita no capítulo 7, em que "o reino, e o domínio, e a majestade dos reinos debaixo de todo o céu serão dados aos santos do Altíssimo". Eles também chamavam a atenção para o fato de que os sinais – físicos, políticos e morais – correspondiam exatamente aos eventos preditos pela Bíblia a ocorrerem pouco antes do aparecimento de Cristo.

Prodígios nos céus

O Senhor, mediante o profeta Joel, diz: "Mostrarei prodígios no céu e na terra: sangue, fogo e colunas de fumaça. O sol se converterá em trevas, e a lua, em sangue, antes que venha o grande e terrível Dia do Senhor" (Joel 2:30, 31). Os adventistas criam e ensinavam que a aurora boreal dos últimos séculos (comumente chamada de luzes do norte) era o "fogo e colunas de fumaça" que cumpre a especificação do profeta. Segundo a mais fiel informação histórica (nos referimos à Enciclopédia Edinburgh como testemunha), ela havia sido raramente vista antes desse período.

Assim, enquanto a mensagem da iminente vinda do Senhor era levada às partes mais remotas da Terra, apareceram sinais nos céus que deram força à verdade e prenderam a atenção das pessoas.

Em 25 de janeiro de 1837, houve uma das mais magníficas exibições da brilhante aurora boreal. O fenômeno pareceu conduzir imediatamente o pensamento de muitos à predição do profeta Joel quanto ao que havia de preceder o grande dia do Senhor. A seguinte descrição do acontecimento apareceu no *Noticiário Comercial* de Nova Iorque de 22 de outubro de 1839. Ela está plenamente de acordo com a cena que eu testemunhei em Victor, Condado de Ontário, em Nova Iorque:

A brilhante aurora de 1837

No entardecer de 25 de janeiro de 1837, houve uma notável exibição dos mesmos fenômenos [referindo-se à aurora boreal] em várias partes do país, conforme nossos leitores certamente poderão se lembrar. Onde quer que o chão estivesse coberto com neve, a cena se via grandiosa e "temerária" da maneira mais inédita. Em certo lugar, situado próximo a uma montanha, as pessoas que presenciaram a cena nos informaram que ela se assemelhava a "ondas de fogo rolando montanha abaixo". De modo geral, até onde ficamos sabendo, a neve cobrindo o chão tinha a aparência de fogo misturado com sangue, ao passo que no alto (como diz o apóstolo), "os céus, incendiados", lembravam tanto a descrição profética dos últimos dias que muitos ficaram extasiados. As crianças que o contemplavam ficaram atemorizadas, e perguntavam se isso era a vinda do juízo. Mesmo os animais tremiam, manifestando bastante agitação.

Não foi somente na América em que se exibiu esse sinal do profeta Joel. Como a doutrina da vinda do Senhor estava também ganhando publicidade na Grã-Bretanha, o mesmo sinal se manifestou no céu daquele país. O *Noticiário Comercial* de Nova Iorque, de 22 de outubro de 1839, traz as seguintes citações, provenientes de jornais Londrinos, sobre um notável fenômeno testemunhado naquele país na noite de 3 de setembro:

A aurora de 1839

LONDRES, 5 de setembro [1839]. – Entre as dez horas da noite de quinta-feira e as três da madrugada de ontem, foi vista nos céus uma das mais fascinantes manifestações já observadas em muitos anos desses extraordinários fenômenos – as estrelas cadentes e as luzes do norte. A primeira indicação desse fenômeno singular aconteceu dez minutos antes das dez, quando uma luz avermelhada, aparentemente vapor, levantou-se da parte norte do hemisfério, e gradualmente se estendeu ao centro do céu; por volta das dez horas ou dez e quinze, o céu todo, de leste a oeste, era uma grande lâmina de luz. Tinha aparência incrivelmente alarmante e era exatamente como se fora ocasionada por um terrível incêndio. A luz variava consideravelmente. Por um momento ela pareceu decair, e imediatamente depois levantou-se com brilho intenso. Misturada com ela, via-se grande quantidade de fumaça que rolava mais e mais. Todo espectador parecia convencido de que isto era "um tremendo incêndio".

A confusão na metrópole era muito grande. Milhares de pessoas corriam em direção à terrível suposta catástrofe. Os carros das estações de bombeiros na Rua Baker, Rua Farringdon, Rua Watling, e Estrada de Waterloo, e também os das estações a oeste de Londres – de fato, todos os carros de bombeiros de Londres – foram arreliados e cavalgaram para a suposta cena "de destruição" com energia mais que normal, seguidos por carruagens, cavaleiros e grandes multidões. Alguns dos carros avançaram até a altura de High Gate e Halloway [cerca de 6,5 quilômetros] antes que o erro fosse descoberto. Esses prodígios duraram mais de duas horas, e ao se aproximar o amanhecer, o espetáculo se tornou magnífico. Às duas da manhã, o fenômeno apresentou uma cena extremamente bela e bem difícil de descrever. Londres inteira estava iluminada de forma tão clara quanto o meio-dia, e a atmosfera estava notavelmente clara. O hemisfério sul, nesse momento, embora sem nuvens, estava muito escuro; mas as estrelas, inúmeras, brilhavam com grande beleza. O lado oposto do céu apresentava um contraste curioso, porém magnífico. Ele estava extremamente claro, e a luz era muito brilhante. Havia uma sucessão contínua de meteoros que variavam em esplendor – pareciam formados no centro do céu e se difundiam até que pareciam estourar. A impressão foi vibrante. Um grande número de pequenas estrelas era atirado por sobre o horizonte. Estas se lançavam com tanto ímpeto em direção à Terra que os olhos mal podiam seguir-lhes o rastro. Elas também pareciam explodir, lançando um vapor vermelho escuro por todo o hemisfério. As cores eram extremamente magníficas.

Às duas e meia, o espetáculo foi transformado em trevas. Quando se dispersaram, apresentaram um arco-íris luminoso no zênite dos céus e também em volta da borda de escuridão que pairava sobre a parte sul do país. Logo depois, colunas de luz prateada irradiavam partindo dele. Elas aumentaram maravilhosamente, intercalados com o vapor avermelhado que se formou ao mesmo tempo. Quando o espetáculo atingiu a altura total, a cena estava além de qualquer imaginação. Estrelas eram atiradas em todas as direções, continuando até as quatro, quando tudo se extinguiu.

Estranhos aspectos no sol

Enquanto os ativos pregadores estavam anunciando a verdade da vinda do Senhor, diversas maravilhas no céu foram vistas em várias partes do mundo. Por motivo de espaço, daremos apenas a descrição da aparência do sol em Norwich, na Inglaterra, em dezembro de 1843. Outra semelhante ocorreu em New Haven, Connecticut, em 9 de setembro de 1844, durante duas horas antes e após o meio-dia, sendo testemunhada por milhares de pessoas.

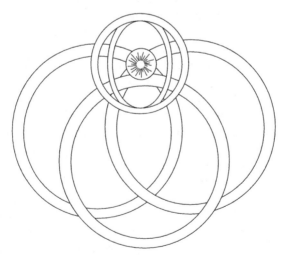

Estranha aparência do sol – O pequeno círculo interior representa o sol. Tinha uma tonalidade laranja-clara. A parte exterior dos dois círculos, com distâncias desproporcionais do sol e em torno dele, se mostrava da mesma cor; mas, a parte interna desses círculos era de um amarelo vivo. O céu, na parte interna desses círculos, se mostrava de cor marrom-escura, e os três grandes círculos passando pelo sol e por baixo dele, exibiam uma luz distintamente brilhante.

Sobre essa ocorrência na Inglaterra, lemos o seguinte numa carta de E. Lloyd, de Londres, datada de 3 de janeiro de 1844:

> Houve um notável "sinal no sol", visto pelos principais cidadãos de Norwich e seus arredores, tal como nunca visto antes na Inglaterra. Foi visto em dezembro passado, cerca do meio-dia, e durou duas horas. Causou grande alarme entre os moradores. Ocorreu logo antes de os irmãos Winter, Burgess e Routon inaugurarem sua missão naquela cidade. Parece que isso preparou caminho para a verdade, pois tiveram bastante sucesso ali.

A narrativa do fenômeno ocorrido em New Haven, Connecticut, é dada no *Midnight Cry* de 10 de outubro de 1844, sendo tomada do *Palladium* de New Haven de 10 de setembro de 1844. Na narrativa do *Cry*, o editor diz: "Nenhum filósofo foi capaz de apresentar uma explicação satisfatória para a causa desse fenômeno".

Um relato dessa manifestação ligada ao sol ocorrida em New Haven, Connecticut, em 9 de setembro de 1844, foi publicada também no *Courant* de Hartford de 12 de setembro de 1844. Lemos ali o seguinte:

> Os anéis ao redor do sol na segunda-feira, dia 9 de setembro de 1844, por duas horas antes e depois do meio-dia, parecem, de forma geral, ter sido observados por nossos cidadãos com bastante interesse, e despertaram uma curiosidade inteligente de saber mais a respeito de aparições desse tipo e de suas causas.
>
> O halo atual foi notável por sua duração e proporcionou oportunidades favoráveis à observação. Perto do meio-dia, ele consistia principalmente em dois anéis completos, um tendo cerca de 45 graus de largura, circundando o sol em seu centro, e o outro cerca de 72 graus de largura, tendo seu centro no zênite, enquanto sua circunferência passava pelo sol. O círculo menor era acompanhado por um eclipse do eixo maior, e de pequena excentricidade. Diretamente oposto ao sol, e 36 graus ao norte do zênite, o grande círculo foi interceptado por dois outros círculos de diâmetros semelhantes ou quase iguais, formando, no ponto de intersecção, um ponto brilhante, tal como naturalmente resultaria ao combinar-se a luz de três anéis luminosos. O anel que rodeava o sol exibiu as cores do arco-íris, frequentemente com muito brilho e beleza. Os outros anéis eram brancos e mais fracos, por estarem mais distantes do sol. Pequenas porções de círculos, no entanto, com matizes prismáticos [de arco-íris], apareceram em momentos variados, tanto no leste como no oeste. [...] Tal uniformidade de estrutura deve depender de *alguma lei* que regula a formação de halos, mas a essência desta lei não está totalmente clara. [...] Não houve muita dificuldade em conjecturar sobre a causa para a formação do anel que circunda o sol, uma vez que ela consiste em algo semelhante ao que

produz o arco-íris. Contudo, tem sido mais difícil explicar a origem do anel cuja circunferência está no centro do sol.

Maravilhas cumprindo as predições das Escrituras

Podemos ler a respeito da aplicação feita na Inglaterra e na América dessas maravilhas vistas no céu no material intitulado *Exposição do Capítulo Vinte e Quatro de Mateus*, de Sylvester Bliss, publicado em Boston em 1843. Depois de citar alguns dos relatos que acabamos de mencionar, ele diz:

> Assim, os "grandes sinais" e "coisas espantosas" preditos nas Escrituras da verdade parecem estar todos cumpridos, bem como aqueles que o Salvador declarou que precederiam sua vinda.
> Tão certo como a queda das folhas das árvores é uma indicação do verão, assim, com a mesma certeza, pelo cumprimento desses sinais, os cristãos devem saber que a vinda de Cristo está próxima, mesmo às portas. Eles não têm simplesmente permissão para saber sobre essas coisas. Na verdade, nosso Salvador lhes ordena conhecê-las (*Exposition of the Twenty-Fourth of Matthew*, p. 49-60. Sylvester Bliss, Boston, Massachusetts, 1843).

Os mensageiros

Tendo chamado a atenção para algumas das características principais da mensagem do segundo advento, conforme foi inicialmente proclamada, pode ser de interesse considerar alguns que desempenharam destacado papel nessa grande proclamação. Já mencionamos os nomes de muitos dos mais talentosos ministros da época que anunciaram a mensagem em terras estrangeiras. Ao chamarmos a atenção para alguns que o Senhor encarregou de liderar a obra nos Estados Unidos, ficará ainda mais evidente que a mão de Deus estava de fato no movimento.

Guilherme Miller

Citaremos primeiramente a pessoa de Guilherme Miller, tão destacado nos Estados Unidos que, para muitos, o movimento adventista é conhecido apenas como "*milerismo*".

Guilherme Miller nasceu em Pittsfield, Massachusetts, em fevereiro de 1782. Em sua infância foram manifestadas evidências de capacidade e força intelectual descomunais. Uns poucos anos fizeram com que estas se tornassem mais e mais notáveis a todos que conviviam com ele. Possuía forte constituição física, e um intelecto ativo e naturalmente bem desenvolvido, aliado a um caráter moral irrepreensível. Chegou a desfrutar das limitadas vantagens da escola local por apenas poucos anos, pois logo se admitiu, de forma geral, que suas realizações superavam às dos professores comumente empregados.

Miller casou-se em 1802, e se estabeleceu em Poultney, Vermont. Os homens com quem se associou após mudar para Poultney, a quem muito devia quanto a favores seculares, eram profundamente afetados por princípios céticos e teorias deístas. Não eram homens imorais. Como grupo, eram bons cidadãos, geralmente de postura séria, humanitária e caridosa. No entanto, rejeitavam a Bíblia como o padrão de verdade religiosa e se esforçavam por tornar plausível sua rejeição, procurando auxílio nos escritos de Voltaire, Hume, Volney, Paine, Ethan Allen e outros. Miller estudou essas obras cuidadosamente. Com o passar do tempo, declarou-se deísta. Ele próprio afirmou que sua vida no deísmo abrangeu um período de 12 anos, começando por volta de 1804.

Recebendo um encargo de capitão, entrou para o exército em 1810. Ao dele regressar, mudou-se, com a família, para Low Hampton, Nova Iorque, a fim de começar ali a ocupação de fazendeiro em 1812. Nesse trabalho, possuía mais tempo livre para leitura. Descobriu que sua visão deísta não lhe dava qualquer garantia de felicidade após a vida presente. Para além do túmulo, tudo era escuro e sombrio. Cito aqui suas próprias palavras:

> Aniquilação era uma ideia desanimadora e depressiva, e prestar contas seria destruição certa para todos. Os céus eram como bronze sobre minha cabeça, e o chão como ferro sob meus pés. *Eternidade! O que era? E a morte! Por que existia?* Quanto mais raciocinava, mais longe me achava da explicação. Quanto mais pensava, mais difusas eram minhas conclusões. Tentei parar de pensar, mas meus pensamentos não queriam ser controlados. Era verdadeiramente um miserável, porém não entendia *o porquê*. [...] Pouco depois, de forma repentina, o caráter do Salvador foi vividamente gravado em minha mente. Tive a impressão de que fosse possível existir um ser tão bom e compassivo, a ponto de, Ele próprio, expiar nossas transgressões, e, assim, nos salvar de sofrer a punição do pecado. Senti imediatamente quão amável seria um ser assim, e imaginei poder lançar-me em Seus braços e confiar em Sua misericórdia.

Conversão de Guilherme Miller

Ele disse ainda:

> Vi que a Bíblia revelava exatamente um Salvador como eu precisava, e fiquei perplexo em ver como um livro não inspirado poderia desenvolver princípios tão perfeitamente adaptados às necessidades de um mundo caído. Fui constrangido a admitir que as Escrituras eram

necessariamente a revelação de Deus. Tornaram-se o meu prazer; e, em Jesus, encontrei um amigo. [...] A Bíblia agora se tornou meu principal estudo e, sinceramente, posso afirmar: estudei-a com grande prazer. Descobri que metade nunca me foi contada. Perguntei-me porque não havia visto antes sua beleza e glória, e maravilhei-me de que a pudesse haver rejeitado.

Miller descreveu sua maneira de estudar a Bíblia:

Decidi deixar de lado todas as minhas ideias pré-concebidas, comparar cuidadosamente passagem com passagem, e avançar no estudo de maneira regular e metódica. [...] Sempre que encontrava qualquer parte obscura, era minha prática compará-la com todas as passagens paralelas; e, com a ajuda de *Cruden* [uma Concordância bíblica], examinava todos os textos bíblicos em que fosse encontrada qualquer palavra relevante ao texto obscuro. [...] Foi assim que prossegui com o estudo da Bíblia, pela primeira vez lendo-a de forma atenta, por um período de mais ou menos dois anos, e fiquei totalmente convencido de que ela é o seu próprio intérprete.

Enquanto estudava assim, convenci-me de que, se as profecias que se cumpriram no passado fornecem algum critério pelo qual se possa julgar a maneira de cumprir-se das que ainda estão no futuro, a crença popular num reino espiritual de Cristo – um milênio temporal antes do fim do mundo, e o regresso dos judeus – não é apoiada pela Palavra de Deus. [...] Percebi que era claro o ensino nas Escrituras de que Jesus Cristo vai novamente descer a este mundo, vindo nas nuvens do céu, em toda a glória de Seu Pai.

Senti prazer em estudar passagens que traziam ensinamentos que antes não imaginava poder encontrar nas Escrituras. Comecei a estudá-las sem nenhuma expectativa de descobrir o tempo da vinda do Salvador. No início, mal pude acreditar no resultado a que havia chegado; mas a evidência me sobreveio com tal força que não pude resistir a minhas convicções. Fiquei quase estabelecido em minhas conclusões, e comecei a aguardar, vigiar e orar pela vinda do Salvador.

Novamente ele diz:

Acreditei nisso. E imediatamente ficou impresso em minha mente o dever de publicar essa doutrina a fim de que o mundo pudesse crer e se preparar para encontrar o Juiz e Noivo em Sua vinda. Não preciso contar aqui em detalhes minhas longas e penosas provações. Basta dizer que, depois de certo número de anos, fui compelido pelo Espírito de Deus, pelo poder da verdade e o amor às almas a tomar minha cruz e proclamar essas coisas a um mundo moribundo e a perecer.

Miller, assim como os que foram comovidos por essa mensagem em outros países, pensou primeiro em cumprir sua missão escrevendo e publicando em gazetas populares e panfletos. Publicou primeiro seus pontos de vista no *Telégrafo de Vermont*, um periódico batista, impresso em Brandon, Vermont. Isso ocorreu em 1831. Apresentou o assunto em público pela primeira vez em 1832. Acerca dessa reunião, disse ele: "O Senhor derramou Sua graça sobre a congregação, e muitos creram para a salvação de suas almas".

Em 1836, suas palestras foram impressas em algumas gazetas populares da época. No inverno de 1837-1838, suas palestras foram publicadas em forma de panfleto. Em 1838, um segundo panfleto, de 204 páginas, foi impresso. Nele Miller declarou que o poder Otomano *poderia* cair no ano de 1839 ou 1840. Suas primeiras palestras em uma cidade grande se deram em 1836. Pregou, então, nas cidades de Randolph, Lowell, Gratton e Lynn, localizadas em Massachusetts.

Até 1840, Miller estava praticamente sozinho, como orador público, no tema do iminente advento de Cristo. Naquele ano, repentinamente, centenas se uniram a ele na proclamação da mensagem. O que produziu essa grande mudança será mencionado no próximo capítulo. No inverno de 1839-1840, Miller pregou uma série de sermões em Exeter, New Hampshire. Ali conheceu o irmão Joshua V. Himes, que aceitou a fé naquela ocasião. A partir de então, permaneceu lado a lado com o irmão Miller como editor e ardente pregador da grande mensagem do segundo advento.

Joshua V. Himes

Sobre este zeloso trabalhador nesse grande movimento, o melhor resumo que podemos fazer é citar as palavras de seu biógrafo. Ele assim escreve:

> Joshua V. Himes nasceu em Wickford, Rhode Island, em 19 de maio de 1805. Seu pai era bem conhecido comerciante com a Índia Ocidental, e se destacava como membro da Igreja Episcopal de São Paulo em Wickford. Sua mãe tinha uma personalidade agradável e um amor pelo Salvador que foi transmitido ao filho, sempre disposto a ouvir. Tinha sido intenção do pai educar seu filho, Joshua, para o ministério da igreja da qual era membro, mas as circunstâncias o impediram. Deus tinha outra obra para aquele filho realizar, e estava dirigindo os acontecimentos para esse fim. Em 1817, o pai enviou um valioso carregamento a comando do Capitão Carter, com Alexander Stewart como comissário de bordo. Esses homens se mostraram infiéis, e ao chegarem a um porto da Índia Ocidental, venderam tanto o navio quanto a carga, e fugiram. Esse evento alterou todos os planos que o pai fizera para o futuro do jovem Joshua, que teria sido enviado à

Universidade de Brown, em Providence, Rhode Island. Em vez disso, em abril de 1821, foi levado para New Bedford, Massachusetts, e vinculado a William Knights para aprender o ofício de fabricar gabinetes. Chegando a sua nova casa, tomou com seriedade o trabalho do qual fora encarregado, com a determinação de se tornar um mestre em seu ofício. Logo, porém, descobriu que o ambiente religioso ali não era totalmente do seu agrado. Ele relata: "Meu mestre era unitariano, e levou-me para sua igreja. O Reverendo Orville Dewey era o pastor. Era um converso recente da ortodoxia. Minha formação, sob a tutela do Bispo Griswold e do Reverendo William Burge, sacerdote da Igreja de São Paulo, em Wickford, e o fato de ter ouvido diversas vezes o eloquente Dr. Crocker da Igreja de São João, em Providence, Rhode Island, tornaram-me bastante incapaz de aceitar as eloquentes negações dos ensinamentos de Cristo e seus apóstolos feitas pelo Sr. Dewey".

Não havendo, na época, nenhuma igreja Episcopal em New Bedford, ele decidiu participar da Primeira Igreja Cristã [não a dos Discípulos] e posteriormente se uniu àquele corpo de crentes. "Aqui", diz ele, "achei a Bíblia aberta e a liberdade de pensamento, e fiz bom uso de ambas". Esta igreja estava sob os cuidados pastorais do Reverendo Moisés Howe. O Reverendo Clough batizou Joshua V. Himes em 2 de fevereiro de 1823. Com um coração ardendo de zelo por seu Mestre, imediatamente começou, com 18 anos de idade, a contar a história da cruz e a exortar o povo a arrepender-se. Declara acerca de si mesmo: "Logo me tornei um exortador, e recebi uma licença para exercitar o meu dom. [...] Trabalhei satisfatoriamente como aprendiz e fui aprovado. Mas, durante cinco ou seis anos, me habituei a trabalhar em excesso, e, assim, consegui um ou dois dias por semana para estudo e trabalho missionário em comunidades carentes, cujos frutos entreguei ao meu pastor".

Em 1825 ele foi comissionado como missionário da associação das Igrejas Cristãs ao sul de Massachusetts. "Não havia nenhum plano ou meios para o sustento de missionários", diz o irmão Himes, "e resolvi entrar nos negócios para me sustentar, e pregar o quanto pudesse".

Em 1828, saiu de New Bedford, não com apreensões ou falta de energia, mas com vencedora determinação, indo para Plymouth, onde pregou a Palavra de Deus em escolas-caseiras, em espaços improvisados e onde quer que conseguisse uma audiência. Em 1829, deu seguimento a esse mesmo método de trabalho em Fall River até 1830, quando se mudou para Boston como pastor da Primeira e Segunda Igrejas Cristãs; e aqui permaneceu por 33 anos. Em 1839, converteu-se à causa do Advento, tal como explanada pelo famoso irmão Guilherme Miller. Entrou na nova causa com todo o entusiasmo que possuía, e seu ministério era cheio de fogo e poder. Em 1840, iniciou a publicação da revista *Signs of the Times* [Sinais dos Tempos], defendendo a causa em que se havia lançado de todo o coração. Todo o seu dinheiro, todo o seu trabalho, toda a sua energia foram devotados às necessidades da causa, e milhares de conversos foram ganhos.

Trabalho unido de Miller e Himes

De 1840 até o outono de 1844, a obra dos irmãos Miller e Himes foi, em grande medida, feita de maneira unida, ao irem de cidade em cidade no verão com sua gigantesca tenda e, no inverno, em igrejas e salões públicos. A grande força física do irmão Himes o preservou até adentrar os 92 anos de idade. Suas faculdades mentais foram vigorosas até o fim. Em 28 de setembro de 1894, ele fez um discurso muito comovente a uma congregação de mais de 3 mil adventistas do sétimo dia num acampamento realizado em Lansing, Michigan. Pareceu falar tendo muito de seu antigo zelo e vigor. Isso foi realmente surpreendente, uma vez que havia três meses que esse homem completara 91 anos de idade e, na época, estava sofrendo de uma doença incurável da qual veio a falecer no ano seguinte.

Os irmãos Miller e Himes, estavam, por assim dizer, na "frente de batalha" nesse movimento do segundo advento na América, e eram apenas dois dentre dezenas de pessoas que trabalhavam com eles na proclamação da doutrina do advento de Cristo, cujas características principais eram firmeza de propósito e genuína integridade. Esses homens eram, em grande parte, daquela classe, reconhecida pelo mundo como "homens que venceram por esforço próprio" – homens que haviam se desenvolvido pelo contato com as duras realidades da vida e aprendido a decidir-se quanto ao mérito de uma questão partindo de princípios e não de interesses políticos. Faziam parte daquela classe de pessoas nas igrejas que, segundo o irmão Miller, geralmente aceitavam a mensagem: "os membros mais piedosos, devotados e ativos". Esse fato foi confirmado pelos ministros das várias igrejas que declararam, após a separação final entre eles e os adventistas: "Ela [a doutrina] levou a *nata* do nosso rebanho".

Outros destacados pregadores adventistas

Pode ser de interesse citar nominalmente alguns dos homens que exerceram no movimento, durante aqueles anos iniciais, um papel destacado juntamente com os irmãos Miller e Himes. O primeiro a encabeçar a lista é Charles Fitch, de Cleveland, Ohio, o qual, em 1842, sugeriu a ideia de usarem diagramas para ilustrar as visões de Daniel e Apocalipse. Essa originou-se com base em Habacuque 2:2, 3. Charles Fitch faleceu no dia 10 de outubro de 1844.

Dr. Josiah Litch, da Filadélfia – como veremos no próximo capítulo, foi movido pelo Senhor para proclamar uma verdade que, por ocasião de seu cumprimento, causou um aumento de interesse, rápido e repentino, na mensagem do advento.

Elon Galusha, de Lockport, Nova Iorque – notável ministro batista cujos escritos e pregações sobre o tema da breve vinda do Senhor causaram grande agitação naquela denominação.

E. R. Pinney, de Seneca Falls, Nova Iorque – outro consagrado ministro da Igreja Batista, cujos ministério e escritos foram um poder na obra. Ele bem poderia ser chamado de "O sal da terra".

George Storrs, da cidade de Nova Iorque – antes de sua conversão à doutrina do advento, era um proeminente pregador de reavivamento. Seus escritos exerceram poderosa influência no sentido de levar o povo a uma maior consagração de si mesmo e de suas posses à obra. Isso ocorreu especialmente nas últimas semanas das 2.300 tardes e manhãs. Foi ele que, após o desapontamento, trouxe à atenção dos adventistas o estado dos mortos e a punição futura.

O irmão Stockman, de Portland, Maine – mais um dedicado obreiro nos reavivamentos conduzidos por Guilherme Miller naquela cidade. Sua morte ocorreu algumas semanas antes do encerramento do ano judaico de 1843, época em que o povo adventista esperava e aguardava a vinda do Senhor naquela ocasião.[6]

Houve outros homens de destaque que, por falta de espaço, vamos apenas mencionar, como N. N. Whiting (que fez uma tradução do Novo Testamento para o Inglês, conhecida como *Tradução de Whiting*), S. S. Snow, F. G. Brown, Apollos Hale, L. D. Mansfield, George Needham, O. U. Fassett; George, Wesley, e Edwin Burnham (três irmãos), todos obreiros eficientes na mensagem.

---

[6] É fácil entender, como descrito no livro *Primeiros Escritos*, p. 17, o motivo pelo qual os irmãos Fitch e Stockman estavam ansiosos para saber o que havia acontecido após sua morte.

Capítulo 7

O Rápido Avanço da Mensagem

"Vi outro anjo forte descendo do céu, envolto em nuvem, com o arco-íris por cima de sua cabeça; o rosto era como o sol, e as pernas, como colunas de fogo; e tinha na mão um livrinho aberto. Pôs o pé direito sobre o mar e o esquerdo, sobre a terra, e bradou em grande voz, como ruge um leão, e, quando bradou, desferiram os sete trovões as suas próprias vozes. [...] Então, o anjo que vi em pé sobre o mar e sobre a terra levantou a mão direita para o céu e jurou por Aquele que vive pelos séculos dos séculos, o mesmo que criou o céu, a terra, o mar e tudo quanto neles existe: Já não haverá mais tempo, mas, nos dias da voz do sétimo anjo, quando ele estiver para tocar a trombeta, cumprir-se-á, então, o mistério de Deus, segundo ele anunciou aos Seus servos, os profetas" (Apocalipse 10:1-7, adaptado da KJV).

Anjos: símbolos de mensageiros humanos

Como já demonstramos, a obra de pregar o evangelho foi confiada a homens, e o Senhor prometeu abençoar este instrumento "até o fim do mundo" (Mateus 28:19-20). Por conseguinte, o "anjo" que dá essa mensagem deve simbolizar uma mensagem de *tempo* a ser pregada aos habitantes da terra. A mensagem é proclamada de um livro *"aberto"*, claramente indicando que ele antes estivera *fechado*. Esses mensageiros são muito estimados por Deus, pois o "arco-íris", símbolo de Sua aliança, está sobre eles; e eles estão vestidos com a luz da glória de Deus, e proclamam a mensagem com a autoridade do Criador de todas as coisas. Então, aqui temos uma mensagem de *tempo*, que no passado estava "selada", mas que agora está sendo proclamada a partir de um livro "aberto".

Nos capítulos anteriores, ficou evidente que Deus designou o momento exato de conceder luz quanto ao fim do grande período profético – os 2.300 dias – chegando ao juízo investigativo. Provamos também que a predição acerca da multiplicação do conhecimento foi precisamente cumprida ao se levantarem muitos que haviam recebido de Deus essa luz. Mostramos que Deus fixou também o momento em que a "parábola da figueira" deveria ser *revelada,* suscitando mestres, na hora exata, para a proclamarem ao mundo. Com essa precisão, Deus marcou o momento em que a mensagem de tempo deveria crescer em intensidade até seu *alto clamor,* e com a mesma precisão ela se cumpriu.

O alto clamor da primeira mensagem

O tempo exato em que o alto clamor desta proclamação deveria acontecer é uma questão interessante. Ele surge entre o soar da sexta e sétima trombetas, o que se evidencia, não apenas por sua localização no registro bíblico, mas pela própria mensagem, que diz: "nos dias da voz do sétimo anjo, quando ele estiver para tocar a trombeta, cumprir-se-á, então, o mistério de Deus, segundo ele anunciou aos Seus servos, os profetas". Isto constitui evidência conclusiva de que o tempo anunciado nesta mensagem se estende até o soar da sétima trombeta.

O tempo do alto clamor

Ao soar do sétimo anjo, lemos assim: "Abriu-se, então, o santuário de Deus, que se acha no Céu, e foi vista a arca da Aliança no Seu santuário" (Apocalipse 11:19). No serviço do santuário terrestre, o compartimento onde a arca ficava – o lugar santíssimo – abria-se apenas uma vez por ano. Isso acontecia no Dia da Expiação, e tinha por finalidade apagar os pecados – *purificar o santuário.* O tempo referido pelos profetas em que deveria ocorrer esta obra de purificação, a ser realizada por Cristo, é ao fim dos 2.300 dias (Daniel 8:14). Também é dito que, ao soar do sétimo anjo, vozes no Céu anunciam que é chegado o tempo de serem julgados os mortos (Apocalipse 11:18).

Esse símbolo profético de Apocalipse 10 aponta para o momento em que essa mensagem deve avançar "com grande voz", e por fim, "como quando ruge um leão" (Apocalipse 10:3). De acordo com essa profecia, o *tempo* em que a mensagem deveria crescer até seu "alto clamor" vai desde o fim da sexta trombeta até o fim dos 2.300 dias – o fim do período profético que termina na purificação do santuário. As quatro primeiras trombetas se cumpriram nas guerras dos godos, vândalos, hunos, etc., que dividiram Roma ocidental em dez partes ou reinos.

A quinta trombeta

A quinta trombeta revela a ascensão do islamismo, com sua gama de erros. Especialmente, porém, revela o período de "cinco meses", ou 150 anos literais, a partir do momento que "tinham um rei" (NTLH). Em 27 de julho de 1299, Othman [também chamado Osman I], fundador do império otomano, invadiu o território da Nicomédia. A partir desse momento, os otomanos assediaram e "atormentaram" o império Romano Oriental até 27 de julho de 1449, ou seja, o exato período de 150 anos durante o qual soava a quinta trombeta. Nessa ocasião, os turcos vieram com seus exércitos contra a própria cidade de Constantinopla, fazendo uso de pólvora na batalha. Mediante um pesado canhão de artilharia, que o historiador Edward Gibbon disse requerer 60 bois de tração para transportá-lo, dispararam grandes pedras contra os muros dessa cidade.

O término da sexta trombeta

Por esse tempo, morreu João VIII Paleólogo, considerado pelos historiadores como o último imperador Bizantino. Constantino Decozes [Constantino XI Paleólogo] era o herdeiro legítimo do trono, mas relata-se que o medo que tinha de Amurath [Murad II], sultão turco que estava fazendo guerra contra ele, levou-o a pedir-lhe permissão para subir ao trono. Tal ato pareceria aos turcos quase uma renúncia ao trono. De fato, após breve tempo, os otomanos estavam de posse da cidade de Constantinopla e do império Romano Oriental. Assim, os turcos "mataram" (politicamente) o império que antes haviam "atormentado". Deviam continuar a "matança" por "uma hora, um dia, um mês e um ano" (Apocalipse 9:15, trad. lit. KJV).

Se considerarmos essa referência temporal como um período profético – cada dia por um ano – quanto tempo representaria? Muito simples: um ano é igual 360 dias, ou anos; um mês, 30 dias, ou anos; e um dia, um ano; no total 391 dias, ou, literalmente, 391 anos. Sendo que uma hora é a vigésima quarta parte de um dia [ou ano], simbolicamente seria a metade de um mês ou quinze dias [360÷24=15]. Portanto, o tempo total do reinado muçulmano independente, no território Romano Oriental, é de 391 anos e 15 dias. Somando esse total à data de 27 de julho de 1449, chegamos a 11 de agosto de 1840 como término do período de independência turca, conforme anunciado sob a sexta trombeta.

O Dr. Josias Litch prevê a queda do Império Otomano

Em 1838, o Dr. Josias Litch, da Filadélfia (Pensilvânia), havendo abraçado a verdade anunciada por Guilherme Miller, uniu-se à obra de dar ampla publicidade à mensagem. Preparou artigos para publicação sobre o tema das sete trombetas do Apocalipse. Posicionou-se, de forma incondicional, defendendo que o soar da sexta trombeta terminaria, e que o poder otomano iria cair no dia 11 de agosto de 1840. Ressaltou então que esse cumprimento demonstraria ao mundo que um *dia* profético representa um *ano* de tempo literal.

Alguns dos irmãos, mesmo dentre os que criam nesse ponto como ele, temeram quanto ao que resultaria "caso o evento não ocorresse" como predito. Isso, porém, não o intimidou; pelo contrário, buscou fazer tudo o que podia para tornar pública sua compreensão acerca dos turcos. Os jornais circularam amplamente suas afirmações sobre o assunto. Clubes de céticos discutiam a questão em seus encontros, e declaravam: "Aqui está um homem que ousa alguma coisa. Se isso acontecer segundo ele afirma, será estabelecida, sem sombra de dúvida, sua alegação de que um dia em profecia simboliza um ano, e que os 2.300 dias são 2.300 anos, que terminarão em 1844".

A publicação da palestra do Dr. Litch provocou agitação geral, e assim, milhares tiveram sua atenção chamada para acompanhar a resolução do conflito que se levantara entre Mehemet Ali, o paxá do Egito, e o sultão turco. Centenas diziam: "Se esta questão se encerrar segundo afirmou o doutor, isto estabelecerá o princípio de interpretação de tempo profético '*dia-ano*', e nós nos tornaremos adventistas".

O sultão turco faz guerra ao paxá do Egito

Por vários anos antes de 1840, o sultão esteve enredado em guerra contra Mehemet Ali, paxá do Egito. Em 1838, o conflito entre o sultão e seu vassalo egípcio foi, por certo tempo, refreada por influência de embaixadores estrangeiros. Em 1839, no entanto, as hostilidades reiniciaram e prosseguiram até que, em uma das batalhas, o exército do sultão foi totalmente destruído e sua frota tomada por Mehemet e levada para o Egito. A derrota do sultão foi tão completa que, quando a guerra reiniciou em agosto, ele só tinha duas naus de linha [navios pesados] e três fragatas como dolorosas relíquias da outrora poderosa frota turca. Essa frota, Mehemet terminantemente recusou-se a ceder e devolvê-la ao sultão, e declarou que, se as forças aliadas se aventurassem a tomá-la, ele a queimaria. A questão permaneceu nesse pé até que, em 1840, a Inglaterra, Rússia, Áustria e Prússia se interpuseram e determinaram uma solução para o impasse. Era evidente que, se nada fosse feito, Mehemet logo se assenhoraria do trono do sultão.

Intervenção das forças aliadas

O sultão aceitou a intervenção das forças aliadas, e assim fez uma rendição voluntária da questão às mãos deles. Uma conferência desses poderes foi realizada em Londres, estando presente o sheik Effendi Bey Likgis como embaixador Otomano. Elaborou-se um ultimato para que fosse apresentado ao paxá do Egito, em que o sultão lhe oferecia o governo hereditário e vitalício do Egito e de toda a parte da Síria que se estende desde o Golfo de Suez até o lago de Tiberíades, juntamente com a província de Acre. De sua parte, ele devia evacuar todos os outros lugares pertencentes aos domínios do sultão, que ele mantinha ocupados, e devolvê-los à frota otomana. Caso recusasse a oferta do sultão, os quatro poderes tomariam o assunto em suas próprias mãos e usariam os meios que achassem necessários para levá-lo a termo. Era evidente que, tão logo esse ultimato chegasse às mãos de Mehemet Ali, o assunto estaria definitivamente fora do controle deste [do sultão], e a resolução de seu caso estaria nas mãos dos poderes estrangeiros.

A profecia cumprida: o fim da independência turca

Um escritor assim descreve a sequência dos acontecimentos:

O sultão enviou Rifat Bey numa embarcação do governo a Alexandria para comunicar o ultimato ao paxá. Este foi posto em suas mãos, e dele se encarregou no dia 11 de agosto de 1840! No mesmo dia, uma notificação foi enviada pelo sultão aos embaixadores dos quatro poderes, indagando que plano seria adotado caso o paxá se recusasse a cumprir os termos do ultimato; eles responderam que já haviam feito os devidos preparativos, e que ele não devia se preocupar com qualquer eventualidade que pudesse surgir. Nesse dia, o período de 391 anos e 15 dias, previstos para a supremacia do poder otomano, terminou; e onde estava a independência do sultão? Desapareceu! (*Thoughts on Daniel and the Revelation*, p. 497, 498).

Desde aquela época até agora, o sultão foi obrigado a agir sob as ordens dos poderes e observá-los se apoderando pouco a pouco do seu reino, que finalmente foi desmembrado.

Despertado o interesse público na profecia

Esse marcante cumprimento da profecia teve tremendo efeito sobre a opinião pública. Intensificou o interesse das pessoas de ouvir sobre profecias cumpridas e se cumprindo. O Dr. Litch afirmou que, no espaço de poucos meses após 11 agosto de 1840, havia recebido cartas de mais de mil notáveis infiéis, alguns deles líderes de clubes. Nessas cartas, eles afirmavam que tinham desistido da luta contra a Bíblia, e a aceitavam como revelação de Deus ao homem. Alguns deles se converteram totalmente a Deus, e vários se tornaram poderosos oradores no grande movimento do segundo advento. Alguns se expressaram da seguinte maneira ao Dr. Litch: "Dissemos que os expositores da profecia faziam menção das obsoletas páginas da história para fundamentar suas alegações de cumprimentos proféticos. Neste caso, porém, temos fatos reais diante de nossos olhos".

Para ilustrar a forma pela qual a mensagem do Advento começou a avançar "em alta voz" justamente ao final da sexta trombeta, observemos um caso que me foi relatado por um dos protagonistas desta mensagem.

Em 1840, C. E. Williams, um grande fabricante de tendas e velas para navios, de Rochester (Nova Iorque), aceitou a mensagem e convidou os irmãos Miller e Himes para que viessem a Rochester a fim de pregar aos milhares de moradores daquela cidade. Eles, porém, responderam que não dispunham do valor necessário para conseguir um salão grande o suficiente para acomodar todas as pessoas. Ao que ele replicou: "Tenho uma tenda circular de 37 metros de diâmetro. Vou levantá-la, armá-la e tomar as devidas providências, *gratuitamente*. Venham e proclamem a mensagem". "Eles vieram", contou-me ele, "e a tenda não foi capaz de acomodar nem a metade dos que queriam ouvi-los. Coloquei então uma emenda de 12 metros, resultando numa tenda que media 49 x 37 metros. Ela ficava lotada diariamente; não obstante, centenas ficavam do lado de fora, todos muito ansiosos para ouvir a palavra".

Centenas proclamando a mensagem

Para atender esse crescente interesse, fez-se uso de grandes tendas. Durante o verão, reuniões eram realizadas nos bosques. Algumas das maiores igrejas e salões públicos foram utilizadas durante o inverno e todas ficavam lotadas em sua capacidade máxima com ouvintes interessados. Em vez de o irmão Miller proclamar a mensagem "quase sozinho", como havia sido antes de 1840, agora, cerca de 300 se juntaram a ele em proclamar publicamente o término do período de 2.300 dias, e em fazer soar o clamor: "Já não haverá mais tempo" e "é chegada a hora do Seu juízo". Podemos ver que, ao chegar o tempo determinado por Deus para que a mensagem avançasse ao redor do mundo, Sua palavra se cumpriu e milhões foram movidos com o desejo de atender ao chamado.

O que aconteceu no movimento nos Estados Unidos aconteceu também em outros países. A partir de 1840, em vez de haver uns poucos indivíduos espalhando suas publicações, dezenas saltaram à frente, por assim dizer, para proclamarem esse clamor. Na Inglaterra, apenas da Igreja Anglicana, havia 700 ministros proclamando a mensagem, sem contar outras dezenas de pessoas envolvidas na mesma obra. Em mais de 20 das principais nações da Terra, uma mensagem se espalhava com tamanho zelo que levou os observadores a dizer: "Este povo está verdadeiramente levando isso a sério!"

Capítulo 8

A Ceia das Bodas do Cordeiro

"Certo homem deu uma grande ceia e convidou muitos. À hora da ceia, enviou o seu servo para avisar aos convidados: Vinde, porque tudo já está preparado" (Lucas 14:16, 17).

"Bem-aventurados aqueles que são chamados à ceia das bodas do Cordeiro" (Apocalipse 19:9).

A ceia é a última refeição do dia. Nesta parábola, há três convites para a ceia. Porém, não se deve confundi-la com o chamado para o *"banquete"* de Mateus 22:1-7. O *"banquete"* refere-se à refeição do meio dia. Os que levaram o convite foram "ultrajados" e mortos, e até o filho do rei foi morto. O rei que enviara o convite "destruiu aqueles homicidas, e incendiou a sua cidade" (Mateus 22:7).

Esta parábola, do chamado para o "banquete", mostra o destino dos primeiros que rejeitaram o chamado, representando, de forma precisa, o que realmente aconteceu com os que rejeitaram o evangelho de Cristo e O mataram bem como a Seus apóstolos. O Senhor enviou exércitos contra essa nação, "destruiu aqueles homicidas, e incendiou a sua cidade" – Jerusalém.

O convite para a Ceia

Já o convite para a *ceia*, sem dúvida, nos remete à "ceia das bodas do Cordeiro". Uma bênção é pronunciada sobre os que a ela são convidados. Uma ceia de bodas ocorre após um casamento. O casamento do Cordeiro ocorre antes que Ele venha, pois, como já vimos, quando Cristo finalmente vier, irá "voltar do casamento" (Lucas 12:36, trad. lit. KJV).

Assim, este convite para a festa de casamento parece ser a mesma coisa que a mensagem do primeiro anjo de Apocalipse 14 e a proclamação de tempo do capítulo 10, segundo já mencionamos. Lucas registra que este primeiro convite é feito aos "convidados" (Lucas 14:17). Quem são esses "convidados"? Os que ouviram e aceitaram o evangelho de Cristo. Esses professam amar a Cristo e a Sua segunda vinda de tal forma que esta é vista como a realização de suas esperanças. Por que então não estender o convite primeiramente a eles? Da mesma forma que era necessário que o evangelho fosse primeiramente pregado aos judeus, que possuíam as Escrituras e afirmavam estar esperando a vinda do Messias (Atos 13:45), assim a mensagem da segunda vinda de Cristo foi primeiramente apresentada a Seus professos seguidores, que afirmavam amar Sua vinda.

O chamado aos que haviam sido convidados

O primeiro chamado à ceia, destinado aos que haviam sido "convidados", precisava ser dado às igrejas. De fato, a proclamação da iminente vinda de Cristo, desde 1833 até a primavera de 1844, aconteceu *dentro das igrejas,* e, em grande parte, apoiada pelos ministros. A primeira publicação feita por Guilherme Miller sobre sua compreensão a respeito da iminente vinda de Cristo surgiu num jornal Batista de Brandon, Vermont. Até abril de 1844, sua obra, bem como a de seus associados, foi realizada principalmente em igrejas ou em salões que elas alugavam.

O irmão Himes descreve a obra de Miller até a primavera de 1844 da seguinte forma:

> Ele trabalhou em meio a todos os grupos e seitas, sem interferir em suas organizações ou disciplina, julgando que os membros das diferentes igrejas poderiam manter sua membresia, e, ao mesmo tempo, preparar-se para a vinda de seu Rei.

Falando de seu próprio trabalho, em união com o de Miller, ele afirmou: "A maioria dos pastores e igrejas que abriram as portas para nós e nossos irmãos, e que estavam proclamando a doutrina do advento, colaboraram conosco até o ano passado", isto é, 1844.

Portas abertas para a Mensagem

Acerca de seu trabalho, Miller declarou:

> As portas me têm sido abertas para proclamar a doutrina da segunda vinda de Cristo em quase todas as denominações, de modo que só pude atender a uma pequena fração dos chamados. [...] Em todos os lugares onde estive, os que mais prontamente recebem as verdades apresentadas são os mais piedosos, dedicados e ativos membros das igrejas, enquanto professores mundanos, fariseus, fanáticos, orgulhosos, arrogantes e egoístas zombam e ridicularizam a doutrina da segunda vinda de Cristo.

Quanto à essência da mensagem do advento, pode-se afirmar o mesmo que D'Aubigné afirmou a respeito da Reforma:

> foi realizada em nome de um princípio espiritual. Declarava ter por professor a Palavra de Deus; por salvação, a fé; por braços, o Espírito Santo; e por esses mesmos meios, rejeitava todos os princípios mundanos.

Uma poderosa onda de reavivamentos

O caráter dos reavivamentos que sucederam à proclamação da mensagem do advento é assim descrito por L. D. Fleming, pastor da Igreja Cristã da rua Casco, de Portland, Maine:

> O interesse despertado por suas palestras [referindo-se a Guilherme Miller] é do tipo mais ponderado e imparcial. Embora seja o maior reavivamento que já vi, não há quase nada de entusiasmo agitado. Parece assegurar a maior atenção da parte masculina da comunidade. O que produz este efeito é o seguinte: o irmão Miller simplesmente toma a espada do Espírito, desembainhada e nua, encosta seu lado afiado sobre o coração desprotegido, e o corta! Isso é tudo. Diante desta poderosa arma, a infidelidade é derrubada, e o universalismo se murcha. Falsos fundamentos desaparecem, e os comerciantes de Babel se espantam. Parece-me que isso é o mais próximo a que se chegou dos reavivamentos apostólicos dentre tudo o que tempos modernos já testemunharam.

Uma experiência em Richmond

Como ilustração da obra de reavivamento que acompanhou a pregação da doutrina do advento, citaremos o relato de alguém que participou ativamente desse movimento. Ao falar de uma reunião trimestral realizada em Richmond (Maine), representando 30 igrejas Batistas Livres, essa pessoa relata:

> Quando entrei no lugar de adoração, o pastor Rollins, que estava sentado ao lado do púlpito, na extremidade do salão, levantou-se e disse: "Irmão White, sente-se aqui, ao meu lado". Após o sermão, deu-se oportunidade para observações, e eu falei livremente sobre a vida cristã e os triunfos dos justos por ocasião da segunda vinda de Cristo. Muitas vozes clamavam: "Amém! Amém!" e a maior parte daquela grande congregação estava em lágrimas. [...] Próximo ao fim da reunião, depois de obter meu consentimento, o pastor Rollins se levantou e disse: "O irmão White, assentado à minha direita, vai pregar na igreja Reed hoje à noite sobre a segunda vinda de nosso Senhor Jesus Cristo. Venham irmãos, e ouçam por si mesmos! Temos espaço suficiente para todos. Venham, irmãos, ouvir sobre o assunto; não vai fazer mal a nenhum de vocês". [...] Ele bem sabia que a maioria de seus irmãos

sairia de sua reunião na vila, e se deslocaria cinco quilômetros para me ouvir, e que sua reunião de comissão seria interrompida. E assim aconteceu. Três quartos dos ministros e quase todos os delegados partiram, e a reunião na igreja Reed estava lotada desde o início. Meu assunto era Mateus 24. O Espírito de Deus concedeu-me grande liberdade. O interesse foi maravilhoso.

Ao concluir com um apelo aos cristãos em favor de total consagração e preparo, e aos pecadores para que buscassem a Cristo e se preparassem para a vinda do Filho do homem, o poder de Deus veio sobre mim a ponto de eu precisar me segurar no púlpito com ambas as mãos. Foi uma hora solene. Ao contemplar a condição dos pecadores, perdidos sem Cristo, convidei-os com lágrimas, repetindo várias vezes: "Venha, ó pecador, e seja salvo quando Ele aparecer em Sua glória. Venha, pobre pecador, antes que seja tarde demais. Venha, ó pecador, ó pobre pecador, venha".

O ambiente estava terrivelmente solene. Ministros e povo choravam, alguns em voz alta. Ao fim de cada apelo ao pecador, ouvia-se um gemido geral por toda a congregação. Eu havia estado em pé, explicando o capítulo e exortando por mais de duas horas, e estava ficando rouco. Parei de falar, e chorei em voz alta por aquelas pessoas queridas com um sentimento muito profundo, conhecido apenas por aqueles a quem Deus chamou para pregar sua verdade aos pecadores. Eram nove horas, e dar liberdade a que outros falassem seria continuar a reunião até a meia-noite. Foi melhor encerrar com o profundo senso do presente, porém não antes que todos tivessem uma oportunidade de decidir ao lado do Senhor. Convidei, então, a que ficassem em pé todos na congregação que quisessem se unir a mim em oração, bem como os que desejavam ser apresentados perante o trono de misericórdia para que pudessem estar prontos para encontrar o Salvador com alegria em Sua segunda vinda. Cada pessoa ali presente se levantou, segundo fui informado posteriormente por indivíduos que estavam em diversas partes do recinto. Após um breve período de oração, a reunião terminou. Na manhã seguinte, voltei à vila, acompanhado por, no mínimo, sete oitavos dos componentes da reunião trimestral Batista Livre. Todos contavam da maravilhosa reunião a que tinham assistido na noite anterior.

Pedidos para levar a mensagem a outros lugares

No intervalo, os delegados e os ministros me convidaram para planejar com eles quanto às datas em que eu poderia pregar para as congregações, representadas naquela reunião trimestral, que possuíssem casas de culto espaçosas. Estávamos em meados de fevereiro. Concluiu-se que não restavam mais que seis semanas em que a neve estivesse firme para viajar de trenó, de modo que as pessoas tivessem uma boa chance de ir às reuniões. Foram escolhidas, para o meu trabalho em seis semanas, doze das mais importantes localidades. Eu faria dez palestras e, portanto, precisaria pregar 20 vezes por semana. Restou-me apenas metade de um dia por semana, que descobri ser frequentemente muito necessário para poder viajar de 25 a 30 quilômetros até o próximo local de reuniões (*Life Sketches of James and Ellen G. White*, p. 61-64).

Centenas de conversões

A pregação da doutrina do advento foi seguida de reavivamentos e centenas de conversões por toda parte, especialmente ao se aproximar o fim do ano judaico de 1843 (21 de março de 1844). Foi durante esse inverno que eu, em minha vila natal, Victor (Nova Iorque), ouvi pela primeira vez sobre o assunto, e, com apenas 12 anos de idade, aceitei, até onde entendia, a fé no segundo advento. Foi muito solene a impressão causada sobre o povo, não só em reuniões, mas em toda parte. Victor era naquele tempo apenas uma vila com cerca de 200 habitantes, mas a região ao redor era densamente povoada. Como resultado dessa série de reuniões neste pequeno vilarejo, 500 conversões foram relatadas.

Testemunho do anuário metodista

Quanto à poderosa onda de reavivamentos que se seguiram à proclamação do advento, lemos no Anuário Metodista que "durante esses quatro anos (1840-1844), 256 mil conversões ocorreram na América". O que ocorreu na América ocorreu também em outros países onde o chamado foi feito. "Um grande poder acompanhava a pregação, e pessoas se convertiam por toda parte". Como o primeiro convite para a ceia do casamento foi direcionado às igrejas – "os que foram convidados" – este se estendeu, por intermédio delas, a todos os que quisessem vir e tomar parte na salvação preparada para o povo de Deus. Onde quer que a mensagem fosse pregada, mencionada em oração ou cantada em "melodias do advento", a poderosa atuação do Espírito de Deus acompanhava o trabalho.

Crianças pregando na Suécia

A essa altura, vamos notar o modo pelo qual o Senhor operou a fim de que a mensagem fosse proclamada em países onde se proibia pregar qualquer coisa contrária à "igreja estabelecida". A Suécia era um deles. O Senhor usou ali crianças para iniciar a obra. A primeira dessas manifestações foi no verão de 1843, em Eksjö, no sul da Suécia. Certo dia, uma menina de apenas cinco anos de idade, que nunca havia aprendido a ler ou cantar, começou a cantar, de maneira solene e correta, um longo hino luterano. Em seguida proclamou com grande poder: "É chegada a hora do Seu juízo", e exortou a família a se preparar para o encontro com o Senhor, pois Ele logo viria. Os que não eram convertidos daquela família clamaram a Deus por misericórdia e encontraram perdão. Esse movimento se espalhou de cidade em cidade mediante a proclamação da mensagem por outras crianças. Esse mesmo movimento entre crianças se manifestou, até certo ponto, na Noruega e na Alemanha.

"Sim! Eu tinha que pregar"

Em 1896, enquanto realizava reuniões em 17 diferentes partes da Suécia, passei por vários locais onde as crianças haviam pregado em 1843. Tive então a oportunidade de conversar com aqueles que haviam ouvido a pregação e com adultos que haviam pregado quando eram crianças. Perguntei a um deles: "Você pregou a mensagem do advento quando era menino?" Ele respondeu: *"Preguei!* Sim, eu tinha que pregar. Não tive qualquer planejamento sobre o assunto. Um poder veio sobre mim, e falei o que esse poder me compeliu a dizer".

Boquist e Walbom em Orebro, Suécia

No condado de Orebro Laen, essa obra se espalhou até que pessoas mais velhas foram movidas para proclamar a mensagem. As autoridades civis, instigadas pelos sacerdotes da "igreja estabelecida", prenderam dois meninos: Walbom, de 18 anos de idade, e Ole Boquist, de 15 anos, dizendo que fariam deles um exemplo público. Bateram em suas costas nuas com varas de vidoeiro, e os levaram sangrando à prisão de Orebo. Quando as feridas sararam, foram retirados da prisão, e lhes foi exigido: "Vocês vão parar de pregar essa doutrina?" Porém, embora os espancassem com varas uma segunda vez, reabrindo-lhes as feridas, a única resposta que lhes podiam arrancar era: "Vamos pregar o que o Senhor nos ordena pregar". Pela intercessão de uma destacada senhora paroquiana em Orebro, o rei Oscar I ordenou às autoridades que libertassem àqueles meninos e não mais incomodassem tais pessoas. Assim foi ganha, na Suécia, a vitória para a verdade.

Testemunho de Boquist

Na *Review and Herald* de 7 de outubro de 1890, há um interessante relato sobre a pregação das crianças escrito pelo próprio O. Boquist. Ele diz o seguinte:

> No ano de 1843, ocorreu um movimento religioso entre o povo de Karlskoga Parish, em Orebro Laen. Os líderes desse movimento fo-

ram crianças e jovens, chamados de *"rapare"*. Estes pregaram com poder divino, e, proclamaram com grande firmeza perante o povo que a hora do juízo de Deus havia chegado. No outono do mesmo ano, eu, O. Boquist, então com 15 anos de idade, juntamente com outro jovem, Erik Walbom, de 18 anos, ficamos tão fortemente influenciados por esse poder invisível que não podíamos de modo algum resistir-lhe. Tão logo fomos tomados por esse poder celestial, começamos a falar ao povo e a proclamar, em alta voz, que a hora do juízo havia chegado, indicando-lhes Joel 2:28-32 e Apocalipse 14:6, 7.

Crianças em visão

O povo me informou que as crianças que foram assim influenciadas por esse poder divino ficavam alheias a tudo ao seu redor. Estavam realmente em visão de Deus, e falavam com um poder que exercia poderosa influência de convicção. Disseram que, sob tal influência, elas falavam com a força e a dignidade de homens e mulheres adultos. Assim, todos os que as viam eram levados a concluir que o Senhor estava usando essas crianças profeticamente para proferir essas verdades solenes. O escritor continua:

> O povo se reuniu em grande número para nos ouvir, e nossos encontros continuaram dia e noite, tendo como resultado um grande despertamento religioso. Jovens e velhos foram tocados pelo Espírito de Deus e clamaram ao Senhor por misericórdia, confessando seus pecados diante de Deus e dos homens.
>
> Mas quando o padre da igreja foi informado sobre a situação, muitos esforços foram feitos para nos fazer silenciar e, assim, interromper o entusiasmo religioso predominante. Contudo, todos os esforços foram em vão. O delegado foi então chamado para nos prender, e, durante seis semanas, fomos caçados, sem sucesso, na floresta para onde tínhamos fugido em busca de refúgio.
>
> Finalmente, porém, fomos convocados a comparecer perante o pastor da igreja. Nosso número tinha aumentado tanto que 40 rapazes e moças se apresentaram à residência paroquial, e ali foram submetidos a um longo julgamento. Com exceção de Walbom e eu, todos os outros foram autorizados a voltar para casa; nós, porém, fomos detidos e levados no dia seguinte para a prisão de Orebro, onde ficamos em companhia de ladrões na cela 14, como se tivéssemos cometido um grande crime.

Testemunho da irmã de Boquist

Em 22 de setembro de 1896, a irmã de Boquist, com 72 anos de idade, participou de nossa reunião em Orebro, e nos contou sobre a experiência de seu irmão, pois foi testemunha de seu açoitamento, prisão e libertação. Ela cantou perante nós o hino que Boquist e Walbom cantaram ao caminharem para fora da prisão em direção à ponte sobre o fosso que cercava aquele castelo do século 16, utilizado como prisão em 1843. A força do movimento de 1843 acompanhou o testemunho e o cântico desse hino. Este é o hino, traduzido para o português:

Hino cantado por Boquist e Walbom

Ninguém pode alcançar o descanso eterno,
Sem ter avançado com forte vigor;
Ninguém pode alcançar esse radiante alvo,
Sem ter avançado com o coração e a alma.
Sua luta insistente deve durar até o fim;
Somente disto devem todas as nossas esperanças depender.
Estreita é chamada a porta, e Apertado o caminho
Mas a graça e a escolha são gratuitas a um e a todos;
Mas tudo depende de avançar, avançar;
Apenas assim se pode alcançar o porto.

Resiste, sim, resiste fortemente, ó minha alma!
A tudo o que se interponha entre ti e teu alvo.
Contra todo obstáculo, luta. Fica firme! Fica estável!
Para aqueles que avançam, a coroa está preparada.
Se queres provar as alegrias do Céu,
Continua avançando por cada obstáculo. Apressa-te;
Deixa, deixa, ó deixa as artimanhas do mundo todo,
E deixa aberta a tua bandeira de resistência!

Quando o mundo te chama: "Vem conosco",
Não obedece, esse caminho leva à desgraça.
O que o mundo pedir, recusa a qualquer custo,
Se consentires, ó alma querida, perder-te-ás.
Por amor de Cristo ofereço este conselho:
Esforça-te na força de Deus, esse é o preço da coroa.
A cada obstáculo, faze forte resistência;
A coroa vale a luta, mesmo que longa.

O Céu de glória vale toda a tua vida,
Vale todas as tuas orações, saudades e toda a tua luta.
Nenhum desapontamento pode existir naquele reino,
A coroa vale todo o anseio que possas proporcionar.
Portanto, desperta, olha em volta cuidadosamente,
Prepara-te para o soar da trombeta do juízo;
Pois vestes nupciais, puras, brancas e completas,
Serão requeridas de cada alma suplicante
Que busca entrada naquela linda cidade;
Portanto, desperta e prepara-te.

Não podes ancorar naquele porto celeste,
Nem entrar naquela terra "já antes preparada"
A menos que tenhas a ofertada vida de fé; Pois isso a Escritura diz
claramente. Somente a fé pode o pecador salvar,
E da cruel sepultura te resgatar.

Então escuta, amado, e levanta-te de teu triste tombo;
A graça de Deus é abundante e gratuita para todos.
Acredita, arrepende-te e ouve o Salvador dizer,
Em belas palavras: "Este, este é o caminho".
O mundo inteiro é convidado, venham todos,
E apoderem-se de uma coroa neste lar.

O Senhor está disposto, ansioso para conceder
Este presente a todos os que em Seu caminho vão.
Não fujas da luta, mas avança,
E em breve, muito breve, a vitória será ganha.
A mão de Deus busca a tua alma; Ele te dará descanso;
Jesus está batendo, buscando o teu melhor.
Desperta! É o Espírito de Deus que perturba teu sono;
Só serão salvos os que guardarem vigília.

O menino pregador em Karlskoga

Ainda em Orebro, um senhor me contou algo que aconteceu em
Karlskoga, local onde ele vivia em 1843. Este foi seu relato:

Um menino de oito anos, que nunca tinha aprendido a ler, começou a
pregar a mensagem, citando vários textos das Escrituras. O povo declarou: "Esse menino está transbordando de Bíblia". Como isso aconteceu depois que o rei Oscar havia falado em favor dos perseguidos, o
sacerdote daquele lugar não pôde levar o menino ao tribunal para lhe
deter o trabalho. Pediu, porém, ao povo que lhe trouxessem o menino
a fim de que o pudesse desmascarar e expor publicamente sua ignorância quanto à Bíblia.

Diante de uma multidão de pessoas, o sacerdote abriu seu hinário e
pediu ao menino que o lesse. O menino respondeu: "Não sei ler", mas,
virando as costas para o padre, cantou corretamente o hino inteiro,
enquanto o sacerdote contemplava o livro com espanto. O sacerdote
disse ao rapaz: "Você parece saber tudo". O menino respondeu: "Não.
Nem sempre nos é permitido dizer tudo que sabemos".

O sacerdote abriu o Novo Testamento e disse ao menino: "Leia aqui
para mim". O menino respondeu: "Não sei ler". O padre perguntou:
"Então o que você sabe da Bíblia?" Sua resposta foi: "Eu sei onde há um
texto em que a palavra *e* aparece 14 vezes". O padre disse: "Não! Não
há um texto assim na Bíblia". O garoto disse: "Você pode ler para mim

Apocalipse 18:13?" "Sim", disse o padre. Enquanto lia, o povo contava, e, de fato, a palavra *e* estava lá 14 vezes exatas, entre as quais se mencionava a "escravidão de almas humanas". O povo exclamou: "Vejam! *Vejam!* O menino sabe mais de Bíblia que o padre!" Muito contrariado, o sacerdote deixou o assunto de lado e não mais incomodou o povo.

Assim, da boca de crianças, o Senhor confirmou Sua palavra, e, por meio desse maravilhoso método, fez chegar sua verdade aos ouvidos de um povo cujas leis proibiam a pregação de qualquer doutrina, salvo a da "religião estabelecida".

Dons do Espírito associados à mensagem

Não foi somente na Suécia que o Senhor falou ao Seu povo por meio dos dons de Seu Espírito em conexão com o movimento do advento. Na Escócia, na Inglaterra, e também na América, o Senhor tem instruído seu povo mediante revelações especiais.

Visões de William Foy

No ano de 1842, vivia em Boston, Massachusetts, um homem bem educado e eloquente orador chamado William Foy. Era batista, mas estava se preparando para ser ordenado como ministro episcopal. O Senhor graciosamente lhe deu duas visões no ano de 1842 – uma em 18 de janeiro e outra em 4 de fevereiro. Essas visões apresentaram claras evidências de serem genuínas manifestações do Espírito de Deus. Era convidado de um lugar a outro a fim de pregar nas igrejas, e não somente por episcopais, mas também por batistas e por outras denominações. Ao pregar, sempre usava as vestimentas de clérigo, tais como as usadas pelos ministros daquela igreja em suas cerimônias religiosas.

As visões do senhor Foy eram relacionadas com a iminente vinda de Cristo, as viagens do povo de Deus à cidade celeste, a nova terra e a gloriosa condição dos remidos. Possuidor de um bom domínio da linguagem e aguçado poder descritivo, criava uma sensação aonde fosse. Viajava, a convite, de cidade em cidade, contando as maravilhas que havia visto. Para acomodar as multidões que se reuniam para ouvi-lo, reservavam-se grandes salões, onde anunciava a milhares o que lhe havia sido mostrado sobre o mundo celestial, o encanto da Nova Jerusalém e das hostes angélicas. Ao falar acerca do terno e compassivo amor de Cristo para com os pobres pecadores, exortava os não convertidos a buscarem a Deus, e muitos respondiam a seus gentis convites.

A visão dos três degraus

A obra do senhor Foy continuou até 1844, próximo ao fim dos 2.300 dias. Foi favorecido com mais uma manifestação do Espírito Santo – uma terceira visão, que não compreendeu. Foi-lhe mostrado o trajeto do povo de Deus rumo à cidade celeste. Viu uma grande plataforma, ou degrau, onde multidões estavam reunidas. De vez em quando, alguém caía dessa plataforma e desaparecia, e era dito a seu respeito: "Apostatado". Viu, então, o povo subir a um segundo degrau, ou plataforma, e alguns também dali caíram e desapareceram. Por último, apareceu uma terceira plataforma, que se estendia até as portas da cidade santa. Um grande grupo se uniu com os que haviam avançado para essa plataforma. Uma vez que ele esperava que o Senhor Jesus viesse muito brevemente, não conseguiu reconhecer o fato de que uma terceira mensagem se seguiria à primeira e segunda mensagem de Apocalipse 14. Por conseguinte, a visão era para ele inexplicável, e ele parou de pregar publicamente. Em 1845, após o encerramento do período profético, ouviu outra pessoa relatar a mesma visão, com a explicação de que "a primeira e a segunda mensagens haviam sido dadas, e de que uma terceira se seguiria". Logo depois, o senhor Foy ficou doente e morreu.

Com tais manifestações do poder de Deus, em conexão com a proclamação da breve volta de Cristo, e também o júbilo de milhares de pessoas que se voltavam do pecado para servir ao Senhor e esperar por Sua vinda, as pessoas ficaram duplamente certas de que esta era realmente a mensagem de Deus ao mundo.

Contudo, o dia 21 de março de 1844 chegou e passou, e o Senhor não veio. Os fiéis e consagrados, porém, tinham convicção de que haviam movido em harmonia com a mente do Senhor e de que, no devido tempo, tudo seria esclarecido.

Capítulo 9

O Tempo de Tardança

"Então, o reino dos céus será semelhante a dez virgens que, tomando as suas lâmpadas, saíram a encontrar-se com o noivo. Cinco dentre elas eram sábias, e cinco, tolas. As tolas, ao tomarem as suas lâmpadas, não levaram azeite consigo; mas as prudentes levaram consigo azeite nas vasilhas, com suas lâmpadas. E, tardando o noivo, foram todas tomadas de sono e adormeceram" (Mateus 25:1-5).

Cristo é o noivo nessa parábola (Marcos 2:18-20). Visto que o tema de Mateus 24 e 25 é a vinda do Senhor, essa ida ao encontro do noivo, portanto, precisa representar uma ação da parte do povo de Deus para encontrar-se com Cristo em Sua vinda. A Palavra de Deus é a lâmpada (Salmos 119:105). Todas as virgens haviam levado suas lâmpadas. A loucura de uma parte delas foi terem apenas a teoria da verdade, sem uma consagração sincera ao Senhor que desenvolveria as graças do Espírito no coração do crente. Essa obra é representada na parábola pelo "azeite nas vasilhas". A tardança do noivo deve representar algum desapontamento por parte dos que saíram na expectativa de encontrar seu Senhor.

A que tempo se aplica a parábola?

A palavra "então", que introduz a parábola, nos fornece uma pista quanto ao momento de seu cumprimento. A parábola aparece logo após o que havia sido declarado no capítulo anterior. Ela não ocorre após a segunda vinda do Senhor, porém após a proclamação da parábola da figueira que anuncia a vinda de Cristo "às portas". Ela indica também a chegada da geração que não passaria antes que o próprio Cristo aparecesse nas nuvens do céu. Ela também se aplica a um momento em que alguns dos servos, a quem a mensagem fora confiada, diriam no coração: "Meu senhor tarda em vir" e começariam a "espancar os seus companheiros e a comer e beber com ébrios" (Lucas 12:45).

Espancando os seus companheiros

Aqui é feita referência àqueles que têm sido "companheiros" de serviço, harmoniosamente proclamando a mesma mensagem. Agora, porém, parte deles abandona o que havia ensinado e passa a "espancar" seus companheiros, que estão dando o "sustento a seu tempo" (Mateus 24:45), ou seja, anunciando a preparação necessária para o iminente encontro com o Senhor. Eles "ferem" da mesma maneira que intencionavam ferir Jeremias. O povo disse: "vinde e firamo-lo com a língua, e não atendamos a nenhuma das suas palavras" (Jeremias 18:18). Assim, esses servos começaram a ensinar de modo a impedir a obra dos servos "fiéis". A essa classe também é dito:

> Lembra-te, pois, do que tens recebido e ouvido, guarda-o e arrepende-te. Porquanto, se não vigiares, virei como ladrão, e não conhecerás de modo algum em que hora virei contra ti (Apocalipse 3:3).

A parábola das virgens aplica-se a um tempo em que os conservos estão se desviando da mensagem da iminente vinda do Senhor e começam a "espancar". Além disso, eles também começam a "comer e beber com ébrios", ou seja, unem-se em festejar com os que desejam satisfazer seus apetites. A respeito destes, Salomão diz:

> Não estejas entre os bebedores de vinho nem entre os comilões de carne. Porque o beberrão e o comilão caem em pobreza; e a sonolência vestirá de trapos o homem (Provérbios 23:20, 21).

A primeiro desapontamento

Pode-se então questionar: "O que correspondeu a essas declarações na experiência do movimento adventista?" Houve acontecimentos que se harmonizaram plenamente com a profecia. Os que proclamavam a mensagem, até abril de 1844, trabalharam em meio às igrejas, e os ministros das várias denominações se uniram a eles em seus esforços. Assim, todos eram "conservos" ou "companheiros".

Os que anunciavam a mensagem ensinavam que os 2.300 dias de Daniel 8:14 terminariam no ano judaico de 1843 – nosso ano de 1844. Proclamavam que a hora do juízo divino viria ao fim desse período. Naquela época, todas as denominações do país acreditavam que o dia do juízo teria início por ocasião da segunda vinda de nosso Senhor. Assim, facilmente vemos que os adventistas criam que o Senhor viria no fim daquele período profético, previsto para encerrar-se próximo a 21 março de 1844, o último dia do ano natural judaico de 1843. Eles consideravam o último dia de março, ou dia primeiro de abril de 1844, como o momento em que o Salvador poderia vir.

O surgimento dos servos maus

Quando o último dia de março chegou e passou sem que Senhor viesse, os que haviam trabalhado com os mensageiros do Senhor, cujo coração não havia se consagrado totalmente à mensagem, voltaram-se contra ela, e começaram a opor-se à obra, fazendo tudo ao seu alcance para dificultar o caminho dos que continuavam a ensinar a doutrina da iminente vinda do Senhor e a mensagem da hora do Seu juízo. Disseram em seus corações: "Meu senhor tarda em vir" (Lucas 12:45). Com seus lábios passaram a ensinar que o mundo inteiro deveria ser convertido antes que o Senhor viesse, e que todos os judeus deveriam retornar à Palestina e estabelecer o serviço do templo em Jerusalém antes que viesse o Messias. Alguns chegaram a ensinar que a vinda de Cristo era uma "vinda espiritual", que ocorria por ocasião da conversão ou no momento da morte do crente.

Dando o "sustento a seu tempo" (Mateus 24:45)

Enquanto esses maus servos assim se voltavam contra seus companheiros de trabalho, os servos que ainda permaneciam firmes na fé congregavam os fiéis em salões e bosques, dando-lhes o "sustento a seu tempo", isto é, mostrando-lhes que os sinais dos tempos e as profecias cumpridas declaravam que a vinda de Cristo estava próxima, "às portas" (Mateus 24:33), do mesmo modo que antes do desapontamento.

Festas nas igrejas

Enquanto assim procediam, iniciou-se nas igrejas protestantes algo que elas antes desconheciam – eventos na igreja com o propósito de banquetear e divertir. Todos que quisessem eram convidados a participar com eles das suas guloseimas.

A primeira vez que tivemos notícia de algo assim na América foi no mês de maio de 1844, logo após o desapontamento. O que ocorreu foi o seguinte: Guilherme Miller instruía e exortava várias centenas de adventistas num salão em Rochester, Nova Iorque. Ele lhes dizia: "Estamos no tempo de tardança de Mateus 25. Mantenham-se firmes na fé, pois em breve teremos mais luz sobre esse assunto". Nesse mesmo dia, foi convocado um "festival" no porão de uma das maiores casas de reunião em Rochester. Uma multidão compareceu tanto de membros de igreja quanto de incrédulos, e enquanto o diretor de uma certa faculdade de Teologia divertia a multidão, ridicularizando Guilherme Miller, ostras, sorvetes e doces eram vendidos ao povo. Além disso, um pequeno panfleto, preparado por essa pessoa, era vendido por 25 centavos. O livreto foi chamado de *Uma Exposição do Milerismo*.

Menos de duas semanas depois, outra denominação convocou, na mesma cidade, uma "festa" num salão público. A entrada custava 25 centavos, e todos que quisessem foram convidados para vir e participar das ostras, sorvetes, bolos e doces ali servidos. Foi assim que tiveram início essas festas modernas das igrejas, que se tornaram, posteriormente, em "sociais da maluquice", "sacos surpresa", "pescaria de brindes", "abelhas beijantes" [estande onde se pagava para beijar as meninas] e assim por diante. Essa moda de ter festas na igreja cresceu de tal modo que, na atualidade, uma igreja que não tiver ao menos sua própria cozinha, despensa e salão de refeições é considerada fora do padrão. Esse estado de coisas teve início no "tempo de tardança", conforme indicado na parábola.

O próprio Miller conta o que se passou em Rochester, nas seguintes palavras:

> Um dos doutores em Divindade em Rochester, o senhor X, da igreja Y, escreveu um panfleto contra o milerismo, chamou os senhores e as senhoras à casa de Deus, fez um grande banquete de ostras e outros "piqueniques", à moda Belsazar, beberam café e chá, comeram finas iguarias e venderam sorvetes e doces, e seu panfleto que se opunha à segunda vinda do querido Salvador.
>
> Na noite anterior à minha partida, outro reverendo deu uma festa de piquenique numa casa ou salão público, e vendeu, como o outro, ingressos, sorvetes e doces. Fiquei feliz ao saber que algumas das igrejas de diferentes seitas não aprovaram essas festas babilônicas, e espero, de coração, não se dê que todas essas igrejas separadas sejam encontradas "a comer e beber com ébrios" quando Cristo vier. Surpreende-me que esses senhores reverendos não se vejam no espelho da Palavra de Deus; e recomendo-lhes a leitura de Lucas 14:12-14; Mateus 24:48-51; Lucas 13:25-28; 2 Pedro 2:13; Judas 1:10-21. Estes são, certamente, os últimos tempos.

Se Miller tivesse visto o que as igrejas têm se tornado desde então, com suas festas de arrecadação, "bolos de anel surpresa, abelhas-beijantes por 10 centavos, shows de jumentos, sociais da maluquice, loterias santas" e outros jogos de azar, etc., ele teria recuado em santo horror.

O tempo de tardança

Os adventistas encontraram consolo no fato bíblico de que, quando fosse feito o anúncio da iminente vinda do Senhor, haveria, em conexão com ele, um "*tempo de tardança*". Entendiam assim com base nas palavras de nosso Salvador encontradas em Mateus 25:5, 6 e Habacuque 2:1-3.

Quanto à atitude demonstrada na primavera de 1844, citamos o *Midnight Cry* de 9 de maio de 1844:

> Tendo passado o ponto do aparente término dos períodos proféticos, encontramo-nos no tempo previsto por Deus em que Seus filhos se encontrariam ao fim da visão, tempo este para o qual provisões já haviam sido feitas por intermédio do profeta Habacuque. Disse o profeta: "Pôr-me-ei na minha torre de vigia, colocar-me-ei sobre a fortaleza e vigiarei para ver o que Ele me dirá e o que responderei quando for reprovado", ou, como diz na *margem* da KJV, "quando debaterem comigo". "Então o Senhor me respondeu, e disse: Escreve a visão e torna bem legível sobre tábuas, para que a possa ler quem passa correndo. Porque a visão é ainda para o tempo determinado, mas ao fim [dos períodos proféticos] falará, e não mentirá; mesmo se ela tardar [além do aparente final], espera-a, porque certamente virá [na plenitude dos tempos proféticos, e além deles], não tardará" (Habacuque 2:1-3, adaptado).
> Pela referência de Paulo a esse texto em Hebreus 10:36-39, fica evidente que essa admoestação se refere ao tempo presente: "Porque necessitais de paciência, para que, depois de haverdes feito a vontade de Deus, possais alcançar a promessa. Porque ainda um pouquinho de tempo, e o que há de vir, virá, e não tardará. Ora, o justo viverá pela fé; e, se alguém recuar, Minha alma não tem prazer nele. Nós, porém, não somos daqueles que retrocedem para a perdição, mas daqueles que creem para a salvação da alma".
> Cremos estar nesse período de tardança do noivo – ao qual o reino dos Céus é comparado – predito pelo Salvador em Mateus 25:5. Nesse tempo, "aquele servo mau [tendo havido uma aparente falha quanto ao tempo] di[rá] em seu coração: Meu senhor tarda em vir; e começar[á] a espancar os criados e criadas, e a comer, e a beber, e a embriagar-se" (Lucas 12:45). Cristo conclui: "Virá o senhor daquele servo no dia em que o não espera" (Lucas 12:46).
> Cremos estar agora no período de tempo referido por Pedro, durante o qual "introduzirão, dissimuladamente, heresias destruidoras" (2 Pedro 2:1, 3). Para esses é feita a advertência: "o juízo lavrado [para eles] há longo tempo não tarda, e a sua destruição não dorme". Pedro afirma

ainda que esses haveriam de existir assim como houve falsos profetas quando as Escrituras estavam sendo escritas. Portanto, assim como os da casa de Israel afirmaram: "Os dias se prolongam e perece toda a visão" (Ezequiel 12:22), assim deve haver uma época de aparente demora em que os escarnecedores de 2 Pedro 3:4 perguntariam: "Onde está a promessa da Sua vinda?", e se vangloriariam de que "todas as coisas permanecem como desde o princípio da criação".

Cremos que foi em referência a essa tardança da visão que o apóstolo Tiago declarou: "Sede, pois, irmãos, pacientes, até à vinda do Senhor"; "Sede vós também pacientes, fortalecei os vossos corações; pois a vinda do Senhor está próxima". Também: "Eis que o juiz está às portas" (Tiago 5:7-9).

Além disso, cremos no capítulo 12 de Lucas, que antecipa a passagem do tempo esperado, e sobre a qual nos advertiu nosso Salvador: "Estejam cingidos os vossos lombos, e acesas as vossas lâmpadas. Sede vós semelhantes a homens que esperam pelo seu senhor, ao voltar Ele das festas de casamento; para que, quando vier e bater à porta, logo Lha abram" (Lucas 12:35, 36). *Esperar* implica que o tempo excedeu, pois, durante ele, não necessitamos *esperar*. Portanto, nosso Senhor acrescenta: "Bem-aventurados aqueles servos a quem o Senhor, quando vier, os achar vigiando".

Se Deus quiser, continuaremos a proclamar: "Eis que vem o noivo! Saí ao seu encontro!" (Mateus 25:6); e também: "É chegada a hora do Seu juízo" (Apocalipse 14:7). Cremos que não falharemos em clamar em alta voz, para o mundo e para a igreja, a fim de que despertem de suas canções de "paz" e ouçam as gloriosas melodias da misericórdia divina. É nosso desígnio continuar esperando e vigiando pela vinda do Senhor, crendo que está iminente.

Vindicando a obra dos adventistas

Podemos ter uma boa ideia de como os adventistas viam sua obra antes e logo após a data de 21 de março de 1844 ao lermos a seguinte citação retirada de um artigo intitulado "Vindicação", no *Advent Herald* de 13 de novembro de 1844, publicado por Joshua V. Himes, Sylvester Bliss e Apollos Hale:

> Não fomos precipitados em adotar nossas posições. Temos certeza de haver buscado a verdade de forma honesta e sincera. Obedecemos à ordem de nosso Salvador de examinar as Escrituras. Não confiamos em nossa própria sabedoria, mas nos dirigimos a Deus em busca de instrução e orientação, nos esforçando para nos colocar sobre Seu altar, confiando que Ele iria dirigir nossos passos no caminho certo. Examinamos todos os argumentos apresentados contra nós com desejo sincero de conhecer a verdade e ser guardados do erro, mas temos de

confessar que as diversas e variadas posições de nossos adversários apenas nos confirmaram em nossa compreensão. Vimos que, quer estivéssemos certos ou errados, nossos adversários *não podiam estar certos*, pois nem sequer concordavam entre si. Seus argumentos eram tão frágeis e infantis que tinham necessidade de continuamente desfazer o que eles mesmos haviam construído. Além disso, por seus pontos de vista opostos e contraditórios, demonstraram que, independente de como considerassem *nossas* opiniões, não confiavam nas opiniões uns dos outros. Além disso, não houve um só ponto, dentre os mais fundamentais de toda a nossa posição, que não fosse apoiado por um ou mais dos que tentavam refutar a vinda imediata do Senhor. Embora a tradução literal das Escrituras sustentasse nossa posição, nossos adversários se esforçaram em vão para provar que as Escrituras não devem ser compreendidas literalmente – apesar de todas as profecias cumpridas revelarem que seu cumprimento se deu literalmente e nos mínimos detalhes.

A explicação do desapontamento

Mas o tempo determinado – o ano judaico de 1843 – passou, e ficamos desapontados por não vermos o rei na Sua formosura. Todos os nossos opositores honestamente supunham que cada ponto distintivo de nossa crença havia sido refutado, e que deveríamos, como pessoas honestas, abandonar toda a nossa posição. Foi, portanto, com surpresa que nos viram ainda agarrados à nossa esperança, e ainda esperando nosso Rei. Nós, porém, em nosso desapontamento, não vimos nenhuma razão para o desânimo. Percebemos que as Escrituras indicavam que haveria um tempo de tardança, e que, enquanto a visão tardasse, devíamos esperar. Também vimos que o período não podia estar totalmente terminado com o fim do ano, mesmo diante do pressuposto de que nossa cronologia estava correta. Críamos, portanto, que ele só poderia se cumprir em algum momento no ano em curso. Mesmo assim, admitimos franca e plenamente perante o mundo que havíamos nos equivocado quanto ao ponto definido para o qual olhávamos com tanta confiança. Contudo, mesmo com nosso equívoco, podemos ver a mão de Deus na questão. Podemos ver que Deus usou essa proclamação como um alarme para o mundo, e também como um teste para a igreja a fim de colocar Seu povo numa atitude de expectativa. Chamou os que estavam dispostos a sofrer por amor do Seu nome. Revelou a quem o anúncio da vinda do Senhor representava novas de grande alegria, e a quem era ela como desagradável ruído aos ouvidos. Revelou ao universo quem receberia com alegria a vinda do Senhor, e quem O rejeitaria em Seu segundo advento, como os judeus o rejeitaram no primeiro. Consideramos tudo isso como um passo na realização do propósito de Deus, neste "dia de Sua preparação", de modo a levar avante um povo que busque somente a vontade do Senhor para que possa estar preparado para Sua vinda.

HISTÓRIA DO MOVIMENTO APÓS MARÇO DE 1844

Expomos a seguir um breve histórico do movimento adventista após 21 de março de 1844, conforme encontrado na revista *Signs of the Times* de 31 de outubro de 1844:

> Após haver expirado o ano judaico de 1843, a grande massa de adventistas adotou a crença de que, doravante, não mais era possível calcular tempos específicos com qualquer grau de certeza. Eles criam que nos encontrávamos onde nossa cronologia apontava – o fim de todos os períodos proféticos, ao término dos quais se esperava o advento. Criam também que, embora tivéssemos de esperar durante uma possível variação cronológica entre nosso tempo e o tempo de Deus, não tínhamos qualquer pista adicional quanto ao momento exato. Todos haviam tomado suas lâmpadas e saído ao encontro do noivo, mas este havia demorado além do tempo (1843) em que era esperado. Durante essa tardança da visão, parecia ser a determinação de todos *esperar* o seu cumprimento, crendo que não era possível que ela se atrasasse, e que poderia ocorrer a qualquer momento. No entanto, logo ficou muito evidente que multidões estavam fazendo planos para o futuro que não fariam se acreditassem que o Senhor viria ainda nesse ano. Ficou evidente que haviam adormecido quanto ao senso de percepção do aparecimento imediato do Senhor. Em outras palavras, pensaram que Ele poderia vir a qualquer dia, ou que poderia demorar um pouco, e que, durante esse tempo, poderiam desfrutar de um descanso reparador. Ora, aconteceu exatamente como o Salvador declarou que aconteceria: "tardando o noivo, foram todas tomadas de sono e adormeceram" (Mateus 25:5).

Chamada a atenção para o outono de 1844

> Desde maio de 1843, o irmão Miller já havia chamado nossa atenção para o sétimo mês do sagrado ano judaico como a ocasião da observância [cerimonial] dos tipos que apontam para o segundo advento. No outono passado, antecipamos essa circunstância com muito interesse. Após a passagem do tempo, o irmão Samuel Snow adotou plenamente a opinião de que, segundo os tipos [cerimoniais], o advento do Senhor, quando ocorresse, precisava ocorrer no décimo dia do sétimo mês. Contudo, ele não estava seguro quanto ao ano. Mais tarde, percebeu que os períodos proféticos, na verdade, somente terminariam neste ano (1844). Ele, então, se firmou na posição de que, por volta do dia 22 de outubro (dia em que cairia o décimo dia do sétimo mês judaico em 1844), testemunharíamos o advento do Senhor da glória. Pregou sobre isso em Nova Iorque, Filadélfia e outros lugares durante a primavera e verão passados. Embora muitos adotassem seus pontos de vista, nenhuma manifestação extraordinária de seus efeitos foi vista até por volta de Julho.

Colheitas abandonadas nos campos

No início da estação, alguns de nossos irmãos do norte de New Hampshire tinham ficado tão impressionados com a convicção de que o Senhor viria antes do próximo inverno que não cultivaram seus campos. Em meados de Julho – que era o entardecer da meia-noite do dia-ano judaico (dia profético de tarde e manhã, contando a partir da lua nova de abril, o início desse ano judaico) – outros que haviam semeado seus campos e plantado suas lavouras ficaram tão impressionados com a sensação de que o Senhor viria de imediato que não poderiam, de forma coerente com sua fé, colher o que haviam plantado. Alguns, indo a seus campos para cortar o mato, não puderam prosseguir e, atendendo ao senso do dever, deixaram a safra no campo sem colher no intuito de mostrarem sua fé por suas obras, e, assim, condenar o mundo. Isso rapidamente se estendeu pelo norte da Nova Inglaterra.

O Juízo que acontece antes do Advento

Ao mesmo tempo, nossos irmãos em Maine haviam adotado a ideia de que o juízo deveria ocorrer antes do advento. Criam tratar-se de um tempo em conexão com a colheita, que não ocorreria apenas por ocasião do fim do mundo, mas que envolvia um período imediatamente anterior a esse fim. De acordo com esse pensamento, chegaram à conclusão de que nos encontrávamos no período do juízo, de que a linha divisória estava sendo traçada, e que os servos de Deus estavam sendo selados em suas frontes. Criam também que o cumprimento desse selamento representaria o sinal para que os quatro anjos soltassem os quatro ventos da terra, que eles mantêm seguros (Apocalipse 7:1).

Despertamento à meia-noite

Em meados de Julho, a bênção de Deus na recuperação dos que se haviam apostatado começou a acompanhar a proclamação de *tempo*. Nessa época, os que haviam adotado qualquer das duas ideias mencionadas acima manifestaram marcante mudança de comportamento e um súbito despertar do sono, como estava previsto: "à meia-noite ouviu-se um clamor: Eis que vem o noivo! Saí ao seu encontro! Então, se levantaram todas aquelas virgens e prepararam as suas lâmpadas". A partir de julho, esses movimentos tiveram lugar em diversas partes da Nova Inglaterra, distintos uns dos outros. Todos, contudo, foram acompanhados da bênção de Deus na recuperação de muitos cujas lâmpadas tinham quase se apagado, bem como na santificação de seus santos. Na reunião campal de Exeter, todas essas influências se reuniram num grande movimento que rapidamente se espalhou por todos os grupos adventistas do país.

Capítulo 10

O Clamor da Meia-Noite

"À meia-noite, ouviu-se um grito: Eis o noivo! Saí ao seu encontro! Então, se levantaram todas aquelas virgens e prepararam as suas lâmpadas" (Mateus 25:6, 7).

Já falamos do *tempo de tardança* trazido à tona nesta parábola das "dez virgens". Daremos agora atenção especial à parte introduzida pelo texto acima, designada pelo povo adventista como o "clamor da meia-noite". Um escritor proeminente sobre o assunto, num periódico chamado *Midnight Cry* [Clamor da Meia-noite], de 3 de outubro de 1844, disse o seguinte:

> Mas como chegamos a esta noite de tardança? Foi porque iniciamos a contagem da visão [dos 2.300 dias] na *primavera*, em vez de no *outono*, de 457 a.C. Faltaram seis meses e alguns dias para que pudéssemos atingir o porto destinado. Isso nos lançou, durante seis meses, na noite de tardança.

Outro escritor, Samuel Snow, no *Midnight Cry* de 22 de agosto de 1844, falando dos 2.300 dias, afirmou:

> A contagem começou com a saída da ordem para restaurar e edificar Jerusalém. O decreto foi feito primeiramente por Ciro, renovado por Dario, e finalizado por Artaxerxes Longímano no sétimo ano do seu reinado. Foi promulgado e entrou em vigor no outono do ano 457 a.C., quando Esdras, tendo chegado a Jerusalém pela boa mão do Senhor, restabeleceu a nação judaica, nomeou magistrados e juízes e iniciou a construção do muro (ver Daniel 9:25; Esdras 7:21-26; 9:9; Neemias 1:3; 2:12-17).

Como o tempo da visão era de 2.300 anos completos, era necessária a totalidade do ano 457 e a totalidade do ano 1843 para se completarem os 2.300 anos. Como o decreto não saiu até o sétimo mês do ano 457 a.C., consequentemente o período não terminaria até o sétimo mês do ano de 1844. Como a observância do décimo dia do sétimo mês parecia ser o evento que marcava o início do período, demonstrou-se, portanto, de forma conclusiva, que, no décimo dia do sétimo mês (no calendário judaico) – o nosso 22 de outubro de 1844 – terminariam os 2.300 dias, chegando o tempo de ser purificado o santuário. Todas as evidências usadas para defender o término do período em 1843 aplicavam-se com igual força ao cálculo que levava à data de 1844. Essa convicção era acompanhada da certeza de que haviam descoberto o que parecia ser uma infalível solução para a causa de seu desapontamento. A maneira pela qual os adventistas proclamaram o "verdadeiro clamor da meia-noite", como era então chamado, não pode ser mais bem ilustrada do que citando os escritos daqueles que, na época, destacadamente se empenharam nessa obra.

"Saí ao seu encontro"

No *Midnight Cry* de 3 de outubro de 1844, houve um artigo escrito por George Storrs, intitulado "Saí ao seu encontro", no qual ele disse:

> Com sentimentos tais como nunca antes experimentei, pego minha caneta para escrever. *Sem dúvida alguma*, em minha mente, o *décimo dia do sétimo mês* irá testemunhar a revelação de nosso Senhor Jesus Cristo nas nuvens do céu. Estamos a *poucos dias* desse evento – um momento terrível para os despreparados, mas glorioso para os que estão prontos. "Eis que vem o noivo" neste ano; "saí ao seu encontro". Já fizemos tudo o que podíamos em favor das igrejas nominais e de todos os ímpios, exceto naquilo em que este clamor os possa afetar. Agora, nossa obra é despertar as "virgens que, tomando as suas lâmpadas, saíram a encontrar-se com o noivo". Onde nos encontramos agora? "Se a visão *tardar*, espera-a". Porventura não tem sido essa a nossa resposta desde março ou abril passados? – Sim. O que aconteceu, *tardando* o noivo? – As virgens foram tomadas de sono e adormeceram, não é mesmo? As palavras de Cristo não falharam; e "a Escritura não pode falhar". Será inútil fingir que estivemos despertos; temos estado dormindo, não quanto ao *fato* da vinda de Cristo, mas quanto ao tempo. Entramos no *tempo de tardança*; não sabíamos por "*quanto tempo*" tardaria, e foi nesse ponto que adormecemos. Alguns de nós, em nosso sono, já declaramos: "Não fixem *outra* data!", e assim seguimos dormindo. Agora, o problema está em como nos despertar. Senhor, socorre-nos, pois vão é o socorro do homem. Fala, *Tu*, Senhor. Tomara que o "Pai" possa agora "tornar conhecido" o *tempo*.

A meia-noite da mensagem

Qual a duração do tempo de tardança? – Meio ano. Como você sabe? – Porque nosso Senhor afirmou: "à meia-noite", enquanto tardava o noivo. A visão era de "duas mil e trezentas tardes e manhãs", ou dias. Uma "tarde", ou *noite*, é a metade de um daqueles dias proféticos;

representa, portanto, *seis meses*. Essa é a extensão total do tempo de tardança. O forte clamor quanto ao *tempo*, ora anunciado, começou por volta de meados de julho e espalhou-se com grande velocidade e poder, sendo seguido de uma manifestação do Espírito tal qual eu nunca havia testemunhado quando o clamor era referente a "1843". Agora é literalmente: "*Saí ao seu encontro*". Há um abandonar de *tudo* tal qual eu nunca sonhei poder ver. Quando este clamor se apodera do coração, agricultores abandonam suas fazendas com suas colheitas. Há forte pranto com lágrimas e um consagrar de tudo a Deus tal qual nunca testemunhei. Há uma confiança nesta verdade, como nunca foi vista em tamanho grau no clamor anterior, e uma glória que leva aos prantos, tocante, que excede todo o entendimento, exceto para aqueles que a experimentaram.

Nessa verdade presente, eu, mediante a graça, me atrevo a arriscar *tudo*, e imagino que ceder à dúvida, nesse ponto, seria ofender a Deus e trazer sobre mim mesmo "repentina destruição". Estou convencido de que, agora, "quem quer que procure salvar a sua vida", onde este clamor tenha sido claramente anunciado, cedendo à ideia "*e se não vier?*", ou por medo de aventurar-se nessa verdade, "perderá sua vida". Ela requer a mesma fé que levou Abraão a oferecer Isaque, Noé a construir a arca, Ló a sair de Sodoma, os filhos de Israel a aguardar durante a noite toda por sua saída do Egito, Daniel a ir para a cova dos leões, ou os três hebreus para a fornalha de fogo. Temos nos iludido com a ideia de que chegaríamos ao reino sem um teste de fé, mas estou convencido de que não será assim. Esta mais recente verdade prevê esse tipo de teste, e ninguém vai se aventurar nela, exceto os que se atrevem a ser contados como tolos, loucos, ou qualquer outra classificação que sodomitas antediluvianos, uma igreja morna, ou virgens adormecidas estejam dispostos a lançar sobre eles. Clamo mais uma vez: "Fuja por sua vida", "Não olhe para trás"; "Lembre-se da mulher de Ló".

A rocha plana de Storrs

No *Midnight Cry* de 10 de outubro de 1844, houve um artigo, escrito por George Storrs, intitulado "A Conclusão", chamado, contudo, pelos adventistas de "A Rocha Plana de Storrs":

> Como estaremos prontos para aquele dia? – Creia na verdade de Deus, aventure-se nela com uma fé sólida, que dá glória a Deus. Devemos viver no mesmo estado de espírito, na mesma consagração total a Deus, na mesma morte para o mundo que viveríamos se soubéssemos que iríamos morrer naquele dia.
>
> Não consigo ilustrar melhor o que quero dizer do que imaginando uma grande rocha plana no meio do oceano. Um príncipe glorioso e muito poderoso promete que, em determinado momento, enviará um esplêndido navio a fim de conduzir a um país glorioso todas as pes-

soas que ali se encontrarem e demonstrarem haver crido totalmente em Sua palavra. Muitos se aventuram a ir até à rocha. Alguns, quando estão seguros na rocha, cortam a corda, e os barquinhos com que ali chegaram são levados pela correnteza para longe deles, e não mais mantêm em vista esses barquinhos, mas aguardam a chegada do navio. Eles não têm qualquer dúvida quanto à confiabilidade da promessa, e arriscam tudo por ela. Outros creem ser suficiente o fato de haverem alcançado a rocha. Mas veem a necessidade de serem "precavidos" e não correrem um risco tão elevado.

Antes do momento em que se esperava a chegada do navio, soaram as seguintes palavras: "Seja-vos feito segundo a *vossa fé*". Chegou o dia. Os prudentes, possivelmente, têm a intenção de cortar a corda de seus barcos e deixar-se flutuar para longe, se tão somente virem o navio se aproximando. Ele é visto. Agora, porém, é tarde demais para soltar os barcos sem serem notados. Além disso, a mesma prudência de antes lhes ordena agora que não deixem seus barcos à deriva sem antes estarem *certos* de que não estão equivocados quanto ao navio que se aproxima. O navio, porém, está agora tão próximo que não podem nem mesmo cortar as cordas sem serem vistos.

O navio chega à rocha. "Que prova existe de que vocês confiaram totalmente na promessa de que o navio viria?" – "Soltamos nossos barcos e eles flutuaram para longe de nós. Isso tornou impossível nossa volta à terra. E realmente teríamos perecido se o navio não tivesse vindo, pois nenhum outro navio jamais passa por esta rocha". "Isso é suficiente", clama o comandante do navio; "*subam a bordo*. Essa confiança não será desapontada".

Aqueles que mantiveram seus barcos amarrados à rocha, agora se aglomeram ao redor, tentando embarcar no navio. O comandante pergunta: "Que significam esses barcos que vejo amarrados à rocha, ou cujas cordas só foram cortadas quando apareci à vista?" Eles respondem: "Achamos que deveríamos ser *prudentes*, de modo que, *caso* o navio não viesse, teríamos algo com que retornar à terra". "Então, será que vocês não fizeram provisão para a carne", clama o comandante, "e assim duvidaram das minhas palavras? *Seja-vos feito segundo vossa fé*. As evidências estão contra vocês. Fizeram provisão para voltar, e agora, devem colher os frutos de sua incredulidade". "Assim, eles não puderam entrar por causa da incredulidade". Oh, terrível situação de desespero! Cortem suas cordas já, irmãos; deixem seus barcos se perderem de vista; sim, apressem-se, antes que "apareça o sinal do Filho do homem". Então, será tarde demais. Arrisquem-se *agora*, e arrisquem *tudo*. Oh, meu coração sofre por vocês; não se demorem, empurrem esse barco ou vocês estarão perdidos; "todo aquele que procurar salvar a sua vida perdê-la-á", declarou Jesus Cristo, nosso Senhor e Juiz. Apressem-se, então, mais uma vez eu lhes rogo, apressem-se! Abandonem cada barco pelo qual vocês planejam escapar e voltar à terra "*caso* ele não venha". Esse "*caso*" vai arruinar vocês. Esta é a última prova e tentação. Façam assim como fez nosso Senhor com a última tentação do diabo. Ele disse: "Retira-te, Satanás", e, então, o diabo O deixou, e "eis que vieram anjos e O serviram". Assim será com vocês quando alcançarem esta vitória.

Rápida obra do clamor da meia-noite

Podemos ter uma noção correta quanto à rapidez, poder e efeito da mensagem do "clamor da meia-noite" nas seguintes palavras de N. Southard, editor do jornal já anteriormente mencionado, o *Midnight Cry*. Na edição de 31 de outubro de 1844, ele declara:

A princípio, a ideia de tempo definido encontrou oposição geral, mas parecia haver um poder irresistível acompanhando sua proclamação e submetendo-lhe tudo que estivesse à frente. Esse poder varreu a terra com a velocidade de um furacão, atingiu corações em lugares diversos e distantes quase simultaneamente, e de um modo que só pode ser explicado pela suposição de que Deus estava nele. Produziu em toda parte o mais profundo exame de coração e humilhação de alma perante os altos Céus. Causou um desprendimento das afeições das coisas deste mundo, uma cura de contendas e ressentimentos, uma confissão de faltas, um quebrantamento diante de Deus com súplicas por perdão e aceitação, vindas de corações penitentes e quebrantados. Causou humilhação própria e prostração da alma, como nunca antes vista. Ocorreu exatamente como Deus, por intermédio do profeta Joel, determinou que sucederia, quando estivesse às portas o grande dia do Senhor – produziu um rasgar do coração e não das vestes, um retorno ao Senhor com jejuns, lágrimas e lamentações. Como Deus declarou através de Zacarias, um espírito de graça e de súplicas foi derramado sobre seus filhos; olharam para Aquele a quem haviam traspassado, e houve um grande pranto na terra, cada família à parte, e suas mulheres à parte; e os que buscaram ao Senhor afligiram suas almas perante Ele.

Movidos por um poder sobrenatural

Ainda acerca dessa comovente proclamação, o autor continua:

Ela nos pareceu ter sido tão independente do agente humano que éramos levados a considerá-la como cumprimento tanto do "clamor da meia-noite", após a tardança do noivo, quanto do sono das virgens adormecidas quando estas deviam levantar-se e acender suas lâmpadas. A última obra parece ter sido realizada, pois nunca houve um momento em que os respectivos grupos adventistas estivessem num estado tão bom de preparação para a vinda do Senhor.

Abandono das posses mundanas

Sob a comovente proclamação da doutrina do advento, muitos venderam suas posses, utilizando seus recursos para sustentar a obra dos oradores públicos, disseminando artigos e folhetos impressos, ou providenciando suprimentos aos necessitados. Com essa atitude, davam ao mundo a melhor prova de sua sinceridade e zelo, ao passo que os que se agarravam a seus bens terrestres, e deixavam de fazer qualquer sacrifício especial em favor da causa, foram julgados pelos mundanos como pessoas que, em realidade, não criam no que professavam. A título de ilustração, dou aqui dois exemplos, um de cada lado da questão.

Uma plantação de batatas

O primeiro exemplo é de um dos fiéis que vivia em New Ipswich, New Hampshire, chamado Hastings. Esse irmão tinha um enorme campo de batatas excelentes, que não foram colhidas. Seus vizinhos estavam preocupados com elas e se ofereceram para colhê-las e colocá-las no celeiro *gratuitamente,* se ele o permitisse, "pois", disseram eles, "você pode precisar delas". "Não!" disse o Sr. Hastings, "eu vou deixar que essa plantação de batatas pregue sobre minha fé no breve aparecimento do Senhor".

Naquele outono, como registrado no *Eagle* de Claremont, New Hampshire, no *True Sun* de Nova Iorque e em vários outros jornais públicos, a safra de batatas foi quase totalmente perdida devido a uma "peste nas batatas". A história foi relatada assim no *Sun*:

> Como é doloroso saber que toda a safra dessa valiosa raiz foi destruída pela peste. Um correspondente de um jornal da Filadélfia diz que a safra da batata daquele Estado está arruinada. O único local de onde se ouve pouca queixa é o Maine, mas, mesmo ali, a safra não pôde escapar da doença.

Como a estação outonal foi branda e as batatas do Sr. Hastings permaneceram enterradas até novembro, nenhuma delas apodreceu. Consequentemente, restou-lhe um abundante suprimento para si e para seus desafortunados vizinhos, que haviam sido tão solícitos com ele no outubro anterior; e com a chegada da primavera, foram obrigados a comprar suas sementes, alegrando-se por pagar por elas um preço bom. O que parecia ter sido uma calamidade para o Sr. Hastings foi transformado por Deus em bênção terrena, não apenas para ele, mas também para seus vizinhos.

O homem que negou sua fé

O segundo exemplo aconteceu onde eu morava. Havia certo membro que sempre falava muito nas reuniões acerca da vinda do Senhor no outono de 1844. Possuía um patrimônio considerável. Entre outras coisas, tinha uma manada de porcos na idade certa para serem vendidos no mercado durante a primavera. Um tio meu, sem pretensões religiosas, e cujo negócio era a compra e venda de gado, dirigiu-se a esse professo adventista para comprar seus porcos, mas descobriu que ele não queria vendê-los, pois os estava guardando até a "feira de porcos", que ocorreria na primavera seguinte. Meu tio veio falar com meu avô, um crente adventista, e disse: "Aquele homem não acredita no que professa". "Por quê?" perguntou meu avô. Meu tio respondeu: "Porque ele diz que Jesus está voltando, e que o mundo chegará ao fim neste outono, mas quer guardar seus porcos para a próxima primavera. Ele não precisa dizer nada, pois não acredita numa palavra sequer de tudo isso".

Recursos oferecidos tarde demais

Houve alguns que retiveram seus recursos e resistiram continuamente à convicção de que deveriam usá-los no avanço da obra até que foi tarde demais para investi-los. Então, essas pessoas procuraram os envolvidos em publicar a mensagem, insistindo, mesmo com lágrimas, para que aceitassem o dinheiro. A resposta, porém, foi: "Tarde demais! Já pagamos por todo o material impresso que seremos capazes de circular antes do fim. Contratamos várias máquinas de impressão para funcionarem dia e noite; não queremos mais dinheiro". Uma testemunha ocular me relatou haver visto algumas pessoas depositarem milhares de dólares sobre a mesa do editor da *Voz da Verdade*, e, em angústia de espírito, implorarem que ele tomasse o dinheiro e o usasse. A resposta foi: "Tarde demais! Não queremos seu dinheiro agora! Não podemos usá-lo!" Então, perguntaram: "Será que ele não pode ser doado aos pobres?" A resposta foi a mesma: "Já fizemos provisão para o suprimento imediato de todos quantos poderíamos alcançar". Em angústia de espírito, essas pessoas levaram embora seu dinheiro, e declararam que haviam trazido sobre si mesmos a desaprovação de Deus pela falta de fé e pela cobiça que os levou a negar seus recursos à causa de Deus quando esses eram necessários e poderiam ter sido usados com prazer.

Guardiões nomeados

O caráter e os princípios daqueles que deixaram seus campos por colher e abandonaram suas oficinas, a fim de fazer circular a página impressa ou conversar e orar com o povo, deram evidência de que esses homens e mulheres acreditavam, de fato, em cada palavra que diziam. Além disso, o poder que os acompanhava era tal que os sinceros de coração não podiam resistir a suas palavras nem contradizê-las. Dessa forma, milhares creram na verdade, buscaram a Deus e obtiveram misericórdia.

Contudo, os escarnecedores e mundanos declarados decidiram que essa obra de espalhar as publicações adventistas devia ser interrompida. Declararam que esses adventistas, que escolhiam uma pequena cidade, ou todo um condado, indo de casa em casa com essa doutrina do advento e negligenciando seus negócios e famílias, deviam estar fora de si, e, portanto, deviam ser cuidados por guardiões. As evidências alegadas de que os fiéis não estivessem em seu estado normal, mentalmente falando, representaram provas insuficientes de insanidade, pois a obra que realizavam era simplesmente uma obra em favor da salvação do próximo. Além disso, não havia provas de que suas famílias estivessem sofrendo devido ao abandono de seus negócios. Consequentemente, apenas poucas pessoas foram colocadas sob a tutela de guardiões. No entanto, a julgar pelo alvoroço que os oponentes fazem ao se referirem a esse fato, poder-se-ia imaginar que houve muitos casos. Em toda minha obra, porém, como pastor adventista, cobrindo um período de mais de 56 anos, encontrei apenas dois casos de "mileritas" que foram colocados sob tutores. Uma breve referência a esses casos pode ser apropriada a essa altura.

Seu próprio guardião

O primeiro desses casos ocorreu no Estado de Nova Iorque, a menos de 30 quilômetros de onde eu morava. Certo homem aceitou a doutrina adventista. Seu patrimônio chegava a 100 mil dólares. Ele doou cerca da metade desse montante para a esposa e filhos, que não compartilhavam da mesma fé. O restante considerou como seu para ser usado como melhor entendesse. Por ele haver aplicado uma parte na causa adventista, seus filhos levantaram objeções e buscaram aconselhamento com um juiz, solicitando que nomeasse um guardião para seu pai. Após o juiz lhes inteirar quanto aos deveres e direitos de um guardião no gerenciamento da propriedade, pediu-lhes que escolhessem o guardião desejado. Depois de discutirem entre si por alguns instantes, concluíram que não conheciam nenhum homem a quem poderiam atrever-se a confiar a propriedade. Relataram então ao juiz que haviam escolhido o pai como seu próprio guardião. O juiz virou-se para o homem e disse: "Sr. X, seus filhos escolheram o senhor como a pessoa adequada para gerenciar sua própria propriedade. Suas ocupações continuam exatamente as mesmas que antes de você ser trazido ao tribunal". Embora eu esteja bem familiarizado com essa pessoa e com os fatos envolvidos, não tenho a liberdade de revelar seu nome.

Uma situação ridícula

O outro caso foi o do Sr. Stockbridge Howland, de Topsham, Maine. Este era um dos melhores mecânicos em toda aquela região do país e um trabalhador perito na construção de moinhos e pontes. No movimento do "clamor da meia-noite", o Sr. Howland percorreu, a cavalo, vários municípios, espalhando de casa em casa impressos e folhetos do advento para o grande desgosto de seus opositores e zombadores. Estes se queixavam de que ele, nessa distribuição de folhetos, negligenciava seus negócios. Portanto, prontamente asseguraram a nomeação de um guardião, que encontrou mais serviço a fazer do que esperava. Na verdade, o Sr. Howland enviou-lhe todos os cobradores de impostos; e não somente esses mas quem quer que lhe trouxesse contas a ser pagas. O motivo, dizia ele, é que "não sou considerado competente para fazer qualquer negócio". Pouco tempo depois, o município decidiu construir uma ponte sobre o rio Kennebec – uma ponte que suportasse a furiosa torrente das águas e do gelo flutuante na época das cheias da primavera. Os comissários do condado e os membros da Câmara Municipal decidiram que Stockbridge Howland era o homem certo para o trabalho. Quando vieram com as especificações e um contrato para que construísse a ponte, ele respondeu ironicamente: "Senhores, vocês terão que consultar meu guardião. Vocês sabem que não sou considerado competente para cuidar de meu próprio negócio, e vocês me vêm pedir para construir uma ponte!" A situação acabou ficando ridícula demais para homens sensatos, de sorte que a tutela rapidamente foi encerrada. Basta mencionar que, tempos depois, seus perseguidores fizeram o mais humilde pedido de desculpas pelo curso injusto e inoportuno que haviam tomado.

Capítulo 11

A Mensagem do Segundo Anjo

"E outro anjo seguiu, dizendo: Caiu! Caiu Babilônia, aquela grande cidade que a todas as nações deu a beber do vinho da ira da sua prostituição!" (Apocalipse 14:8, ARC).

"Então, irado, o dono da casa disse ao seu servo: Sai depressa para as ruas e becos da cidade e traze para aqui os pobres, os aleijados, os cegos e os coxos" (Lucas 14:21).

O Senhor, por intermédio de Seus ministros, sacudiu o mundo com a mensagem: "É chegada a hora do Seu juízo". Nessa mensagem, todo o Seu professo povo poderia ter se unido, se assim desejassem. Constituiu o primeiro chamado para a "ceia" do casamento feito "aos convidados" (Lucas 14:17). Como foi recusado, mediante várias desculpas, um segundo chamado foi feito, que correspondeu à mensagem do segundo anjo (Lucas 14:21, Apocalipse 14:8). Mediante esse apelo, o Senhor separou um povo para avançar até o fim dos tempos com a crescente luz da verdade.

O segundo chamado para a ceia das bodas

A segunda mensagem – que se seguiu à proclamação acerca da hora do juízo – diz: "Caiu! Caiu Babilônia, aquela grande cidade que a todas as nações deu a beber do vinho da ira da sua prostituição". E o segundo chamado para a ceia, diz: "Sai depressa para as ruas e becos da cidade e traze para aqui os pobres, os aleijados, os cegos e os coxos". Em cada uma dessas passagens, o professo povo do Senhor é chamado de "cidade". Por suas crenças conflitantes e confusas, são chamados de "Babilônia". Em outra passagem, referente aos últimos dias, vemos que, pouco antes da vinda do Senhor, Seu povo é chamado a sair de "Babilônia":

> Caiu! Caiu a grande Babilônia e se tornou morada de demônios, e abrigo de todo espírito imundo, e refúgio de toda ave imunda e aborrecível.

[...] Sai dela, povo Meu, para que não sejas participante dos seus pecados e para que não incorras nas suas pragas (Apocalipse 18:2-4, ARC).

"Lembra-te do que tens ouvido"

Na carta à igreja de Sardes, lemos:

> Lembra-te, pois, do que tens recebido e ouvido, guarda-o e arrepende-
> -te. Porquanto, se não vigiares, virei como ladrão, e não conhecerás de
> modo algum em que hora virei contra ti (Apocalipse 3:3; para uma ex-
> posição completa das sete igrejas, consulte *Thoughts on Daniel and the
> Revelation* [*Considerações sobre Daniel e Apocalipse*], de Uriah Smith).

A igreja de Sardes parece ter surgido em decorrência da Reforma
protestante, após a Era Escura da obra de "Jezabel", a igreja apóstata. Foi
dito à igreja de Sardes que ela havia sido uma igreja *viva*; porém, depois
de ter ouvido e rejeitado a doutrina da vinda do Senhor, colocou-se sob o
risco de ser surpreendida por esse evento como por um "ladrão à noite".
O apóstolo Paulo, em 1 Tessalonicenses 5:1-5, declara que essa será a
condição daqueles que clamam "Paz e segurança" ao se aproximar a vinda
do Senhor. Os que seguem a luz da verdade são chamados "filhos do dia";
para eles, o Senhor não virá como um ladrão.

Na descrição profética das sete igrejas, vemos que a queda da igreja
de Sardes é imediatamente seguida por Filadélfia – como indicado em
seu nome, a igreja do *amor fraterno*. Tais eram, de fato, os 50 mil fiéis que,
pela mensagem do segundo anjo, foram congregados das várias igrejas e
unidos, num vínculo de amor fraterno, sobre a grandiosa verdade da iminente vinda de Cristo.

Como a segunda mensagem foi proclamada

O *Midnight Cry* de 12 de setembro de 1844 contém uma afirmação
feita pelo irmão J. V. Himes a respeito da mensagem do segundo anjo
e das circunstâncias que levaram à sua proclamação. A carta, escrita em
McConnellsville, Ohio, é datada de 29 de agosto de 1844. Ele diz:

> Quando iniciamos a obra com o irmão Miller, em 1840, já fazia nove
> anos que ele estava pregando, tendo permanecido quase sozinho. No
> entanto, esforçara-se contínua e eficazmente a fim de despertar os
> professos cristãos para a verdadeira esperança do povo de Deus e para
> a preparação necessária para a vinda do Senhor. Seu alvo era também
> despertar todas as classes de não conversos para que pudessem perce-
> ber sua condição perdida e a necessidade imediata de arrependimento
> e conversão a Deus como preparo para encontrar o Noivo em paz na
> Sua vinda. Tais foram os grandiosos objetivos de sua obra. Seus esfor-

ços não se concentraram, de forma alguma, em converter pessoas para se unirem a determinada denominação ou grupo religioso.

Quando fomos convencidos da verdade quanto à proximidade do advento, e, publicamente, abraçamos a doutrina, tínhamos uma mesma crença e procedemos de uma só maneira em meio às variadas denominações onde, na providência de Deus, fomos chamados a trabalhar. Informamos os ministros e igrejas de que não era nosso dever separá-las, dividi-las ou confundi-las. Tínhamos um claro objetivo: "clamar" e anunciar que o juízo estava "às portas", e convencer as pessoas a se preparar para esse evento. [...] Os ministros e membros que se beneficiaram de nossa obra, sem, contudo, terem abraçado a doutrina com sinceridade, perceberam que, ou avançavam com a doutrina, pregando-a e sustentando-a, ou teriam problemas com os membros decididos e determinados na crise que se aproximava. Portanto, tomaram a decisão de opor-se à doutrina, tomando a resolução de abafar o assunto de um modo ou de outro. Como resultado, nossos irmãos e irmãs, que entre eles estavam, foram postos numa posição muito probante. A maioria deles amava sua igreja e mal podia pensar em deixá-la. Contudo, após sofrerem o ridículo, a opressão e a privação de seus antigos privilégios e alegrias, e confortados com o sustento a seu tempo que lhes era dado semanalmente, conseguiram rapidamente romper com suas preferências eclesiásticas, e levantaram-se na majestade de sua força, sacudiram o jugo e soaram o clamor: "Sai dela, povo Meu".

Uma probante posição

Essa situação nos colocou numa probante posição. As razões são as seguintes: (1) estávamos bem no fim do tempo profético, em que supúnhamos que o Senhor reuniria todo o Seu povo *em um só corpo*; e (2) sempre havíamos pregado uma doutrina diferente. E agora que as circunstâncias haviam mudado, seria considerado desonestidade de nossa parte se nos uníssemos no clamor de separação e ruptura de igrejas que haviam recebido tanto a nós como a nossa mensagem. Assim, hesitamos e permanecemos agindo segundo nosso primeiro proceder, até que a igreja e os ministros levaram o assunto tão longe que fomos obrigados, no temor de Deus, a tomar uma posição de defesa da verdade e dos filhos de Deus que estavam sendo pisoteados.

Procedemos segundo o exemplo dos apóstolos

"Durante três meses, Paulo frequentou a sinagoga, onde falava ousadamente, dissertando e persuadindo com respeito ao reino de Deus. Visto que alguns deles se mostravam empedernidos e descrentes, falando mal do Caminho diante da multidão, Paulo, apartando-se deles, separou os discípulos, passando a discorrer diariamente na escola de Tirano" (Atos 19:8, 9). Unicamente depois que "alguns deles se mostraram empedernidos", "falando mal do Caminho [a vinda do Senhor] perante a multidão" é que nossos irmãos foram persuadidos a sair e separar-se das igrejas. Não podiam tolerar esse "falar mal" praticado pelos "servos maus"; e as igrejas que se atreviam a fazer uso de opressão e "maledicência" para com os que buscavam a "bendita esperança" eram consideradas por eles nada menos do que as filhas da mística Babilônia. Declararam-nas assim e, então, entraram na liberdade do evangelho. Embora não tenhamos, talvez, entre nós um consenso geral sobre o que constitui Babilônia, estamos de acordo quanto à necessidade de separar-nos imediata e definitivamente de todos que se opõem à doutrina da iminente vinda e reino de Deus. Julgamos ser este um caso de vida ou morte. Permanecermos conectados com entidades que falam de maneira negligente, ou que se opõem à vinda de Senhor, significaria morte. O fato de deixarmos todas as tradições humanas, colocarmos nosso apoio sobre a Palavra de Deus e esperarmos diariamente pelo aparecimento do Senhor significa vida. Portanto, nosso desejo agora é dizer a todos que estão de alguma forma enredados no jugo da escravidão: "Saí do meio deles, e apartai-vos, diz o Senhor, e não toqueis nada imundo, e eu vos receberei, e serei para vós Pai, e vós sereis para mim filhos e filhas, diz o Senhor Todo-Poderoso" (2 Coríntios 6:17, 18).

Oposição inexplicável

Guilherme Miller assim descreve o conflito que, na época, existia entre as igrejas e os adventistas:

> É antinatural e inexplicável que as igrejas cristãs excluam essa doutrina e seus membros devido a esta bendita esperança. Sei que algumas das igrejas batistas afirmam não tê-los excluído por sua fé, mas por terem se reunido com crentes adventistas. Portanto, se não foi pela fé deles num Salvador vindouro, por que então sou excluído de seus púlpitos, sem mesmo ter jamais feito parte de qualquer igreja, exceto a Batista? É um falso pretexto. Esse argumento, contudo, não pode ser usado pelos metodistas e presbiterianos, pois eles acreditam numa comunhão mista. Então por que nos excluem? Ouvi que alguns foram excluídos por "cantar" melodias sobre o segundo advento; outros por insanidade, quando toda a insanidade que se demonstrou neles era esperarem por Cristo. Oh Deus, "perdoa-lhes, pois não sabem o que fazem".

Storrs fala sobre a atitude das igrejas

George Storrs fala da atitude das igrejas para com os adventistas da seguinte maneira:

> Qual delas não está agora dizendo: "Estou assentada como rainha?" E qual delas não está satisfazendo-se com a ideia de que, algum dia,

irá conquistar o mundo, e que este há de ser submetido a sua fé? Qual delas permitirá a *pacífica* permanência, entre elas, de alguém que ousa declarar e confessar sem temor sua fé na proximidade do advento? Por acaso não são essas as condições para permanecer nelas sem ser incomodado? Ou seja: você é obrigado a "se abster totalmente" de expressar *publicamente* sua fé na vinda do Senhor para este ano ainda, não importa quais sejam suas convicções sobre o assunto, nem o quanto você considere essencial clamar: "Temei a Deus e dai-Lhe glória, pois é chegada a hora do Seu juízo?"

O testemunho de Mansfield

L. D. Mansfield, escrevendo de Oneida, Nova Iorque, em 21 de março de 1844, assim testifica:

> Deus está agindo na mente de Seus queridos filhos que aguardam o Senhor do Céu, guiando-os não somente a atender ao anjo que "tem o evangelho eterno para pregar, dizendo: É chegada a hora do Seu juízo", mas também a obedecer à ordem subsequente: "Sai dela, povo meu!" Estou mais convencido que nunca de que as organizações religiosas atuais constituem uma grande parte dessa Babilônia que deve ser derrubada com violência, e que nunca será achada. [...] Parece-me, contudo, que, em algumas das organizações, a semelhança com o chifre pequeno é mais marcante. Alguns exemplos ilustrarão o assunto.

A manifestação do espírito de turba

Um irmão que havia trabalhado com muito êxito nessa região, proclamando a vinda do Senhor, comprometeu-se a realizar uma palestra em determinado lugar num dado momento. O Senhor guiou as circunstâncias de tal forma que ele se encontrava a 25 quilômetros do local de encontro, pois havia ali um ministro liderando uma multidão com piche e penas com a finalidade de lançá-las sobre esse servo do Deus Altíssimo. Esse mesmo ministro iniciou uma prolongada reunião logo em seguida, mas a reação à mensagem foi tão fria e gélida como as geleiras do norte. Nenhuma alma se despertou ou se converteu. Finalmente o ministro afirmou crer que ele mesmo "deveria responder ao apelo".

Um líder de classe nesta aldeia declarou a seus alunos, após o início de nossas reuniões aqui, que, se alguém entrasse em sua casa dizendo crer que Cristo viria este ano, ele o expulsaria de lá.

Um dever para com as igrejas

Neste momento vamos apresentar um testemunho de um discurso à conferência de crentes adventistas reunidos em Boston, Massachussets, datado de 31 de maio de 1844 e assinado por Guilherme Miller, Elon Galusha, N. N. Whiting, Apollos Hale, e J. V. Himes. Eles dizem:

> Podemos também falar um pouco acerca de nosso dever para com as igrejas. O perigo aqui, como em muitos outros casos, parece-nos estar nos extremos. O primeiro tipo de perigo é permitir que a autoridade da igreja, com a qual nos associamos, nos faça calar em tal questão de dever. Não temos nenhuma dúvida de que milhares trouxeram condenação divina sobre si mesmos por cederem às reivindicações não bíblicas de suas igrejas nesse assunto. Se tais pessoas tivessem sido convictas e fiéis, estariam agora numa condição muito mais segura e útil, embora pudessem também ser chamadas a sofrer.
>
> O segundo tipo de perigo é o de dar lugar a um espírito de vingança contra as igrejas pela injustiça a nós feita, e de travar uma guerra indiscriminada contra todas essas organizações. Se alguém nos perguntasse qual deveria ser o dever dos adventistas com relação às igrejas com as quais possam estar associados, não poderíamos dar nenhuma regra de aplicação genérica. Devem agir no temor de Deus, segundo exigirem as circunstâncias de cada caso.
>
> Devíamos, porém, estar resolvidos a cumprir nosso dever, testemunhando da verdade em todas as ocasiões adequadas e convenientes. Se ofendermos as igrejas com nosso proceder, e elas ameaçarem nos expulsar, caso não permaneçamos em silêncio, *cumpramos nosso dever*. Por outro lado, se acharmos por bem nos desligarmos da igreja de forma amigável, talvez esse seja o melhor caminho. No entanto, se formos expulsos, sejamos pacientes em sofrer a injúria, dispostos, com nosso Mestre, a sair para fora da porta e levar Seu opróbrio.

Nessas referências relacionadas à conduta das igrejas para com os que estavam proclamando a mensagem do segundo anjo, percebe-se facilmente que a primeira consequência de proclamarem este segundo chamado para a "ceia" foi o fato de serem chamados de "aleijados", "coxos" e "cegos" todos os que foram reunidos num único rebanho espiritual. Vemos aqui uma forte sugestão dos maus tratos que receberam ao serem "castigados" por seus "conservos" de quem se haviam separado.

A escolha de um povo distinto para receber novas verdades

Podemos notar claramente o propósito do Senhor em congregar um povo distinto sob a proclamação da mensagem do segundo anjo – o segundo chamado para a "ceia" – e o "clamor da meia-noite". Verdades preciosas para os últimos dias precisavam ser descobertas e proclamadas – uma obra tão impossível de ser feita por igrejas "presas a seus credos" como teria sido impossível para a igreja apostólica anunciar o evangelho enquanto estivesse associada com as facções judaicas. Deus fez um chamado para que se separassem naquela época [Atos 13:46] e fez também um chamado aos crentes do advento para se separarem dos que queriam mantê-los presos a seus credos.

Os seis sermões de Storrs

Logo após sair das igrejas, o rebanho adventista recebeu luz sobre o assunto da punição futura, conforme exposto num panfleto de George Storrs intitulado *Seis Sermões*. Neles, ele tomou a posição de que o homem, por natureza, é mortal, que os mortos permanecem inconscientes durante o intervalo entre a morte e a ressurreição, que a punição final dos ímpios será completa aniquilação, e que a imortalidade é um dom de Deus, a ser recebida unicamente pela fé em nosso Senhor Jesus Cristo.

Milhares de adventistas aceitaram essa doutrina da natureza do homem, mas nem todos a aceitaram. Essa rejeição, contudo, não introduziu entre eles qualquer desordem, pois esses pontos eram considerados simplesmente questão de opinião e não um teste de postura moral. Por conseguinte, os esforços conjuntos para alertar o mundo acerca da vinda de Cristo não sofreram ruptura. Entretanto, provocaram a ira das igrejas contra eles.

Incapazes de refutar os seis sermões

O pastor metodista da cidade onde eu vivia, que havia se unido na pregação da doutrina adventista em 1843, após receber e ler o livreto *Seis Sermões*, admitiu, diante de sua congregação ser incapaz de refutar essa doutrina. Contudo, ao constatar que muitos membros de sua igreja a estavam aceitando, advertiu os outros para não lerem o livro, pois "creriam na doutrina se o lessem". No mês de setembro de 1844, após o retorno desse pastor da conferência anual, pôs-se diante do púlpito e renunciou publicamente à doutrina do advento, e humildemente pediu perdão à igreja até mesmo por ter convidado palestrantes para pregarem ali.

Interrogados por heresia

Essa ação do ministro foi logo seguida por um esforço em acusar, como hereges, os crentes no advento. Contudo, visto que tiveram a permissão de defenderem sua causa com base na Bíblia, aquela igreja não alcançou nenhuma vitória. Vários foram excluídos dela porque sua conduta não estava em harmonia com suas normas, e muitos outros se retiraram devido a esse caso de exclusão de membros cuja fé não se provou ser contrária às Escrituras. Assim, a doutrina do advento foi para sempre excluída daquela igreja onde centenas haviam encontrado o Salvador e alcançado a felicidade em Deus.

O que aconteceu em minha cidade natal também foi decretado em centenas de outras igrejas por todo o país. Os que foram assim tratados por seus antigos irmãos encontraram grande consolo nas palavras do profeta Isaías:

> Ouvi a palavra do Senhor, os que tremeis da Sua palavra: Vossos irmãos, que vos odeiam e que para longe vos lançam por causa do Meu nome, disseram: Que o Senhor seja glorificado; mas Ele aparecerá para a vossa alegria, e eles serão envergonhados (Isaías 66:5, AR).

Revelada a ira dos ímpios

Ao se aproximar o dia em que os crentes esperavam o Senhor, eles se tornaram mais intensos em sua obra. Os ímpios se enfureceram e zombaram ainda mais, como se nota pela seguinte declaração feita pelo editor do *Midnight Cry* de 31 outubro de 1844:

> O efeito que esse movimento produziu sobre os ímpios contribuiu grandemente para nos firmar na ideia de que Deus estava nele. No momento em que os filhos de Deus se reuniam para prostrar-se e humilhar-se perante Ele e preparar-se para Sua vinda – algo bem conveniente para pecadores que somente poderiam ser salvos pela graça – os ímpios manifestaram grande maldade. Apesar de não termos anunciado nossas reuniões, a não ser em nossos próprios periódicos, nem termos estendido o convite ao público, os filhos de Belial se aglomeraram nelas, causando muita perturbação. Na noite de sábado, dia 12 [de outubro de 1844], não tivemos reunião na tenda, de modo que o zelador pudesse limpar o local para o domingo. Mas a turba invadiu o local e nos negou até mesmo esse direito. O prefeito, porém, sem qualquer solicitação de nossa parte, prontamente interferiu e os expulsou. Em nossas reuniões no domingo seguinte, depois que a tenda estava cheia, uma grande multidão ocupou a rua em frente ao local, muitos deles enfurecidos pelo fato de que alguém pudesse crer na vinda do Senhor. À noite, por conta da agitação da multidão, não tivemos reunião; mesmo assim, a turba lotou a rua antecipadamente, mas a interferência imediata do prefeito, com seus eficientes policiais, limpou a rua, após haver detido algumas pessoas. Só dá para comparar o comportamento dessa multidão com aquele demonstrado pela multidão que cercou a casa de Ló na véspera da destruição de Sodoma. [...] Esse movimento, de parte deles, foi tão repentino, vasto e coordenado, que sua manifes-

tação no primeiro dia do sétimo mês judaico fortaleceu-nos em nossa opinião de que este devesse ser o mês.

Escarnecedores usam vestes de ascensão

Em Paris, Maine, no dia 22 de outubro de 1844 – data em que se encerravam os 2.300 dias – uma turba de escarnecedores se ajuntou em torno da Casa de Culto em que os fiéis uniam-se em solenes súplicas a Deus, esperando que o Senhor viesse naquele dia. Essa turba cantava canções em forma de paródia, e dois desses arruaceiros colocaram longas túnicas brancas, subiram ao telhado, entoaram cânticos e zombaram daqueles que, reunidos no local, oravam aguardando a vinda do Senhor.

É provável que a circulação dos falsos boatos sobre adventistas usando vestes de ascensão tenha se originado aí. No entanto, vale ressaltar que nenhum caso de vestes de ascensão foi jamais apresentado, apesar de as publicações adventistas terem oferecido recompensas de até 500 dólares por um caso autêntico do uso de tais vestes por algum adventista que esperava pela vinda do Senhor em 1844.

Visão de Hazen Foss, 1844

Nessa época, vivia em Poland, Maine, um jovem com o nome de Hazen Foss, que firmemente acreditava que o Senhor viria no décimo dia do sétimo mês. Era uma pessoa de boa aparência, maneiras agradáveis e muito estudo. Poucas semanas antes do término do "clamor da meia-noite", o Senhor se aproximou e lhe deu uma visão em que lhe foi mostrada a jornada do povo adventista rumo à cidade de Deus, bem como os perigos que corriam. Foram-lhe dadas algumas mensagens de alerta que lhe cumpria transmitir; recebeu, também, um vislumbre das dificuldades e perseguições que se seguiriam como consequência de sua fidelidade em transmitir o que lhe havia sido mostrado. Ele, assim como o senhor Foy, viu três degraus que colocariam o povo de Deus completamente no caminho para a cidade santa. Pelo fato de crer firmemente na vinda do Senhor "em alguns poucos dias" (como no hino que cantavam), a parte da visão relacionada com os três degraus no caminho lhe pareceu inexplicável. Sendo naturalmente de espírito orgulhoso, evitou a cruz e recusou-se a transmitir a mensagem. A visão foi repetida pela segunda vez. Em acréscimo, foi-lhe dito que, se persistisse em sua recusa de transmiti-la, a responsabilidade seria retirada dele e posta sobre um dos mais fracos dos filhos do Senhor, um que fielmente transmitiria o que Deus revelasse. Ele recusou novamente. Então, foi-lhe dada uma terceira visão em que lhe foi dito que ele estava liberado de sua missão, e que a carga havia sido colocada sobre um dos mais fracos dentre os fracos, que cumpriria a ordem do Senhor.

Foss fracassa em relatar sua visão

O jovem se alarmou com isso e decidiu relatar o que havia visto, marcando uma ocasião para fazê-lo. O povo reuniu-se para ouvi-lo. Ele contou sua experiência de maneira bem detalhada, e discorreu sobre como havia se recusado a transmitir o que o Senhor lhe revelara e qual seria o resultado de sua recusa. "Agora", disse ele, "vou relatar a visão". Mas, oh!, era tarde demais! Ele ficou em pé, diante do povo, mudo como estátua, e finalmente disse na mais profunda agonia: "Não consigo lembrar uma palavra sequer da visão". Apertando as mãos em angústia, disse: "Deus cumpriu Sua palavra. Ele retirou de mim a visão", e disse em grande angústia de espírito: "Sou um homem perdido". A partir desse momento, perdeu sua esperança em Cristo e entrou em estado de desespero. Nunca mais participou de uma reunião adventista e perdeu todo interesse pessoal em religião. Em muitos aspectos, seu comportamento correspondia, no mínimo, ao de alguém privado da suave influência do Espírito do Mestre, de alguém "entregue a seus próprios caminhos, a ser farto com seus próprios feitos". Nesse estado de espírito, morreu em 1893.

A visão de Foss é relatada por outra pessoa

Cerca de três meses após Foss não ter conseguido relembrar sua visão, ouviu, de um aposento ao lado, uma visão sendo transmitida por outra pessoa. A reunião fora realizada numa residência onde se encontrava. Insistiram com ele para que participasse dela, mas recusou-se a ir. Chegou a declarar então que aquela visão era tão semelhante à que ele tivera, como se duas pessoas estivessem relatando a mesma coisa. Foi assim que se tornou conhecido o que ele havia visto e não conseguido relembrar quando tentou transmitir. Posteriormente, quando viu a pessoa que contara a visão, afirmou: "Esse é o instrumento sobre quem o Senhor colocou a responsabilidade".

Terrivelmente desapontados

O décimo dia do sétimo mês do calendário judaico (22 de outubro de 1844) finalmente chegou. Milhares e milhares olhavam para esse momento como a concretização e realização de suas esperanças. Não haviam feito nenhuma provisão terrena para além dessa data. Nem mesmo haviam nutrido a ideia "e se não vier". Organizaram seus negócios terrenos como o fariam se soubessem que naquele dia seria encerrado o ciclo natural de sua vida. Haviam alertado e aconselhado os ímpios a fugirem da ira vindoura. Muitos destes *temiam* que a mensagem pudesse revelar-se verdadeira. Os fiéis haviam conversado e orado com os familiares, e se despedido dos que não haviam entregado o coração a Deus. De fato, haviam dito adeus às coisas terrenas com a solenidade de alguém que se considera prestes a comparecer face a face perante o Juiz de toda a terra. Assim, com uma ansiedade de tirar o fôlego, reuniram-se em seus locais de culto, esperando, a qualquer momento, ouvir "a voz do arcanjo e a trombeta de Deus", e ver o céu, em chamas, com a glória de seu Rei vindouro.

As horas passaram lentamente e, quando finalmente o sol se pôs no horizonte ocidental, o décimo dia do sétimo mês judaico terminou. As sombras da noite, uma vez mais, espalharam seu negro manto sobre a Terra. Porém, juntamente com a escuridão, sobreveio ao coração dos crentes adventistas uma tristeza mortal de tamanha magnitude que só pode encontrar paralelo na tristeza dos discípulos de nosso Senhor, quando solenemente voltavam para casa na noite após a crucifixão e sepultamento dAquele que, pouco antes, haviam escoltado como Rei em Sua entrada triunfal em Jerusalém.

Capítulo 12

O DESAPONTAMENTO E O LIVRINHO AMARGO

"E tomei o livrinho da mão do anjo e comi-o; e na minha boca era doce como mel; e, havendo-o comido, o meu ventre ficou amargo. E ele disse-me: Importa que profetizes outra vez a muitos povos, e nações, e línguas, e reis. E foi-me dada uma cana semelhante a uma vara; e chegou o anjo e disse: Levanta-te e mede o templo de Deus, e o altar, e os que nele adoram" (Apocalipse 10:10, 11; 11:1, ARC).

Na linguagem bíblica, "comer" um livro representa aceitar a verdade a fim de comunicá-la a outros, como se vê em Ezequiel, onde se mostrou ao profeta "o rolo de um livro", e foi-lhe dito: "Come este rolo, vai e fala à casa de Israel". Depois de comer o rolo, ele diz: "Eu o comi, e na boca me era doce como mel" (Ezequiel 3:1-3).

O profeta Jeremias usa a mesma ilustração: "Achadas as Tuas palavras, logo as comi; as Tuas palavras me foram gozo e alegria para o coração" (Jeremias 15:16). Por meio dessa linguagem, aprendemos que a "doçura" do livro, enquanto é comido, representa a alegria e a satisfação experimentada por aqueles que se alimentam da palavra do Senhor.

O livrinho doce que ficou amargo

O livro mencionado em Apocalipse 10 era doce como o mel para quem o comia, porém "amargo" após ser comido. Outras traduções dizem: "logo que eu o digeri, no meu estômago ele se tornou pícrico"[7]. Este era o livro pelo qual o anjo anunciou, com a autoridade dAquele que fez o céu, a terra e o mar, que "já não haverá mais tempo" (trad. lit. KJV). Assim, comer desse livro deve representar a alegre aceitação da procla-

---

[7] Nota do tradutor: O ácido pícrico consiste de uma preparação muito desagradável e amarga de álcool, aloés e resina de mirra.

mação de tempo profético. A repentina amargura experimentada pelos que o haviam comido deve representar o triste contraste que sentiram quando o tempo, mencionado no livro, expirou, e eles se acharam extremamente decepcionados em suas expectativas.

A proclamação de tempo: doce como o mel

A proclamação do tempo, em 1844, realmente representou boas novas para os que creram. Estes certamente esperavam para aquele momento um eterno livramento de todos os males, desgraças e sofrimentos deste mundo pecaminoso. O pensamento de que, em poucas semanas, seriam glorificados, imortalizados e estariam na cidade de ouro de Deus, em presença de seu Rei, era, de fato, inspirador. Como expresso por alguém que passou por essa experiência:

> Os que sinceramente amam a Jesus podem apreciar os sentimentos das pessoas que aguardaram com intenso interesse a vinda de seu Salvador. [...] Nós nos aproximamos dessa hora com calma solenidade. Os verdadeiros crentes descansavam numa doce comunhão com Deus – uma garantia da paz que desfrutariam na brilhante vida futura. Aqueles que experimentaram tal esperança e confiança jamais se esquecerão daquelas preciosas horas de espera.

A probante situação dos que ainda se viram neste negro mundo de lutas e tentações no décimo primeiro dia do sétimo mês [23 de outubro] – dia em que teriam de enfrentar o desprezo, escárnio e zombaria, daqueles que, poucas horas antes, haviam exortado para se prepararem para o encontro com o Senhor – possui notável semelhança com o caso de Maria quando "permanecia junto à entrada do túmulo, chorando". Após ser abordada pelos anjos com a pergunta: "Mulher, por que choras?", Maria lhes disse: "Porque levaram o meu Senhor, e não sei onde o puseram" (João 20:13).

Desapontados, porém não desencorajados

Os que passaram por esta probante cena a relataram assim:

> Ficamos perplexos e decepcionados, porém não renunciamos a nossa fé. Sentimos que havíamos cumprido nosso dever; tínhamos vivido de acordo com nossa preciosa fé; estávamos desapontados, mas não desencorajados. Tivemos necessidade de uma infindável paciência, pois os escarnecedores eram muitos. Éramos frequentemente saudados por insinuações maldosas acerca de nosso desapontamento passado. "Vocês ainda não subiram; quando acham que vão?" Esses e outros sarcasmos semelhantes eram frequentemente despejados sobre nós por

nossos conhecidos mundanos e mesmo por alguns professos cristãos que aceitavam a Bíblia mas não haviam aprendido suas grandes e importantes verdades. A mortalidade ainda se nos apegava; os efeitos da maldição estavam ao nosso redor. Foi difícil retomar os enfadonhos cuidados da vida, que imaginávamos haver deposto para sempre.

Desapontados como os discípulos

Os sentimentos dessas pessoas, se comparados com a alegria e regozijo que haviam experimentado poucas horas antes, devem ter parecido a eles como a dolorosa amargura da mistura pícrica. Assim como as massas certamente pensaram após a crucifixão de Cristo, o mundo agora supunha que os crentes renunciariam a sua fé e se juntariam em escárnio por sua suposta insensatez. Para seu espanto, porém, rapidamente perceberam que o amor pela vinda do Senhor não seria facilmente erradicado da afeição dos que verdadeiramente haviam se consagrado a Deus.

"Nunca me assentei na roda dos que se alegram"

O curso seguido e os sentimentos desses zelosos servos são bem definidos nas palavras do profeta Jeremias. Ele escreve:

> Achadas as Tuas palavras, logo as comi; as Tuas palavras me foram gozo e alegria para o coração, pois pelo Teu nome sou chamado, ó Senhor, Deus dos Exércitos. Nunca me assentei na roda dos que se alegram, nem me regozijei; oprimido por Tua mão, eu me assentei solitário, pois já estou de posse das Tuas ameaças. Por que dura a minha dor continuamente, e a minha ferida me dói e não admite cura? Serias Tu para mim como ilusório ribeiro, como águas que enganam? (Jeremias 15:16-18).

Tiago White falando sobre o Desapontamento

Uns poucos trechos escritos pelos que passaram pelo desapontamento, sem renunciarem, contudo, a suas esperanças, nos darão uma boa noção da situação. O primeiro é do irmão Tiago White, que trabalhou com muito sucesso em 1843 e 1844. Ele diz:

> O desapontamento, após a passagem do tempo, foi amargo. Crentes verdadeiros haviam abandonado tudo por Cristo, e haviam sentido Sua presença como nunca dantes. Supunham ter dado o último aviso ao mundo, e haviam se separado, em certa medida, da multidão incrédula e escarnecedora. Tendo sobre si a benção divina, sentiam-se mais ligados a seu tão esperado Mestre e a Seus santos anjos do que àqueles de quem haviam se separado. O amor de Jesus enchera-lhes a

alma e irradiara de cada face. Com desejos inexprimíveis haviam orado: "Vem, Senhor Jesus, e vem logo", mas Ele não veio. Contudo, Deus não abandonou Seu povo. [...] Com um excepcional poder de conforto, passagens como as seguintes feitas aos hebreus vieram à mente e coração daqueles provados expectantes: "Não abandoneis, portanto, a vossa confiança; ela tem grande galardão. Com efeito, tendes necessidade de perseverança, para que, havendo feito a vontade de Deus, alcanceis a promessa. Porque, ainda dentro de pouco tempo, aquele que vem virá, e não tardará; todavia, o Meu justo viverá pela fé; e: Se retroceder, nele não se compraz a Minha alma. Nós, porém, não somos dos que retrocedem para a perdição; somos, entretanto, da fé, para a conservação da alma" (Hebreus 10:35-39). Os pontos especiais nesse trecho das Escrituras são os seguintes:

1. Os destinatários estão em perigo de perder sua confiança em algo que fizeram acertadamente.

2. Haviam feito a vontade de Deus, e foram postos numa situação de provação que exigia paciência.

3. Nesse momento, os justos precisavam viver pela fé; não por ficarem questionando se haviam ou não cumprido a vontade de Deus, mas pela fé nAquele, por meio de quem, haviam cumprido a vontade de Deus.

4. Aqueles que não suportassem a prova da fé, mas abandonassem sua confiança na obra pela qual fizeram a vontade de Deus, assim retrocedendo, tomariam o caminho expresso para a perdição (*Life Sketches*, p. 107-109).

Comentário de N. Southard, editor do *Midnight Cry*

No *Midnight Cry* de 31 de outubro de 1844, cerca de dez dias após o encerramento dos 2.300 dias, o seguinte trecho foi publicado pelo editor:

Tendo em vista todas as circunstâncias envolvidas neste movimento, os benditos resultados que produziu na mente dos filhos de Deus e o ódio e maldade exibidos por seus inimigos, devemos considerá-lo como o verdadeiro "clamor da meia-noite". E se tivermos alguns dias para testar nossa fé, ainda estará em harmonia com a parábola das dez virgens, pois, quando todas se levantaram e prepararam suas lâmpadas, haveria ainda um tempo em que as lâmpadas das virgens loucas estariam se extinguindo. Isso somente poderia acontecer depois da passagem do dia décimo, pois até aquele momento suas lâmpadas ainda brilhariam. Portanto, era necessário que este dia passasse para que as loucas abandonassem sua fé, assim como foi necessário ocorrer em 1843 para o tempo de tardança. Um pequeno atraso, portanto, não é motivo de desapontamento, mas mostra como Deus é preciso no cumprimento de Sua palavra. Apeguemo-nos, portanto, firmemente à profissão de nossa fé, sem vacilar, pois quem fez a promessa é fiel.

Comentário de Joseph Marsh, editor da *Voz da Verdade*

Na *Voz da Verdade* de 7 de novembro de 1844, lemos:

> Alegremente admitimos estar equivocados quanto à natureza do evento que esperávamos ocorrer no décimo dia do sétimo mês; mas ainda não podemos admitir que nosso grande Sumo Sacerdote, nesse dia, não tenha realizado tudo aquilo que o tipo [o ritual típico] justificava que esperássemos. Agora cremos que Ele o realizou.

Em 1844, os adventistas esperavam que, no décimo dia do sétimo mês, os 2.300 dias se encerrariam, e Cristo completaria, nesse dia, Sua obra sacerdotal, e voltaria à Terra para abençoar Seu povo. Em estudo posterior, porém, demonstrou-se que o que ocorreu, de fato, nesse dia, foi o início de Sua obra de purificação do santuário celestial e não a conclusão de seu ofício como Sacerdote [Naquela época, ninguém sequer suspeitava da existência de um santuário no Céu]. Em vez de considerarem a purificação do santuário como parte da obra sacerdotal de Cristo, haviam alegado que a purificação do santuário representava a purificação da Terra pelo fogo por ocasião da vinda de Cristo. Se tal purificação não englobasse naquele momento a terra toda, envolveria pelo menos a purificação da terra de Canaã.

Entendia-se que o santuário representasse a Terra

Essa ideia foi apresentada num artigo de George Storrs no *Midnight Cry* de 25 de abril de 1844. Ele pergunta:

> Qual é o santuário a ser purificado? No passado, eu imaginava que envolvesse a terra toda; e ainda creio que seja parte dela. Mas que parte? Vou me esforçar para responder a essa pergunta.

Após referir-se à promessa feita a Abraão, à confirmação da mesma a Isaque e a sua renovação a Jacó, Storrs, então, menciona o cântico de Moisés, composto por Miriam após a travessia do Mar Vermelho. Nesse cântico, encontram-se as seguintes palavras:

> Tu o introduzirás e o plantarás no monte da Tua herança, no lugar que aparelhaste, ó Senhor, para a Tua habitação, no santuário, ó Senhor, que as Tuas mãos estabeleceram (Êxodo 15:17).

Se o leitor comparar cuidadosamente o texto acima com o registro de seu cumprimento feito pelo salmista, vai perceber que nem a terra da Palestina é declarada ser o santuário. Referindo-se ao modo pelo qual o Senhor guiou os filhos de Israel, Davi declara: "E conduziu-os até ao limite do Seu santuário, até este monte que a Sua destra adquiriu" (Salmos 78:54, ARC).

No cântico junto ao Mar Vermelho, lemos que a terra de Canaã era o lugar que Ele havia preparado para "habitar, no santuário". Portanto, nessa citação de Salmos, o Monte Moriá, onde o santuário foi construído, é chamado apenas de "o limite do Seu santuário". Mas neste mesmo salmo é dito:

> Escolheu, antes, a tribo de Judá, o monte Sião, que Ele amava. E construiu o Seu santuário durável como os céus e firme como a terra que fundou para sempre (Salmos 78:68, 69).

A purificação do santuário foi interpretada como sendo a purificação da Terra

No artigo acima referido, após citar a suposta prova de que a Terra, ou pelo menos a região da Palestina, fosse o santuário, o irmão faz então a pergunta: "Como se dará a purificação do santuário?" Ele responde com as palavras do profeta Miquéias:

> Porque eis que o Senhor sai do Seu lugar, e desce, e anda sobre os altos da terra. Os montes debaixo dEle se derretem, e os vales se fendem; são como a cera diante do fogo, como as águas que se precipitam num abismo (Miquéias 1:3, 4).

Com a ideia comumente aceita na época de que a terra era o santuário, o leitor pode facilmente perceber a razão por que os adventistas supunham, com absoluta certeza, que ao fim dos 2.300 dias o Senhor viria e purificaria a terra da maneira descrita por Miquéias. Em toda a oposição levantada contra os adventistas, nenhum de seus adversários sequer insinuou que a purificação da Terra pelo fogo não fosse o evento que representaria a purificação do santuário ao fim dos 2.300 dias.

Os discípulos se desapontaram, mas cumpriram a profecia

Esta não é a única situação em que pessoas fizeram a vontade de Deus, cumpriram as Escrituras, e, contudo, ficaram desapontadas em suas expectativas simplesmente por não compreenderem o caráter do evento a ocorrer. Foi assim com os discípulos de Cristo. Estando Ele montado sobre o jumentinho, por ocasião da entrada triunfal em Jerusalém, seus discípulos clamaram, fazendo eco às palavras do profeta:

> Alegra-te muito, ó filha de Sião; exulta, ó filha de Jerusalém: eis aí te vem o teu Rei, justo e salvador, humilde, montado em jumento, num jumentinho, cria de jumenta (Zacarias 9:9) [ver João 12:16].

Era tão necessário que houvesse então tal aclamação que, caso calassem, as pedras clamariam [Lucas 19:40]. Os discípulos supunham que Cristo iria imediatamente subir ao trono de Davi como rei temporal ["Ora, nós esperávamos que fosse Ele quem havia de redimir a Israel" – Lucas 24:21]. Foi por essa razão que clamavam: "Bendito o Reino do nosso pai Davi, que vem em nome do Senhor" [Marcos 11:10, ARC]. Quanta aclamação haveria nessa ocasião se houvessem entendido que, em menos de uma semana, Cristo estaria morto no sepulcro de José e rodeado pela guarda romana? Quanta "glória" a Deus seria dada e quanta consagração haveria entre os adventistas em 1844 se tivessem entendido que a purificação do santuário, ao fim do tempo profético, duraria por uma sucessão de anos antes que o Senhor viesse?

Nenhum erro na contagem dos 2.300 dias

Ao revisarem cuidadosamente a contagem do período, os adventistas não encontraram nenhum erro; porém, o Senhor não veio e a Terra não foi purificada por fogo. Qual era o significado? Tinham certeza de que o Senhor estivera com eles naquele grande movimento, mas agora estavam perplexos. Sua confiança em Deus permanecia inabalável. Sabiam que Ele não iria abandoná-los. De alguma maneira, a luz seria enviada. A probante questão perante eles aparece nas palavras de Jeremias, já citadas: "Serias para mim como ilusório ribeiro, como águas que enganam?" Sua fé não acalentava essa dúvida, pois se lembravam das palavras do Senhor, por meio do profeta Habacuque, acerca da visão, que diziam: "ao fim falará, e não mentirá" (Habacuque 2:3, ARC). A declaração escrita pelo editor do periódico *A Voz da Verdade*, mencionada anteriormente, esclarece sua posição:

> Mas ainda não podemos admitir que nosso grande Sumo Sacerdote, nesse dia, não tenha realizado tudo aquilo que o tipo justificava que esperássemos.

Descobre-se luz acerca do santuário

Hiram Edson, de Port Gibson, Nova Iorque, disse-me que, no dia seguinte à passagem do tempo, em 1844, enquanto orava atrás das pilhas de cereais amontoadas num campo, o Espírito de Deus se apossou dele de maneira tão poderosa que quase foi lançado ao chão. Com isso, veio a seguinte impressão: "o santuário a ser purificado está no Céu". Ele comunicou esse pensamento a O. R. L. Crosier, e ambos investigaram cuidadosamente o tema. No início de 1846, uma elaborada exposição, segundo uma perspectiva bíblica, sobre o assunto do santuário foi escrita pelo Sr. Crosier e impressa no *Day Star*, um periódico então publicado em Canandaigua, Nova Iorque. Esse extenso manuscrito deu a entender que o trabalho de purificação do santuário consistia na finalizadora obra de Cristo como nosso Sumo Sacerdote, começando em 1844 e terminando pouco antes de Ele voltar sobre as nuvens do céu como Rei dos reis e Senhor dos senhores.

Igrejas em busca de seus antigos membros

O décimo dia do sétimo mês havia passado e as igrejas pensaram que, facilmente, recuperariam seus perdidos membros que haviam se separado delas durante o "clamor da meia-noite" e a mensagem do segundo anjo. Mas se decepcionaram grandemente nesse ponto, como se pode ver na seguinte resposta a suas importunações para que seus ex-membros retornassem a suas antigas organizações. Essa resposta foi publicada no *Midnight Cry* [Clamor da Meia-noite] de 26 de dezembro de 1844:

> Mas onde estão os fatos? Eles bem sabem que, na grande maioria dessas igrejas, os temas predominantes são "a conversão do mundo", "o milênio" e "o retorno dos judeus à Palestina", antes do advento pessoal do Salvador. Os que voltam atrás para escutar as canções de ninar de doutrinas tão antibíblicas e ilógicas como essas, o fazem de olhos abertos; tal atitude de sua parte será um verdadeiro "voltar atrás".
> Tendo-se tornado "livres", no sentido bíblico, é muito mais seguro "avançar" do que "voltar" ou "retroceder", especialmente num momento como este, quando a coroa de glória está tão perto de ser entregue aos fiéis em Cristo Jesus.

A atitude adotada pelas igrejas de adiar a vinda do Senhor, defendendo doutrinas não bíblicas como as mencionadas acima, fez os adventistas lembrarem das seguintes palavras do profeta Ezequiel: "Filho do homem, eis que os da casa de Israel dizem: A visão que tem este é para muitos dias, e ele profetiza de tempos que estão mui longe". Ligada a esse verso encontra-se a resposta usada pelos adventistas: "Portanto dize-lhes: Assim diz o Senhor Deus: Não será retardada nenhuma das minhas palavras; e a palavra que falei se cumprirá, diz o Senhor Deus" (Ezequiel 12:27, 28).

"É necessário que ainda profetizes"

Os que "comeram" o livro e anunciaram o "tempo" julgavam ter concluído sua obra em favor do mundo. Por essa razão, chegou até eles a declaração de que necessitavam, novamente, profetizar a nações, línguas e reis. Outra parte dessa obra, até então desconhecida, devia ser realizada agora. Precisavam apresentar ao povo a verdadeira natureza do santuário de Deus no Céu e do serviço em seu altar. A ordem para medir o santuário[8] se fez necessária a fim de que os irmãos despontados pudessem conhecer o tipo de evento que deveria ocorrer ao fim do tempo profético, provendo, assim, uma explicação às palavras: "e o santuário será purificado".

Note que o anjo dessa proclamação de tempo vem do Céu, e, antes que sua obra seja concluída, ordena novamente que o povo seja ensinado. Assim, a mensagem que devia explicar a questão do santuário, levar confiança aos desapontados e fornecer-lhes ao mesmo tempo uma espécie de "vara" ou "cajado", ou seja, uma norma pela qual o povo pudesse testar sua postura moral perante Deus, precisava apresentar fortes evidências de sua origem celestial e não humana.

O preconceito barrou o acesso ao povo

O preconceito que existia contra a doutrina adventista representou uma barreira quase intransponível no acesso da mensagem ao povo. Seria inútil tentarmos ensiná-los novamente sem a apresentação clara e positiva da luz quanto à causa do desapontamento. Os próprios crentes adventistas necessitavam ser inspirados novamente por uma incumbência celestial antes de estarem em condições de ensinar o povo de forma apropriada. Mas como seria isso feito? Poderia acontecer por mera sabedoria humana? Ficariam satisfeitos, por simples lógica humana, os que haviam experimentado a profunda obra do Espírito de Deus nesse recente movimento? Nada menos que uma obra tal como a da "mensagem do terceiro anjo" (Apocalipse 14:9-12) poderia livrá-los de suas perplexidades. Essa obra gradativa devia ser transmitida à medida que os irmãos pudessem receber. No entanto, foi devidamente iniciada, sendo acompanhada das mais convincentes provas de sua origem celeste.

Como ovelhas sem pastor

O grande grupo adventista se encontrava, de certo modo, como ovelhas sem pastor. Poucas semanas antes, milhares deles haviam se separado de todas as igrejas e credos; agora, viam-se sem qualquer organização humana que se responsabilizasse por seu bem-estar espiritual. Não possuíam conselheiros terrenos em quem pudessem confiar. Haviam posto sua confiança unicamente em Deus.

---

[8] No caso de medidas em que números não são apresentados como resultado da medição, é o caráter, e não as dimensões, que está sendo medido.

Estavam, porém, seguros de uma coisa – e isso para eles era como firme âncora: a proclamação do tempo estava correta.[9] No entanto, como povo, encontravam-se numa posição em que, a menos que Deus os guiasse e mantivesse, estariam suscetíveis a aceitar explicações falsas, ou perder a "paciência" e abandonar a fé em sua experiência passada. Alguns assim fizeram, enquanto outros, com os olhos da fé fixos no Amado de suas almas, perguntaram sinceramente:

> Guarda, a que hora estamos da noite? Guarda, a que horas? Respondeu o guarda: Vem a manhã, e também a noite; se quereis perguntar, perguntai; voltai, vinde (Isaías 21:11, 12).

J. N. Andrews falando sobre o Desapontamento

O irmão J. N. Andrews, um dos que passaram por essa experiência em 1844, fala do desapontamento da seguinte forma:

> Os que esperavam o Senhor em 1843 e 1844 ficaram desapontados. Para muitos, esse fato é razão suficiente para rejeitar todas as evidências da questão. Reconhecemos que nos desapontamos, mas não podemos aceitar que esse desapontamento forneça razão suficiente para negar a mão de Deus nessa obra. A igreja judaica se desapontou quando, ao fim do ministério de João Batista, Jesus Se apresentou como o Messias prometido. Os discípulos que haviam crido foram mais tristemente desapontados quando Aquele em quem esperavam para a libertação de Israel foi preso e assassinado por mãos ímpias. E após Sua ressurreição, quando os discípulos esperavam que Ele restaurasse o reino a Israel, não puderam evitar o desapontamento ao perceberem que Ele voltaria para o Pai e que seriam deixados a enfrentar tribulações e angústias por um longo tempo. Mas o desapontamento não é evidência de que a mão de Deus não estivesse guiando Seu povo. O desapontamento devia levá-los a corrigir seus erros, e não a abandonar sua confiança em Deus. Foi por causa do desapontamento no deserto que os filhos de Israel negaram, tantas vezes, a direção divina. Eles nos servem como advertência, a fim de que não caiamos, seguindo o mesmo exemplo de incredulidade (*The Three Angels of Revelation 14:6-12*, p. 36).

A verdade é de caráter impopular

Parece ser o plano de Deus colocar importantes verdades num canal impopular, de maneira que aceitá-las e obedecer a elas constitui uma cruz [Mateus 16:24]. Isso é verdade especialmente nestes últimos dias. Pedro,

---

[9] Mesmo sob a mais minuciosa análise quanto ao cálculo dos 2.300 dias, não puderam encontrar qualquer erro, nem foi algum encontrado até hoje.

referindo-se ao tempo em que o fim de todas as coisas estaria "às portas", quando o "julgamento" estivesse "começando pela casa de Deus", declara:

> Amados, não estranheis o fogo ardente que surge no meio de vós, destinado a provar-vos, como se alguma coisa extraordinária vos estivesse acontecendo; pelo contrário, alegrai-vos na medida em que sois coparticipantes dos sofrimentos de Cristo, para que também, na revelação de Sua glória, vos alegreis exultando. Se, pelo nome de Cristo, sois injuriados, bem-aventurados sois, porque sobre vós repousa o Espírito da glória de Deus. Da parte deles, Ele é blasfemado, mas da vossa, glorificado (1 Pedro 4:7, 17, 12-14, adaptado da KJV).

Quando a verdade passa a se caracterizar pela impopularidade, aceitá-la exige mais graça do que simplesmente seguir a fé das massas. Os hipócritas e fingidos não veem grande incentivo na aceitação de uma verdade que exige ação, como a de remar rio acima "contra o vento e maré". Assim, a verdade torna-se um teste para os fiéis verdadeiramente honestos, sinceros e conscienciosos.

Já mostramos anteriormente que a profecia do movimento adventista exigia desapontamento. Este veio de fato. Como resultado, pela providência de Deus, a aceitação dessa mensagem teve a sua cruz.

JOHN NEVINS ANDREWS
22 de julho de 1829 – 21 de outubro de 1883

Capítulo 13

SINAIS DA DIREÇÃO DE DEUS

"Ou se um deus intentou ir tomar para si um povo do meio de outro povo, com provas, e com sinais, e com milagres, e com peleja, e com mão poderosa, e com braço estendido, e com grandes espantos, segundo tudo quanto o Senhor, vosso Deus, vos fez no Egito, aos vossos olhos. A ti te foi mostrado para que soubesses que o Senhor é Deus; nenhum outro há, senão Ele" (Deuteronômio 4:34-35).

Foi assim que o Senhor operou ao tomar um povo dentre uma nação pagã a fim de levá-los aonde pudesse *lhes declarar* Sua lei, entregando-a a eles esculpida em tábuas de pedra. Essas maravilhas não foram realizadas com o fim de lhes satisfazer a curiosidade, mas para que ficassem certos de que Aquele que "no Egito, fizera coisas portentosas; maravilhas na terra de Cam, tremendos feitos no Mar Vermelho" [Salmos 106:21-22], e do cimo do Monte Sinai falara com eles em meio a chamas e fumaça, não era outro senão o Deus vivo e verdadeiro, o Criador de todas as coisas.

A sarça ardente e o chamado de Moisés

O próprio Moisés não poderia fazer com que os israelitas abandonassem o Egito simplesmente por dizer: "Enquanto eu cuidava do rebanho no deserto, senti pena de vocês por estarem cativos e, agora, desci para libertá-los do Egito, assim como planejei fazer quando matei o egípcio, pouco antes de fugir para a terra de Midiã".

Foi necessária uma sarça ardente que não se consumia e uma voz audível dentre as chamas para convencer o próprio Moisés de que ele era a pessoa que deveria "tirar seu povo do Egito". Foi dessa surpreendente maneira que ele recebeu seu chamado, sua alta e santa vocação. A revelação dada a Moisés prontamente chamaria a atenção de seus irmãos, prepararia a mente deles para o que deveria seguir-se, e os levaria, assim, a aceitar Moisés, escolhido por Deus como seu líder.

Se já houve um tempo, após a ressurreição de Cristo, em que Seus seguidores, contritos e desapontados, tiveram a necessidade de serem consolados por Sua presença e palavras de ânimo, foi quando alguns quebrantados e perseguidos crentes mantiveram-se firmes, por meio de inabalável fé, logo após o "clamor da meia-noite" de 1844. Se alguma vez Deus, em Sua misericórdia, Se comunicou diretamente com os aflitos, certamente foi nessa época e com tal povo.

É prometida a presença do Senhor

Aquele que não tem limitações em Sua forma ou modo de agir, e que concedeu os dons do Espírito à Sua igreja "quando Ele subiu às alturas" [Efésios 4:8-15], prometeu estar com Seus seguidores na pregação do evangelho "até a consumação dos séculos".

Em todas as épocas, o Senhor tem estado pronto para demonstrar Seu poder e dons por meio daqueles que O buscam diligentemente. Disse Ele, ao dar a comissão evangélica:

> Estes sinais hão de acompanhar aqueles que creem: em Meu nome, expelirão demônios; falarão novas línguas; pegarão em serpentes; e, se alguma coisa mortífera beberem, não lhes fará mal; se impuserem as mãos sobre enfermos, eles ficarão curados (Marcos 16:17, 18).

Dons do Espírito durante a Reforma protestante

Houve maravilhosas demonstrações do poder de Deus e do dom de profecia durante a Reforma do século 16 e em épocas posteriores. D'Aubigné fala das profecias de João Huss. Charles Buck, em suas *Anedotas Religiosas*, conta das profecias de George Wishart, em 1546. João Wesley, em seus escritos, menciona as profecias de Jonathan Pyrah e seu cumprimento. O pastor J. B. Finley fala em sua autobiografia de uma notável visão e cura que se deu nele mesmo no verão de 1842. O *Christian Advocate* (periódico metodista) publicou um interessante relato de uma notável visão dada ao Doutor Bond, e de seus resultados durante o seu ministério na igreja metodista. Para os que buscavam humildemente o Senhor, todos esses sinais davam evidência de que Ele não havia mudado, e de que ainda falaria a Seu povo mediante o dom profético.

A igreja remanescente precisava ter o Espírito de Profecia

Há claras e específicas indicações nas Escrituras de que Deus irá manifestar os dons do Espírito, e de modo especial o dom de profecia, entre os que se acharem aguardando a Sua vinda. O primeiro texto ao qual chamamos a atenção se encontra na primeira carta aos Coríntios. Ele diz:

> Sempre dou graças a meu Deus a vosso respeito, a propósito da Sua graça, que vos foi dada em Cristo Jesus; porque, em tudo, fostes enriquecidos nEle, em toda a palavra e em todo o conhecimento; assim como o testemunho de Cristo tem sido confirmado em vós, de maneira que não vos falte nenhum dom, aguardando vós a revelação de nosso Senhor Jesus Cristo, o qual também vos confirmará até o fim, para serdes irrepreensíveis no Dia de nosso Senhor Jesus Cristo (1 Coríntios 1:4-8).

Em Apocalipse lemos sobre o "remanescente", isto é, a última igreja do evangelho: "E o dragão irou-se contra a mulher [a igreja], e foi fazer guerra ao remanescente da sua semente, os que guardam os mandamentos de Deus, e têm o testemunho de Jesus Cristo" (Apocalipse 12:17, ACF). O que é o "testemunho de Jesus", perguntamos, que a última igreja precisa *possuir*, e que, ao ser confirmado, prepara o caminho para a manifestação de todos os dons do Espírito? Encontramos uma resposta para essa questão no testemunho do anjo a João, na ilha de Patmos:

> Prostrei-me ante os seus pés para adorá-lo. Ele, porém, me disse: Vê, não faças isso; sou conservo teu e dos teus irmãos que têm o *testemunho de Jesus*; adora a Deus. Pois o testemunho de Jesus é o espírito de profecia (Apocalipse 19:10).

Essa definição, dada pelo anjo, revela que o "espírito de profecia", manifesto numa igreja que aguarda Cristo, prepara o caminho para todos os outros dons, e que a guerra feita contra a igreja "remanescente" ocorre por ela possuir esse dom em seu meio.

O testemunho de Paulo acerca dos dons

A primeira carta de Paulo aos Tessalonicenses revela que o dia do Senhor – o dia final do juízo executivo – virá sobre as multidões "como um ladrão à noite", porém não irá pegar desprevenidos os fiéis filhos de Deus pelo fato de eles serem "filhos da luz e filhos do dia". Entre as suas admoestações ao povo que está *vigiando*, Paulo declara: "Não extingais o Espírito. Não desprezeis as *profecias*. Examinai tudo, retende o que é bom" (1 Tessalonicenses 5:5, 19-21).

A palavra grega *propheteias*, traduzida aqui como *profecias*, é definida da seguinte forma por Greenfield em seu Léxico Grego: "O exercer do dom de profecia; nesse sentido, ver 1 Tessalonicenses 5:20". Os léxicos de Parkhurst, Robinson, e Liddell e Scott também concordam com esse pensamento. Temos aqui, portanto, um claro testemunho de que o verdadeiro dom de profecia estará presente na igreja que aguarda a segunda vinda de Cristo. A admoestação não é para desprezar o dom, mas para *prová-lo*; e ao encontrar sua *genuína* manifestação, "retê-lo" (1 Tessalonicenses 5:21).[10]

O cumprimento da promessa

Até aqui vimos como o Senhor começou a manifestar o dom de profecia durante a proclamação da mensagem do primeiro e segundo anjos. Esse dom foi mais plenamente desdobrado a partir do término dos 2.300 dias. Deus escolheu Seu próprio instrumento para esse fim, elegendo como Seu agente alguém que não só havia entregado tudo a Ele, mas cuja vida ficou por um fio, "o mais fraco dos fracos" [como mostrado a Hazen Foss. Ver página 156]. Dois meses após a passagem do tempo, Ellen G. Harmon, de Portland, Maine, começou a receber revelações de Deus com a idade de apenas 17 anos.

Pela oportunidade que tive de conversar com pessoas que viviam em Portland por ocasião da primeira visão de Ellen Harmon, e por conhecer também a Sra. Haines, em cuja casa Ellen teve sua primeira visão, vou relatar os fatos conforme essas pessoas me transmitiram. Naquela época, Ellen se encontrava numa condição de saúde muito crítica. Por várias semanas, mal tinha sido capaz de falar mais alto que um sussurro. Um médico decidiu que seu problema era consumo hidrópico [um tipo de tuberculose]. Declarou que o pulmão direito estava deteriorado, e o esquerdo, consideravelmente doente; e que o coração havia sido afetado. Disse crer que ela não teria senão um curto tempo de vida, e que podia cair morta a qualquer momento. Respirava com grande dificuldade quando estava deitada. À noite, só conseguia descansar quando era escorada na cama numa posição quase sentada. Frequentes ataques de tosse e hemorragias dos pulmões haviam reduzido grandemente sua força física.

---

[10] Para uma compreensão completa do testemunho da Bíblia acerca da perpetuidade dos dons espirituais e de sua manifestação na igreja remanescente, ver Herbert E. Douglass, *Mensageira do Senhor: o ministério profético de Ellen White* (Tatuí, São Paulo: Casa Publicadora Brasileira, 2001).

A primeira visão de Ellen

Por ocasião de sua primeira visão, Ellen estava hospedada na casa da Sra. Haines. Era cedo de manhã, e estavam realizando o culto familiar. Havia cinco pessoas presentes, todas irmãs na fé. As outras já haviam orado e Ellen estava orando em voz baixa, quando o poder de Deus desceu de maneira maravilhosa e influenciou poderosamente todos os presentes. Por um momento ela perdeu a noção de tudo o que se passava ao seu redor – estava em visão.

Na reunião seguinte, Ellen relatou aos crentes em Portland o que lhe havia sido mostrado. Os irmãos tiveram plena confiança de que isso procedia de Deus. Na ocasião, havia cerca de 60 pessoas em Portland que confirmaram a obra como sendo do Senhor. O poder que acompanhava a visão, bem como seu relato, só poderia vir de Deus. Um sentimento solene de interesses eternos estava continuamente sobre ela, e parecia estar cheia de profunda reverência pelo fato de alguém tão jovem e frágil como ela ter sido escolhida como instrumento de Deus para comunicar luz a Seu povo. Ela declarou que, durante a visão, parecia estar cercada por anjos radiantes nas gloriosas cortes celestiais, onde tudo é alegria e paz, e que foi uma mudança triste despertar para a realidade insatisfatória desta vida mortal.

Resumo da primeira visão

O seguinte sumário de sua primeira visão, conforme ela mesma relatou aos crentes em Portland, nos fornece algumas ideias quanto à natureza de suas visões como um todo:

> Enquanto orava, o poder de Deus se apoderou de mim como nunca havia sentido antes. Fui cercada de luz e subia cada vez mais alto, afastando-me da Terra. Virei-me para ver o povo do Advento no mundo, mas não o pude achar, quando uma voz me disse: "Olhe novamente, e olhe um pouco mais para cima". Então eu ergui meus olhos, e vi um caminho estreito e apertado, que se estendia acima do mundo. Nesse caminho, o povo do Advento estava viajando para a cidade, que se encontrava em sua extremidade oposta. Tinham uma brilhante luz colocada por trás deles no começo do caminho, a qual um anjo me disse ser o "clamor da meia-noite". Ela brilhava em toda extensão do caminho, proporcionando-lhes claridade para seus pés, para que assim não tropeçassem. Se conservavam o olhar fixo em Jesus, que Se achava precisamente diante deles, guiando-os para a cidade, estavam seguros. Mas logo alguns ficaram cansados, e disseram que a cidade estava muito longe e esperavam nela ter entrado antes. Então Jesus os animava, levantando Seu glorioso braço direito, e de Seu braço saía

uma luz que incidia sobre o povo do Advento, e eles clamavam: Aleluia! Outros temerariamente negavam a existência da luz atrás deles e diziam que não fora Deus quem os guiara até ali. A luz atrás deles desaparecia, deixando-lhes os pés em densas trevas; de modo que tropeçavam, tirando os olhos do alvo, perdendo de vista a Jesus, e caíam do caminho para baixo, no mundo tenebroso e ímpio. Logo ouvimos a voz de Deus, semelhante a muitas águas, a qual nos anunciou o dia e a hora da vinda de Jesus. Os santos vivos reconheceram e entenderam a voz, ao passo que os ímpios julgaram ser ela um trovão ou terremoto. Ao declarar Deus a hora, derramou sobre nós o Espírito Santo, e nosso rosto começou a resplandecer e a brilhar com a glória de Deus, como aconteceu com o de Moisés, ao descer do monte Sinai (*Primeiros Escritos*, p. 14, 15).

A condição de Ellen White durante as visões

ELLEN GOULD WHITE
26 de nov. de 1827 – 16 de julho de 1915

Antes de continuarmos o emocionante relato dessa maravilhosa manifestação do Espírito de Deus, vou expor alguns fatos relativos às visões. A primeira vez que vi Ellen White (que se chamava Ellen Harmon antes de se casar) foi em outubro de 1852. Naquele dia eu a vi numa visão que durou mais de uma hora. Desde então, tive o privilégio de vê-la em visão cerca de 50 vezes. Tenho estado presente enquanto médicos a examinaram durante as visões, e considero um prazer testemunhar do que vi e conheci. Creio que, quanto a isto, uma narração de fatos não pode ser descuidadamente deixada de lado a fim de se apegar a suposições aleatórias de pessoas que nunca a viram nessa condição.

Quando ela entra em visão, dá três arrebatadores gritos de "Glória!" que ecoam e ressoam, sendo o segundo, e especialmente o terceiro, mais fracos, porém mais emocionantes que o primeiro, e pronunciados com uma voz semelhante à de alguém bem distante, cuja voz quase já não pode ser ouvida. Por cerca de quatro ou cinco segundos, parece cair como uma pessoa num desmaio, ou alguém que perdeu a força. Então, parece ser instantaneamente preenchida de força sobre-humana, às vezes levantando-se de uma só vez sobre seus pés e andando pela sala. Há frequentes movimentos das mãos e dos braços, apontando à direita ou à esquerda, conforme sua cabeça se volta. Todos esses movimentos são feitos de forma muito graciosa. Em qualquer posição que sua mão ou braço são colocados, é impossível que alguém possa movê-los. Seus olhos estão sempre abertos, mas ela não pisca; a cabeça fica levantada, e ela olha para cima, não com um olhar vago, mas com uma expressão agradável, apenas diferindo de sua expressão normal por parecer estar olhando atentamente para algum objeto distante. Ela não respira, mas seu pulso continua batendo regularmente. Sua fisionomia é agradável, e a cor de seu rosto, corado, como em seu estado natural.

Comparada com a condição de Daniel

Sua condição quanto à respiração, perda de força, e o fortalecimento recebido quando o anjo de Deus a toca, está em perfeito acordo com a descrição feita pelo profeta Daniel sobre sua própria experiência em visão. Ele relata:

> Fiquei, pois, eu só e contemplei esta grande visão, e não restou força em mim; o meu rosto mudou de cor e se desfigurou, e não retive força alguma. [...] Como, pois, pode o servo do meu senhor falar com o meu senhor? Porque, quanto a mim, não me resta já força alguma, nem fôlego ficou em mim. Então, me tornou a tocar aquele semelhante a um homem e me fortaleceu; e disse: Não temas, homem mui amado! Paz seja contigo! Sê forte, sê forte. Ao falar ele comigo, fiquei fortalecido e disse: fala, meu senhor, pois me fortaleceste (Daniel 10:8, 17-19).

DEPOIMENTOS DE TESTEMUNHAS OCULARES

M. G. Kellogg (médico)

Quanto à condição de Ellen White no momento em que está visão, algumas declarações de testemunhas oculares podem ser de grande valor. A primeira é de M. G. Kellogg, M.D, em referência à primeira visão recebida em Michigan, em 29 de maio de 1853, numa reunião realizada em Tyrone, Condado de Livingston. Ele diz:

A irmã White permaneceu em visão por cerca de 20 minutos ou meia hora. Ao entrar em visão, todos os presentes pareciam sentir o poder e a presença de Deus, e alguns de nós realmente sentimos o Espírito de Deus repousando sobre nós com poder. Estávamos ocupados em oração e em rever os irmãos no sábado de manhã, por volta das nove horas. O irmão White, meu pai e a irmã White haviam orado, e eu estava orando no momento. Não tinha havido agitação, nem manifestações. No entanto, havíamos rogado fervorosamente a Deus para que abençoasse a reunião com Sua presença, e que abençoasse a obra em Michigan. Quando a irmã White deu aquele triunfante brado de "Glória! Glória! Glória!", que vocês já ouviram tantas vezes ao ela entrar em visão, o irmão White se levantou e informou à plateia que sua esposa estava em visão. Após explicar como suas visões aconteciam, e que ela não respirava durante as mesmas, ele convidou qualquer um que desejasse para a vir à frente e examiná-la. O Dr. Drummond, médico e pregador adventista do primeiro dia, havia declarado, antes de vê-la em visão, que suas visões tinham origem no mesmerismo, e que ele mesmo poderia dar-lhe uma visão. Esse médico foi à frente, e, após cuidadoso exame, ficou muito pálido e declarou: "*Ela não respira!*"

Tenho certeza de que ela não estava respirando durante a visão daquela ocasião, nem em nenhuma das várias outras que teve, estando eu presente. O momento em que ela sai da visão é tão marcante quanto o momento em que entra em visão. A primeira indicação que tínhamos de que a visão havia terminado era quando ela começava a respirar novamente. Sua primeira inspiração era profunda, longa e plena, o que demonstrava que seus pulmões estavam totalmente vazios. Após a primeira respiração, vários minutos se passavam antes que respirasse pela segunda vez, enchendo os pulmões exatamente como da primeira. Havia uma pausa de dois minutos, seguida de uma terceira respiração. Depois disso, a respiração voltava ao normal. Assinado, M. G. Kellogg, M.D, Battle Creek, Michigan, 28 de dezembro de 1890.

F. C. Castle

A seguinte declaração é de alguém que testemunhou Ellen White sendo examinada por um médico no momento em que ela estava em visão em Stowe, Vermont, no verão de 1853. Ele diz:

Um médico estava presente, e examinou-a segundo lhe ditavam sua sabedoria e conhecimento, com o fim de encontrar a causa da manifestação. Colocou uma vela acesa próximo aos olhos dela, que estavam abertos. Nem um músculo sequer do olho se moveu. Em seguida, examinou o pulso dela, e também seu fôlego, e não havia respiração. O resultado foi que ele se convenceu de que o fenômeno não poderia ser explicado mediante princípios naturais ou científicos. Assinado, F. C. Castle.

D. H. Lamson

Os depoimentos a seguir referem-se a um exame feito enquanto Ellen White estava em visão numa reunião realizada na casa do irmão Tiago White, em Monroe Street, Rochester, Nova Iorque, em 26 de junho de 1854:

> Na época eu tinha 17 anos. Parece que quase posso ainda ouvir os vibrantes brados de "Glória!" que ela deu. Ela começou então a se abaixar até o chão, não como se estivesse caindo, mas como que afundando suavemente. Foi em seguida apoiada pelos braços de um dos presentes. Dois médicos se aproximaram, um idoso e um jovem. O irmão White estava ansioso de que eles examinassem a irmã White minuciosamente, e eles o fizeram. Um espelho foi trazido, e um dos médicos segurou-o bem em frente à boca dela enquanto ela falava; mas logo desistiram da tentativa, e disseram: "Ela não respira". Eles examinaram então cuidadosamente os lados dela enquanto ela falava, com o objetivo de descobrir alguma evidência de respiração profunda, mas não a encontraram. Quando encerraram essa parte do exame, ela pôs-se de pé, ainda em visão, segurando uma Bíblia ao alto, passando de verso a verso, citando-os corretamente, embora olhasse para cima em direção contrária ao livro.
>
> Ela teve uma visão acerca das sete últimas pragas. Viu, então, a vitória dos santos, e pareço poder ouvir os brados de triunfo que ela deu. De bom grado testifico sobre estes fatos. Assinado: Irmão D. H. Lamson, Hillsdale, Michigan, 8 de fevereiro de 1893.

Sra. Drusilla Lamson

Acerca desse mesmo exame feito pelos médicos, um depoimento adicional nos é dado pela Sra. Drusilla Lamson, viúva do primo do pastor Lamson e enfermeira-chefe do Sanatório de Clifton Springs, Nova Iorque. Falando da reunião de 26 de junho de 1854, ela diz:

> Lembro-me da reunião onde o exame foi feito; onde testaram o que o irmão White tinha declarado por tantas vezes: que a irmã White não respirava enquanto em visão. Não consigo, porém, me lembrar do nome do médico que estava presente. [...] Deve ter sido o Dr. Fleming, pois às vezes ele era o médico que chamavam para consultas. Agora, porém, ele já é falecido. Posso afirmar isto: que *o teste foi feito*, e *nenhum sinal de respiração* pôde ser visto no espelho. Assinado, Drusilla Lamson, Clifton Springs, Nova Iorque, 9 de março de 1893.

Há ainda outro testemunho de alguém que estava presente na reunião mencionada acima:

David Seeley

Isto é para certificar que eu li os depoimentos de David Lamson e da Sra. Drusilla Lamson, citados acima, relativos ao relatório do médico que examinou Ellen White, estando ela em visão em 26 de junho de 1854. Eu estive presente naquela reunião e testemunhei o exame. Concordo com o que é declarado pelo irmão e irmã Lamson, e diria ainda que *foi* o Dr. Fleming e outro médico mais jovem que fizeram o exame. Depois que Ellen White se levantou, conforme afirmaram, citando textos das Escrituras, o Dr. Fleming pediu que lhe trouxessem uma vela acesa. Ele colocou essa vela tão próxima dos lábios de Ellen White quanto era possível sem queimá-la, diretamente em frente à posição onde haveria movimento de ar, caso ela respirasse. Não houve a menor oscilação da chama. Então, o médico afirmou enfaticamente: *"Isso resolve de uma vez por todas essa questão: no corpo dela não há fôlego"*. Assinado, David Seeley, Fayette, Iowa, 20 de agosto de 1897.

O Sr. e Sra. A. F. Fowler

As seguintes afirmações referem-se a um exame feito enquanto Ellen White estava em visão no Salão Waldron, Hillsdale, Michigan, em fevereiro de 1857. Um médico de Hillsdale, com 50 anos de prática, chamado Dr. Lord, fez um exame muito minucioso, sobre o qual apresento os seguintes depoimentos:

Estávamos presentes quando (em fevereiro de 1857) a irmã E. G. White teve uma visão no Salão Waldron, em Hillsdale. O Dr. Lord a examinou e disse: "O coração está batendo, mas não há fôlego. Ela está viva, mas não há movimentação dos pulmões; não sou capaz de explicar essa condição". Assinado, A. F. Fowler, Sra. A. F. Fowler, Hillsdale, Michigan, 1 de janeiro de 1891.

C. S. Glover

Apresentamos aqui um segundo testemunho acerca da mesma visão:

Estive presente quando a irmã White teve a visão, referida acima, no Salão Waldron, em Hillsdale. Além da declaração mencionada acima, ouvi o médico dizer que o estado da irmã White, enquanto em visão, estava "além de seu conhecimento". Ele disse também: "Nisso há algo sobrenatural". Assinado, C. S. Glover, Battle Creek, Michigan, 19 de janeiro de 1891.

O Sr. e Sra. Carpenter

Aqui há um terceiro testemunho sobre o mesmo caso:

O seguinte é para certificar de que estávamos presentes no Salão Waldron, em Hillsdale, Michigan, em fevereiro de 1857, quando Ellen White teve uma visão. Nessa condição, ela foi examinada pelo Dr. Lord, e ouvimos a declaração pública que ele fez do caso, conforme mencionada acima pelo irmão e irmã Fowler. Assinado, W. R. Carpenter, Eliza Carpenter, Noblesville, Indiana, 30 de agosto de 1891.

D. T. Bourdeau

Gostaríamos de chamar agora a atenção do leitor para um teste que foi aplicado a Ellen White enquanto estava em visão em Buck's Bridge, Condado de St. Lawrence, Nova Iorque:

Em 28 de junho de 1857, vi pela primeira vez a irmã Ellen G. White tendo uma visão. Eu não acreditava nas visões; mas um incidente, entre outros que poderia mencionar, convenceu-me de que suas visões eram de Deus. Para que eu pudesse ficar satisfeito quanto ao fato de ela respirar ou não, coloquei, primeiro, minha mão sobre seu tórax, por tempo suficientemente longo para perceber que seus pulmões não inflavam mais do que os de um cadáver. A seguir, coloquei minha mão sobre a boca dela e tapei suas narinas com meu polegar e o indicador, de modo que era impossível que ela inalasse e exalasse o ar, mesmo que quisesse. Eu a mantive assim por cerca de dez minutos – tempo suficiente para provocar sufocamento em circunstâncias normais. Esse teste não a afetou em nada. Desde que testemunhei esse fenômeno maravilhoso, nunca mais me senti inclinado a duvidar da origem divina de suas visões. Assinado, D. T. Bourdeau, Battle Creek, Michigan, 4 de fevereiro de 1891.

Um médico espírita médium testa a visão

Vou mencionar outro exame médico que testemunhei em Parkville, Condado de St. Joseph, Michigan, em 12 de janeiro de 1861.

Ao fim de um sermão proferido por Ellen White a uma grande congregação reunida numa igreja adventista, a bênção de Deus repousou sobre ela de forma notável, e ela foi tomada em visão enquanto estava em seu assento. Estava presente ali o Dr. Brown, homem forte e robusto, um médium espírita. Ele havia afirmado que as visões de Ellen White eram o mesmo que mediunidade espírita, e que se ela recebesse uma visão num local onde ele estivesse presente, ele poderia trazê-la de volta em um minuto. Foi feito um convite para que quem quisesse poderia ir até à frente e examiná-la, a fim de se certificar a respeito da condição dela em visão. O médico veio à frente, mas antes que chegasse à metade de sua análise, ficou mortalmente pálido, tremendo como uma vara verde. O irmão Tiago White disse: "O doutor pode nos informar quanto à condição dela?" Ele respondeu: "Ela não respira", e rapidamente se dirigiu à porta. Os que estavam perto da porta sabiam de sua vanglória. Disseram então: "Volte, e faça como você declarou que faria. Faça com que a mulher saia da visão". Muito agitado, ele agarrou a maçaneta da porta, mas não lhe permitiram abri-la antes de responder à seguinte pergunta que lhe foi dirigida pelos que estavam próximos da porta: "Doutor, qual é a condição dela?" Ele respondeu: *"Só Deus sabe; deixem-me sair desta casa"*, e então saiu.

Era evidente que, em presença do poder que controlava Ellen White em visão, o espírito que influenciava esse doutor como médium experimentou o mesmo desconforto que foi sentido pelos endemoninhados nos dias do Salvador, ao perguntarem: "Vieste aqui atormentar-nos antes do tempo?" (Mateus 8:29).

Existe uma semelhança entre esse acontecimento e o que está registrado na experiência do profeta Daniel. Quando o Espírito do Senhor tomou Daniel em visão, os caldeus presentes, pagãos sem qualquer conhecimento do Espírito de Deus, ficaram muito apavorados e "fugiram e se esconderam" (Daniel 10:7).

Ellen Harmon é convidada a relatar suas visões

Numa reunião realizada na casa de seu pai, cerca de uma semana após sua primeira visão, Ellen Harmon teve uma segunda visão. Nessa visão, ela foi instruída a relatar a outros o que lhe havia sido revelado. Ela ficou muito perplexa para saber como poderia atender a essa ordem dada pelo Senhor. Sua saúde era tão fraca que sentia muitas dores no corpo, e, aparentemente, lhe restava pouco tempo de vida. Tinha apenas 17 anos de idade. Era pequena e frágil, não acostumada a relacionamentos sociais, e por natureza tão tímida e reservada que lhe era doloroso conhecer estranhos. Orou fervorosamente por vários dias, até tarde da noite, para que essa responsabilidade fosse removida e colocada sobre alguém mais capaz de suportá-la. Mas a luz do dever não se alterou, e as palavras do anjo soavam continuamente: "Conte a outros o que eu revelei a você".

Neste estado mental de perplexidade, Ellen Harmon assistiu a outra reunião realizada na casa de seu pai. Nessa reunião, o grupo inteiro se uniu em fervorosa oração em favor dela, e mais uma vez ela se consagrou ao Senhor, e sentiu-se disposta a ser usada para a glória dEle. Enquanto orava, dissipou-se a densa escuridão que a envolvia; e, como ela declarou posteriormente, uma luz brilhante veio em sua direção como bola de fogo, e, quando caiu sobre ela, foi-lhe tirada a força, e ela pareceu estar na presença de Jesus e dos anjos. Novamente foi repetido: "Conte a outros o que Eu revelei a você". Ela pediu encarecidamente que, se fosse seu dever ir e declarar o que o Senhor lhe havia mostrado, então que ela fosse preservada de exaltação. Assim, um anjo disse que sua oração fora atendida, e que se ela estivesse em perigo de exaltar-se, seria afligida com enfermidade. O anjo lhe disse: "Se você transmitir a mensagem com fidelidade, e perseverar até o fim, você vai comer do fruto da árvore da vida e beber do rio da água da vida".

A visita de Ellen Harmon a Poland, Maine

Havia sido mostrado a Ellen Harmon que ela deveria ir a Poland, Maine, e contar sua visão. No dia seguinte a essa terceira visão, seu cunhado dirigiu inesperadamente até à porta da casa do pai dela e se ofereceu para levá-la a Poland. Ela conduziu ali uma reunião em que relatou a visão. Hazen Foss (ver p. 145), em desespero, não pôde ser convencido a comparecer ao culto, mas ouviu-a contar sua visão pelo lado de fora, com o ouvido encostado na porta. Ele disse: "A visão que ela está relatando é tão parecida com o que me foi mostrado, como se duas pessoas descrevessem a mesma coisa". Na manhã seguinte, ele inesperadamente encontrou Ellen Harmon e a aconselhou a ser "fiel em suportar a responsabilidade e em relatar os testemunhos que o Senhor lhe desse, e que não seria abandonada por Deus". Para outros, ele declarou: "Esse é o instrumento sobre quem o Senhor colocou esta responsabilidade". Ele certamente deveria saber o que falava, pois havia visto tal pessoa na visão em que lhe foi dito que a responsabilidade fora "retirada" dele.

Na época, a obra de Ellen Harmon era ir de um lugar para outro nos Estados da Nova Inglaterra, relatando o que lhe havia sido mostrado. Em alguns casos, era-lhe dito, em visão, para onde devia ir, e também quais dificuldades iria encontrar. Suas mensagens correspondiam principalmente a repreensões àqueles que estavam aderindo à doutrina do advento espiritual de Cristo, e encorajamentos para que todos se apegassem à experiência do passado.

Ela diz acerca de sua experiência:

> Alguns se abstiveram totalmente de trabalho, e excluíram todos que não recebessem a opinião deles sobre esse ponto. [...] Deus revelou-me esses erros em visão, e enviou-me aos Seus filhos errantes para

lhos declarar; mas muitos deles rejeitavam a mensagem totalmente, e me acusavam de conformidade com o mundo. Por outro lado, os adventistas nominais me acusavam de fanatismo, e eu fui falsamente representada, e, por alguns, até perversamente representada, como sendo líder do fanatismo, ao qual, em realidade, eu estava trabalhando para extinguir (*Primeiros Escritos*, p. 72).

Veremos mais a esse respeito no próximo capítulo.

Capítulo 14

A Porta Fechada

"E, saindo elas para comprar, chegou o noivo, e as que estavam apercebidas entraram com ele para as bodas; e fechou-se a porta" (Mateus 25:10).

A vinda do Esposo apresentada nesta parábola não é a vinda de Cristo à Terra, mas ao casamento. O casamento é um evento que ocorre antes da vinda do Senhor. No evangelho segundo Lucas, temos o seguinte registro:

> Cingido esteja o vosso corpo, e acesas, as vossas candeias. Sede vós semelhantes a homens que esperam pelo seu senhor, ao voltar ele das festas de casamento; para que, quando vier e bater à porta, logo lha abram (Lucas 12:35, 36).

O recebimento do reino é chamado de casamento

A vinda do esposo ao casamento é representada em Daniel 7:13-14, quando Cristo vem ao Pai para receber o Seu reino. Nos tempos antigos, a vinda de um rei à sua capital, para receber seu trono e seu reino, era chamada de casamento. Esse evento – o recebimento da capital como noiva – era celebrado com a pompa e a ostentação de um casamento real. Assim, quando Cristo recebe do Pai Seu reino no Céu, é dito que ele se casa com sua noiva, a Nova Jerusalém (Apocalipse 21:9). Na parábola, esse evento é chamado de *"casamento"*, ou *"bodas"*.

Após o encerramento dos 2.300 dias, em 22 de outubro de 1844, o povo do Advento, que havia comparado os eventos pelos quais haviam passado com os fatos relacionados a um casamento oriental, declarou: "Cristo foi para o casamento". Quando receberam luz mais clara acerca do tipo de evento que teve lugar no fim dos 2.300 dias, sua fé acompanhou Cristo na obra que Ele dera início. Assim, pela fé, "entraram com ele para as bodas".

"Eu voltarei"

Numa visão dada a Ellen Harmon em 1845, na qual Cristo passava do primeiro para o segundo compartimento no santuário celestial, encontramos as seguintes palavras:

> "Esperem aqui; Eu vou a Meu Pai para receber o reino. Mantenham as suas vestes sem manchas e, daqui a pouco, voltarei das bodas e lhes receberei para Mim mesmo". Em seguida, uma carruagem de nuvens chegou até onde Jesus estava, com rodas como labaredas de fogo e rodeada por anjos. Ele entrou na carruagem e foi levado para o santíssimo, onde o Pai Se assentava (*Primeiros Escritos*, p. 55).

Misericórdia após o fechamento da porta

A porta fechada, nessa parábola, parece referir-se a um evento que ocorre antes da vinda do Filho do homem sobre as nuvens do céu, pois, *após* o fechamento da porta, as outras virgens vêm e batem, e são exortadas a "vigiar", porque não sabem o dia nem a hora da Sua vinda. Assim, essa porta é fechada *depois* que as virgens prudentes entram com o noivo para o casamento.

Pela linguagem utilizada nesta parábola das virgens, parece que, mesmo após a entrada para o casamento, as virgens "tolas" ainda têm a oportunidade de realizarem uma preparação aceitável para o encontro com o noivo. Recebem a ordem de "vigiar". Vigiar e aguardar são aspectos ligados à verdadeira preparação para o encontro com o Senhor. Temos a impressão, portanto, de que a misericórdia não é retirada quando a porta desta parábola é fechada.

Esta não é a porta de Lucas 13:25-28

No passado, erros foram cometidos ao confundir a porta de que fala esta parábola com a porta mencionada em Lucas 13:25-28, onde se lê: "Quando o dono da casa se tiver levantado e fechado a porta, e vós, do lado de fora, começardes a bater, dizendo: Senhor, abre-nos a porta, ele vos responderá: Não sei donde sois. […] Apartai-vos de mim, vós todos os que praticais iniquidades. Ali haverá choro e ranger de dentes, quando virdes, no reino de Deus, Abraão, Isaque, Jacó e todos os profetas, mas vós, lançados fora". Pela linguagem aqui usada, é evidente que, quando esta porta for fechada, o destino dos que forem lançados fora estará decidido. O reino de Deus terá então chegado, pois eles *estarão vendo* os salvos *no reino*. Pelo contrário, na parábola das virgens, o Senhor ainda não havia chegado em Seu reino, mas tinha ido ao Pai a fim de receber Seu reino.[11]

A porta fechada no serviço do santuário

Aqueles que, após o encerramento dos 2.300 dias – em 22 de outubro de 1844 – acompanharam, pela fé, a Cristo em Sua obra, viram que, ao chegar o Dia da Expiação no serviço do santuário terrestre, o sumo sacerdote fechava a porta do compartimento externo e abria a porta que dava para o santíssimo, para ali realizar sua obra de apagar os pecados confessados no santuário. Compreenderam, pois, que, semelhantemente, Cristo, nosso Sumo Sacerdote, havia fechado a porta do compartimento externo do santuário celestial, e aberto o compartimento no qual foi vista "a arca do Seu testemunho" (Apocalipse 11:19).

Quem estava errado?

Nessa época, havia alguns entre os crentes adventistas que ainda não tinham recebido luz clara a respeito da ministração de Cristo no santuário celestial. Além disso, sua atenção ainda não havia sido dirigida à mensagem do terceiro anjo. Esses erraram ao confundirem a porta exterior do santuário com a porta fechada descrita em Lucas 13:25-28. No entanto, esses não eram adventistas do *sétimo dia*. Tentaremos esclarecer os seguintes pontos: *quem* eram eles, *como* se originou aquela doutrina, e *quais* circunstâncias levaram a tais conclusões.

O testemunho na quinta e sexta igrejas do Apocalipse é dado em referência aos adventistas que haviam se separado das igrejas nominais, sob a proclamação da mensagem do advento, e também àqueles de quem eles haviam se separado. A advertência a Sardes, a quinta igreja, diz assim: "Lembra-te, pois, do que tens recebido e ouvido, guarda-o e arrepende-te. Porquanto, se não vigiares, virei sobre ti como ladrão, e não conhecerás de modo algum em que hora virei contra ti" (Apocalipse 3:3). Essa linguagem deixa evidente que seus destinatários ouviram a proclamação da vinda do Senhor. Eles tinham professado recebê-la, mas estavam agora prestes a negá-la.

---

11 Ellen G. White, no livro *O Grande Conflito*, apresenta uma explicação mais completa sobre esse assunto. Depois de descrever o a obra do juízo investigativo como um evento "ocorrendo antes das bodas", ela afirma: "Quando a obra de investigação se encerrar, examinados e decididos os casos dos que em todos os séculos professaram ser seguidores de Cristo, então, e somente então, se encerrará o tempo da graça, fechando-se a porta da misericórdia. Assim, esta breve sentença - 'As que estavam preparadas entraram com Ele para as bodas, e fechou-se a porta' [Mateus 25:10] - nos conduz através do ministério final do Salvador, ao tempo em que se completará a grande obra para salvação do homem" (*O Grande Conflito*, p. 428). – Os editores.

A igreja de Filadélfia

A igreja de Filadélfia, o sexto período da igreja cristã, é mencionada na sequência. Esta igreja representa o povo que havia sido reunido sob a proclamação da primeira e segunda mensagens de Apocalipse 14. A esta igreja o Senhor diz: "Eis que venho sem demora; conserva o que tens, para que ninguém tome a tua coroa" (Apocalipse 3:11). As seguintes palavras também são dirigidas a eles:

> Estas coisas diz o Santo, o Verdadeiro, aquele que tem a chave de Davi, que abre, e ninguém fechará, e que fecha, e ninguém abrirá: Conheço as tuas obras; eis que tenho posto diante de ti uma porta aberta, a qual ninguém pode fechar; pois tu tens pouca força, entretanto, guardaste a Minha palavra e não negaste o Meu nome (Apocalipse 3:7, 8).

Qual é o significado da porta fechada nesta parábola?

O que significam as expressões porta *aberta* e porta *fechada* nos textos que acabamos de citar? A explicação que daremos agora parece nos fornecer uma resposta satisfatória para esta questão. Alguns dentre os adventistas haviam recebido luz avançada e estavam ensinando que o Salvador havia, em Sua ministração, passado do primeiro para o segundo compartimento do santuário celeste. Esses apresentavam corretamente a questão da porta aberta e fechada a quem quisesse ouvir. Ao mesmo tempo, outra classe se opunha a essa verdade e tentava estabelecer sua fé na doutrina de que a porta aberta estava fechada, e a porta fechada, aberta. Com tal postura, eles estavam fechando o caminho, ou dificultando o trabalho dos servos do Senhor aqui na Terra. As portas do santuário celeste são abertas e fechadas pelo poder de Cristo – "Aquele que abre, e ninguém fecha". Na carta à igreja de Filadélfia, os que se mantêm firmes, que guardam a palavra e não negam o Seu nome, ganham uma vitória que abre uma porta que ninguém pode fechar. Esta, sem dúvida, diz respeito à porta de acesso às pessoas. Conforme veremos adiante, havia pessoas que aparentemente tinham fechado essa porta. O Senhor, porém, em reconhecimento da firmeza demonstrada pelos fiéis, coloca diante deles uma "porta aberta" que *ninguém pode fechar*.

Uma porta de proclamação

Há muitos exemplos nas Escrituras em que uma *porta* é usada nesse sentido. Paulo, escrevendo aos Coríntios, diz: "Porque uma porta grande e oportuna para o trabalho se me abriu; e há muitos adversários" (1 Coríntios 16:9). Novamente, em sua segunda carta aos Coríntios, ele diz:

> Ora, quando cheguei a Trôade para pregar o evangelho de Cristo, e uma porta se me abriu no Senhor; não tive, contudo, tranquilidade no meu espírito, porque não encontrei o meu irmão Tito (2 Coríntios 2:12, 13).

Ele também fez um pedido aos Colossenses:

> Perseverai na oração, vigiando com ações de graças. Suplicai, ao mesmo tempo, também por nós, para que Deus nos abra porta à palavra, a fim de falarmos do mistério de Cristo, pelo qual também estou algemado (Colossenses 4:2, 3).

Nesses textos, parece que as oportunidades para a proclamação da verdade são chamadas de *portas abertas*. Além disso, com base nas palavras dirigidas à igreja de Filadélfia, podemos concluir que havia homens que estavam fazendo grandes esforços para fechar a porta da proclamação que lhes era contrária, justamente no momento em que as pessoas estavam sendo chamadas para sair. Como a igreja de Filadélfia atravessou a provação, agarrando-se à "palavra" e ao "nome" de Deus, Sua palavra para eles era de que Ele colocaria diante deles uma porta aberta, a qual nenhum homem poderia fechar.

Situação após 22 de outubro de 1844

Tendo o caso diante de nós como declarado nas palavras proféticas, vamos analisar a situação de forma retrospectiva para entendermos como os eventos se desenrolaram. Já mencionamos que, até abril de 1844, as igrejas estavam abertas para a proclamação da mensagem do advento, e os pedidos por obreiros eram mais numerosos do que a disponibilidade de pregadores. Após o desapontamento, na primavera de 1844, os que não haviam abraçado a doutrina com sinceridade tornaram-se oponentes dela. No verão de 1844, quando a mensagem do segundo anjo de Apocalipse 14 e o "clamor da meia-noite" [de Mateus 25] foram proclamadas, levantou-se a mais amarga perseguição contra os que ainda ousavam depositar sua fé na breve vinda do Senhor. Esses oponentes procuraram suprimir o assunto de todas as formas possíveis, bem como dificultar o trabalho dos que ainda proclamavam que "é chegada a hora do Seu juízo". Guilherme Miller declarou o seguinte sobre essa oposição: "[Ela] é a mais antinatural e inexplicável". Perto do fim dos 2.300 dias, a oposição era tão acirrada que George Storrs fez a seguinte afirmação sobre ela: "Já fizemos tudo o que podíamos em favor das igrejas nominais e de todos os ímpios, exceto naquilo em que este clamor os possa afetar".

Após o término desse período profético, Guilherme Miller, vendo que a oposição e o escárnio dos ímpios estavam duplicados ou triplicados, declarou:

> Temos feito nossa obra de alertar pecadores e buscar despertar uma igreja formal. Deus, em Sua providência, *fechou a porta* (*Advent Herald*, 11 de dezembro de 1844).

Endurecimento generalizado dos pecadores

Essa atitude do mundo escarnecedor endureceu os pecadores contra a doutrina do advento. A situação chegou a tal ponto que levou os próprios que estavam nas igrejas nominais a dar o seguinte testemunho:

> Quando nos lembramos de quão "poucos e espaçados" casos de verdadeira conversão existem, e da insolência e obstinação dos pecadores, quase sem precedentes, exclamamos como que involuntariamente: "Esqueceu-Se Deus de ser misericordioso? Ou está fechada a porta da graça?" (Circleville, *Religious Telescope*, 1844).

Um outro obreiro faz o seguinte comentário sobre a situação após o fim do período profético:

> Era praticamente impossível ter acesso aos descrentes; o desapontamento em 1844 havia de tal maneira confundido a mente de muitos que estes não queriam ouvir qualquer explicação sobre o assunto (Ellen G. White, *Review and Herald*, 20 de novembro de 1883).

Todas as portas de acesso aos incrédulos foram fechadas

Tal condição pareceu, por ora, *fechar a porta* de acesso a quem quer que fosse, exceto àqueles que ainda se apegavam a sua fé e esperança na breve vinda de Cristo. Como a *porta da proclamação* parecia totalmente *fechada*, e havia uma *porta fechada* na parábola que os adventistas aplicavam à sua experiência, pode-se facilmente ver por que eles chegaram à conclusão de que não havia mais misericórdia para os pecadores; ou, como alguns se expressaram, "a porta da graça foi fechada". Essa conclusão era expressa especialmente pelos que supunham que a porta fechada nesta parábola e a porta fechada em Lucas 13 referiam-se à mesma porta. Se o povo terminantemente se recusasse a ouvir, endurecendo assim o coração, como poderiam ser convertidos?

Por quem foi primeiro pregada a falsa porta fechada?

Surge, então, a seguinte questão: Quem começou a ensinar a doutrina de que "não havia mais misericórdia para os pecadores"? *Quem* acreditou nela e *quem* a rejeitou? Em resposta à questão, chamamos a atenção para o relatório de uma visita feita por J. V. Himes ao Estado de Maine na primavera de 1845. Ele diz:

> O irmão José Turner e alguns outros tomaram a posição de que nos encontrávamos no grande sábado – que os seis mil anos haviam terminado – e, consequentemente, nenhum adventista deveria fazer qualquer trabalho manual. Trabalhar agora, segundo imaginavam, certamente resultaria em sua *destruição final.*
>
> Enquanto aguardavam nesta situação de ociosidade com relação ao trabalho manual terreno, uma nova luz, como imaginavam, brilhou na mente do irmão Turner. Ele cria que o *noivo* HAVIA VINDO – que ele viera no décimo dia do sétimo mês do último ano judaico, que o casamento havia ocorrido então, e que todas as virgens, em certo sentido, entraram com ele para o casamento, e a *porta fora fechada!* Nenhum dos que estavam dentro poderia se perder, e ninguém do lado de fora poderia ser salvo. Assim, todas as questões espirituais deste gigantesco mundo estavam encerradas (Relatório da obra do irmão Himes em Maine, noticiado no *Morning Watch*, Nova Iorque, 6 de junho de 1845).

Quem se posicionou decisivamente contra essa falsa teoria?

Foi em Paris, Maine, que o irmão Turner começou a ensinar a doutrina de que "não havia mais misericórdia". Por um curto período de tempo, muitos o seguiram naquela região do país. O fato de haver um tão grande fechar das portas de acesso ao povo não adventista, quer de religiosos ou descrentes, levou muitos a aceitar naturalmente o ponto de vista de Turner nessa questão.

Para evitar que o termo "adventistas" seja mal compreendido, vamos denominar esse grupo como "adventistas do primeiro dia". Muitos dentre eles estavam aceitando as ideias do Sr. Turner, e ainda não haviam enxergado nem ouvido falar da verdade sobre o sábado, ou da mensagem do terceiro anjo. Ellen White faz referência a esse grupo em uma de suas publicações:

> Após a passagem do tempo de espera, em 1844, os adventistas ainda acreditavam que a vinda do Salvador estava muito próxima; criam que haviam chegado a uma crise importante, e que a obra de Cristo, como intercessor do homem perante Deus, havia cessado. Havendo dado a

advertência acerca da proximidade do juízo, sentiram que sua obra em favor do mundo estava feita e perderam o senso de responsabilidade pela salvação dos pecadores, ao passo que o escárnio ousado e blasfemo dos ímpios lhes parecia evidência adicional de que o Espírito de Deus fora retirado dos que haviam rejeitado Sua misericórdia. Tudo isto os firmava na crença de que o tempo de graça havia terminado, ou, como diziam, "havia-se fechado a porta da graça". Como já dissemos, os adventistas, por um curto espaço de tempo, se uniram na crença de que a porta da graça estava fechada (*O Grande Conflito*, p. 429).

Nessa citação, Ellen White relatou a posição assumida pelos adventistas do primeiro dia. Ela não deu a mínima insinuação de que essa fosse sua crença pessoal. Como acabamos de ver, essa doutrina foi primeiro ensinada por José Turner, em Paris, Maine. Ali Ellen White (Ellen Harmon, na época) conheceu José Turner no início da primavera de 1845. Ao ouvi-lo declarar sua doutrina de que "não mais havia trabalho manual para os adventistas, e que não mais havia misericórdia para os pecadores", ela lhe informou claramente que ele estava "ensinando uma falsa doutrina; ainda havia misericórdia para os pecadores, e para os que não haviam conscienciosamente rejeitado a verdade".

Opondo-se à teoria de que "findara a misericórdia"

J. N. Andrews vivia em Paris, Maine, nos anos de 1844 e 1845. Ele estava totalmente familiarizado com o rumo tomado pelo povo daquele lugar, bem como por José Turner, que pregava não mais haver misericórdia para os pecadores. Nesse contexto, ele assim descreve a posição sobre o assunto tomada por Ellen Harmon na ocasião:

> Em vez de as visões os levarem a adotar este ponto de vista, elas corrigiram aqueles que ainda o mantinham (Carta de J. N. Andrews, setembro de 1874).

Ellen Harmon fez uma segunda visita a Paris, Maine, no verão de 1845. Acerca dessa visita, citarei o que a Sra. Truesdail, que nessa época residia em Paris, escreveu:

> Durante a visita de Ellen Harmon a Paris, Maine, no verão de 1845, eu lhe contei alguns detalhes sobre uma querida amiga minha cujo pai a havia impedido de assistir às nossas reuniões; assim, ela não havia rejeitado a luz. Sorrindo, ela respondeu: "Deus nunca me mostrou que não haja salvação para essas pessoas. Trata-se apenas daqueles que receberam a luz da verdade que lhes foi apresentada e conscientemente a rejeitaram" (Carta da Sra. Truesdail, datada de 17 de agosto de 1875).

Ela também conta de uma terceira visita de Ellen Harmon a Paris, em 1846, como segue:

Outra reprovação da falsa teoria

Outra ocasião digna de nota foi uma visão que ocorreu em 1846, em Paris, Maine. Foi revelado a Ellen Harmon que, quando Satanás não conseguia impedir que os sinceros de coração cumprissem todo o seu dever, ele exerceria sua habilidade a fim de empurrá-los para além do dever. Uma irmã bem intencionada estava declarando às igrejas que Deus as havia rejeitado por terem rejeitado a mensagem enviada do Céu para salvá-las. Foi mostrado a Ellen Harmon que não havia verdade na mensagem daquela irmã, pois muitos nas igrejas ainda abraçariam a verdade; que os anjos bons ainda trabalhariam pelas almas nessas igrejas e, quando isso acontecesse, eles [os anjos] deixariam essa irmã com sua mensagem [ou seja, a mensagem de que "findara a misericórdia"] do lado de fora das portas (Carta da Sra. Truesdail, datada de 27 de janeiro de 1891).

Sem contradições

Pelo fato de existirem alguns que, com muito zelo, tentam provar que Ellen White propagou no passado a teoria de que "não há mais misericórdia para os pecadores", e que agora ensina o contrário, apresentarei os depoimentos de pessoas que estiveram familiarizados com sua obra em 1845, os quais revelam os esforços dela para a conversão dos pecadores. A seguinte declaração é de Ira Abbey, de Brookfield, Condado de Madison, Estado de Nova Iorque:

Entre os anos de 1846 a 1850, o irmão e a irmã White vinham à nossa casa, empenhando-se com zelo em favor das crianças e dos que não haviam rejeitado a verdade. Eles trabalhavam em favor dos não convertidos, e jamais recordo de ter ouvido a irmã White dizer que não havia esperança para os apóstatas e para os que não tinham rejeitado a verdade (Carta de Ira Abbey, datada de março de 1885, citada na *Review and Herald* de 7 de abril de 1885).

Testemunho dos adventistas do primeiro dia

Deixemos que a seguinte carta testifique acerca do que os adventistas do primeiro dia da Nova Inglaterra sabem a respeito da doutrina extremista da porta *fechada*:

Nos dias 5 a 9 de agosto de 1891, realizei um debate com o irmão Miles Grant, em Brookston, uma cidade com cerca de 30 mil habitantes. O debate aconteceu na grande tenda, e foi presidido pelo Sr.

John Barbour, ex-presidente da Câmara Municipal. Essa cidade está localizada a cerca de 32 quilômetros de Boston. O debate foi sobre a questão do sábado, mas o Sr. Grant tentou introduzir no debate o envolvimento da irmã White nesta obra. Ele declarou que "havia sido mostrado [a ela] que o tempo de graça havia passado, e que não mais havia misericórdia para os pecadores".

Em resposta, informei-lhe que quase todos os adventistas do primeiro dia, em determinado momento, haviam tomado essa posição antes de termos nos separado deles, e que, em vez de Ellen White favorecer essa posição de alguma maneira, uma das primeiras coisas que lhe foram mostradas foi que essa posição era "falsa", e que ainda *há* misericórdia para os pecadores. Eu disse: "Foi assim que aconteceu, e o irmão Grant sabe que foi assim". Assim que falei dessa forma, vários dos adventistas do primeiro dia [grande parte dos que estavam presentes na tenda pertencia a esse grupo], que estavam diante de mim, balançaram a cabeça afirmativamente, concordando de modo enfático com essa declaração. Basta dizer que o irmão Grant não tocou mais naquele ponto durante o debate. Assinado: George E. Fifield, South Lancaster, Massachusetts, 6 de dezembro de 1895.

Ellen White sempre buscou a salvação dos pecadores

Os seguintes fatos fornecem provas adicionais de que Ellen White tem trabalhado pela conversão dos pecadores desde 1844 até o presente momento. Ela e o irmão White realizaram uma reunião na casa de Albert Belden, em Rocky Hill, Connecticut, começando em 20 de abril de 1848. Nessa reunião, trabalharam em favor de alguns que eram mundanos. O irmão White e sua esposa manifestaram um interesse especial por essas pessoas. Acerca disso, apresentaremos o testemunho de uma dessas pessoas que foi batizada pelo próprio irmão White. John Y. Wilcox, escrevendo de Kensington, Connecticut, em 22 de fevereiro de 1891, diz:

> Fui trazido para a verdade por ocasião das reuniões realizadas no aposento inacabado da casa do irmão A. Belden, em Rocky Hill, Connecticut. Recebi a luz da verdade presente pelo trabalho do irmão e irmã White. Logo depois, fui batizado pelo irmão White. Se não fosse pelo incentivo e pela força que deles recebi, não sei se eu jamais ousaria pensar ou sentir que era aceito pelo Senhor. Eles estavam profundamente interessados em mim, e empenharam-se por me ajudar.

O irmão White descreveu aquela reunião numa carta a Stockbridge Howland, de Topsham, Maine:

> O irmão Bates apresentou os mandamentos de forma muito clara, e sua importância foi ressaltada mediante poderosos testemunhos. A

palavra pregada resultou no estabelecimento dos que já se achavam na verdade, e no despertamento daqueles que ainda não estavam completamente decididos.

A obra em favor dos pecadores de Oswego, Nova Iorque

Em 1849, o irmão Tiago White e sua esposa trabalharam em Oswego, Nova Iorque. Nessas reuniões, Hiram Patch e uma moça chamada Benson, que estavam prestes a se casar, converteram-se a Deus e à verdade presente.

Novamente, em março de 1850, foram realizadas reuniões em Oswego. Na revista *The Present Truth* [A Verdade Presente] de abril, o irmão White escreveu, referindo-se a essas reuniões:

> Uma obra muito interessante está acontecendo entre os filhos dos remanescentes na cidade. A salvação deles tem sido o tema principal em nossas reuniões nos últimos dois sábados, e Deus tem nos abençoado maravilhosamente. A verdade tem tido um bom efeito sobre nós, assim como sobre nossos filhos. Na noite do último primeiro dia da semana, tivemos uma reunião especialmente em benefício deles, e o Espírito do Senhor foi derramado em nosso meio. Todas as crianças se prostraram diante do Senhor, e pareceram sentir a importância de guardar os mandamentos, e principalmente o quinto, e de buscar a salvação por meio de Jesus Cristo. Essa foi uma das reuniões mais interessantes que já testemunhei.

Na *Present Truth* de novembro de 1849, o irmão White publicou um relato de várias pessoas que foram convertidas e batizadas. No último volume dessa publicação, em 1850, há um relato de uma reunião realizada em Waitsfield, Vermont, e da presença de Heman Churchill, que havia acabado de ser *convertido* do mundo. No artigo, ele é chamado de "irmão". Como isso aconteceria, se não houvesse mais misericórdia para os pecadores?

Depoimento de 21 testemunhas

Nesse contexto, podemos relatar um depoimento assinado em 1888 por 21 pessoas. Todas elas haviam tomado parte no movimento do advento em 1844, e estavam familiarizadas com o surgimento da mensagem do terceiro anjo. Elas já estavam na mensagem desde antes de 1851, e a maioria estivera ligada aos adventistas do sétimo dia quase desde a origem da mensagem:

Nós, abaixo assinados, estando bem familiarizados com o movimento do advento por ocasião da passagem do tempo em 1844, e tendo também abraçado a verdade da mensagem do terceiro anjo já em 1850, decidimos alegremente assinar nossos nomes na seguinte declaração a respeito da doutrina da porta fechada defendida pelos crentes na mensagem do terceiro anjo desde seu surgimento até a última data mencionada, e daí por diante.

Esses crentes acreditavam, em harmonia com Apocalipse 3:7, 8, e outras passagens, que ao final dos 2.300 dias de Daniel 8:14, Cristo encerrou Sua obra no primeiro compartimento do santuário celestial, e transferiu Seu ministério para o santíssimo, adentrando na obra do juízo, e assumindo, então, uma nova relação para com o plano de salvação. Assim, temos aqui uma porta aberta [do segundo compartimento] e uma porta fechada [do primeiro compartimento].

Criam que aqueles que tiveram clara luz acerca da mensagem do primeiro anjo, e, contudo, se posicionaram contra ela, opondo-se a ela amargamente, foram rejeitados por Deus. Porém, *não* criam que aqueles que não receberam a luz, ou que não haviam atingido uma idade que lhes tornava responsáveis por suas próprias decisões, antes de 1844, seriam rejeitados se buscassem a Deus com sinceridade de coração.

Embora cressem, juntamente com Guilherme Miller e a grande massa de adventistas, *imediatamente* após a passagem do tempo [em 1844] que sua obra em favor do mundo estava feita, e que o Senhor viria *muito* em breve, depois que a luz sobre o santuário e a terceira mensagem esclareceu a causa do desapontamento, *não* criam que a misericórdia estivesse esgotada, exceto para com os que haviam rejeitado a luz.

Assinado: J. B. Sweet, South Saginaw, Michigan; Samuel Martin, Westrindge, New Hampshire; Ira Abbey, North Brookfield, Nova Iorque; Sra. R. B. Abbey, North Brookfield, Nova Iorque; Sra. Diana Abbey, North Brookfield, Nova Iorque; Sra. L. B. Abbey, North Brookfield, Nova Iorque; Heman S. Guerney, Memphis, Michigan; Ann E. Guerney, Memphis, Michigan; William Gifford, Memphis, Michigan; Sra. Maria S. Chase, Battle Creek, Michigan; S. M. Howland, Battle Creek, Michigan; Sra. F. H. Lunt, Battle Creek, Michigan; Sra. Melora A. Ashley, Battle Creek, Michigan; Sra. Caroline A. Dodge, Battle Creek, Michigan; Sra. Sarah B. Whipple, Battle Creek, Michigan; Sra. Uriah Smith, Battle Creek, Michigan; Sra. Paulina R. Heligass, Moline, Kansas; R. G. Lockwood, St. Helena, Califórnia; Sra. R. G. Lockwood, St. Helena, Califórnia; Reuben Loveland, North Hyde Park, Vermont; Sra. Belinda Loveland, North Hyde Park, Vermont.

Uma visão erroneamente interpretada

Esforços têm sido feitos para interpretar uma visão dada a Ellen White em Topsham, Maine, em 24 de março de 1849, como se tal visão ensinasse esta doutrina errada – a de que não mais havia misericórdia para os pecadores. Essa visão foi dada na época em que as "batidas de Rochester" (espiritismo) estavam sendo introduzidas. Ellen White viu que os misteriosos sinais e maravilhas, bem como as falsas reformas, aumentariam e se espalhariam. Essas reformas não eram reformas do erro para a verdade, mas do erro para algo pior. Nessa visão, Ela não afirmou que não haveria mais reformas do erro para a verdade, mas que o tipo de reforma que lhe fora mostrado, com base na influência humana, era de natureza falsa, pois os que professavam haver recebido uma mudança de coração, só haviam se revestido de uma roupagem religiosa que encobria a iniquidade de um coração perverso. Alguns pareciam estar verdadeiramente convertidos, e, em razão disso, estavam habilitados a enganar o povo de Deus; contudo, se seus corações pudessem ser vistos, pareceriam tão negros como antes.

Ela disse então:

> Meu anjo assistente ordenou-me que olhasse as agonias de alma em favor dos pecadores como era costume haver. Olhei, mas nada vi, pois o tempo para a sua salvação havia passado (*Primeiros Escritos*, p. 45).

Alguns defenderam a ideia de que essa visão ensinava o fim da misericórdia para os pecadores. Nós, porém, perguntamos: Como pode ser esse o caso, uma vez que Ellen White se opôs a essa doutrina desde que José Turner a pregou pela primeira vez na primavera de 1845, e tem trabalhado intensamente durante todo esse tempo pela conversão e salvação de pecadores?

No *Suplemento à Experiência e às Visões*, publicado em 1853, Ellen White declara:

> As "falsas reformas" aqui referidas devem ser ainda mais plenamente vistas. A visão se relaciona mais particularmente com os que têm ouvido e rejeitado a luz da doutrina do advento. Eles são entregues a poderosos enganos. Não terão as "agonias de alma pelos pecadores" como anteriormente (*Primeiros Escritos*, p. 45; ver nota de rodapé).

Os opositores afirmam saber mais acerca do que Ellen White viu nessa visão do que ela própria. Consideremos a visão, por um momento, segundo a versão apresentada pelos opositores, isto é, que ela estava vendo a condição dos pecadores, e não a condição dos pregadores de falsos reavivamentos. Se for assim, ela estava olhando *para* os pecadores, buscando encontrar "as agonias de alma *em favor* dos pecadores", mas nada viu. Quem já encontrou as agonias de alma *pelos* pecadores simplesmente olhando *para* um pecador? Perguntamos, porém: o que dizer das pessoas, mencionadas no testemunho acima, que simplesmente usavam a influência humana e a hipnose para ganhar conversos, e, chamavam isso de obra do Espírito de Deus? Será que esses opositores, tão ávidos por demonstrar que Ellen White ensinou a teoria extremista da porta "fechada", estão prontos para admitir que esses pregadores eram pessoas santas, ganhando genuínos conversos?

É evidente, para qualquer pessoa sincera, que a classe de pessoas mencionada aqui era a que professava possuir essa agonia de alma, tendo, contudo, rejeitado a luz e a verdade, e passado a usar o hipnotismo para ganhar conversos. Esses, de fato, não podiam possuir genuína agonia de alma pelos pecadores, quando eles próprios estavam sujeitos à condenação, pois "o tempo para a *sua* salvação havia passado" [isto é, o tempo para a salvação deles próprios, ou seja, dos pregadores falsos que professavam ter a agonia de alma pelos pecadores].

Baseados na visão de Ellen White de 24 de março de 1849, algumas pessoas tentaram forçar a conclusão de que ela teria ensinado o término da misericórdia para os pecadores. Já demonstramos, no entanto, que em 1845, em Paris, Maine, ela ensinou que havia misericórdia para todos os que não tivessem rejeitado consciente e intencionalmente a luz e a verdade. Numa visão dada na mesma localidade, em 1846, foi mostrado que o Senhor tinha "um povo nas igrejas que não havia rejeitado a verdade". Para os indivíduos que pensavam de forma diferente, foi dada uma repreensão, declarando que os anjos de Deus ainda iriam trabalhar por tal povo, e que, quando o fizessem, aqueles que os estavam acusando seriam deixados fora.

Novamente, em abril de 1848, o irmão White e sua esposa estavam trabalhando em Rocky Hill, Connecticut, pela conversão de pecadores. Tudo isso prova que a visão de 24 de março de 1849 está em harmonia com a que foi dada em Paris, Maine, em 1846, e com o curso de ação adotado por esses servos de Deus em abril de 1848.

Um falso pregador é derrotado

Esta visão foi publicada pela primeira vez em Connecticut, no ano de 1849. Um pastor estava trabalhando com bastante determinação para garantir conversos, até mesmo professando ter o dom de línguas. Ele estava se esforçando para ganhar influência sobre o pequeno grupo de observadores do sábado em Rocky Hill, a ponto de chamar uma senhora dentre eles de "uma querida santa do Senhor". Estando presente esse pastor, Ellen White teve uma visão mostrando o carácter enganador do seu trabalho, e que essa "querida santa" estava tomando um curso em desarmonia com o sétimo mandamento. Essa "santa" senhora negou a acusação, e o ministro fez um forte apelo, buscando ganhar simpatia em favor da "pobre santa do Senhor", como ele a chamava. Na noite seguinte, essa jovem mulher teve um ataque de cólera-morbo e pensou que fosse morrer. Ela pediu que chamassem Ellen White e confessou ser verdade o que havia sido revelado acerca dela; confessou ser culpada do pecado que Ellen White havia relatado. Dessa maneira, esse falso obreiro fracassou em enganar este grupo, e o caráter de sua obra foi desmascarado, rapidamente encerrando seus esforços naquele lugar.

Outro falso pregador em Oswego, Nova Iorque

A fim de fornecer mais um exemplo do princípio apresentado no testemunho acima, e para mostrar que o irmão White e sua esposa ainda trabalhavam, em 1849 e 1850, pela conversão dos pecadores, relatamos os seguintes fatos que me foram contados por Elias Goodwin e outros dos membros mais antigos da igreja em Oswego, Estado de Nova Iorque:

Residia ali naquela época (1849) um jovem chamado Hiram Patch. Ele estava noivo de uma jovem com quem logo depois se casou. Eles não eram convertidos, mas estavam assistindo à reunião realizada pelo irmão White e sua esposa, e quase foram persuadidos a se tornarem cristãos. Nesse período, um reavivamento foi iniciado em uma das igrejas em Oswego, não pelo pastorado, mas por um notório membro leigo, tesoureiro das finanças do condado. Esse homem parecia muito zeloso e professava ter grande preocupação pelos pecadores. Ele contorcia as mãos enquanto orava pelos não conversos, aparentando grande angústia pela condição perdida em que se encontravam.

O Sr. Patch e sua noiva foram a essas reuniões de reavivamento, e estavam em dúvida quanto a que decisão tomar. Estavam presentes numa ocasião em que Ellen White teve uma visão em que lhe foi apontado Oséias 5:6, 7. Está escrito ali: "Estes irão com os seus rebanhos e o seu gado à procura do Senhor, porém não O acharão; Ele Se retirou deles. Aleivosamente se houveram contra o Senhor, porque geraram filhos bastardos; agora, a Festa da Lua Nova os consumirá com as suas porções". Foi mostrado a Ellen White que os que realizavam este reavivamento não eram retos para com Deus, e não tinham qualquer verdadeira preocupação de alma pelos pecadores.

Prevendo o fracasso

Então ela disse ao Sr. Patch:

> Foi-me dito que lhe dissesse que, neste caso, a declaração do texto será cumprida literalmente. Espere um mês, e você conhecerá por si mesmo o caráter das pessoas que estão envolvidas no reavivamento, e que professam ter uma preocupação tão grande pelos pecadores.

O Sr. Patch disse: "Vou esperar".

Dentro de 15 dias após a visão, esse tesoureiro, que alegou tal angústia da alma pelos pecadores, em sua agonia fingida, estourou um vaso sanguíneo no estômago, e precisou ficar acamado devido à perda de sangue. As atividades de seu escritório foram assumidas pelo xerife do condado. Juntamente com um dos policiais, o xerife verificou o saldo registrado no livro de contas do tesoureiro. Em seguida, contou o dinheiro antes de assumir a direção do negócio, e percebeu que havia um déficit no valor de mil dólares.

Para o xerife e o policial, parecia impossível que um homem tão zeloso naquele reavivamento pudesse ser culpado de haver roubado o dinheiro. Pensaram que ele tivesse feito algum pagamento nesse valor e se esquecido de marcá-lo corretamente no livro; ou, talvez, ele o tivesse depositado no banco, sem, porém, aparecer nos registros dentro do cofre. Em todo o caso, precisavam pedir dele uma explicação satisfatória, mas deviam fazê-lo com cautela, pois, se o dinheiro estivesse com ele, sem dúvida faria um esforço para ocultá-lo. Combinaram, então, que um deles chegaria primeiro e se esconderia no galpão nos fundos da casa a fim de vigiar a porta de trás, caso houvesse alguma manifestação. Enquanto isso, o xerife entraria pela porta da frente. Quando o xerife se aproximou da casa e entrou pela porta da frente, pôde ver o vestido de uma mulher que estava saindo pela porta de trás. O outro homem, que se havia escondido no barracão, viu a mulher ir rapidamente a um montinho de neve, cavar um buraco, depositar algo nele, cobrir com a neve e retornar à casa.

O xerife se achegou ao leito do tesoureiro e, após indagar sobre sua saúde, deu uma indireta acerca das perplexidades que haviam surgido no escritório, sugerindo que ele provavelmente pudesse explicar o embaraço financeiro. O homem, bastante agitado, levantou as mãos ao céu e, invocando o nome de Deus como testemunha, declarou nada saber acerca do dinheiro. Imediatamente entrou a esposa, querendo saber qual era o problema, e porque seu marido estava tão agitado. O homem respondeu: "Eles acham que temos o dinheiro que lhes pertence". A mulher, então, levantou as mãos da mesma maneira, invocando o nome de Deus como testemunha de que não estavam com o dinheiro, e de que, além disso, nada sabiam acerca dele. Assim que ela terminou a frase, o policial, que, após ela entrar em casa, saiu apressadamente de seu esconderijo e se dirigiu ao monte de neve, interferiu com as seguintes palavras:

> Senhora, o que é isto aqui? Eu pude vê-la sair correndo de casa e depositar isto no monte de neve. E aqui está ele, o saco de dinheiro que faltava, marcado com a seguinte inscrição: 1.000 dólares.

Como seria de esperar, o reavivamento imediatamente desmoronou. O Sr. Patch e sua prometida, após se informarem sobre o caráter do pregador dirigindo aquele reavivamento, tomaram sua posição em favor da verdade e se uniram aos adventistas do sétimo dia como estimados membros até o dia de sua morte.

É evidente que essa visão foi dada para o interesse e especial benefício dos inconversos, resultando na conversão dos pecadores, embora seu uso imediato fosse para com os que eram, eles próprios, pecadores e rejeitados pelo Senhor por sua hipocrisia. "Aleivosamente se houveram contra o Senhor". Professando sentir grandes agonias de alma pelos pecadores, só geraram "filhos bastardos".

Uma obreira hipócrita em Camden, Nova Iorque

Dentre os lugares visitados pelo irmão White e sua esposa, durante o inverno de 1849-1850, estava a cidade de Camden, Nova Iorque, cerca de 64 quilômetros de Oswego. Eles ainda residiam ali. Sobre uma reunião realizada nessa cidade, Ellen White declara:

> Antes de partirmos, foi-me mostrado o pequeno grupo que ali professava a verdade, e, dentre eles, vi uma mulher que professava muita piedade, mas era uma hipócrita e enganava o povo de Deus (*Life Sketches*, p. 129).

Em janeiro de 1884, enquanto trabalhava no Estado de Nova Iorque, fiquei sabendo de alguns detalhes adicionais por meio do Sr. Preston, que morava em Camden por ocasião da reunião mencionada acima, e com quem o irmão White e sua esposa permaneceram durante a reunião:

> Essa mulher ensinava ideias extremistas no assunto de santificação, dizendo que havia um estado de perfeição a ser atingido que permitiria uma pessoa estar totalmente acima da lei de Deus. Ela alegava ter chegado a esse estado perfeito. Estava trazendo aflição à mente de alguns do nosso povo em Camden com esta doutrina acerca da san-

tidade. Foi revelado à irmã White que, apesar de toda essa pretensão à santidade, o coração dessa mulher estava negro pelo pecado, e sua vida era corrupta.

Enquanto nessa localidade, a irmã White recebeu outra visão em presença dessa mulher que aparentava sentir grande angústia de alma pelos inconversos. A irmã White, porém, lhe informou que essa angustia não se travava de genuína agonia de alma pelos pecadores, visto que o próprio modo de vida dela era tal que ela mesma não estava em retidão aos olhos de Deus. "Então", disse Preston, "o que é denominado de *visão de Camden* aplica-se, especial e definitivamente, ao caso dessa mulher, e não à condição dos pecadores em geral, e essa foi nossa compreensão na época".

Após Ellen White relatar sua visão, a mulher se levantou e disse: "Deus conhece meu coração; e se você pudesse vê-lo, saberia que é puro e limpo". Assim, a reunião foi encerrada. Entretanto, não muito tempo depois, a mulher ficou gravemente doente, e achou que iria morrer.

Preciso ver a irmã White. Tenho uma confissão a lhe fazer. Eu lhe havia dito que eu era uma mulher boa e pura. É mentira. Sou uma mulher perversa. Este homem com quem vivo não é meu marido. Deixei um bom marido na Inglaterra e uma criança pequena, e fugi com esse homem. Nós nunca nos casamos. Tenho professado ser médica e vendido medicamentos que jurei no tribunal que me haviam custado 1 dólar por garrafa. No entanto, apenas me custaram 12 centavos por garrafa. Também jurei que a vaca que vendemos para um homem pobre nos custou 30 dólares, quando custou apenas 20 dólares (O relato feito pelo Sr. Preston a respeito da reunião de Camden confirma a afirmação encontrada em *Life Sketches*, p. 129-130, mas fornece detalhes adicionais).

As palavras de Ellen White acerca das "agonias de alma pelos pecadores" não se aplicam aos pecadores em geral, mas a tais hipócritas fingidos como os mencionados nos casos acima. Considerando esses fatos apresentados, que revelam como a doutrina de "não mais haver misericórdia" para os pecadores foi totalmente condenada desde a primeira vez que foi pregada na primavera de 1845; e considerando também que Ellen White tem trabalhado intensamente pela conversão dos pecadores desde 1845, quem pode honestamente acreditar que, em 1850, quando sua obra intitulada *Experiência e Visões* foi publicada, ela buscava ensinar que "não mais havia salvação para os pecadores"?

Um defensor da teoria de "não mais misericórdia"

Até mesmo em 1848, restavam ainda, aqui e ali, indivíduos que declaravam não mais haver misericórdia para os pecadores. Não eram, porém, adventistas do sétimo dia. Um dos que defendiam essa ideia, chamado Sweet, morava na cidade de Rochester, Nova Iorque. Imediatamente após eu haver feito uma profissão pública de fé, e ter sido batizado entre os adventistas do primeiro dia, assisti a reuniões de tenda em Canandaigua, Nova Iorque, conduzida pelo irmão J. C. Bywater e George W. Burnham. O senhor Sweet estava presente, e expressou sérias dúvidas quanto à autenticidade de minha experiência religiosa, porque ele "pensava que não era mais possível, agora, que pecadores se convertessem".

Capítulo 15

Maior Luz e Maiores Maravilhas

"Lembrai-vos, porém, dos dias anteriores, em que, depois de iluminados, sustentastes grande luta e sofrimentos; ora expostos como em espetáculo, tanto de opróbrio quanto de tribulações, ora tornando-vos coparticipantes com aqueles que desse modo foram tratados" (Hebreus 10:32, 33).

O período desde o desapontamento em 1844 até o momento em que recebemos clara luz acerca do santuário e da mensagem do terceiro anjo foi de grande provação. Os adventistas que ainda perseveravam em sua crença de que sua compreensão profética no movimento milerita estava correta foram de fato "expostos como em espetáculo" perante os que supunham ser a mensagem um fracasso total. Por esse motivo, esses fiéis tornaram-se alvo de grande censura. Entretanto, podiam suportá-la alegremente, enquanto, pela fé, permanecessem firmes no Senhor e partilhassem da presença do Espírito Santo.

Dois pontos especiais de ataque

Satanás procurou tentar o povo adventista em dois pontos especiais. O primeiro deles era levar os que estavam firmes na crença de que o tempo profético terminara a adotar a doutrina de que a segunda vinda de Cristo era uma vinda *espiritual*, e que, de alguma forma, ela havia ocorrido ao fim dos 2.300 dias. O segundo ponto era levar os que acalentavam dúvidas acerca de sua experiência anterior a desistir de tudo. Portanto, à medida que a verdade a respeito do santuário e da mensagem do terceiro anjo era gradualmente desdobrada por meio do estudo das Escrituras, as mensagens dadas pelo Espírito de Deus, mediante o dom profético, confirmavam o movimento anterior e ratificavam ser este "uma luz brilhante" posta por Deus no início da jornada a fim de iluminar todo o caminho até a cidade. Além disso, apontavam para as evidências bíblicas de que o segundo advento de Cristo precisava ser literal e pessoal, razão por que não poderia ser o evento ocorrido ao fim dos "2.300 dias".

Manifestações maravilhosas

Se for da vontade de Deus Se comunicar com Seu povo nestes últimos dias por intermédio de visões, será que não deveríamos esperar que, na própria manifestação da visão, haja claras indicações de sua procedência divina? Assim, nas visões que Ellen White recebeu, as indicações quanto a sua origem divina são bem evidentes. Como já mostramos no capítulo 13, o próprio fenômeno observado no decorrer da visão é simplesmente milagroso. Entretanto, existem muitas maravilhas adicionais, que você descobrirá nesta leitura, exibidas em conexão com as visões iniciais de Ellen White. Com efeito, como poderíamos esperar que um dom dessa natureza não fosse acompanhado dessas evidências? Tal dom foi concedido por Deus com o objetivo de atrair a atenção das pessoas e levá-las a exclamar como Moisés: "Irei ali e verei essa grande maravilha". A simples declaração de uma menina pobre, frágil e doente, aparentemente à beira da sepultura, afirmando que o Senhor lhe concedera uma visão, teria sido insuficiente para produzir tamanho interesse. As maravilhosas manifestações que as acompanharam despertaram o interesse nessas visões, e essa jovem passou a receber convites para viajar de lugar em lugar e para anunciar o que Deus lhe ordenara comunicar a outros.

Demonstrações notáveis na terceira visão.

Vou aqui mencionar alguns fatos a respeito da terceira visão de Ellen White, ocorrida na casa de seu pai (ver p. 172). Esses detalhes me foram relatados pelo próprio pai, mãe, e irmã de Ellen White, bem como pela Sra. Sarah Belden e outros.

No aposento onde a visão foi dada, encontrava-se sobre a cômoda uma grande Bíblia de família. Era um exemplar de uma edição impressa em Boston por Joseph Teale em 1822. O livro media 45 x 28 centímetros, com 10 centímetros de espessura, e pesava pouco mais de 8 quilos. Enquanto em visão, ela se levantou, tomou essa pesada Bíblia, que estava aberta, em seu braço esquerdo e a segurou de forma perpendicular a seu corpo. Então, por mais de meia hora, virava com a mão direita de página em página, indicando várias passagens bíblicas. Ela repetia os textos enquanto olhava para o alto, em direção oposta à da Bíblia. Sua irmã Sarah (que posteriormente se casou com Stephen Belden), ou, às vezes, alguma outra pessoa presente, conferiu cada texto a que o dedo de Ellen apontava, e percebeu claramente que, em todos os casos, ela estava repetindo o texto sobre o qual seu dedo repousava. Sua mãe, a Sra. Harmon, disse que Ellen, em seu estado natural, "seria incapaz, devido à falta de força, de erguer da cômoda essa pesada Bíblia; mas durante a visão, segurou-a, aparentemente com a mesma facilidade com que seguraria uma Bíblia de bolso".

Aqui houve realmente um prodígio! Vejamos os pontos principais: uma menina delicada, com apenas 32 quilos, segurou uma Bíblia muito pesada por mais de meia hora numa posição em que um homem forte não poderia fazê-lo por dois minutos; ela passava de um texto a outro, olhando para cima e em direção oposta à Bíblia, e repetia cada texto assim que o apontava; os que ali estavam confirmaram que os textos repetidos correspondiam exatamente aos que ela apontava; por último, a voz emitida era a de uma pessoa que não movimentava os pulmões ou o corpo. Esses fenômenos certamente estão acima de qualquer acusação de terem sido produzidos por intervenção humana, ou de serem efeito de doença. Os que contemplaram essa maravilha consideraram o fato como clara manifestação do Espírito dAquele que falou do meio da sarça ardente. Manifestações como essas ocorridas na terceira visão de Ellen Harmon, onde quer que fossem anunciadas, traziam provas convincentes de que um poder mais do que finito estava presente nas visões.

A visão em Topsham

Logo após esse acontecimento, o grupo de adventistas de Topsham, situada a cerca de 50 quilômetros a nordeste de Portland, Maine, convidou Ellen Harmon para visitá-los, pois ouvira como Deus a estava usando. O convite foi aceito, e pela primeira vez ela fez uma visita àquela cidade. As reuniões adventistas naquele tempo eram realizadas na casa do Sr. Curtiss. A Sra. Frances Lunt (anteriormente chamada Srta. Frances Howland), de Oakland, Califórnia, deu-me o seguinte relato, datado de 19 de janeiro de 1890:

> Eu, juntamente com a família de meu pai, participamos das reuniões da irmã Harmon em Topsham, em 1845, e durante essas reuniões ela teve uma visão. Foi a primeira vez que a vimos em visão. Uma dessas Bíblias antigas [a Bíblia de família Teale, pesando 8 quilos] era de propriedade do irmão Curtiss. Essa grande Bíblia foi pega da cômoda pela irmã Harmon enquanto estava em visão, e textos das Escrituras foram apontados por ela ao virar folha por folha, enquanto seus olhos estavam olhando para cima, em direção oposta ao livro. Os textos por ela repetidos eram ou palavras de instrução, de encorajamento ou de reprovação. Outra peculiaridade ligada à manifestação naquele mo-

mento era a posição do livro. Com sua mão aberta, segurava o livro num ângulo de 45 graus. Nenhuma pessoa era capaz de segurar qualquer livro em ângulo semelhante sem que logo escorregasse das mãos; mas a irmã Harmon segurou essa Bíblia naquele ângulo por vários minutos, tão firmemente como se estivesse colada na mão, enquanto passava de um para outro no aposento.

Depoimento da Sra. Truesdail

Outro relato a respeito dessa mesma visão vem da Sra. M. C. Truesdail, de Trenton, Missouri, datado de 27 de janeiro de 1891. Ela declara:

> Eu tinha quinze anos de idade em 1845. Estive presente por ocasião da primeira visita da irmã Harmon a Topsham, onde recebeu uma visão na casa do irmão Curtiss. Nessa visão, ela pegou a grande Bíblia da família e a segurou numa posição que nenhum outro conseguiu segurar sem que o livro deslizasse.
>
> A irmã Harmon esteve em visão por mais de duas horas. Foi a mais maravilhosa manifestação do poder de Deus que já testemunhei; e já a vi em visão mais de doze vezes. Essas ocasiões eram sempre profundamente solenes e de autoexame; esta, porém, excedeu a todas. Oh! Como tremíamos enquanto a Majestade do Céu nos instruía por meio de Seu frágil instrumento; enquanto ela lia para nós passagens tão reconfortantes e apropriadas à difícil situação em que nos encontrávamos, como Hebreus 2:2, 3; Tiago 5:7, 8; Hebreus 10:35, 39; 1 Pedro 1:7; Lucas 12:32-37, além de muitas outras. Ela segurava a grande Bíblia de família tão alto que fui obrigada a subir numa cadeira para conseguir ler os textos aos quais apontava. Não imagino que a irmã Harmon tivesse mais que cinco centímetros de altura a mais do que eu.

Manifestações como essas convenceram os que eram sinceros de coração de que algum poder sobrehumano controlava aquele humilde instrumento. A partir de então, chamados começaram a chegar das várias regiões da Nova Inglaterra para que ela os visitasse e desse seu testemunho.

É pecado o trabalho manual?

Pouco depois desse acontecimento, Ellen Harmon foi instruída em visão a visitar Paris, no Maine, onde alguns indivíduos acreditavam que era pecado efetuar trabalho manual. O pastor Stephens, de Woodstock, Maine, era o líder desse engano, e exercia forte influência sobre os outros. Anteriormente, ele havia sido um pregador metodista, e era considerado um cristão humilde e fiel. Havia conquistado a confiança de muitos pelo zelo que demonstrava em favor da verdade e pela vida aparentemente santa que levava. Tudo isso levou alguns a acreditar que ele era especialmente dirigido por Deus. O Senhor lhe enviou uma repreensão por meio de Ellen Harmon. Informou-o de que estava contrariando a Palavra de Deus ao abster-se do trabalho, impor seus erros a outros, e condenar todos que não os aceitassem. Esse pastor rejeitou todas as evidências dadas por Deus para convencê-lo de seu erro, recusando-se a reconhecer suas faltas. Seguia suas próprias impressões, fazia cansativas viagens e caminhava grandes distâncias, onde recebia apenas maus tratos. Em tudo isso, considerava que estava sofrendo por amor de Cristo. Havia deixado de lado sua própria razão e juízo.

Com respeito ao testemunho dado por Ellen Harmon e o desfecho desse caso, quero mencionar uma carta recebida da Sra. M. C. Truesdail, que na época residia em Paris, Maine. Após apresentar alguns detalhes em harmonia com o que citamos acima, ela declara:

> Todos fizeram confissões, exceto seu líder, Jesse Stephens. A irmã Harmon alertou-o de que sua carreira em breve chegaria ao fim, a menos que se humilhasse e confessasse seus erros. Todos compreenderam que essa mensagem, de alguma forma, era uma predição de que ele cometeria suicídio.

Eis o desfecho desse caso:

> Após seu pequeno rebanho deixá-lo, ficou deprimido, e logo depois perdeu a razão, recusando-se a comer qualquer coisa preparada pelos ímpios. Ele não tinha tomado conhecimento do meu retorno de Massachusetts quando levei seu jantar. Ele me perguntou, enquanto estendia sua mão esquelética através de uma pequena abertura na janela: "Foi Deus quem lhe enviou com isso, irmã Marion?" Percebendo minha hesitação em responder, recusou-se a provar a comida. Sua lastimável condição, confinado a um pequeno quarto em casa de seu irmão (que era descrente), me fez lembrar da advertência que, tão gentilmente, lhe havia sido enviada do Céu, que tão obstinadamente rejeitara. Dois dias após essa triste visita, ele foi levado de volta à sua família; ali, logo pôs fim a sua vida, cometendo suicídio com uma corda que fizera com seus lençóis (Carta da Sra. M. C. Truesdail, 27 de janeiro de 1891).

O cumprimento de uma predição

No verão de 1845, a convite de Otis Nichols, Ellen Harmon visitou Massachusetts, sendo acompanhada por sua irmã Sarah. Elas passaram a morar com a família do Sr. Nichols. Ele e sua esposa as conduziam de carruagem a diversos lugares a fim de realizarem reuniões em que Ellen Harmon dava seu testemunho. Dessa maneira, ela pôde visitar Boston,

Roxbury e Carver. Por ocasião de sua segunda visita a Boston, Massachu-setts, algo muito interessante aconteceu.

Havia em Boston e seus arredores um grupo de fanáticos que tam-bém considerava o trabalho como pecado. A principal mensagem deles era: "Vendei os vossos bens e dai esmola". Afirmavam estar no jubileu, tempo em que a terra deveria descansar e os pobres deveriam ser susten-tados sem trabalho. Sargent, Robbins e algumas outras pessoas compu-nham a liderança do grupo. Denunciavam as visões como procedentes do diabo, pelo fato de elas revelarem seus próprios erros. Usavam de grande severidade para com todos os que não acreditassem como eles.

Enquanto Ellen Harmon e sua irmã visitavam a casa do Sr. Nichols, os líderes Sargent e Robbins vieram de Boston a fim de pedir um favor dele, declarando que haviam vindo lhe fazer uma visita e passar ali a noi-te. O Sr. Nichols declarou estar feliz por terem vindo, pois as senhoritas Sarah e Ellen Harmon estavam ali, e queria que as conhecessem. Ime-diatamente os dois mudaram de ideia e não houve como persuadi-los a entrar na casa. O Sr. Nichols, então, lhes perguntou se Ellen poderia apresentar sua mensagem em Boston para que eles a ouvissem primeiro e depois fizessem um julgamento. "Sim", responderam, "venham a Boston no próximo domingo [*eles* ainda não haviam recebido o verdadeiro sába-do]. Queremos ter o privilégio de ouvi-la".

O Sr. Nichols me relatou esse acontecimento em 1858 enquanto nos encontrávamos em sua casa, em Dorchester. Afirmou que havia feito todo o cálculo para ir a Boston com sua carruagem, domingo de manhã, a fim de levar Ellen Harmon para a reunião proposta. Naquela noite, porém, durante o culto familiar, ela foi tomada em visão. Após voltar da visão, declarou: "Irmão Nichols, amanhã não irei a Boston; o Senhor me revelou que devo ir a Randolph. Ele tem uma obra para eu fazer ali". O Sr. Nichols tinha grande cuidado quando dava sua palavra de honra. Havia prometido levá-la para Boston no dia seguinte e ansiosamente pergun-tou: "Que farei, pois dei minha palavra de honra a Sargent e Robbins?" "Não se preocupe com isso", disse Ellen, "o Senhor me ordenou ir a outro lugar". "Bem", disse o Sr. Nichols, "não consigo entender". "O Senhor me revelou que entenderemos quando chegarmos lá", declarou Ellen. "Bem", disse o Sr. Nichols, "não há como você chegar lá, a menos que a levemos; só não sei como vou explicar essa questão aos irmãos em Boston". O Sr. Nichols também me informou que,

> durante a visão, a irmã Harmon pôde ver a hipocrisia daqueles ir-mãos. Foi-lhe revelado que não haveria reunião em Boston naquele

domingo; que Sargent, Robbins, e outros opositores, iriam se reunir no domingo com um grande grupo em Randolph (a 20 quilômetros de Boston) e que teríamos de enfrentá-los ali naquela reunião; e que ali ela teria uma mensagem a dar-lhes, a qual convenceria os de coração honesto e sem preconceito quanto a serem suas visões provenientes de Deus ou de Satanás.

Em vez de ir para Boston e, em seguida, Randolph, percorrendo uma distância de 35 quilômetros, eles foram direto para Randolph, chegando lá na hora da reunião. Ali, encontraram os mesmos que haviam concordado em encontrá-los em Boston. O Sr. Nichols disse então: "Agora eu entendo".

Essa tentativa de Sargent e Robbins de se esquivarem do testemunho de Ellen Harmon e a maneira pela qual ela foi direcionada a encontrá-los tiveram grande influência sobre a mente de alguns que ali estavam. Apresento aqui a descrição dada pelo Sr. Nichols acerca dessa reunião:

Manifestações notáveis

A irmã Ellen foi tomada em visão em meio a extraordinárias manifestações, e prosseguiu falando em visão até por volta do pôr do sol, com voz clara, que podia ser bem entendida por todos os presentes. Sargent, Robbins e French estavam muito irritados e agitados por ouvirem a irmã Ellen falar enquanto em visão. Eles declararam que a visão era do diabo, e gastaram toda sua influência e força física na tentativa de destruir o efeito da visão. Cantavam muito alto, e, em seguida, alternadamente falavam e liam a Bíblia em voz alta para impedir que Ellen fosse ouvida. Prosseguiram com isso até findarem suas forças. Suas mãos começaram a tremer de modo que não conseguiam ler a Bíblia. Mas em meio a toda essa confusão e barulho, a voz clara e penetrante de Ellen falando em visão foi distintamente ouvida por todos que ali estavam. Estes homens prosseguiram em sua oposição enquanto conseguiam falar e cantar, apesar da repreensão de alguns de seus próprios amigos, que lhes pediam para parar. Robbins, porém, declarou: "Vocês estão inclinados perante um ídolo. Estão adorando um bezerro de ouro".

O Sr. Thayer, em cuja casa haviam se reunido, não estava totalmente convencido de que a visão era do diabo, como Robbins afirmava. Queria testá-la de alguma forma. Ele ouvira que as visões dadas pelo poder satânico eram detidas ao se abrir a Bíblia e colocá-la sobre a pessoa em visão. Assim, perguntou a Sargent se este poderia testar a visão dessa maneira. Ele, porém, recusou-se a fazê-lo. Então, o Sr. Thayer tomou a Bíblia de família, grande e pesada (com páginas de 22 x 28 centímetros), que ficava sobre a mesa e era raramente utilizada. Ele a abriu e a colocou contra o tórax de Ellen, que estava em visão, sentada, com as costas inclinadas contra a parede no canto da sala. Logo que a Bíblia foi posta sobre Ellen, ela se levantou e se dirigiu ao meio da sala, segurando, com uma das mãos, a Bíblia aberta, e levantando-a tão alto quanto possível; e com o olhar voltado para cima, declarou solenemente: "O testemunho inspirado de Deus", ou algo assim. E então, enquanto a Bíblia permanecia aberta em uma das mãos, e seus olhos direcionados para cima e não em direção à Bíblia, ela continuou por um longo período a virar as páginas com a outra mão. Ela colocava o dedo sobre certas passagens e recitava os textos corretamente e em tom solene. Muitos dos presentes conferiram essas passagens às quais seu dedo apontava para ver se ela as declarava corretamente, já que os olhos dela, nesse mesmo momento, olhavam para cima. Algumas das passagens mencionadas constituíam juízos contra os ímpios e blasfemadores, e outras eram admoestações e instruções com relação a nossa condição atual.

A mais longa visão (superior a 6 horas)

Ela continuou nesse estado a tarde toda, até o pôr do sol, quando saiu da visão. Quando Ellen se pôs de pé, segurando na mão a pesada Bíblia aberta, andando pela sala e declarando as passagens das Escrituras, Sargent, Robbins e French foram silenciados. Durante o resto da tarde, eles, e muitos outros, ficaram perturbados, mas fecharam os olhos e enfrentaram a situação sem fazer qualquer confissão quanto ao que sentiam (*Spiritual Gifts*, vol. 2, p. 77-79).

TIAGO (JAMES) SPRINGER WHITE
4 de agosto de 1821 – 6 de agosto de 1881

O casamento de Ellen Harmon

Em 30 de agosto de 1846, Ellen Gould Harmon e o irmão Tiago Springer White uniram-se em matrimônio, e, juntos, trabalharam para o avanço da mensagem. Durante o ano de 1847, sua obra limitou-se principalmente ao Estado de Maine e de Massachusetts.

No primeiro sábado de abril, Ellen White recebeu uma visão muito interessante na casa de Stockbridge Howland, de Topsham. Este era geralmente o local em que as reuniões eram realizadas naquela época. Esta é a visão mencionada no livro *Primeiros Escritos* [p. 32], em que lhe foi mostrado o santuário e seus utensílios, o tempo de angústia, os santos fugindo das cidades, os ímpios que os cercavam, o livramento trazido pela voz de Deus, o jubileu, a vinda do Senhor no carro de nuvens, etc. É interessante observar alguns de seus movimentos corporais durante essa visão.

Muitas Bíblias usadas em uma visão

A Sra. Frances Lunt (filha do Sr. Howland), no dia 19 de janeiro de 1890, relatou-me o seguinte:

> Na sala onde as reuniões eram realizadas, havia uma mesa sobre a qual havia diversos tipos de livros. Dentre eles, várias Bíblias de tamanho comum. Enquanto em visão, Ellen White ficou em pé, foi até a mesa, pegou uma das Bíblias sem tocar em qualquer outro livro. Ela então manteve essa Bíblia aberta com a mão esquerda, acima da cabeça, e apontava, com o dedo indicador da mão direita para o texto das Escrituras, que repetia, enquanto permanecia em frente da pessoa a quem o texto fora designado. Após colocar o livro aberto sobre o peito dessa pessoa, retornava à mesa, tomava outra Bíblia, repetia da mesma forma outro texto e colocava a Bíblia aberta sobre o peito da pessoa a quem se dirigia. Esse ato foi repetido com umas seis pessoas. Depois disso, ela graciosamente se assentou numa cadeira. Durante todo este tempo, ela olhava para cima e em direção oposta ao livro.

Referindo-se a esta ocasião, a Sra. Truesdail declara:

> Estive presente [em abril de 1847] quando a irmã White foi até a mesa e pegou Bíblia após Bíblia dentre os livros que ali estavam. Ela colocava a Bíblia sobre o peito da pessoa para quem ela tinha um texto bíblico, e isso era feito enquanto seus olhos estavam voltados para o céu. Nessa ocasião, ela segurava a Bíblia acima de sua cabeça enquanto falava a mim; e então, colocou a Bíblia sobre meu peito. A passagem que me foi dada era: 2 Coríntios 6:17 (Carta da Sra. M. C. Truesdail, 27 de janeiro de 1891).

A Sra. Frances Lunt, em uma carta que escreveu, fornece o nome de três pessoas que estavam presentes nessa ocasião, e sobre quem as Bíblias foram postas enquanto Ellen White lhes declarava o texto de cada um. Dentre esses nomes, está o da Sra. Truesdail.

Os primeiros esforços entre os adventistas

Sob a direção do dom de profecia, a obra de Ellen Harmon, desde janeiro de 1845 até a primavera de 1846 – totalizando quase 18 meses – concentrou-se nos "crentes" na iminente vinda de Cristo, aqueles com os quais estivera associada anteriormente. No período intermediário decorrido entre o término dos 2.300 dias (em 22 de outubro de 1844) e o momento em que compreenderam a razão do desapontamento bem como a natureza do evento ocorrido, houve perigo de que os crentes se deixassem levar por ideias errôneas ou desistissem completamente de sua experiência passada. A mensagem que ela lhes deu foi: "O movimento passado era de Deus. Mantenham-se firmes na fé. O Senhor ainda tem uma obra para Seu povo. Estudem a Bíblia. Examinem a palavra e encontrarão a luz".

Essa instrução está em harmonia com o propósito do Senhor. O propósito de Deus sempre foi que a mensagem especial para Seu povo viesse à luz, no momento certo, através de Sua Palavra; então, "em segundo lugar", deveria entrar em cena o dom de profecia para confirmar e edificar os crentes.

Encontramos um notável exemplo desse fato no caso de Cornélio, conforme registrado no livro de Atos. Um anjo de Deus lhe apareceu e lhe deu uma visão em sua própria casa. O anjo conhecia muito bem as verdades do evangelho e poderia tê-las ensinado a Cornélio. Contudo, ao dar-lhe a visão, ele havia sido enviado para servir alguém que era herdeiro da salvação. O anjo lhe assegurou que sua devoção e consagração haviam sido aceitas pelo Senhor. No entanto, não pregou o evangelho a Cornélio, mas simplesmente lhe instruiu a que chamasse Pedro, que estava hospedado com Simão, o curtidor, em Jope. Pedro veio, e anunciou a Cornélio o evangelho de Cristo a partir das Escrituras.

A posição correta do dom de profecia

Nesse ponto, vale a pena notar a ordem de desenvolvimento dos dons que foi estabelecida por Deus em Sua Palavra. Paulo fala dela na carta aos Coríntios. Ele diz: "A uns estabeleceu Deus na igreja, primeiramente, apóstolos; em segundo lugar, profetas" (1 Coríntios 12:28).

Ao considerar a declaração do apóstolo referente à relação desses dons na obra do evangelho, percebemos prontamente a razão pela qual esta sequência deve ser seguida. Ao comparar os dons, Paulo afirma: "De sorte que as línguas constituem um sinal não para os crentes, mas para os incrédulos; mas a profecia não é para os incrédulos, e sim para os que creem" (1 Coríntios 14:22). No plano de Deus, Sua mensagem especial para o mundo deve ser anunciada a partir de Sua Palavra. Assim, Ele leva as pessoas a examinar as Escrituras e a avançar como apóstolos, com a responsabilidade de transmitir as mensagens do Senhor e proclamá-las a partir da Bíblia, um livro que tem resistido ao teste do tempo. À medida que os crentes começam a surgir, o dom de profecia vem "em segundo lugar", cumprindo sua parte "com vistas ao aperfeiçoamento dos santos para o desempenho do seu serviço, para a edificação do corpo de Cristo" (Efésios 4:12).

Capítulo 16

A MENSAGEM DO TERCEIRO ANJO

"Seguiu-se a estes outro anjo, o terceiro, dizendo, em grande voz: Se alguém adora a besta e a sua imagem e recebe a sua marca na fronte ou sobre a mão, também esse beberá do vinho da cólera de Deus, preparado, sem mistura, do cálice da Sua ira, e será atormentado com fogo e enxofre, diante dos santos anjos e na presença do Cordeiro. A fumaça do seu tormento sobe pelos séculos dos séculos, e não têm descanso algum, nem de dia nem de noite, os adoradores da besta e da sua imagem e quem quer que receba a marca do seu nome. Aqui está a perseverança dos santos, os que guardam os mandamentos de Deus e a fé em Jesus" (Apocalipse 14:9-12).

A mais solene advertência da Bíblia

Esta é a mais solene advertência que a Bíblia contém, e certamente não há nenhum registro na história mundial de que esta mensagem tenha sido ouvida no passado. Já provamos que as mensagens do primeiro e o segundo anjos, que antecedem essa narrativa, pertencem à geração atual. De forma ainda mais convincente, portanto, fica estabelecida a ideia de que a mensagem do terceiro anjo não pertence às gerações passadas.

O irmão J. V. Himes afirmou em 1847:

> O capítulo 14 [de Apocalipse] apresenta um surpreendente clamor *que ainda há de ser anunciado* como um alerta à humanidade nessa hora de forte tentação (versículos 9-11). Uma declaração de ira tão terrível como esta não é encontrada em nenhum outro lugar no livro de Deus. Diante de uma advertência tão terrível, não fica implícita a manifestação de uma forte tentação? (Joshua V. Himes, *Statement of Facts Demonstrating the Rapid and Universal Spread and Triumph of Roman Catholicism*, p. 112).

Abriu-se o santuário e foi vista a arca

J. N. Andrews afirmou acerca dessa mensagem:

> A abertura do lugar santíssimo no santuário do Céu, que permite visualizar a arca, é um evento que ocorre sob o soar do sétimo anjo. Assim como o ministério de nosso Sumo Sacerdote é transferido para esse compartimento no fim dos 2.300 dias, entendemos que a abertura do templo é marcada pelo término desse período, conforme representado pela proclamação do primeiro anjo. O fato de nosso Sumo Sacerdote entrar no lugar santíssimo, para ministrar perante a arca de Deus, chama a atenção da igreja para os mandamentos de Deus contidos naquela arca. A luz dos mandamentos de Deus tem resplandecido do santuário celestial desde aquela época [após o fim dos 2.300 dias].

A mudança do sábado

É fato incontestável que o quarto mandamento foi mudado, há alguns séculos, do dia de repouso do Senhor para o festival pagão do domingo. Essa alteração foi feita em flagrante contradição com as Escrituras Sagradas, que em toda parte reconhecem o *sétimo* dia como o único sábado do Senhor, de ocorrência semanal. Essa mudança foi realizada pelo grande apóstata, de quem Daniel profetizou que cuidaria em mudar os tempos e a lei. Esse poder é essencialmente o mesmo da besta que seria adorada por todo o mundo. É um fato de profundo interesse que este mandamento, pisado por tanto tempo, esteja, agora, sendo recuperado, e o povo de Deus esteja começando a guardá-lo juntamente com os outros nove. Graças sejam dadas a Deus, pois Ele está preparando os remanescentes para enfrentarem o conflito final que terão com o dragão e para terem entrada, pelas portas, na cidade santa (Apocalipse 12:17, 22:14, Almeida Antiga). A vindicação do quarto mandamento em oposição ao sábado da apostasia [o domingo] e a pregação de todos os mandamentos de Deus constituem um impressionante testemunho de que o presente é o período da paciência dos santos e da advertência do terceiro anjo (J. N. Andrews, *The Three Angels of Revelation 14:6-12*, p. 131, 132).

Ressaltamos nos capítulos anteriores como as mensagens do primeiro e segundo anjos se cumpriram na grande proclamação da segunda vinda, chegando a 22 de outubro de 1844. A passagem bíblica que introduz este capítulo diz: "Seguiu-os o terceiro anjo", isto é, ele veio em seguida do primeiro e do segundo. Talvez seja apropriado, neste contexto, chamar a atenção para o surgimento da mensagem do terceiro anjo.

Os primeiros adventistas observadores do sábado

Durante o "clamor da meia-noite" de 1844, o Senhor começou a direcionar a mente de Seu povo para a guarda do sábado do sétimo dia. Essa doutrina surgiu entre os adventistas da seguinte maneira: Raquel Preston, batista do sétimo dia, mudou-se para Washington, New Hampshire, onde havia uma congregação de adventistas. Ela aceitou a doutrina adventista e, graças a seu trabalho missionário, levou aquela igreja de cerca de 40 membros a aceitar o sábado do quarto mandamento (Rachel Preston morreu em Vernon, Vermont, 1° de fevereiro de 1863, aos 59 anos de idade). Esse episódio estimulou uma investigação sobre o assunto. No *Midnight Cry* de 5 de setembro de 1844, lemos o seguinte:

> Muitas pessoas têm a mente profundamente preocupada acerca de uma suposta obrigação de observar o sétimo dia.

Essa declaração apareceu num editorial, no qual se fez um débil esforço para estabelecer as reivindicações da observância do domingo. O assunto teve continuidade na edição de 12 de setembro de 1844, onde encontramos uma importante declaração que levou muitos a começar um estudo sério e atento sobre o tema:

O sétimo dia, o único dia determinado na lei

> Na semana passada, fomos levados à seguinte conclusão: *Não há nenhuma porção específica de tempo que os cristãos sejam obrigados por lei a separar como tempo sagrado.* Se essa conclusão estiver incorreta, pensamos, então, que *o sétimo dia* seja o único dia para a observância do qual haja qualquer *lei* (*Midnight Cry* de 12 de setembro de 1844).

O artigo de T. M. Preble

Como grupo, a atenção dos adventistas foi chamada para a questão do sábado por meio de um artigo de T. M. Preble, datado de 13 de fevereiro de 1845, e publicado no *Hope of Israel*, Portland, Maine, em 28 de fevereiro de 1845. Após apresentar as reivindicações do sábado bíblico, e a evidência de que fora mudado para o domingo pela grande apostasia, Preble ressalta:

> Assim, vemos o cumprimento de Daniel 7:25, o chifre pequeno mudando os "tempos e as leis". Por conseguinte, parece-me que todos os que guardam o primeiro dia como o dia de repouso são observadores do domingo do Papa e violadores do sábado de Deus (J. N. Andrews, *History of the Sabbath*, p. 506, edição de 1887).

J. B. Cook sobre a questão do sábado

Logo após a publicação desse artigo, surge um artigo de J. B. Cook que demonstrava não haver nenhuma evidência bíblica para a guarda do domingo como dia de repouso. O artigo conclui com esta sucinta frase:

> Assim, *todo* o vento é facilmente retirado das velas dos que navegam, talvez inconscientemente, sob a bandeira do sábado papal.

Embora esses dois homens tenham observado o sábado por pouco tempo, foram eles que lançaram morro abaixo uma bola de neve que não poderia ser facilmente detida. As frases, "observadores do domingo do Papa", "violadores dos mandamentos de Deus", e "navegando sob a bandeira do sábado papal" estavam na boca de centenas de pessoas ansiosas por conhecer a verdade sobre o assunto. Foi assim que a atenção do irmão José Bates, de Fairhaven, Massachusetts, foi chamada para o assunto, e ele aceitou o sábado em 1845.

José Bates aceita o sábado

A experiência de José Bates foi assim: ao ouvir sobre um grupo de pessoas, em Washington, New Hampshire, que guardava o sábado, desejou visitar essa igreja e ver o que isso significava. Ao visitá-los, e estudar o assunto com o grupo, viu que estavam corretos, e imediatamente aceitou a luz acerca do sábado. Voltando a New Bedford, Massachusetts, encontrou-se com um irmão muito ilustre na ponte entre New Bedford e Fairhaven, que o abordou desse modo: "Capitão Bates, quais são as novidades?" O irmão Bates respondeu: "A novidade é que o sétimo dia é o sábado do Senhor, nosso Deus". "Bem", disse o homem, "eu vou voltar para casa, ler minha Bíblia e considerar o assunto". Ele fez isso, e quando se encontraram novamente, esse irmão havia aceitado a verdade sobre o sábado e o estava guardando.

JOSÉ BATES
8 de julho de 1792
– 19 de março de 1872

O primeiro livro sobre o sábado

O irmão Bates começou imediatamente a pregar sobre essa verdade em vários Estados. Logo percebeu que um livro, ou mesmo um folheto, sobre o assunto do sábado poderia servir de grande ajuda em seu trabalho. Assim, foi guiado pelo Espírito de Deus a escrever e publicar algo acerca do assunto. Mas a grande questão era: como publicar sem dinheiro? Tudo que possuía era um xelim de Iorque (moeda inglesa equivalente a 12 centavos e meio de dólar na época). Pode ser de interesse ler o relato de sua experiência acerca desse incidente da forma como me contou em 1855.

2 quilos de farinha

José Bates me informou que, enquanto orava diante de Deus, resolveu escrever um livro sobre o sábado, e teve uma forte impressão de que o caminho seria aberto para publicá-lo. Assim, assentou-se à escrivaninha para começar a escrevê-lo, com a Bíblia e uma concordância abertas perante si. Uma hora depois, a Sra. Bates entrou no aposento e disse: "José, não tenho farinha suficiente para completar a fornada". Além disso, ela mencionou alguns outros pequenos itens de que necessitava. "Quanta farinha lhe falta?", perguntou o capitão Bates. "Cerca de dois quilos", respondeu a esposa. "Sem problema", respondeu ele. Após ela sair do aposento, ele se dirigiu a um mercado próximo, comprou os 2 quilos de farinha, bem como os outros artigos, trouxe-os para casa e assentou-se novamente junto à escrivaninha. Poucos instantes depois, a Sra. Bates entrou e, vendo os artigos sobre a mesa, exclamou: "De onde vem esta farinha?" "Por quê?", disse o capitão, "não é suficiente? Você disse que queria 2 quilos". "Sim", disse ela, "mas onde você a conseguiu?" "Eu a comprei", disse ele; "Não é essa a quantia que você queria para fazer a fornada?" "Sim", continuou a Sra. Bates, "mas *você*, capitão Bates, um homem que já pilotou navios saindo de New Bedford em direção a todas as partes do mundo, será que *você* foi capaz de sair e comprar *2 quilos* de farinha?" "Sim, não era a quantidade que você precisava para completar a fornada?" "Sim", disse a Sra. Bates, "mas você saiu para comprar *2 quilos* de farinha!"

11 mil dólares gastos para a verdade

Outra provação aconteceu em seguida. Quando o capitão Bates abandonou o mar, vendeu sua cota do navio por 11 mil dólares. Mas já havia gasto tudo no avanço da causa da verdade. Até essa data, a Sra. Bates não sabia nada de sua real situação financeira. O capitão Bates, então, sentiu que deveria informar a esposa sobre a situação. Calmamente ele disse: "Esposa, eu gastei nesses itens os últimos centavos que tinha". Soluçando amargamente, a Sra. Bates perguntou: "Que vamos fazer?" O capitão se levantou e, com toda a dignidade de um capitão dirigindo seu navio, disse: "Vou escrever um livro. Vou fazê-lo circular e espalhar pelo mundo a verdade do sábado". "Bem", disse a Sra. Bates em meio a lágrimas, "de que vamos viver?" "O Senhor abrirá o caminho", foi a resposta sorridente do capitão Bates. "Sim", disse a Sra. Bates, "o Senhor irá abrir o caminho! Isso é o que você sempre diz", e, irrompendo em lágrimas, saiu do aposento.

Suprimento inesperado

Depois de meia hora de trabalho, o capitão Bates sentiu a impressão de que devia ir ao correio, pois lá haveria uma carta para ele. Dirigiu-se ao correio e viu que de fato havia ali uma carta endereçada a ele. Naquela época, o preço da postagem de cartas era de 5 centavos, e o pré-pagamento era opcional. O remetente da carta, por alguma razão, havia deixado de pagar a postagem. E mais uma vez, o capitão Bates ficou humilhado ao ser obrigado a contar para o agente postal, o Sr. Drew, a quem conhecia bem, que não poderia pagar pela postagem, pois estava sem dinheiro. Mesmo assim, fez-lhe esse pedido: "Você me permitiria ver de onde vem essa carta?" "Leve-a", disse o agente postal, "e pague-me em outra oportunidade". "Não", disse o capitão Bates, "não irei sair do correio com esta carta até que a postagem seja paga". Segurando a carta, disse: "Tenho a impressão de que há dinheiro nesta carta". Voltando-se para o agente postal, perguntou-lhe: "Você poderia abri-la, por favor? Caso haja dinheiro dentro dela, você pode descontar o valor da postagem; e se não houver, eu não a lerei". O chefe de correio atendeu ao pedido, e eis que continha uma nota de 10 dólares! Ele constatou, ao lê-la, que a carta era de uma pessoa que disse ter ficado tão impressionada por Deus de que o irmão Bates estivesse precisando de dinheiro que se apressou a enviar-lhe aquele valor. Na pressa, provavelmente havia se esquecido de pagar a postagem.

Depois de pagar pela carta, o capitão Bates dirigiu-se ao mercado, comprou um barril de farinha por 4 dólares, além de batata, açúcar e outros artigos necessários. Ao dar as instruções quanto ao local de entrega, disse: "Provavelmente a dona da casa dirá que a entrega não é dela, mas não preste qualquer atenção ao que ela disser; deixe a mercadoria na varanda da frente".

Saindo dali, foi a uma gráfica e fez arranjos para a publicação de um livreto de aproximadamente 100 páginas, com o acordo de que, assim que o manuscrito fosse fornecido, os publicadores deveriam datilografá-lo o mais rápido possível e enviar-lhe as provas. Ele pagaria pelo trabalho assim que recebesse o dinheiro, e não retiraria os livros da gráfica até que as faturas fossem todas pagas.

O capitão Bates bem sabia que ninguém lhe devia dinheiro, mas sentiu que era seu dever escrever aquele livro, confiante de que o Senhor impressionaria os corações para que lhe enviassem o dinheiro quando fosse necessário. Após comprar papel, canetas, etc., dando tempo para que as compras do mercado chegassem em casa primeiro, foi até a esquina da rua de sua casa. Ao ver que as compras já estavam lá, entrou em casa pela porta dos fundos e assentou-se novamente junto a sua escrivaninha. A Sra. Bates entrou e disse entusiasmada: "José, olhe ali fora na varanda da frente! De onde vêm essas compras? Um entregador veio aqui e queria descarregá-las. Eu disse a ele que a compra não era minha, mas ele descarregou mesmo assim". "Bem", disse o capitão Bates, "acho que não há problema". "Mas", disse a Sra. Bates, "de onde veio isso?" "Bem", disse o capitão, "foi o Senhor que enviou". "Sim", disse a Sra. Bates, "foi o Senhor que enviou; é o que você sempre diz". Ele entregou então a carta para a esposa, e disse: "Leia-a, e você saberá de onde vem isso". Depois de ler a carta, ela novamente saiu chorando, mas com um choro bem diferente do primeiro; e ao retornar, humildemente pediu perdão por sua falta de fé.

Chegou o dinheiro para pagar pelo livro

À medida que o trabalho de escrever e imprimir avançava, o capitão Bates recebia de tempo em tempo dinheiro pelo correio ou de outra forma, e, às vezes, de pessoas totalmente desconhecidas. Assim que recebia o dinheiro, passava-o para os impressores, que o creditavam em sua conta. Finalmente, chegou o dia em que os livros estavam impressos, e por meio de uma fonte que o irmão Bates nem esperava, a dívida restante foi paga. Assim, a circulação dos livros não sofreu nem um dia sequer de atraso.

O pagamento da última fatura

H. S. Gurney, de Memphis, Michigan, contou-me, em Março de 1884, a história do pagamento da última fatura. Esse irmão contou ter recebido 100 dólares, na mesma manhã em que o livro do irmão Bates ficou pronto, referentes a uma dívida já caducada, de alguém que já havia declarado que nunca lhe pagaria. Recebendo esse dinheiro, considerou um privilégio empregar parte dele pagando a última fatura do livreto sobre o sábado escrito pelo irmão Bates. "Mas o irmão Bates", disse o Sr. Gurney, "até o dia de sua morte não ficou sabendo *quem* havia pago o restante da dívida do livro". Essa experiência do irmão Bates em imprimir a verdade sobre o sábado pareceu dizer a seguinte mensagem a nosso povo desde o início da publicação da verdade sobre a questão do sábado: "Prossigam nessa obra, e vocês podem esperar que a providência de Deus abrirá o caminho à medida que vocês avançarem".

As dúvidas do irmão Bates com relação às visões

A declaração a seguir, resumida do livro *Life Sketches*, mostrará como se deu a união do dom de profecia e da reforma do sábado:

Em 1846, enquanto visitava a cidade de New Bedford, Massachusetts, Ellen Harmon conheceu o irmão José Bates. Ele havia abraçado a fé adventista logo no início, e era um ativo trabalhador na causa. Era um verdadeiro cavalheiro cristão, cortês e amável. Ele tratou Ellen Harmon com muita ternura, como se fosse sua própria filha. Na primeira vez que a ouviu falar, manifestou profundo interesse, e assim que ela terminou seu discurso, ele se levantou e disse:

> Sou um incrédulo Tomé. Não acredito em visões. Mas se eu pudesse crer que o testemunho relatado pela irmã, hoje à noite, foi de fato a voz de Deus para nós, seria o homem mais feliz da Terra. Meu coração está profundamente comovido. Creio que a palestrante é sincera, mas não consigo explicar como lhe foram mostradas as coisas maravilhosas que nos relatou.

Ellen aceita o sábado

O irmão Bates guardava o sábado e enfatizava sua importância. Ellen, naquela época, não percebia a importância do verdadeiro sábado, e pensava que o irmão Bates estivesse cometendo um erro ao demorar-se sobre o quarto mandamento mais do que sobre os outros nove. Contudo, o Senhor deu a ela uma visão do santuário celestial. O templo de Deus, no Céu, foi aberto, e foi-lhe mostrada a arca de Deus, coberta pelo propiciatório. Dois anjos, um em cada extremidade da arca, estavam com as asas abertas sobre o propiciatório, com rostos voltados para ele. Seu anjo acompanhante lhe informou que isso representava toda a hoste celestial olhando, com temor e reverência, para a lei de Deus que havia sido escrita pelo dedo de Deus. Jesus levantou a cobertura da arca e ela pôde ver as tábuas de pedra nas quais os dez mandamentos estavam escritos. Ellen ficou surpresa ao ver o quarto mandamento, no centro dos dez preceitos, com um suave halo de luz que o circundava. O anjo disse:

Este é o único dos dez que aponta o Deus vivo como Criador dos céus e a terra, e tudo o que neles há. Quando os fundamentos da Terra foram lançados, foi, então, lançado também o fundamento do sábado.

Foi-lhe mostrado que, se o verdadeiro sábado tivesse sido guardado, nunca teria havido um infiel ou um ateu. A observância do sábado teria preservado o mundo da idolatria.

O quarto mandamento foi pisoteado; por isso somos chamados para reparar a brecha que foi feita na lei e a defender o sábado que tem sido pisado aos pés. O homem do pecado, que se exaltou acima de Deus, e cuidou em mudar os tempos e as leis, efetuou a mudança do sábado do sétimo dia para o primeiro dia da semana. Ao fazer isso, ele abriu uma brecha na lei de Deus.

Imediatamente antes do grande dia de Deus, uma mensagem é enviada a fim de advertir o povo para que retorne à lealdade para com a lei de Deus, que o anticristo quebrou. Pelo ensino e pelo exemplo, deve a atenção do povo ser chamada para a brecha na lei. Além disso, foi-lhe também revelado que o terceiro anjo de Apocalipse 14, o qual proclama os mandamentos de Deus e a fé de Jesus, representa o povo que recebe essa mensagem e ergue a voz em advertência ao mundo para que guarde os mandamentos de Deus e Sua lei como a menina dos olhos, e que, em resposta a esse aviso, muitos abraçarão o sábado do Senhor (*Life Sketches*, p. 95, 96).

A experiência de Ellen Harmon e do irmão Bates estava em harmonia com o método de trabalho adotado por Deus. A atenção tanto de Ellen como de Tiago White foi chamada para a questão do sábado através do irmão Bates, que lhes apresentou, por meio das Escrituras, as reivindicações da imutável lei de Deus. Embora Ellen tivesse sido alvo de manifestações especiais provenientes de Deus por cerca de 18 meses, nada sobre esse assunto lhe fora previamente apresentado. Agora, à medida que os crentes eram despertados para guardar Sua lei, chegara o momento de Deus lhes transmitir luz por meio do dom de profecia. Dessa forma, e segundo Seu modo agir, os dois aspectos da mensagem do terceiro anjo, "os mandamentos de Deus e o testemunho de Jesus Cristo", foram unidos.

Início da mensagem do terceiro anjo

A partir desse momento, a mensagem do terceiro anjo, em conjunto com as dos outros dois anjos, começou a ser proclamada. A verdade sobre o sábado, em ligação com a arca de Deus e a crescente luz acerca do santuário, confirmou o que havia sido previamente revelado: que o movimento adventista anterior foi fidedigno e veio à existência pela providência divina. Agora, compreenderiam, melhor que antes, o significado dos "três degraus a caminho da cidade de Deus".

O irmão Bates aceita as visões como provenientes de Deus

Em novembro de 1846, houve uma conferência em Topsham, Maine, em que esteve presente o irmão Bates. Nessa reunião, Ellen White, que havia se casado com o irmão Tiago White, conforme mencionamos, recebeu uma visão que fez com que o irmão Bates ficasse plenamente convicto de que a origem das visões era divina. Ele havia viajado no oceano durante 50 anos, passando por todos os cargos, desde camareiro até capitão e proprietário de navios. Segundo me informou, seu conhecimento sobre astronomia era tão grande que era capaz de dizer, com bastante acerto, sua localização no mar quanto à latitude e longitude simplesmente por observar os astros. Alguém assim naturalmente se interessaria em falar sobre astronomia.

Em nossa conversa, ele me contou sobre como ficara convencido da origem divina das visões. Disse que, em determinada ocasião, tinha procurado conversar com Ellen White a respeito das estrelas, mas logo percebeu que ela não sabia nada de astronomia. Na realidade, pelo que ela lhe havia dito, nem sequer se lembrava de haver lido qualquer livro sobre o assunto. Não sentia inclinação para conversar sobre o tema, e logo mudou de assunto, falando sobre a nova terra e o que lhe fora mostrado em visão a respeito dela.

Os "céus abertos"

No ano anterior, num periódico chamado *Illustrated London News*, Lord Rosse tinha publicado, no dia 19 de abril de 1845, uma matéria de grande interesse para os astrônomos a respeito das maravilhosas descobertas que fizera por meio de seu enorme telescópio – especialmente um panorama do que os astrônomos chamam de "buraco no céu". Certa noite, durante a conferência de Topsham mencionada acima, Ellen White teve uma visão na casa do Sr. Curtiss em presença do irmão Bates, que estava ainda indeciso com relação às manifestações. Ela começou a falar sobre as estrelas, dando uma brilhante descrição dos cintos de coloração rosada que viu por sobre a superfície de algum planeta, e acrescentou: "Estou vendo quatro luas". "Oh", disse o irmão Bates, "ela está vendo Júpiter!" Em seguida, tendo feito movimentos como se viajasse pelo espaço, começou a descrever os cinturões e anéis em sua beleza sempre variável. Disse então: "Estou vendo sete luas". O irmão Bates exclamou: "Ela está descrevendo Saturno".[12] Em seguida, ela disse: "Estou vendo seis luas", e nesse instante começou a descrição dos "céus abertos" em sua glória, descrevendo-o como abrindo-se para a uma região ainda mais iluminada. O irmão Bates disse que a descrição que ela deu superava, em muito, qualquer relato dos céus abertos que ele já havia lido de qualquer autor.

Enquanto ela falava ainda em visão, ele se levantou e exclamou: "Oh, como eu gostaria que Lord John Rosse estivesse aqui esta noite!" O irmão White lhe perguntou: "Quem é Lord John Rosse?" "Oh", disse o irmão Bates, "ele é um grande astrônomo Inglês. Eu queria que ele estivesse aqui pra escutar o que esta mulher diz sobre astronomia, e para ouvir essa descrição dos 'céus abertos'. Isso está à frente de tudo o que já li sobre o assunto". A partir daquela noite, o irmão Bates ficou plenamente convencido de que as visões estavam além do conhecimento e controle de Ellen White. Por esse fato, juntamente com o caráter das reprovações e instruções que eram dadas, ele se convenceu de que as visões eram de Deus.

Esse fenômeno nos céus descrito por Ellen White naquela visão é algo raramente mencionado por escritores astrônomos. Em seu livro *Systema Saturnium*, publicado em 1659, Christiaan Huygens, o descobridor do fenômeno, dá a seguinte descrição:

Uma gloriosa luz na espada de Órion

Na espada de Órion há três estrelas muito próximas. Em 1656, enquanto eu observava com um telescópio a mais centralizada dessas estrelas, em lugar de uma única estrela, doze estrelas podiam ser vistas. Três delas quase tocavam umas nas outras. Juntamente com outras quatro, elas brilhavam através de uma nebulosa, de forma que o espaço ao redor delas parecia muito mais brilhante do que o resto do céu, o qual estava totalmente limpo e parecia completamente enegrecido. Este céu podia ser visto como que por uma abertura numa cortina. Essa abertura possibilitava visualizar uma região ainda mais brilhante.

William Herschel diz o seguinte sobre essa abertura no céu:

Se seu diâmetro, a esta distância, subtender um ângulo de 10 graus, que quase o faz, sua magnitude deve ser totalmente inconcebível. Calcula-se que deva ter dimensão 2 trilhões de vezes maior que a do sol.

---

[12] Nota do editor: Foi José Bates quem nomeou os planetas que Ellen White estava descrevendo. Ela não afirmou que estava vendo Júpiter ou Saturno, mas apenas descreveu o que lhe era mostrado na visão, durante a qual ficava alheia a tudo que se passava ao redor. Loughborough explica que "Esta era a quantidade de luas de Saturno conhecidas na época. Mais luas tanto de Júpiter como de Saturno já foram descobertas desde então". É evidente que a visão foi útil para José Bates, porém não representava os planetas que ele nomeou.

Mais brilhante que o sol

Thomas Dick, o filósofo, assim falou sobre essa brilhante nebulosa:

> Se ficássemos próximos a essa nebulosa a uma distância correspondente à metade da distância até a estrela mais próxima – que já é uma distância extremamente grande –, em tal ponto no espaço, ela exibiria um esplendor aproximado ao do sol; e para os que estivessem a uma distância muito mais próxima, ela preencheria uma grande parte do céu e teria um esplendor inexprimível. Mas o propósito final de tal objeto, em todos os seus aspectos e relações, talvez se desenvolva durante as futuras eras de uma infindável existência; e, como muitos outros objetos no distante espaço da criação, ele produz na mente um ardente desejo por contemplar as cenas esplêndidas e misteriosas do universo um pouco mais desdobradas (*Dick's Sideral Heavens*, p. 96).

O irmão Bates, na conclusão de um artigo sobre o assunto, afirma:

> Vemos, assim, por todos os testemunhos apresentados (e poderíamos mencionar muito mais caso fosse necessário), que temos aqui, no céu, um fenômeno muito maravilhoso e inexplicável: uma *lacuna* no céu de mais de 17 bilhões, 702 milhões, 740 mil e 505 quilômetros em circunferência [17.702.740.505 km]. Diz o celebrado Huygens: "Nunca vi algo assim entre o restante das estrelas fixas – uma visualização desimpedida para outra região mais iluminada".

Outro testemunho na visão dos planetas

Mais uma vez citamos a Sra. Truesdail, presente na ocasião em que foi dada a referida visão. Ela diz:

> A irmã White estava com a saúde debilitada. Enquanto orações eram oferecidas em seu favor, o Espírito do Senhor desceu sobre nós. Logo notamos que ela estava inconsciente para as coisas terrenas. Esta foi sua primeira visão sobre o mundo estelar. Após contar em voz alta as luas de Júpiter, e, logo após, as de Saturno, ela nos deu uma bela descrição dos anéis deste último. Disse então: "Os habitantes são um povo alto e majestoso, bem diferente dos habitantes da terra. O pecado nunca entrou aqui". Era evidente, pelo sorriso estampado no rosto do irmão Bates, que suas dúvidas passadas, com relação à origem das visões de Ellen, estavam rapidamente desaparecendo. Todos sabíamos que o capitão Bates era um grande amante da astronomia, pois frequentemente localizava muitos corpos celestes para nos instruir. Após a visão, quando a irmã White lhe disse, em resposta às suas perguntas, que ela nunca havia estudado ou adquirido qualquer conhecimento nesse sentido, ele se encheu de felicidade e alegria. Louvou a Deus e expressou sua crença de que essa visão, acerca dos planetas, foi dada

para que ele nunca mais duvidasse (Carta da Sra. Truesdail, datada de 27 de janeiro de 1891).

Cavalo domado imediatamente

Pouco depois dessa reunião em Topsham, outro surpreendente incidente ocorreu em conexão com as visões. Vou relatá-lo segundo me foi contado pelo irmão Bates:

O irmão White estava usando um potro parcialmente domado e uma carroça de dois bancos, construída sem para-brisa, mas com um degrau na frente e um degrau de ferro nos eixos. Necessitava de extremo cuidado ao guiar o potro, pois, caso as rédeas ou qualquer outra coisa tocasse seus flancos, poderia instantaneamente começar a coicear. Precisava, portanto, ser mantido com as rédeas continuamente esticadas para evitar que saísse correndo. Eles estavam se dirigindo à casa dos donos desse potro, e, como o irmão White estava acostumado a montar potros não domados, pensou que não teria problema com esse. Se soubesse, contudo, que em suas manifestações frenéticas o potro já havia matado duas pessoas, uma delas esmagada contra as pedras à beira da estrada, ele teria ficado menos confiante.

Nessa ocasião, havia quatro pessoas na charrete: o irmão White e sua esposa no banco da frente, e o irmão Bates e Israel Damon no banco de trás. Enquanto o irmão White tomava o máximo cuidado para manter o cavalo sob controle e Ellen White falava acerca da verdade, o poder de Deus desceu sobre o grupo e ela foi tomada em visão, estando assentada na charrete. No momento em que ela gritou "Glória!", entrando em visão, o potro repentinamente parou, ficando perfeitamente imóvel, e baixou a cabeça. Simultaneamente, Ellen White se levantou, ainda em visão, e, olhando para o alto, passou por cima da parte frontal da charrete, descendo sobre os eixos e apoiando-se com as mãos sobre o quadril do potro. O irmão Bates gritou então para o irmão White: "O potro vai matar essa mulher a coices". Ao que o irmão White respondeu: "O potro agora está sob o controle de Deus. Não quero interferir". O potro permaneceu tão calmo quanto um cavalo velho. O barranco à beira da estrada tinha uns 2 metros de altura e havia um gramado do outro lado da cerca. Com seus olhos ainda direcionados para o alto e sem olhar para baixo uma vez sequer, Ellen White subiu no barranco e passou para o campo gramado. Em seguida, andou de um lado para o outro por alguns minutos, falando e descrevendo as belezas da nova terra. Após isso, com a cabeça na mesma postura, desceu o barranco, veio até a carruagem, subiu nos degraus colocando as mãos no quadril do potro, pisou nos eixos e voltou para a carruagem. No momento em que ela se assentou no banco, retornou da visão. Naquele instante, o cavalo, sem qualquer indicação do condutor, começou a andar seguindo viagem.

Enquanto Ellen White estava fora da charrete, o irmão White pensou em testar o cavalo, para saber se estava realmente domado ou não. Primeiro, apenas o tocou com o chicote. Em outras ocasiões, o cavalo teria respondido com um coice, mas agora não havia movimento algum. Em seguida, deu-lhe uma boa pancada, depois mais forte, e mais forte ainda. Contudo, o potro não deu qualquer atenção às pancadas, mas parecia tão inofensivo quanto os leões cujas bocas foram fechadas pelos anjos quando Daniel passou a noite na cova dos leões. "O lugar era solene", disse o irmão Bates, "e era evidente que o mesmo Poder que produziu as visões havia, momentaneamente, subjugado a natureza selvagem do potro".

Se essa visão era simplesmente o resultado de alguma enfermidade corporal de Ellen White, surge naturalmente a questão: "Será que o cavalo também havia sido afetado?"

O testemunho de Israel Damon

Apresento aqui algumas declarações que confirmam o relato dado pelo irmão Bates:

> Cerca de 20 anos atrás, logo após eu ter começado a guardar o sábado, Israel Damon me contou os detalhes de quando a irmã White teve a visão enquanto ele, o irmão Bates, o irmão White e esposa viajavam na charrete guiados por um potro rebelde. Li hoje a descrição do acontecimento mencionado acima, escrito pelo irmão Loughborough. Ela está precisamente de acordo com o que o irmão Damon me contou. Assinado, R. S. Webber, Battle Creek, Michigan, 9 de fevereiro de 1891.

O testemunho do irmão Bates sobre as visões

O irmão Bates narra sua própria experiência nas seguintes palavras:

> Embora eu nada visse nelas que militasse contra a Palavra, mesmo assim me sentia alarmado e extremamente provado; e por um longo período relutei em acreditar que as visões estavam acima de qualquer coisa produzida por prolongado estado de debilidade do corpo dela. Por esse motivo, busquei oportunidades, na presença de outros, e em ocasiões em que a mente dela parecia livre de agitação (fora das reuniões), para investigar e fazer um interrogatório cruzado com ela e com seus amigos que a acompanhavam, especialmente sua irmã mais velha, para chegar, se possível, à verdade. Durante as várias visitas que

ela fez desde então a New Bedford e Fairhaven, por diversas vezes a vi em visão, tanto em nossas reuniões como também em Topsham, Maine. Os que estavam presentes durante algumas dessas empolgantes cenas sabem muito bem com que interesse e intensidade eu escutava cada palavra e vigiava cada movimento para detectar fraude ou influência do mesmerismo. Agradeço a Deus pela oportunidade que tive, juntamente com outros, de testemunhar essas coisas. Agora posso falar confiantemente por mim mesmo. Eu acredito que a obra é de Deus, e é dada a fim de confortar e fortalecer Seu povo "disperso", "despedaçado" e "desgarrado" desde o término de nosso trabalho [...] em outubro de 1844. O confuso estado de "Ei-lo aqui!" ou "Lá está!" desde aquele tempo tem causado extrema perplexidade ao sincero e disposto povo de Deus, e extrema dificuldade aos que não eram capazes de explicar os diversos textos conflitantes que lhes eram apresentados. Confesso que recebi luz e instrução sobre muitas passagens que antes não conseguia entender de maneira clara. Creio ser ela uma filha de Deus abnegada, honesta e disposta (Tiago White, *A Word to the Little Flock*, p. 21, New Brunswick, Maine, maio de 1847).

A autora *não* "obtém os pontos de vista" sobre suas visões "com base em ensinamentos ou estudos antecedentes". Na época em que recebeu sua primeira visão, em dezembro de 1844, ela e todo o grupo em Portland, Maine (onde seus pais então residiam), haviam desistido do "clamor da meia-noite", como se fosse coisa do passado. Foi então que, numa visão, o Senhor lhe mostrou o erro em que ela e o grupo em Portland haviam caído. Ela relatou então sua visão ao grupo, e eles reconheceram que a experiência deles do sétimo mês havia sido obra de Deus (Ibid., p. 22).

Como as três mensagens foram consideradas em 1847

As seguintes declarações do irmão Tiago White, escritas em abril de 1847, nos mostram como as três mensagens foram então consideradas:

> Todos os grupos de crentes no segundo advento concordam que o anjo apresentado nos versículos 6 e 7 desse capítulo [Apocalipse 14], representa a mensagem do advento para a igreja e para o mundo. [...] A obra do segundo anjo era mostrar ao povo adventista que Babilônia havia caído. E visto que grande parte deles não tinha conhecimento desse fato até que o poder do "clamor da meia-noite" os despertou a tempo para escaparem das igrejas antes que chegasse o décimo dia, segue-se que, desde o sétimo mês de 1844, a mensagem do terceiro anjo era, e continua sendo, um alerta para que os santos "perseverem" e não voltem atrás, nem "recebam" as marcas das quais o grupo de virgens se havia livrado durante o clamor do segundo anjo.
>
> E será que a verdadeira mensagem para o povo de Deus, desde o sétimo mês de 1844, não tem sido justamente um alerta assim? Certa-

mente que sim. [...] O verso 12 diz: "Aqui está a perseverança dos santos, os que guardam os mandamentos de Deus e a fé de Jesus". Onde você os viu, João? Ora, "*aqui*", durante a mensagem do terceiro anjo. Uma vez que o tempo de perseverança e espera tem ocorrido desde o sétimo mês de 1844, e o grupo que guarda o sábado, etc., surgiu desde aquela época, é evidente que vivemos no tempo da terceira mensagem angélica (Ibid., p. 10, 11).

Capítulo 17

A Verdade Avança em
Meio a Dificuldades

*"Como o pastor busca o seu rebanho, no dia em que encontra
ovelhas dispersas, assim buscarei as Minhas ovelhas; livrá-las-
ei de todos os lugares para onde foram espalhadas no dia de
nuvens e escuridão" (Ezequiel 34:12)*

As pessoas que até 1847 haviam aceitado a mensagem do terceiro anjo
eram pobres em bens deste mundo e, consequentemente, tinham
pouco a contribuir, financeiramente, na propagação da mensagem. O irmão White, sua esposa e o irmão Bates perceberam a importância do
trabalho pessoal entre os irmãos dispersos, bem como a necessidade de
preparar material escrito para colocar nas mãos do povo como forma de
levá-lo ao conhecimento da verdade. O irmão Bates, ao viajar para as
diferentes localidades, trabalhou com extrema perseverança e encontrou
no folheto que havia preparado, e em sua circulação pelo correio, grande
auxílio na apresentação do assunto do sábado.

O sacrifício de uma jovem em favor da verdade

Certa vez, sem dinheiro para pagar a passagem, o irmão Bates estava
para ir a pé de Massachusetts a New Hampshire. Recebeu, então, uma
carta de uma jovem que havia sido contratada como empregada doméstica a um dólar por semana a fim de conseguir meios para contribuir com a
causa. Após uma semana de trabalho, sentiu-se tão impressionada de que
o irmão Bates estava precisando de dinheiro que foi ao patrão e pegou um
adiantamento de salário para lhe enviar cinco dólares. Com essa soma, ele
pagou sua passagem para New Hampshire em transporte público. Realizou ótimas reuniões por onde passou, e muitas almas aceitaram a verdade.

Usando móveis emprestados

A fim de demonstrar o espírito de sacrifício que motivava os primeiros pioneiros dessa mensagem, consideremos a seguinte declaração de Ellen White sobre sua situação no inverno entre 1857 e 1858. Eles moravam em uns aposentos na espaçosa casa de S. Howland, de Topsham, Maine, onde estabeleceram seu lar usando móveis emprestados:

> Éramos pobres e passamos momentos de aperto. Meu marido trabalhava carregando pedras na estrada de ferro, e isso corroeu a pele de seus dedos, resultando em sangramento em muitos lugares. Tínhamos resolvido que não seríamos dependentes, mas que nos sustentaríamos para podermos ter algo com que ajudar a outros. Contudo, não havíamos prosperado. Meu marido trabalhou muito, mas não conseguiu receber o que lhe era devido por seu trabalho.

O irmão White cortando lenha

Meu esposo deixou a estrada de ferro, e, com seu machado, entrou na floresta para cortar lenha. Com uma dor constante em seu lado, trabalhou desde a madrugada até o anoitecer para ganhar cerca de 50 centavos por dia. Ele não conseguia dormir devido à intensidade da dor. Logo recebemos cartas de irmãos em diversos Estados convidando-nos para visitá-los; mas, como não tínhamos recursos para viajar para fora do Estado, nossa resposta era que o caminho não estava aberto diante de nós.

Recebemos uma carta do irmão Chamberlain, de Connecticut, instando-nos a participar de uma conferência naquele Estado. Decidimos ir, se conseguíssemos os recursos. Meu esposo ajustou as contas com seu patrão e constatou que este lhe devia dez dólares. Com metade disso comprei artigos de vestuário que eram muito necessários e, então, remendei o casaco do meu esposo, até mesmo juntando os remendos, tornando-se difícil dizer qual era o pano original nas mangas. Sobraram-nos cinco dólares para nos levar a Dorchester, Massachussets. Nosso baú continha quase tudo o que possuíamos na Terra. Entretanto, desfrutávamos de paz de espírito e de uma consciência limpa, algo que valorizávamos acima dos confortos terrestres.

Passamos na casa do irmão Nichols, e, antes de partirmos, a irmã Nichols entregou cinco dólares a meu esposo, que serviram para pagar nossa passagem a Middletown, Connecticut. Éramos forasteiros nessa cidade, e jamais tínhamos conhecido qualquer irmão daquele Estado. Restavam-nos apenas 50 centavos. Meu esposo não se atreveu a usá-los no aluguel de uma carruagem, mas lançou o baú sobre uma pilha de tábuas e saímos em busca de alguém de mesma fé. Logo encontramos o irmão Chamberlain, que nos levou para sua casa.

Conferência em Rocky Hill, Connecticut

Esta conferência foi realizada em Rocky Hill, num aposento grande e inacabado na casa do irmão Belden. O seguinte trecho, extraído de uma carta escrita pelo irmão White para S. Howland, fornece alguns detalhes interessantes sobre a reunião:

> Em 20 de abril [1848], o irmão Belden enviou sua charrete a Middletown para nos buscar bem como os irmãos dispersos nessa cidade. Chegamos a sua casa [Rocky Hill] perto das quatro da tarde, e, poucos minutos depois, chegaram o irmão Bates e Gurney. Naquela noite, tivemos uma reunião com cerca de 15 pessoas. Na sexta de manhã, os irmãos foram chegando até contarmos cerca de 50 pessoas. Nem todos estavam completamente firmados na verdade. Nossa reunião foi muito interessante naquele dia. O irmão Bates apresentou os mandamentos numa luz clara, e sua importância foi reforçada mediante poderosos testemunhos. A palavra teve efeito em estabelecer os que já estavam na verdade e despertar os que não estavam totalmente decididos (*Life Sketches*, p. 108).

Convidado para o condado de Oswego, Nova Iorque

Como resultado da circulação entre os adventistas do panfleto preparado pelo irmão Bates, pessoas de outros Estados começaram a guardar o sábado. Hiram Edson, de Port Gibson, Nova Iorque, enviou uma carta convidando o irmão White, sua esposa e outras pessoas para participar de uma conferência de guardadores do sábado em Volney, condado de Oswego, em agosto de 1848. Informou que a maioria dos irmãos era pobre, e não podia prometer que fariam muito no sentido de custear as despesas. Como resultado de seu trabalho no campo de feno, o irmão White havia recebido 40 dólares. Parte dessa quantia foi gasta na compra de roupas, que eram muito necessárias, e o restante foi usado para pagar a viagem de ida e volta a Volney.

Essa conferência, a oeste de Nova Iorque, foi realizada num galpão onde o Sr. Arnold guardava charretes. Havia cerca de 35 pessoas presentes, todas que puderam ser reunidas naquela região do Estado. Nesse grupo, dificilmente duas pessoas mantinham os mesmos pontos de vista. Cada um lutava por sua própria opinião e declarava estar ela de acordo com a Bíblia. Todos estavam ansiosos em propagar seus pontos de vista e pregá-los. Foram informados, porém, que o irmão White e sua esposa não haviam percorrido uma distância tão grande para ouvi-los, mas, sim, para lhes ensinar a verdade. O Sr. Arnold cria que os mil anos de Apocalipse 20 estavam no passado, e que os 144 mil mencionados no

Apocalipse correspondiam ao grupo que havia ressurgido por ocasião da ressurreição de Jesus.

O Sr. Arnold se opõe às ordenanças

Quando os emblemas da morte de nosso Senhor foram postos perante esse grupo, estando eles prestes a recordar Seus sofrimentos, o Sr. Arnold se levantou e disse que não tinha fé no que eles estavam prestes a fazer; que a ceia do Senhor era uma continuação da páscoa, e devia ser observada apenas uma vez por ano.

Essas estranhas diferenças de opinião trouxeram grande peso sobre Ellen White. Ela bem sabia que o Sr. Arnold estava em erro. Ela sentiu então uma grande aflição pesando sobre sua mente, pois parecia que Deus havia sido desonrado. Alguns temiam que ela estivesse morrendo, mas os irmãos Bates, White, Chamberlain, Gurney e Edson oraram por ela, e o Senhor em Sua misericórdia ouviu as orações de Seus servos e a fez reviver. A luz do Céu repousou sobre ela, e ela logo se perdeu para as coisas terrenas. Enquanto nesse estado, foi-lhe mostrado alguns erros dos que estavam presentes, bem como a verdade em contraste com esses erros. Ela pôde ver que esses pontos de vista discordantes, que os irmãos alegavam estar de acordo com a Bíblia, se harmonizavam apenas com suas próprias opiniões a respeito da Bíblia. Foi-lhe mostrado que eles precisavam abandonar seus erros e se unir na mensagem do terceiro anjo. A reunião terminou de maneira gloriosa; a verdade triunfou. Os que mantinham essas estranhas diversidades de opinião confessaram seus erros, uniram-se na verdade presente da mensagem do terceiro anjo, e Deus os abençoou grandemente.

Visão em que a Bíblia foi usada de maneira maravilhosa

O próximo relato dessa reunião vem de Alexander Ross, em 4 de janeiro de 1884, que era um dos 35 indivíduos presentes. Ele conta:

> A irmã White, enquanto em visão, levantou-se e tomou a Bíblia da família na mão esquerda. O livro era de tamanho normal. Enquanto segurava a Bíblia aberta, no alto, sem olhar para ela, com a mão direita passava de texto em texto e, apontando para o versículo, o recitava. Eu estava olhando vários dos textos para ver se ela citava aquele ao qual apontava. Eu ou algum outro dos que ali estavam verificamos todos os textos. Em todos os casos, ela não apenas repetiu o texto a que apontava, mas o fez enquanto olhava para cima, em direção oposta à Bíblia. Foram esses versos mencionados por ela que derrubaram as falsas

teorias dos observadores do sábado reunidos em Volney, em agosto de 1848, e nos uniram na verdade.

De fato, uma pessoa precisa ser muito obstinada para não se convencer e renunciar a erros de doutrina corrigidos sob tais circunstâncias, com trechos claros citados da Bíblia, e de maneira tão notável. Esse grupo de observadores do sábado no condado de Oswego, depois de seus erros serem corrigidos dessa forma, uniram-se na verdade e saíram daquela reunião a fim de espalhar a luz a outros. Os resultados, sem dúvida, davam evidência de terem sido dirigidos por Deus. Satanás está sempre pronto a dividir, distrair e dispersar por qualquer meio que puder empregar. "Porque Deus não é Deus de confusão, senão de paz, como em todas as igrejas dos santos" (1 Coríntios 14:33, ACF).

Milagres de cura

Após a conferência que acabamos de mencionar, algumas reuniões foram realizadas no condado de Madison, Port Gibson, Port Byron, e na cidade de Nova Iorque. Em seguida, houve uma reunião geral em Connecticut. Em alguns desses lugares, o Senhor Se aproximou muito de Seus servos, e o poder restaurador do grande Médico desceu sobre os doentes em resposta às fervorosas orações de Seu povo à medida que seguiam a regra estipulada na carta de Tiago (Tiago 5:14, 15). Até mesmo pessoas desenganadas pelos médicos foram curadas de suas doenças. Incidentes dessa natureza têm acontecido muitas vezes desde 1845.

Os pioneiros resistem a dificuldades

O irmão White, na *Review and Herald* de 5 de fevereiro de 1880, referindo-se a esses dias iniciais, declarou:

> Em nossa obra inicial, passamos fome por falta de alimentação adequada, e frio por falta de roupa apropriada. Privamo-nos até mesmo das necessidades diárias para poupar dinheiro para a causa de Deus. *Ao mesmo tempo*, nos desgastávamos terrivelmente a fim de realizar a grande quantidade de trabalho que parecia necessária em escrever, editar, viajar e pregar de Estado em Estado.

O ano de 1848 foi memorável, não só na história do adventismo, mas também do ponto de vista político. As verdades da mensagem do terceiro anjo estavam bem definidas, e o caminho estava se abrindo em diversas direções para o avanço da obra. Naquele momento, os acontecimentos no mundo moral e político assumiam uma forma calculada para despertar novamente a atenção dos estudiosos das profecias. A grande confusão não se limitava às nações do Velho Mundo. Em Hydesville, condado de Wayne, Nova Iorque, começaram as manifestações do espiritismo moderno, considerados pelos estudiosos da Bíblia como "espíritos de demônios, operadores de sinais, [que] se dirigem aos reis do mundo com o fim de ajuntá-los para a peleja do grande Dia do Deus Todo-Poderoso".

Confusão entre as nações em 1848

No dia 21 de fevereiro de 1848, Luís Filipe da França, rodeado de seus cortesãos, declarou: "Jamais estive mais firmemente estabelecido no trono do império do que nesta noite". No crepúsculo da noite seguinte, vestindo uma "jaqueta de marinheiro" e disfarçado de charreteiro, fugia para fora dos muros da cidade de Paris em busca de refúgio para sua própria segurança. Essa grande mudança repentina parece ter resultado de uma ação dele em favor da usurpação papal, o que ofendeu seus súditos e soldados. Naquele dia, ele havia concluído, na cidade de Paris, uma grande revista militar do exército francês. Quando os soldados ensarilharam as armas, Luís Filipe retornou ao palácio. De repente, um pequeno menino pulou em cima de um canhão, acenando uma bandeira tricolor, e gritou: "FORA COM O PAPA! FORA COM O PAPA!" À medida que os soldados se uniram ao clamor, o tumulto percorreu as fileiras rapidamente, de um lado para o outro, ganhando força à medida que avançava, até que um novo brado se uniu ao primeiro: "E FORA COM O REI!" Em poucas horas, toda a cidade de Paris vivia uma cena de terrível desordem. Os soldados, com armas na mão, acompanhados por uma turba, estavam correndo em direção ao palácio real. Ao ser informado do tumulto, o rei apressou-se em fugir disfarçado.

Nações em alvoroço

A comoção e agitação da França rapidamente se espalhou para outros países. A Prússia, Hanôver, Sardenha, Sicília, Nápoles, Veneza, Lombardia, Toscana e Roma abraçaram o mesmo espírito amotinado. Dentro de três meses toda a Europa estava em comoção, e mais de 30 reinos e impérios estavam em grande desordem. Tronos eram queimados nas ruas, reis e imperadores fugiam e se escondiam por medo de perder a vida. Políticos previam que haveria uma revolução geral dos governos mundiais.

Muitos dos ministros adventistas que ainda não haviam ouvido a mensagem do terceiro anjo viram esta confusão e imaginaram ser ela o ajuntamento das nações para "a peleja do grande dia do Deus Todo-Poderoso" (Apocalipse 16:13-15).

Descoberta a mensagem do selamento

Naquele exato momento, os adventistas do sétimo dia estavam concluindo, por meio das Escrituras, que o sábado do quarto mandamento era o *sinal,* ou *selo,* do Deus vivo, e que havia chegado a hora para a proclamação da *mensagem do selamento* de Apocalipse 10:1-4. Estavam planejando formas e meios para anunciar essa mensagem às pessoas. Enquanto os adventistas do sétimo dia se preparavam para essa obra, os adventistas do primeiro dia diziam: "Vocês estão *atrasados* com sua *mensagem do selamento,* pois a peleja do grande dia e a própria vinda do Senhor já estão sobre nós".

De repente, o tumulto se acalmou

Mais ou menos três meses depois, a revolta entre as nações se acalmou. Contudo, não foi por que os problemas estavam resolvidos, mas por razões que os próprios jornalistas não conseguiam explicar. Horace Greeley, no *Tribuno* de Nova Iorque, faz a seguinte declaração a respeito desse levante:

> Foi uma grande surpresa para todos nós o que deu início tão repentino a essa confusão entre as nações, mas é uma surpresa ainda maior o que a deteve.

Senador Choate fala sobre a situação no velho mundo

Chegamos a 1851, e nessa data encontramos o senador Choate num discurso perante o Congresso dos Estados Unidos, referindo-se à situação predominante no Velho Mundo. Disse ele:

> Vocês já puderam perceber a completa instabilidade da situação e conjuntura que estamos vivendo, cujas sombras, nuvens e trevas parecem pairar sobre nós. Pareceu-me como se as prerrogativas das coroas, os direitos dos homens e os ressentimentos acumulados de milhares de anos estivessem prestes a desembainhar a espada para um conflito em que o sangue fluiria, como na visão apocalíptica, "até os freios dos cavalos", e pelo qual uma raça inteira de pessoas deveria passar; em que o grande sino do tempo haveria de soar mais uma hora para testar a própria sociedade por ferro e fogo, quer este teste provenha ou não da natureza e do Deus da natureza.

O "testemunho" de 18 de novembro de 1848

Os que afirmavam que o alvoroço entre as nações em 1848 iria terminar com a vinda do Senhor ficaram tristemente desapontados. Mas o que se passou com os adventistas do sétimo dia que, em vez disso, afirmavam que era chegada a hora em que o "selo do Deus vivo" deveria ser apresentado ao povo? Para responder a essa questão, citamos um trecho de um panfleto publicado pelo irmão José Bates no mês de janeiro de 1849. Referindo-se a uma circunstância ocorrida no dia 18 de novembro de 1848, ele afirmou:

> Um pequeno grupo de irmãos e irmãs havia se congregado para uma reunião em Dorchester, perto de Boston, Massachussets. Antes do início da reunião, alguns de nós estávamos examinando certos pontos da mensagem do selamento; havia diferenças de opinião acerca do significado correto da palavra "subia", etc., e se havíamos feito da publicação da mensagem um objeto de oração na conferência de Topsham [Maine], que ocorrera pouco antes. A forma de publicação não parecia suficientemente clara; portanto, resolvemos unanimemente levar todas essas preocupações perante Deus. Depois de passarmos algum tempo em oração fervorosa por luz e instrução, Deus concedeu à irmã White a seguinte visão.

Citaremos as palavras exatas de Ellen White enquanto tinha a visão:

Palavras faladas na visão

Onde brotou a luz? Que Teu anjo nos ensine onde a luz irrompeu. Começou pequena, quando concedeste uma luz após outra. O testemunho e os mandamentos estão ligados entre si, não podem ser separados. Os dez mandamentos vêm, em primeiro lugar, de Deus. Ele Se agradou muito quando Sua lei começou a ganhar força, e os lugares devastados começaram a ser reconstruídos. Da fraqueza, ela tornou-se forte ao ser pesquisada Sua palavra. O teste sobre ela foi de um breve momento. É o selo! Está surgindo! Vai subindo, começando com o nascer do sol. Como o sol que, inicialmente frio, vai aquecendo e enviando seus raios. Quando essa verdade surgiu, possuía apenas pouca luz, mas esta tem aumentado. Oh, que poder há nesses raios! Ela cresce em força. O peso e a luz da maior magnitude estão nessa verdade, pois ela dura eternamente, quando a Bíblia não for necessária. Surgiu lá no oriente; começou com uma pequena luz, mas seus raios são para a cura. Oh, quão poderosa é essa verdade; é a mais elevada depois de entrarem na boa terra, mas vai aumentar até que sejam feitos imortais. Começou desde o nascer do sol, mantém seu curso como o sol, mas nunca se põe.

Os anjos estão segurando os quatro ventos. É Deus quem restringe os poderes. Os anjos *não* soltaram, pois os santos não estão todos selados. [...] Quando Miguel se levantar, esta angústia estará sobre toda a terra. Ora, eles estão prontos para soprar. Foi posto um freio porque os santos não estão selados. Sim, publique as coisas que você tem visto e ouvido, e a bênção de Deus irá acompanhar. Veja! Esse *despontar* se dá em *força*, e se torna mais e mais brilhante (*A Seal of the Living God*, p. 24-26).

Após sair dessa visão, Ellen White disse a seu esposo:

Tenho uma mensagem para você. Você deve começar a imprimir um pequeno periódico e enviá-lo ao povo. Que seja pequeno no início; mas à medida que as pessoas lerem, lhe enviarão meios para imprimi--lo, e será um sucesso desde o começo. Desse pequeno começo, foi-me mostrado que seria como raios de luz que circundaram o mundo.

Questionável do ponto de vista humano

Essas previsões acerca do *surgimento* e *propagação* da verdade do sábado foram feitas em 1848. Naquele momento, se analisarmos a situação de um ponto de vista humano, *racionalmente* se diria: "Esta previsão não pode jamais se cumprir". Alguém comentou com um de nossos trabalhadores, logo após a previsão ser feita: "Vai demorar 144 mil anos para realizar o que vocês propõem". "O quê?!", diriam eles, "três pregadores – o irmão White e sua esposa, e o irmão Bates – todos sem dinheiro, com menos de cem adeptos, todos desprovidos de dinheiro, saindo com algumas centenas de exemplares de um panfleto de 80 páginas sobre a questão do sábado para soar uma mensagem de alerta a todo o mundo! *Pretensão ridícula!*" Enquanto os que pensavam assim diziam: "*Impossível!*", a fé na mensagem e o testemunho de sucesso garantido diziam: "Em nome do Deus de Israel isso *será* feito! E, confiando na Sua força, isso *precisa* ser feito!"

Como o primeiro periódico adventista do sétimo dia foi impresso

Desde o momento em que foi dado o testemunho sobre a obra de publicação, muitas orações foram proferidas pelos observadores do sétimo dia para que o Senhor abrisse o caminho para a impressão de um "pequeno periódico". A grande necessidade era de dinheiro para garantir a publicação do primeiro número. No mês de junho de 1849, o irmão White teve a oportunidade de cortar 40 acres de forragem, com uma foice de mão, a 75 centavos por acre; e assim foi capaz de produzir o primeiro número do pequeno periódico. Pode ser apropriado, neste momento, inserir um fac-símile da primeira página do pequeno panfleto. O leitor pode ver, na primeira coluna, as palavras do irmão White. Ele diz: "Só agora o caminho foi aberto para iniciar o trabalho". Pode-se ver que foi o autosacrifício dele que "abriu o caminho".

Relato de Ellen White sobre os primeiros periódicos

Ellen White fez a seguinte declaração a respeito do início da obra editorial:

> Meu esposo começou a publicar um pequeno panfleto em Middletown, a 13 quilômetros de Rocky Hill, Connecticut, e, com frequência, fez essa distância a pé, ida e volta, embora, na época, estivesse mancando. Quando trouxe a primeira edição do escritório de impressão, todos nós nos prostramos ao redor, pedindo ao Senhor, com corações humildes e muitas lágrimas, que derramasse Suas bênçãos sobre os débeis esforços de Seu servo. Ele, então, endereçou o panfleto a todos aqueles que ele imaginava que o leriam, e levou-o para o correio numa bolsa feita de carpete. Cada edição era levada de Middletown para Rocky Hill e, antes de serem preparados os exemplares para os correios, eram postos perante o Senhor, e fervorosas orações, misturadas com lágrimas, eram elevadas a Deus para que Sua bênção acompanhasse os mensageiros silenciosos. Logo chegaram cartas trazendo recursos para publicar o periódico, e as boas novas de que muitas almas estavam abraçando a verdade (*Life Sketches*, p. 260).

A predição de apoio à publicação do periódico se cumpre

É com profunda satisfação que apresentamos a primeira página do primeiro periódico publicado pelos adventistas do sétimo dia. O volume completo da revista *Present Truth* consistia em 11 panfletos de oito páginas de duas colunas. O texto na página media 12 x 20 centímetros. Os números 1-4 foram impressos em julho, agosto e setembro, em Middletown, Connecticut. Os números 5-9 foram impressos em Oswego, Nova Iorque, e são datados de dezembro de 1849, março, abril e maio de 1850. O número 11 é datado de novembro de 1850, e foi impresso em Paris, Maine. O irmão White escreveu o seguinte no número 6:

> Durante a publicação dos primeiros quatro números, recebemos mais do que o suficiente em dinheiro para pagar pelos panfletos. Essa quantia foi usada para pagar nossas despesas nas reuniões a que temos assistido.

THE PRESENT TRUTH.

PUBLISHED SEMI-MONTHLY—BY JAMES WHITE.

Vol.1.   **MIDDLETOWN, CONN, JULY, 1849.**   **No. 1.**

" The secret of the Lord is with them that fear him; and he will shew them his covenant."—Ps. xxv. 14.

" WHEREFORE, I will not be negligent to put you always in remembrance of these things, though ye know them, and be established in the PRESENT TRUTH." 2 Pet. i: 12.

It is through the truth that souls are sanctified, and made ready to enter the everlasting kingdom. Obedience to the truth will kill us to this world, that we may be made alive, by faith in Jesus. " Sanctify them through thy truth; thy word is truth;" John xvii: 17. This was the prayer of Jesus. "I have no greater joy than to hear that my children walk in truth," 3 John iv.

Error, darkens and fetters the mind, but the truth brings with it freedom, and gives light and life. True charity, or LOVE, "rejoiceth in the truth;" Cor. xiii: 6. " Thy law is the truth." Ps. cxix: 142.

David describing the day of slaughter, when the pestilence shall walk in darkness, and destruction waste at noon-day, so that, "a thousand shall fall at thy side and ten thousand at thy right hand," says—

" He shall cover thee with his feathers, and under his wings shalt thou trust; his TRUTH shall be thy SHIELD and BUCKLER." Ps. xci: 4.

The storm is coming. War, famine and pestilence are already in the field of slaughter. Now is the time, the only time to seek a shelter in the truth of the living God.

In Peter's time there was present truth, or truth applicable to that present time. The Church have ever had a present truth. The present truth now, is that which shows present duty, and the right position for us who are about to witness the time of trouble, such as never was. Present truth must be oft repeated, even to those who are established in it. This was needful in the apostles day, and it certainly is no less important for us, who are living just before the close of time.

For months I have felt burdened with the duty of writing, and publishing the present truth for the scattered flock; but the way has not been opened for me to commence the work until now. I tremble at the word of the Lord, and the importance

of this time. What is done to spread the truth must be done quickly. The four Angels are holding the angry nations in check but a few days, until the saints are sealed; then the nations will rush, like the rushing of many waters. Then it will be too late to spread before precious souls, the present saving, living truths of the Holy Bible. My spirit is drawn out after the scattered remnant. May God help them to receive the truth, and he established in it. May they haste to take shelter beneath the "covering of the Almighty God," is my prayer.

The Weekly Sabbath Instituted at Creation, and not at Sinai.

" And on the seventh day GOD ended his work which he had made ; and he rested on the seventh day from all his work which he had made. And GOD blessed the seventh day, and sanctified it: because that in it he had rested from all his work which GOD created and made." Gen ii: 2, 3.

Here GOD instituted the weekly rest or Sabbath. It was the seventh day. He BLESSED and SANCTIFIED that day of the week, and no other; therefore the seventh day, and no other day of the week is holy, sanctified time.

GOD has given the reason why he blessed and sanctified the seventh day. " Because that in it he had rested from all his work which GOD had created and made." He rested, and set the example for man. He blessed and set apart the seventh day for man to rest from his labor, and follow the example of his Creator. The Lord of the Sabbath said, Mark ii: 27, " The Sabbath was made for man." Not for the Jew only, but for MAN, in its broadest sense ; meaning all mankind. The word man in this text, means the same as it does in the following texts. " Man that is born of woman is of few days and full of trouble." Job xiv: 1. " Man lieth down and riseth not, till the heavens be no more." Job xiv: 12.

No one will say that man here means

Durante o ano de 1849, sob a influência desses panfletos e dos esforços pioneiros do irmão Bates, muitos aceitaram a mensagem em Vermont, Michigan e outros Estados.

Em contraste com a situação nada promissora da obra em 1848, vamos considerar alguns fatos referentes ao ano de 1905. Assim, teremos melhores condições de julgar o resultado final dessa causa, e ver quem estava certo: os que se opunham ao início humilde da mensagem, ou o Deus do Céu, que falou através de Sua serva a respeito do *"aumento"* em força da obra do *"selamento"*.

Progresso na obra de publicação

Esta verdade está agora sendo proclamada e publicada em cerca de 40 das principais línguas do mundo. Em vez de três ministros, há mais de 600, contando os que são ordenados e os licenciados, além de centenas de outros que trabalham como médicos, obreiros bíblicos, professores e médicos missionários. A literatura da denominação é apresentada em mais de 50 revistas diferentes, impressas em cerca de 20 editoras localizadas na Europa, Ásia, África, América do Norte e do Sul, ilhas do Pacífico e Austrália. Nessas editoras são publicados mais de 1.100 livros, folhetos e panfletos variados. Se alguém quisesse adquirir um exemplar de cada uma dessas publicações, incluindo a assinatura anual das revistas, teria que se dispor de 340 dólares. Em vez de apenas 100 adeptos, há cerca de 100 mil que se regozijam nesta verdade. Verdadeiramente esta mensagem, assim como o sol, está *"despontando"*, e podemos afirmar, usando a linguagem do testemunho de 1848, "Oh, que *poder* há nesses raios!".

A condição das nações

Enquanto a mensagem avança nesse ritmo, qual tem sido a condição das nações? Desde aquela época, muitas vezes temos sido convidados, por meio dos jornais seculares, a pronunciar declarações sobre a guerra geral que em breve deve ocorrer na Europa. Embora tenha havido alguns conflitos aqui, e um surto acolá, o "tufão" mundial é retido; aos "quatro ventos" não é permitido soprar de uma vez "até que os servos de Deus sejam selados". É evidente para todos que os elementos de conflito e guerra existem, mas não explodem porque são mantidos sob controle.

Henry Ward Beecher, não muito antes de sua morte, disse que manter tão grandes exércitos na Europa era "extrair o sangue de antemão, para evitar que fosse derramado". A situação de rancor e hostilidade entre as nações e a atitude ameaçadora de uma para com a outra foram comparadas por esse escritor a uma "paralisia completa", causada por um grupo de homens apontando punhais para o peito um do outro sem que ninguém se atrevesse a dar o golpe, com medo de também ser golpeado. "Contudo", disse ele, "alguns deles em breve encontrarão o momento favorável para atacar, e então virá a guerra universal".

Comparação do arsenal de guerra

Desde 1848, os instrumentos de guerra que vêm sendo construídos fazem os *melhores* que existiam naquela época parecer meros brinquedos. A "Associação da Paz" da América, ao fazer seu convite aos serviços da paz no domingo da Paz – 15 de dezembro de 1895 – afirmou:

> Na atualidade, enquanto existe um avanço decidido no desenvolvimento social, há, por outro lado, uma preparação para a guerra entre as nações maior do que nunca.

O General Miles fala sobre os preparativos para a guerra

O General Nelson A. Miles, num discurso para a Assembleia em Washington, D.C., em 12 de janeiro de 1904, afirmou:

> Nesta era esclarecida de progresso, e de uma civilização inteligente e refinada, seria gratificante acreditar que os encargos e os perigos da guerra tivessem diminuído; no entanto, por estranho que pareça, nunca houve um tempo, na história do planeta, em que tanta riqueza fosse desperdiçada no preparo para a guerra, nem no qual tantos milhões de homens treinados, qualificados e disciplinados, munidos com as armas mais destrutivas, fossem retirados das avenidas da indústria pacífica quanto no tempo presente.

Contudo, sabemos que o turbilhão da guerra é adiado enquanto a *obra de selamento* continua.

Capítulo 18

Providência de Deus na Obra de Publicações

"Conheçamos e prossigamos em conhecer ao Senhor; como a alva, a Sua vinda é certa" (Oseias 6:3).

Até o mês de junho de 1849, a obra do irmão White e esposa, e do irmão Bates, estava confinada aos Estados da Nova Inglaterra. Nessa época, a Srta. Clarissa Bonfoey, de Middletown, Connecticut, se agregou à família White. Pouco tempo antes, a mãe dela havia morrido, deixando-lhe todas as coisas necessárias para mobiliar uma casa. Essa situação permitiu que irmão White novamente estabelecesse um lar. Eles passaram então a residir em uma parte da casa do Sr. Belden, em Rocky Hill, Connecticut.

O começo do espiritismo moderno

Em 24 de março de 1849, uma assembleia geral foi realizada em Topsham, Maine. Naquele sábado, Ellen White recebeu uma visão cujo assunto era de extrema importância. Talvez uma compreensão geral da situação de então proporcionará uma melhor apreciação da visão.

No fim de março de 1848, em Hydesville, condado de Wayne, Nova Iorque, começaram os "ruídos misteriosos", ou o que mais tarde se tornou conhecido como "batidas dos espíritos". Isso ocorreu pela primeira vez na casa da família Fox. No final do verão, essa família mudou-se para Rochester, Nova Iorque, e foram feitas manifestações públicas no saguão Coríntio. As meninas foram submetidas a exames minuciosos por comissões compostas de homens e mulheres selecionados dentre os melhores cidadãos. Embora a maioria das pessoas encarasse as batidas como uma farsa ou algum truque ou artifício, mesmo os mais crédulos não imaginavam que isso chegaria a grandes proporções.

Previsões relativas ao espiritismo

Na visão mencionada acima, Ellen White viu que as batidas misteriosas, em Rochester e em outros lugares, eram o poder de Satanás, e que tais manifestações se tornariam mais e mais comuns. Viu também que elas seriam revestidas com roupagem religiosa para tranquilizar os enganados, lhes transmitir uma segurança ainda maior, e atrair a mente do povo de Deus, se possível, a essas coisas, fazendo-o duvidar da instrução dada pelo Espírito Santo.

Naquele tempo, porém, poucos tinham qualquer noção de que o espiritismo se alastraria pelo mundo, como então havia sido previsto, ou que algum dia iria admitir ser uma religião, organizada regularmente com igrejas e pastores.

Predição cumprida

O cumprimento da profecia, porém, é óbvio, se considerarmos sua membresia, no início do século 20, declarada como representando 10 milhões apenas nos Estados Unidos. Quanto a sua roupagem religiosa, lemos o seguinte na *Review and Herald*, Washington, DC, de 12 de novembro de 1903:

> Na recente convenção da Associação Nacional dos Espíritas, realizada nesta cidade, adotou-se um novo ritual. Medidas foram tomadas para a "ordenação" de pastores ou ministros, e um grupo de crentes no espiritualismo foi reconhecido como "igreja". Isso se pode ver na seguinte seção desse novo ritual:
>
> "Nenhum pastor ou ministro deve ser estabelecido sobre uma igreja ou sociedade sem antes ter sido formalmente empossado no cargo por meio do que tem sido conhecido, desde os primórdios da história religiosa, como serviço de ordenação. Ninguém pode se tornar um candidato à ordenação até que tenha recebido um chamado para pastorear alguma igreja ou sociedade, ou tenha sido nomeado missionário pela Associação Espírita de algum Estado, incorporada no Estado em que está localizada como organização religiosa, ou pela Associação Nacional Espírita dos Estados Unidos da América. Todos os candidatos ao pastorado ou à obra missionária devem ter pelo menos três anos de plena comunhão com alguma igreja ou sociedade espírita, e, por pelo menos dois anos, ter uma licença de pregador experimental emitida por uma Associação Estadual ou Nacional. Pastores estabelecidos por menos de um ano civil serão inelegíveis para a ordenação".

O irmão White em Oswego, Nova Iorque

Visto que a obra de publicações estava localizada em Oswego, Nova Iorque, o irmão White mudou-se de Connecticut para lá no outono de 1849. Nesse lugar, ele realizou, em 3 de novembro do mesmo ano, uma conferência para os irmãos. A respeito de trabalho subsequente realizado ali, Ellen White declara:

> Decidimos, então, que era nosso dever trabalhar no Estado de Nova Iorque. Meu esposo sentiu que precisava escrever e publicar. Alugamos uma casa em Oswego, tomamos emprestados os móveis de nossos irmãos e organizamos a vida doméstica. Ali meu esposo escrevia, publicava e pregava. Era-lhe necessário manter sempre a armadura, pois, com frequência, tinha de lutar com professos adventistas que defendiam o erro. Estes pregavam o tempo definido e buscavam introduzir preconceito contra nossa fé em todos quantos pudessem (*Life Sketches*, p. 128).

Publicada a revista *Second Advent Review*

No outono de 1850, considerou-se oportuno fazer uma nova mudança. Foi assim que o irmão White mudou-se para Paris, Maine, e ali iniciou a publicação quinzenal do primeiro volume da *Second Advent Review and Sabbath Herald*. A revista, de publicação quinzenal, teve um total de 13 números de oito páginas de duas colunas cada, com tamanho de 18 x 26 centímetros. O primeiro número foi datado de novembro de 1850, e o último número, de 9 de junho de 1851.

O tamanho ampliado do jornal sobre a *Verdade Presente* indicava claramente a expansão proporcional da verdade, o aumento de obreiros na causa e patrocinadores da obra. Já que a distribuição do periódico era gratuita, era de se esperar que os simpatizantes da causa ajudassem em sua publicação, o que foi feito de fato. Embora a comunidade de crentes fosse composta principalmente por pessoas de limitadas condições financeiras, estas contribuíam segundo o Senhor lhes fazia prosperar e, conforme sua capacidade, ajudaram a avançar a caravana da verdade.

J. N. Andrews começa a pregar

Nessa mesma época, J. N. Andrews, residente em Paris, Maine, iniciou seu trabalho público como ministro do evangelho e escritor de temas religiosos. Na *Review* de maio de 1851, publicou um artigo de cinco páginas sobre o tema das três mensagens [angélicas]. Nesse artigo, aplicou a profecia da besta de dois chifres, relatada em Apocalipse 13, aos Estados Unidos. Com base apenas na força da profecia, assumiu a posição de que a obrigação da guarda do domingo, em lugar do sábado, seria o ponto que finalmente conduziria ao estabelecimento, nos Estados Unidos da América, da união entre igreja e Estado. Seu argumento se baseava unicamente na profecia, pois nenhum movimento, naquela época, apontava de maneira expressiva para o estabelecimento do domingo como dia de guarda. A declaração mais forte que podemos encontrar nesse sentido é a do Dr. Durbin, extraída do *Jornal e Advogado Cristão*, que dizia:

> Quando o cristianismo *se torna* a vida moral e espiritual do Estado, o Estado, como medida de autopreservação, fica obrigado, mediante seus magistrados, a impedir a violação aberta do sagrado dia de repouso, o domingo.

Vendendo fazendas para ajudar no trabalho

Foi nessa época que homens como Hiram Edson, de Nova Iorque, e Cyrenius Smith, de Jackson, Michigan, foram levados a vender suas fazendas, cada uma no valor de 3.500 dólares, e a alugar fazendas em que pudessem trabalhar para adquirir meios para ajudar nos diversos empreendimentos que surgiriam na propagação da mensagem.

Mudança da obra de publicações para Saratoga

Em 1851, o irmão White se mudou de Paris, Maine, para Saratoga Springs, Nova Iorque. Mais uma vez montou sua casa com móveis emprestados e publicou o segundo volume da *Advent Review*. O primeiro número foi datado de 5 de agosto do mesmo ano. Esse volume, de publicação quinzenal, consistiu em 14 números. O último número foi publicado em 23 de março de 1852. O nome do periódico sofreu uma leve alteração, e o nome foi mudado de *Second Advent Review*, como no vol. 1, para *Advent Review and Sabbath Herald*, nome que ainda mantém no seu 82° volume. O tamanho da revista aumentou para oito páginas de três colunas, medindo 21 x 30 centímetros.

Veremos que todas as mudanças em aumento de tamanho da que foi e ainda é nossa revista denominacional foram para melhor, e revelam um moderado grau de prosperidade que fornece marcante evidência de que a obra do terceiro anjo "tinha vindo para ficar".

A publicação em Rochester – Aquisição de uma prensa manual

Em 6 de maio de 1852, o primeiro número do Volume 3 da *Advent Review and Sabbath Herald* foi publicado em Rochester, Nova Iorque, num prelo e com tipos pertencentes aos adventistas do sétimo dia. Hiram Edson tinha adiantado uma soma para comprar um prelo manual, modelo Washington, com tipos e materiais necessários para suprir o escritório. Ficou acertado que ele receberia o dinheiro de volta à medida que chegassem doações dos amigos da verdade. Esse prelo manual permaneceu no escritório da *Review and Herald* em Battle Creek, Michigan, até ser consumido pelo fogo em 30 de dezembro de 1902. Na época, era considerada a melhor impressora de provas do escritório. No número 12, vol. 3, de 14 de outubro de 1852, foi anunciado que o custo total do estabelecimento do escritório, prelo e demais materiais era de 652,93 dólares, e que, até aquela data, o total recebido para esse fim totalizava 655,84 dólares. Dessas 12 edições da revista, 2 mil exemplares de cada foram impressos e distribuídos gratuitamente.

Começa a *Youth's Instructor* [Revista Jovem Adventista]

Em agosto, o escritório da *Review* iniciou a publicação do *Youth's Instructor,* uma revista mensal. Atualmente ela é semanal, e cada número possui quatro vezes mais conteúdo do que continha naquela época.

Uriah Smith se une ao escritório

Em 1853, o irmão Uriah Smith começou a trabalhar no escritório da *Review and Herald,* onde ocupou uma posição de responsabilidade por 50 anos. Naquele ano, a *Review and Herald* anunciou pela primeira vez que nossas publicações poderiam ser compradas a preço de custo por quem desejasse. Para todos os demais, o material impresso era gratuito, já que o déficit era coberto pelas doações de pessoas de coração generoso e disposto. Em 1854, foi anunciado que o preço da *Review* quinzenal seria de 1 dólar por ano. Nesse mesmo ano, numa reunião em tenda realizada no condado de McComb, Michigan, no mês de julho, fez-se uma tentativa de vender nossas publicações. Durante essa reunião, foram vendidos livros totalizando 50 dólares. O irmão White, falando dessa tentativa, escreveu na *Review*: "Isso mostra que nossos livros podem ser vendidos".

Fundo de 500 dólares para publicação

A *Review* de 12 de outubro e 24 de dezembro de 1854 fez apelos para conseguir um fundo de 500 dólares que permitiria ao escritório prover aos ministros panfletos para serem distribuídos gratuitamente em conexão com seu trabalho, e também possibilitaria a criação de um fundo de emergência de 500 dólares para o escritório, para garantir a publicação regular semanal da *Review*, e evitar que, ocasionalmente, se pulasse alguma semana por falta de fundos.

J. P. Kellogg e Henry Lyon vendem suas fazendas

Foi neste período que J. P. Kellogg, de Tyrone, e Henry Lyon, que viviam perto de Plymouth, Michigan, venderam suas fazendas, cada uma no valor aproximado de 3.500 dólares, com o único propósito de conseguir meios para usar no avanço da obra. Nesse mesmo espírito, outros dois irmãos em Michigan, em momento oportuno, se prontificaram com recursos e corações dispostos para apoiar onde sua ajuda fosse mais necessária. O primeiro se dedicou à fabricação de vassouras, em Jackson, Michigan, enquanto o segundo mudou-se para Battle Creek e trabalhou no ofício da carpintaria para sustentar sua família.

Todos os nossos artigos e livros por 3 dólares

No final do Volume 4, em junho de 1855, com apenas 3 dólares podia-se adquirir a *Review* e o *Instructor* por um ano, além de um conjunto completo de todos os panfletos, folhetos e um hinário, usado na época – 26 panfletos e folhetos ao todo. O preço estabelecido do *Instructor* era de 25 centavos por doze números.

Pedido de transferência do escritório da Review para Michigan

No mês de abril de 1855, o irmão White e sua esposa visitaram Michigan novamente e realizaram reuniões em vários lugares. Nos dias 28 e 29 do mesmo mês, os irmãos realizaram uma reunião em Battle Creek em que foi votado um convite para que o irmão White transferisse o escritório da *Review* de Rochester para Battle Creek. Dan Palmer, Cyrenius Smith, J. P. Kellogg e Henry Lyon concordaram, cada um, em fornecer 300 dólares, sem juros, somando 1.200 dólares, para comprar um terreno e construir um escritório de publicações. Assim, foi adquirido um terreno na esquina sudeste das ruas West Main e Washington, e ali se construiu um prédio de madeira de dois andares, com dimensões de 6 x 9 metros e pilares de 6 metros.

Primeira sala de reuniões em Battle Creek

Naquela mesma estação do ano, a primeira sala de reuniões dos adventistas do sétimo dia em Battle Creek foi erigida, medindo 5,5 x 7,3 metros. Esse modesto edifício, coberto de alto a baixo com tábuas e ripas, localizava-se perto da esquina noroeste das ruas Van Buren e Cass.

Nosso primeiro escritório de publicações

O primeiro número da *Review* publicado em Battle Creek, num escritório de propriedade dos adventistas do sétimo dia, foi datado de 4 de dezembro de 1855. O preço do periódico foi então estabelecido a 1 dólar por volume contendo 26 números. Além disso, doações foram solicitadas para enviar a revista gratuitamente às pessoas carentes que realmente quisessem. A partir desse momento, os irmãos Waggoner e Cottrell foram colunistas quase constantes da *Advent Review*.

Na *Review* de 18 de dezembro de 1855, a comissão editorial fez uma declaração que pode soar estranha para os atuais funcionários do escritório. Dizia assim:

> Não vemos razão por que os que trabalham no escritório não deveriam receber uma compensação merecida por seus serviços. O editor ganha apenas metade do que poderia ganhar em outro lugar.

Deve-se mencionar que os salários da época não chegavam à metade do que são hoje, e que a "metade" a que se referiu na época não passava de um terço ou um quarto do que o escritório paga hoje por trabalho semelhante. Além disso, os funcionários do escritório doavam, na época, metade do valor de seus serviços para que o evangelho da verdade presente pudesse ser publicado.

Apelo por um prelo a motor

Na *Review* de 19 de março de 1857, foi sugerido, pela primeira vez, a necessidade de um prelo a motor para a impressão das revistas, folhetos e livros. Conforme relatado em 2 de abril, tomou-se a decisão de comprar um prelo Adams, e sete pessoas prometeram contribuir com 100 dólares cada para adquiri-lo. Na edição seguinte, declarou-se que o prelo e o motor custariam cerca de 2.500 dólares, e as contribuições já haviam atingido 1.700 dólares.

Num editorial do irmão White, na *Review* de 13 de agosto de 1857, encontra-se esta animadora declaração:

> Nosso escritório está livre. Temos um fundo geral de livros de 1.426 dólares, agora investido em livros. O novo prelo motorizado está em operação, e funcionando muito bem. Há ainda uma boa probabilidade de que em breve será operado a vapor, e com tudo pago. Nossos programas de tenda estão recebendo um sustento muito melhor do que anteriormente.

Primeiro relatório de venda de livros

A *Review* de 29 de outubro de 1857 relatou que a venda de livros referente aos dois anos anteriores havia sido de 1.287,91 dólares, sendo este o primeiro relatório do tipo feito até então. Isso indicava progresso na causa, e constituía, portanto, fonte de encorajamento, pois mostrava que a verdade estava ganhando força, e, "como correntes de luz, estava circundando o mundo".

Escritório da *Review*: um cofre seguro

A *Review* de 13 de agosto de 1858 divulgou, pela primeira vez, a ideia de que nosso povo fizesse do escritório um local de depósito de seus recursos excedentes. Todos os que não precisavam fazer uso imediato de seu dinheiro poderiam depositá-lo no escritório e retirá-lo, sob solicitação, a qualquer momento em que dele tivessem necessidade. Com isso, dariam ao escritório o benefício de usá-lo. Quando essa sugestão foi posta em prática, a obra passou a ter independência financeira ainda maior.

Desde aquela época até hoje (1905), ninguém jamais perdeu um dólar sequer de qualquer valor emprestado a nossas casas editoras, ou deixou de receber seu dinheiro no momento em que o solicitou. Pessoas sinceras e atentas têm considerado nossos escritórios de publicação um lugar mais seguro que os bancos para depositar seu excedente, pois os bancos muitas vezes entram em falência. Os bancos têm crédito mundano, enquanto nossas casas publicadoras têm "por respaldo" a força de toda a denominação.

Organizada a Associação de Publicações Adventista do Sétimo Dia

A Associação de Publicações Adventista do Sétimo Dia foi organizada em 3 de maio de 1861. Nessa data, correspondências foram circuladas solicitando assinaturas para ampliar o capital a 10 dólares por ação. Em duas semanas, foi anunciado que as ações já somavam 4.080 dólares.

Começando em 11 de junho daquele ano, a *Review* passou a ser publicada pela Associação de Publicações Adventista do Sétimo Dia. O primeiro prédio de escritórios construído pela Associação localizava-se na esquina sudeste, entre as ruas Main e Washington, no local cuja antiga estrutura de madeira foi removida para a rua Kalamazoo. O novo prédio agora contava com dois andares, com paredes de tijolo maciço. Tinha a forma de uma cruz grega, e a fachada era virada para o norte na rua Main.

O comprimento entre as extremidades leste-oeste era de 13 metros, e o das extremidades norte-sul, 22 metros.

Primeiras publicações em outras línguas

A mensagem avançava passo a passo e cada movimento vigoroso fortalecia e consolidava a obra. Nessa época, nossa editora emitia cinco panfletos em línguas estrangeiras, três em dinamarco-norueguês e dois em língua francesa. Foi assim que se iniciou a publicação para países estrangeiros.

Com o aumento contínuo do número de membros, houve um crescimento estável e contínuo das finanças. Esse fato pode ser constatado pelo relatório da *Review* em 16 de maio de 1863, em que o secretário da Associação apresentou a seguinte declaração sobre o total das receitas:

Recebido em ações e doações para a Associação até hoje	10.374,13
Recebido do escritório em Rochester	700,00
Recebido para materiais adicionais	300,00
Recebido para o fundo de livros	1.355,00
Recebido para o prelo a motor	2.500,00
Total	15.229,13 dólares

O secretário afirmou ainda:

Fazendo uma estimativa conservadora sobre a propriedade da Associação, seu valor calculado não deve ser inferior a 20 mil dólares, que é cerca de 5 mil dólares a mais do que o valor que custou aos amigos da causa. Isso testifica da integridade e fidelidade do irmão White e de seus associados no escritório da *Review*. E. S. Walker, *secretário*.

Transferência da *Review* para a Associação de Publicações

Visto que o trabalho editorial alcançara esses resultados pelo empenho e abnegados sacrifícios do irmão White, os lucros decorrentes, na prática, lhe pertenciam. Afinal de contas, o rendimento provinha de sua abnegação, habilidade com os negócios e meticulosa administração. Mas, em vez de reivindicar para si os lucros, ou mesmo parte deles, alegremente entregou tudo à igreja. E ainda mais: quando a Associação, após ser organizada, votou que ele deveria receber 6 dólares por semana pelos serviços prestados, ele aceitou apenas 4 dólares.

Uma revista na costa do Pacífico

Na *Review* de 21 de abril de 1874, havia um artigo do irmão White comentando sobre a obra na costa oeste dos Estados Unidos, ou costa do Pacífico. Ele afirmava ali que logo haveria necessidade de se estabelecer uma revista semanal dedicada aos interesses da causa naquela região. Pouco tempo depois, na cidade de Oakland, abriu-se o caminho para a compra de uma pequena quantidade de tipos móveis e materiais que possibilitaram em junho daquele ano o início da publicação quinzenal do periódico *Signs of the Times*.

Levantando Recursos

Após a impressão de seis números da *Signs*, o irmão White retornou à costa leste, solicitando à Associação da Califórnia que tomasse medidas para a publicação da revista. Na assembleia da Associação Geral, em 15 de agosto de 1874, foi proposto que os irmãos da costa leste levantassem 6 mil dólares para comprar o prelo, o motor e os tipos móveis para o escritório da *Signs*, na condição de que os irmãos da costa oeste levantassem 4 mil dólares para adquirir um local e erguer um edifício apropriado para um escritório.

O irmão George I. Butler, na época membro da Comissão da Associação Geral, participou da reunião campal em Yountville, na Califórnia, e apresentou a proposta aos irmãos. Em 11 de outubro de 1874, eles responderam ao apelo e se comprometeram a doar a soma de 19.414 dólares em dinheiro.

É estabelecida a Pacific Press

Em 2 de fevereiro de 1875, o irmão Tiago White e sua esposa chegaram a Oakland, acompanhados do irmão J. H. Waggoner e outros eficientes obreiros. No dia 12 do mesmo mês, foi convocada uma reunião especial da Associação da Califórnia com o fim de encontrar um local para a construção de edifícios para o escritório da *Signs of the Times*. Após o assunto ser discutido, decidiu-se adquirir os terrenos no lado oeste da rua Castro, entre as ruas 11 e 12. No mesmo dia, o irmão White e John Morrison compraram os terrenos, registrando-os em seus próprios nomes, com a intenção de transferir para a Associação de Publicações, quando fosse formada, toda a quantidade de terra necessária para o uso da corporação.

No dia 1° de abril de 1875, a Associação Adventista do Sétimo Dia de Publicações do Pacífico foi formada em Oakland, com um capital em ações fixado em 28 mil dólares. Conforme combinado, a parte central dos terrenos na rua Castro foi registrada no nome da Associação e um edifício foi prontamente construído por O. B. Jones, de Battle Creek, Michigan. A forma e dimensões do prédio foram as mesmas que as do escritório construído em Battle Creek. A única diferença foi que, em Oakland, a construção foi de madeira em vez de tijolos. Assim que o edifício ficou pronto, a *Signs of the Times* foi transferida para sua nova sede na sexta--feira, dia 27 agosto de 1875.

Mudança para Mountain View

A publicação de revistas e livros foi desenvolvida com êxito nesse edifício até 1904, quando medidas foram tomadas para transferir a publicadora para o interior. O gerente da Pacific Press deu a seguinte explicação para essa mudança:

> Durante anos a direção da *Pacific Press Publishing Company* sentiu que o terreno ora ocupado pela editora é caro demais, e encontra-se num espaço muito apertado no coração de uma grande cidade e numa área residencial destinada a fábricas. Assim, há sabedoria, em muitos aspectos, em procurar algum lugar rural, com terras menos valiosas, onde os funcionários possam adquirir casas com arredores saudáveis, com espaço suficiente para jardins, árvores frutíferas e espaço para respirar, e onde haja boas vantagens de envio de materiais. Tal local foi encontrado e adquirido no vilarejo de Mountain View, Condado de Santa Clara, 63 quilômetros ao sul de São Francisco, um lugar que une muitas das vantagens da cidade com os benefícios de uma saudável vida no campo.

Início da publicação em terras estrangeiras

Como indicador da propagação da verdade, constatamos que, entre 1875 e 1878, a obra de publicações foi iniciada em Basileia, na Suíça, e em Oslo, na Noruega.

No outono de 1875, foi publicado um relatório na *Review* de que a venda de livros, num período de sete anos, de 1868 a 1875, levando em conta apenas o escritório da *Review and Herald*, totalizou 85.644,54 dólares, cerca de seis vezes mais do que os sete anos anteriores; e as vendas dos quatro escritórios juntos (Michigan, Califórnia, Suíça e Noruega) durante três anos, de 1875 a 1878, foram de 98.163,73 dólares.

A *Review* de 17 de outubro de 1878 declarou que todos os livros, panfletos e folhetos impressos pelo escritório da *Review* antes de 1864 somavam 50.058.000 páginas. De 1864 a 1878, o número de páginas era de 158.130.951, ou seja, um total de 208.188.951 páginas.

O *Youth's Instructor* torna-se semanal

Até o dia primeiro de janeiro de 1879, o *Youth's Instructor* era publicado mensalmente, mas nessa data, ao iniciar seu 31° ano, passou a ser emitido semanalmente, quadruplicando sua utilidade.

O que o irmão White entregou à Associação

Na *Review* de 23 de janeiro de 1879, o irmão White fez algumas declarações sobre sua conexão com a causa. Penso ser este o lugar apropriado de apresentá-las, pois lançam maior luz sobre os sacrifícios feitos na obra de publicação. A citação diz:

> Em 1861, quando a Associação de Publicações foi instituída em Battle Creek, Michigan, entregamos à Associação nossa lista de assinantes e o direito de republicar todas as nossas obras (avaliadas em 10 mil dólares), restando-nos apenas o valor de mil dólares, e continuamos nosso trabalho de editor, gerente, e pregador a 6 dólares por semana. Em 1866, quando voltamos para o escritório da *Review*, após grave enfermidade, encontramos os administradores pagando juros de dez por cento sobre milhares de dólares, e as ações reduzidas a 32 mil dólares (3 mil dólares a menos do que o capital investido e doações que haviam entrado); contudo, em quatro anos, com a bênção de Deus, as dívidas foram pagas, as ações aumentaram para 75 mil dólares, e nós [a Associação] tínhamos 5 mil dólares no banco.

Situação da Editora em 1880

O irmão Butler fez a seguinte declaração na *Review* de 15 de janeiro de 1880:

> Nossa editora (em Battle Creek) foi recentemente ampliada com a construção de um prédio central entre os dois edifícios ao leste, resultando, assim, num aumento substancial da capacidade e conveniência de todos. Existem salas para eletrotipagem, estereotipagem e para a produção de excelente encadernação. De fato, os que entendem do assunto declaram que esta é a mais perfeita e completa editora no Estado de Michigan.

Não obstante essa ampliação, tornou-se necessário, antes do término do verão, construir um novo edifício, ao sul do edifício principal, para a sala de impressão. Os cinco prelos motorizados da Associação foram transferidos para essa sala. Um desses prelos era maior do que qualquer outro utilizado no escritório até então. Outro do mesmo tamanho e estilo acabara também de ser instalado no escritório da *Signs of the Times*, em Oakland, Califórnia.

Na *Review* de 17 de maio de 1881, o irmão White, referindo-se ao sucesso da obra de publicação na editora central em Battle Creek, afirmou:

> Subtraia o total de dívidas da Associação de Publicações Adventista do Sétimo Dia de uma cuidadosa fatura da propriedade, e restam, em imóveis e bens, não menos que 105 mil dólares. Desse total, nosso povo tem dado, por meio de ações, doações e legados, a soma de 34.432,17 dólares. Além disso, alguns poucos homens e mulheres fiéis que dedicaram suas vidas à obra adicionaram [não em doações, mas pelo sacrifício e uma cuidadosa administração] 70.567,83 dólares.

Inauguração da obra da colportagem

Em 1881, nosso povo iniciou um novo empreendimento: a obra de colportagem visando à venda de nossas publicações. Na ausência de relatos precisos, feitos pelos colportores, sobre as vendas até o ano de 1884, nosso relatório desse período é feito a partir do total de vendas relatadas pelas quatro editoras. De acordo com números fornecidos, as vendas durante cinco anos foram de 221.248,69 dólares. À medida que a influência do trabalho de nossas missões na Europa Central e países escandinavos se estendeu, a demanda por publicações em idiomas estrangeiros também aumentou.

Venda de livros durante dez anos

No decênio de 1884 a 1894, a venda de nossos grandes livros encadernados era, em grande parte, realizada pelos colportores. Suas vendas nesse período foram de 4.031.391,26 dólares. Nessa época, nossa obra foi ampliada pelo estabelecimento de editoras na Austrália, no Taiti, uma das ilhas do Pacífico, em Helsinque, na Finlândia; em Hamburgo, na Alemanha e em outros lugares. Segundo os relatórios, as vendas dos colportores no ano de 1895, apesar dos tempos difíceis naquele ano, foram de 357.467,23 dólares, o que, incluindo as vendas já mencionadas, faz um total geral de 4.816.773,73 dólares.

Venda de 50 anos – 11 milhões de dólares

Para saber o valor total das vendas de 1854 a 1º de janeiro de 1896, devemos ainda adicionar os números relativos à venda de livros, panfletos, folhetos e diagramas relatados por todas as editoras durante os dez anos mencionados acima. Tal montante é de 3.458.278,23 dólares, que resulta num total de venda de livros da denominação, durante 22 anos, de 8.275.051,96 dólares. Em outras palavras: as vendas de trinta anos (1854-

1884) foram 424.915,24 dólares, e pelos doze anos seguintes, até 1° de janeiro de 1896, 7.850.136,72 de dólares. Apesar da força no campo da colportagem ter diminuído nos últimos oito anos, é uma estimativa segura dizer que, a partir de 1854 até o presente momento (1905), foram vendidos mais de 11 milhões de dólares em publicações adventistas do sétimo dia.

Publicando em cerca de 40 línguas

Fica evidente o progresso da mensagem em forma impressa se considerarmos que já foram dados os primeiros passos na publicação de nossa literatura em cerca de 40 das principais línguas, como o árabe, armênio, soto do sul, tcheco, búlgaro, bengali-índia, chinês, dinamarquês, inglês, estoniano, finlandês, francês, fijiano, grego, alemão, holandês, húngaro, havaiano, italiano, islandês, japonês, xhosa, letão, livoniano, maori, polonês, português, romeno, russo, sérvio, espanhol, sueco, taitiano, tonganês, galês, etc. Nestes vários países e nacionalidades, há trabalhadores ativos propagando a verdade da terceira mensagem [angélica].

O número de livros, panfletos e folhetos impressos em diferentes línguas é maior que 1.187. A aquisição de cada um desses livros, juntamente com a assinatura anual dos 87 periódicos da denominação em diferentes línguas, custaria cerca de 340 dólares [os 87 periódicos estão listados no Yearbook da Associação Geral de 1904].

Localização das 20 editoras

As vinte editoras dos adventistas do sétimo dia estão localizadas em: Avondale, Austrália; Battle Creek, Estado de Michigan; Basileia, Suíça; Oslo, Noruega; Copenhague, Dinamarca; Cidade do Cabo, África do Sul; Calcutá, Índia; College View, Estado de Nebraska; Hamburgo, Alemanha; Helsinque, Finlândia; Londres, Inglaterra; Melbourne, Austrália; Montreal, Canadá; Nashville, Estado do Tennessee; Oakland, Estado da Califórnia; South Lancaster, Estado de Massachusetts; Estocolmo, Suécia; Tacubaya, México; e em Washington, DC. Além dessas editoras, nosso povo está imprimindo periódicos e panfletos em Hong Kong, China; Tóquio, Japão; Cairo, Egito; na América do Sul e nas Ilhas Fiji.

Publicando os primeiros panfletos

Façamos agora uma rápida retrospectiva dos recursos que os pioneiros tinham disponíveis para o trabalho. No outono de 1853, a produção do primeiro livro impresso no prelo Washington, intitulado *O*

Santuário, passou pelas seguintes etapas: um grupo de irmãs coletava e dobrava os cadernos para serem costurados e encadernados; em seguida, o escritor os perfurava com uma sovela; as capas eram então colocadas, e Uriah Smith fazia o acabamento com uma régua de pedreiro e um canivete afiado. Isso se dava devido à falta de equipamento adequado para fazer essa parte do trabalho.

A partir de 1861, toda a literatura da denominação era impressa no prelo motorizado Adams, impulsionado por um motor de dois cavalos. Agora, nos diversos escritórios de publicação, há mais de 40 prelos a vapor funcionando constantemente, imprimindo a presente verdade. Esses escritórios empregam um total de mais de 500 pessoas para realizar o trabalho, enquanto centenas de colportores estão no campo vendendo os livros às pessoas.

No ano de 1862, um conjunto completo de todas as publicações editadas pelos adventistas do sétimo dia podia ser comprado pela quantia de 7,50 dólares; em 1904, como foi mostrado, seriam necessários 340 dólares para adquirir um conjunto completo. Certamente algo maior do que um planejamento humano entrou em ação para produzir tais resultados.

O crescimento da obra editorial entre os adventistas do sétimo dia, como previsto em 1848, tem, efetivamente, se assemelhado ao progresso do sol, que "vai aquecendo, envia seus raios", ou "mantém seu curso como o sol, mas nunca se põe".

Andando pela fé: o testemunho do irmão Stone

O zelo e dedicação de pessoas que têm trabalhado para avançar a obra da mensagem do terceiro anjo são bem descritos na *Review* de 5 de fevereiro de 1884 pelo irmão Albert Stone, um dos pioneiros na causa, que viveu até a avançada idade de 90 anos:

> A história inicial da causa foi um dia de humildes começos, e os recursos utilizados pareciam insuficientes para o trabalho. Contudo, os homens e mulheres de fé sabiam, desde o início, que o poderoso braço do Senhor estava alistado nesse trabalho. Sabiam que o tempo definido para favorecer Sião havia chegado e que o Senhor havia estendido Sua mão para ajuntar Seu povo. Viam que o Senhor estava ao leme e que o navio do evangelho, lotado com a igreja remanescente e com sua carga de verdade restaurada, fé provada e amor perfeito, chegaria ao porto com segurança.

Capítulo 19

"Pelos Seus Frutos os Conhecereis"

"E ele mesmo concedeu uns para apóstolos, outros para profetas, outros para evangelistas e outros para pastores e mestres, com vistas ao aperfeiçoamento dos santos para o desempenho do seu serviço, para a edificação do corpo de Cristo, até que todos cheguemos à unidade da fé e do pleno conhecimento do Filho de Deus, à perfeita varonilidade, à medida da estatura da plenitude de Cristo" (Efésios 4:11, 13).

Quando o Salvador concedeu à igreja os dons do Espírito, para que pudesse realizar, "como Lhe aprouve", a obra do Senhor até que chegasse o dia perfeito, não deixou Seu povo às cegas, sem saber se uma manifestação espiritual era de origem celeste ou de espíritos malignos. Ao contrário, Ele deu regras que serviriam para identificar se o espírito é de Deus ou não. Mesmo nestes últimos dias, em que, conforme predito pelo profeta Joel, o Senhor derramaria Seu Espírito sobre toda a carne, e filhos e filhas profetizariam (Joel 2:28, 29), Paulo declara que o povo não deveria desprezar as profecias, mas julgar "todas as coisas" e reter "o que é bom" (1 Tessalonicenses 5:20, 21).

Que outra forma haveria para testar tais manifestações, senão comparando-as com as regras apresentadas nas Escrituras a fim de discernirmos a obra do Espírito de Deus? Nem tudo o que está acima da compreensão de mentes finitas é, necessariamente, de origem divina, pois a Bíblia declara que, nos últimos dias, Satanás operaria milagres para enganar o mundo e congregá-lo para a batalha daquele grande dia do Deus Todo-Poderoso (Apocalipse 16:14). Portanto, o verdadeiro dom espiritual só pode ser reconhecido mediante cuidadosa comparação de sua manifestação com as regras bíblicas. Exige-se nisso o mesmo cuidado que os homens utilizam na detecção de dinheiro falsificado.

Detectando dinheiro falsificado

No *Bank Note Reporter* de Detroit, de abril de 1863, o Sr. Preston apresentou cinco regras para a detecção de falsificações, declarando que qualquer pessoa que utilizasse essas regras para fazer uma inspeção minuciosa de cada nota recebida jamais precisaria temer ser enganada.

Não há melhor maneira de provar um dom profético do que compará-lo com a descrição dos dons conforme manifestados nos tempos bíblicos, e testá-lo pelas regras apresentadas na Bíblia. As Escrituras nos habilitam completamente para toda boa obra (2 Timóteo 3:16, 17), e fornecem um registro autêntico das manifestações do dom profético, e de como a verdadeira obra do Espírito de Deus pode ser distinguida das operações de Satanás mediante seus dons espúrios.

Regras para discernir os dons verdadeiros

O Senhor forneceu em Sua Palavra pelo menos sete regras distintas pelas quais as manifestações genuínas do Espírito de Deus podem ser distinguidas das manifestações de Satanás.

Regra número um – instrução especial

O profeta Isaías, falando sobre a situação nos últimos dias, declara:

> Resguarda o testemunho, sela a lei no coração dos Meus discípulos. Esperarei no Senhor, que esconde o Seu rosto da casa de Jacó, e a Ele aguardarei. [...] Quando vos disserem: consultai os necromantes e os adivinhos, que chilreiam e murmuram, acaso, não consultará o povo ao seu Deus? A favor dos vivos se consultarão os mortos? À lei e ao testemunho! Se eles não falarem desta maneira, jamais verão a alva (Isaías 8:16-20).

Nesses versos, chama-se a atenção para um povo comprometido em restaurar o *selo* à lei de Deus – um povo que está à espera do Senhor, ativo em Seu serviço. Eles o estão aguardando, isto é, estão aguardando Sua vinda num momento em que espíritos, que professam ser os espíritos dos mortos, estão convidando o povo a consultá-los. Alguns atendem ao convite e vão após os mortos a fim de obter conhecimento. Deus, porém, convida Seu povo a buscá-Lo. Isso significa que, se O buscarem, Ele lhes dará instruções especiais. Não precisam procurar os mortos, que não podem dar informação alguma, pois "os mortos não sabem coisa nenhuma", e "para sempre não têm eles parte em coisa alguma do que se faz debaixo do sol" (Eclesiastes 9:5 e 6).

Nos versos acima, apresenta-se uma regra pela qual todas as comunicações devem ser testadas: "Se eles não falarem segundo esta palavra, é porque não há luz neles" [Isaías 8:20, ACF]. Todas as comunicações do Senhor falarão em harmonia com Sua *palavra* e Sua *lei.*

Aplicando esta regra aos escritos de Ellen White, eu diria que, durante os últimos 52 anos, tenho lido cuidadosamente seus testemunhos, comparando-os com a lei de Deus e o testemunho da Bíblia, e tenho encontrado a mais perfeita harmonia entre ambos. Suas instruções não têm o propósito de trazer qualquer nova revelação para tomar o lugar das Escrituras, mas sim para mostrar *onde* e *como,* em tempos como estes, as pessoas estão susceptíveis a serem desviadas e afastadas da Palavra. A posição ocupada pelos testemunhos de Ellen White pode ser mais bem descrita do modo como ela mesma se referiu a eles:

> A Palavra de Deus é suficiente para iluminar o espírito mais obscurecido, e pode ser compreendida por todo aquele que sinceramente deseja entendê-la. Apesar disso, alguns que dizem fazer da Palavra de Deus o objeto de seus estudos vivem em oposição direta a alguns de seus mais claros ensinos. Então, para que tanto homens como mulheres ficassem sem desculpa, Deus deu testemunhos claros e decisivos a fim de reconduzi-los à Sua Palavra, que eles negligenciaram seguir.
>
> A Palavra de Deus tem abundância de princípios gerais para a formação de corretos hábitos de vida, e os testemunhos, gerais e pessoais, têm sido planejados para lhes chamar a atenção de modo mais especial para esses princípios. [...] Vocês não estão familiarizados com as Escrituras. Se tivessem feito da Bíblia o objeto de seus estudos, com o propósito de atingir o padrão bíblico e a perfeição cristã, não necessitariam dos *Testemunhos.* [...]
>
> Por meio dos testemunhos dados, o Senhor Se propõe advertir, repreender e aconselhar vocês, e impressionar-lhes a mente com a importância da verdade de Sua Palavra. Os testemunhos escritos não estão destinados a comunicar nova luz; mas a imprimir fortemente no coração as verdades da inspiração que já foram reveladas. [...] Não se traz verdade adicional; mas pelos *Testemunhos* Deus tem facilitado a compreensão de importantes verdades já reveladas, e posto estas diante de Seu povo pelo meio que Ele próprio escolheu, a fim de despertar e impressionar com elas a mente de vocês, para que todos fiquem sem desculpa. [...]
>
> Os *Testemunhos* não têm por finalidade diminuir o valor da Palavra de Deus, e sim exaltá-la e atrair para ela as mentes, para que a bela singeleza da verdade possa impressionar a todos. [...] Se o povo que agora professa ser a propriedade peculiar de Deus obedecesse a Seus requisitos especificados em Sua Palavra, não haveria necessidade de testemunhos especiais para despertar neles o sentimento do dever e

impressioná-los acerca de sua pecaminosidade e do temível risco que correm ao negligenciar obedecer à Palavra de Deus (*Testemunhos para a Igreja*, vol. 5, No. 33, p. 663-667).

Regra número dois – profetas verdadeiros

Já vimos que todos os profetas verdadeiros falarão em harmonia com a lei de Deus e com o testemunho de Sua Palavra. O apóstolo João apresenta outra regra que define os ensinamentos dos profetas verdadeiros. Ele diz:

> Amados, não deis crédito a qualquer espírito; antes, provai os espíritos se procedem de Deus, porque muitos falsos profetas têm saído pelo mundo fora. Nisto reconheceis o Espírito de Deus: todo espírito que confessa que Jesus Cristo veio em carne é de Deus; e todo espírito que não confessa a Jesus não procede de Deus; pelo contrário, este é o espírito do anticristo, a respeito do qual tendes ouvido que vem e, presentemente, já está no mundo (1 João 4:1-3).

Observe com atenção os versos citados. De acordo com a *King James Version*, o texto não diz todo aquele que confessa que Jesus Cristo "*veio em carne*", mas "é vindo em carne", isto é, Ele vem, por meio de Seu Espírito e habita *em nós* em resposta a nossa fé. De fato, esta é a verdade central do evangelho: "Cristo em vós, a esperança da glória" (Efésios 3:17; Colossenses 1:27).

O tema prático encontrado em todos os escritos de Ellen White é a necessidade de termos a Cristo como um Salvador que habite no íntimo do ser, se quisermos fazer qualquer progresso na caminhada celestial. Seus escritos ensinam sobre a necessidade de termos a Cristo em *primeiro*, em último e *em todo o tempo*. Como ilustração desse fato, chamamos a atenção para o livro "Caminho a Cristo", escrito por ela, do qual mais de 100 mil cópias já foram vendidas no idioma Inglês, sem mencionar os milhares de cópias nas 18 línguas estrangeiras em que agora é publicado. Um pastor presbiteriano, após ler o livro, encomendou mais de 300 exemplares para seus membros e amigos, e disse: "Este livro foi escrito por alguém que conhece muito bem o Senhor Jesus Cristo".

Regra número três – falsos profetas

João apresenta uma regra para identificar os falsos profetas: "Eles procedem do mundo; por essa razão, falam da parte do mundo, e o mundo os ouve" (1 João 4:5). O ensinamento dos falsos profetas vai querer satisfazer os desejos do coração carnal em vez de exaltar a vida de abnegação e de levar a cruz. Os falsos profetas vão ensinar "coisas aprazíveis" em vez de exaltar o "Santo de Israel" (Isaías 30:10, 11). Qualquer pessoa que leia, mesmo poucas páginas dos escritos de Ellen White, vai perceber que eles seguem na linha da abnegação e de levar a cruz, e não numa linha que agrade o coração mundano e carnal.

Regra número quatro – sofrimento e paciência

Avançando um pouco mais no assunto, tomemos, como *quarta* regra, as palavras do apóstolo Tiago: "Irmãos, tomai por modelo no sofrimento e na paciência os profetas, os quais falaram em nome do Senhor" (Tiago 5:10). Quando lemos sobre a experiência dos antigos profetas, aprendemos que uma de suas maiores angústias era ver Israel rejeitar ou ir contra o claro testemunho a eles enviado. Um breve estudo daquela época revelará, prontamente, o caráter tanto dos profetas verdadeiros como dos falsos.

> Assim diz o Senhor dos Exércitos: Não deis ouvidos às palavras dos profetas que entre vós profetizam e vos enchem de vãs esperanças; falam as visões do seu coração, não o que vem da boca do Senhor (Jeremias 23:16).

Não há nada nos escritos de Ellen White que tornem o leitor uma pessoa *presunçosa;* na realidade, como alguém expressou, "inúmeras vezes recebi grande benefício espiritual dos testemunhos. Na verdade, nunca os li sem me sentir repreendido pela minha falta de fé em Deus, falta de devoção e falta de zelo em salvar almas". Certamente, portanto, a influência dos testemunhos de Ellen White é muito diferente daquela dos falsos profetas descrita por Jeremias.

O profeta também nos informa *como* os falsos profetas ensinam:

> Dizem continuamente aos que me desprezam: O Senhor disse: Paz tereis; e a qualquer que anda segundo a dureza do seu coração dizem: Não virá mal sobre vós (Jeremias 23:17).

Tratando-se da essência do ensino de Ellen White em seus testemunhos, cito as palavras de um atento leitor:

> Li todos os seus testemunhos por completo, a maioria deles várias vezes, e nunca fui capaz de encontrar uma frase imoral em qualquer um deles, ou algo que não seja estritamente puro e cristão; ou algo que conduza para longe da Bíblia ou de Cristo; ao contrário, encontrei ali os mais fervorosos apelos para obedecer a Deus, amar a Jesus, ter fé nas Escrituras e estudá-las constantemente. Tal proximidade com Deus, tal fervorosa devoção, tais solenes apelos para se viver uma vida santa só podem ser inspirados pelo Espírito de Deus.

Um atento observador, que desde o início lia seus testemunhos, escreve:

> Com respeito a agir de modo franco e fidedigno, sem medo ou favor, quero testemunhar que nada disso faltou. Se o poder controlador dessa obra fosse uma motivação baixa e maligna, haveria palavras de bajulação em lugar de testemunhos perscrutadores e fiéis reprovações. Clareza de expressão, fiéis reprovações do erro, palavras de compaixão e incentivo a almas temerosas que sentem necessidade do Salvador, e a errantes que buscam humildemente abandonar suas faltas – essas são as coisas que compõem grande parte de sua obra. O testemunho de Ellen White, reprovando os erros no caso de muitas pessoas a quem havia visto em visão, tem sido apresentado com grande fidelidade e excelentes resultados (J. N. Andrews, *Review* de dezembro de 1867).

Regra número cinco – profecias verdadeiras se cumprem

Moisés, em Deuteronômio 18, faz a seguinte declaração a respeito dos verdadeiros e falsos profetas:

> Como conhecerei a palavra que o Senhor não falou? Sabe que, quando esse profeta falar em nome do Senhor, e a palavra dele não se cumprir, nem suceder, como profetizou, esta é a palavra que o Senhor não disse; com soberba, a falou o tal profeta; não tenhas temor dele (Deuteronômio 18:21, 22).

Vemos essa mesma ideia na seguinte passagem: "Quem é aquele que diz, e assim acontece, quando o Senhor não o mande?" (Lamentações 3:37). É dito do profeta Samuel: "Tudo quanto ele diz sucede" (1 Samuel 9:6). "O profeta que profetizar paz, só ao cumprir-se a sua palavra, será conhecido como profeta, de fato, enviado do Senhor" (Jeremias 28:9).

A primeira vez que vi Ellen White em visão profética foi 53 anos atrás. Ao longo desses anos, muitas declarações proféticas foram feitas por ela em relação a eventos que iriam ocorrer. Algumas dessas previsões se referem a eventos já cumpridos, outras estão em processo de cumprimento, enquanto outras ainda estão no futuro. No que diz respeito a predições referentes a eventos passados ou presentes, não sei de um caso sequer em que a predição falhou. Já mencionamos algumas de suas previsões. Outras serão introduzidas nos capítulos a seguir, à medida que prosseguimos em nossa narrativa.

Regra número seis – milagres não são um teste de um verdadeiro profeta

Tem-se afirmado por muitos escritores de teologia, e declarado em comentários sobre as Escrituras, que o sinal de um profeta verdadeiro é fazer milagres. Ainda não encontramos, nas Escrituras, uma regra assim. Se a operação de milagres é prova de um verdadeiro profeta, o "falso profeta", mencionado em Apocalipse 19:20, poderia ser chamado de profeta verdadeiro, pois é dito a seu respeito: "mas a besta foi aprisionada, e com ela o falso profeta que, com os sinais feitos diante dela, seduziu aqueles que receberam a marca da besta". O mesmo poder é novamente descrito, em Apocalipse 13:14, como enganando "os que habitam sobre a terra por causa dos *sinais* que lhe *foi dado executar* diante da besta". Pela mesma aplicação dessa regra, deveríamos concluir que até mesmo Satanás é um profeta verdadeiro. Alguns espíritos que realizarão um trabalho específico sob a sexta praga são chamados de "espíritos de demônios, *operadores de sinais* [ou *operadores de milagres*, segundo a KJV], e se dirigem aos reis do mundo inteiro com o fim de ajuntá-los para a peleja do grande Dia do Deus Todo-Poderoso" (Apocalipse 16:14).

Se a prova de um verdadeiro profeta consiste nos milagres que ele realiza quando não está em visão, deveríamos encontrar poucos profetas bíblicos que passariam no teste, principalmente se a decisão depender do registro existente de suas obras. É verdade que há registros de milagres operados por alguns dos profetas, como Elias, Eliseu e Paulo. Mas quem já encontrou registro bíblico dos milagres de Isaías, Jeremias, Daniel, Oséias, Joel, Amos, etc.? No entanto, eles eram verdadeiros profetas de Deus, e podemos provar esse fato pelo uso das regras que o Senhor deixou como testes do verdadeiro profeta.

O relato bíblico sobre João Batista mostra claramente que a operação de milagres *não é* o teste de um profeta verdadeiro. Que ele seria um profeta se demonstra pela predição de seu pai, Zacarias, ao relatar a visão que recebeu de Deus a respeito do filho que teria: "Tu, menino, serás chamado *profeta* do Altíssimo, porque precederás o Senhor, preparando-Lhe os caminhos" (Lucas 1:76). O próprio Salvador reconheceu João como o profeta que prepararia o caminho diante dEle. Acerca de João, Jesus declarou:

> Que saístes a ver? Um profeta? Sim, Eu vos digo, e muito mais que profeta. Este é aquele de quem está escrito: Eis aí envio diante da Tua face o Meu mensageiro, o qual preparará o Teu caminho diante de Ti. E Eu vos digo: entre os nascidos de mulher, ninguém é maior do que João (Lucas 7:26-28).

Aqui encontramos uma declaração clara, da parte do Salvador, de que João era profeta. Vamos aplicar o teste da operação de milagres e ver o resultado. No evangelho de João, o evangelista, encontramos as seguintes palavras: "E iam muitos ter com ele [Cristo] e diziam: Realmente, João *não fez nenhum milagre*, porém tudo quanto disse a respeito deste era verdade" (João 10:41). Essa declaração, por si só, refuta completamente a ideia de que a operação de milagres é característica do profeta verdadeiro.

A regra dada em Deuteronômio 13:1-3, a regra número *seis* de nossa lista, indica que, antes de corrermos atrás de maravilhas ou milagres de algum profeta, deveríamos, acima de tudo, observar se sua influência promove maior proximidade de Deus ou um afastamento dEle. Esse texto praticamente nos insta a aplicarmos *todas* as regras, verificando, principalmente, se existe harmonia com Deus e Sua lei.

A sexta regra ensina que, em conexão com um milagre operado por um impostor, quando testado cuidadosamente, haverá um afastamento das sagradas verdades da Palavra de Deus e um rebaixamento do padrão a fim de satisfazer um coração inclinado a evitar o caminho da abnegação. Deus permite que tal impostor se levante, e seu procedimento é um teste para os verdadeiros filhos de Deus, pois lhes dá uma oportunidade de pesar cuidadosamente a tendência ou os motivos de tal operador de milagres. Os que se apegam à Palavra de Deus, em vez de serem cativados pelo falso operador de milagres, saem fortalecidos em Deus como resultado dessa experiência.

Nestes dias maus, quando muitos alegam operar a "cura pela fé", "cura divina", "cura pela Ciência Cristã", etc., bom seria aplicar atentamente as regras bíblicas. A obra de alguns desses "curandeiros" é tão sutil que precisamos das regras divinas e da iluminação do Espírito Santo para discernirmos claramente a intenção e o propósito deles. Por outro lado, há aqueles que abertamente desrespeitam a lei de Deus e Sua verdade para este tempo. Em alguns casos, esses pretensos "curandeiros" se iraram como homens cheios de loucura à simples menção da lei de Deus. Tão certo como o Senhor tem uma mensagem que proclama Sua sagrada lei, é certo que tais homens são destituídos da unção do Espírito Santo, pois fazem afronta à Sua lei e expulsam de sua presença até mesmo aqueles que a mencionam.

Regra número sete – seus frutos

Acautelai-vos dos falsos profetas, que se vos apresentam disfarçados em ovelhas, mas por dentro são lobos roubadores. Pelos seus frutos os conhecereis. Colhem-se, porventura, uvas dos espinheiros ou figos dos abrolhos? Assim, toda árvore boa produz bons frutos, porém a árvore má produz frutos maus. Não pode a árvore boa produzir frutos maus, nem a árvore má produzir frutos bons. Toda árvore que não produz bom fruto é cortada lançada no fogo. Assim, pois, pelos seus frutos os conhecereis (Mateus 7:15-20).

Essas palavras do Salvador reconhecem o fato de que o dom de profecia iria existir na era cristã. Se não fossem existir profetas verdadeiros conectados com a obra de Deus, e toda manifestação profética procedesse de fonte maligna, será que Ele não teria dito: "Acautelai-vos de todos os profetas"? O fato de Cristo nos informar tão detalhadamente como podemos distinguir o genuíno do falso é a maior evidência de que o verdadeiro dom de profecia seria parte da obra do Consolador, o Espírito Santo, que revelaria as "coisas que hão de vir" (João 16:13). Essa regra, a de número sete em nossa lista, é infalível. Cristo não disse que *poderíamos* conhecê-los, mas, categoricamente, "pelos seus frutos *os conhecereis*".

Perguntamos então: Que fruto deve ser visto como resultado dos genuínos dons do Espírito de Deus? A resposta se encontra no que Paulo declara sobre o propósito de Deus em conceder os dons à igreja:

> Por isso, diz: Quando Ele subiu às alturas, levou cativo o cativeiro e concedeu dons aos homens. [...] E Ele mesmo concedeu uns para apóstolos, outros para profetas, outros para evangelistas e outros para pastores e mestres, com vistas ao aperfeiçoamento dos santos para o desempenho do seu serviço, para a edificação do corpo de Cristo, até que todos cheguemos à unidade da fé e do pleno conhecimento do Filho de Deus, à perfeita varonilidade, à medida da estatura da plenitude de Cristo (Efésios 4:8-13).

Se aplicarmos essa regra ao dom profético ligado à mensagem do terceiro anjo, desde sua origem, que resultado teremos? Constatamos que a contínua instrução dada por meio de Ellen White visa a promover a unidade e harmonia. Ela tem exortado a "tomarmos conselho uns com os outros" e a "nos unirmos", a estarmos em sintonia com Cristo, garantindo assim verdadeira comunhão e união uns com os outros.

Alguns dos inimigos desta obra afirmam com sarcasmo: "Se não fosse pelas visões de Ellen White que vocês possuem, este movimento de vocês já teria entrado em frangalhos há muito tempo". A isso respondemos: "É verdade, pois, por este meio, o Senhor tem enviado conselhos, advertências e iluminação, e assim as dissensões têm sido removidas e a obra prosperado". Portanto, o que nossos inimigos planejavam ser um golpe contra o dom de profecia constitui, na realidade, um testemunho de que seu fruto nasce do verdadeiro dom de profecia.

Por mais de 60 anos, as manifestações do dom de profecia, reveladas em Ellen White, têm sido provadas por estas sete regras, e, em cada detalhe, têm cumprido as especificações exigidas de um verdadeiro profeta.

Capítulo 20

SACRIFÍCIOS DOS PRIMEIROS ESFORÇOS

"Congregai os Meus santos, os que comigo fizeram aliança por meio de sacrifícios. Os céus anunciam a Sua justiça, porque é o próprio Deus que julga" (Salmos 50:5, 6).

N a *Review and Herald* de 3 de junho de 1902, lemos:

> Aqueles que acabaram de entrar na obra conhecem relativamente pouco da abnegação e sacrifício próprio daqueles a quem o Senhor chamou para esta obra desde seus primórdios. A experiência do passado deve ser-lhes contada vez após vez; pois devem levar adiante esta obra com a mesma humildade e sacrifício próprio que caracterizavam os verdadeiros obreiros no passado.

Novamente, em *Testemunhos para a Igreja*, vol. 7, p. 240, encontramos as seguintes palavras:

> Estamos nos aproximando do fim da história deste mundo, e os vários ramos da obra de Deus devem ser desenvolvidos com muito mais sacrifício próprio do que até agora se tem manifestado.

Já mencionamos as condições em que o irmão Bates, em 1845, foi levado a escrever e publicar seu primeiro livro sobre o assunto do sábado. Também já mencionamos as condições em que Tiago White, em 1849, começou a publicar a revista intitulada *The Present Truth*.

Um panfleto sobre os céus abertos

Após a visão dada a Ellen White em Topsham, Maine, no outono de 1846, em que alguns planetas lhe foram mostrados, o irmão Bates preparou o manuscrito de um panfleto sobre *Os Céus Abertos*. Contudo, havia grande necessidade de meios para publicá-lo. A fim de suprir essa falta, uma irmã de Massachusetts, que havia acabado de terminar um tapete de retalhos, o vendeu e doou o dinheiro ao irmão Bates, possibilitando, assim, que ele publicasse seu segundo livro.

Um panfleto sobre a obra de selamento

Após a visão da obra de selamento, dada em Dorchester, Massachusetts, no dia 18 de novembro de 1848, o irmão Bates escreveu um terceiro panfleto intitulado *O Selo do Deus Vivo*. Deparou-se, mais uma vez, com o problema de falta de dinheiro para a impressão. Uma jovem viúva, ao saber da situação, vendeu uma pequena casa que possuía no campo e entregou ao irmão Bates metade da quantia recebida. Assim, ele novamente pôde pagar a impressão do livro.

Demandas da obra de publicações

Em 1851 e 1852, a *Advent Review and Sabbath Herald* foi impressa em Saratoga Springs, Nova Iorque. Ali, o Sr. Thompson forneceu gratuitamente um aposento para hospedar o irmão White e sua esposa. Com móveis emprestados, tiveram novamente a oportunidade de retomar a vida doméstica.

Estava aumentando o número dos que criam na verdade presente, e, com esse aumento, aumentava também a demanda de trabalho pessoal de Tiago e Ellen White. Essa demanda, somada ao trabalho editorial, gerou uma necessidade de mais auxiliares no escritório. Justamente nesse momento, outras pessoas sentiram-se impressionadas a auxiliar na obra literária. Para ilustrar o modo como Deus trabalha em resposta à fé de Seu povo, e suscita obreiros em momentos de necessidade, citamos a experiência de uma devotada irmã, a Sra. Rebecca Smith, de West Wilton, New Hampshire:

Após a passagem do tempo no desapontamento, seu filho Uriah e sua filha Annie R. desejavam muito frequentar uma escola em que pudessem se preparar para lecionar. A mãe temia que seus filhos estivessem sendo levados para o mundo, e, de fato, seus temores não eram totalmente infundados. O amor dessa mãe era correspondido pelos filhos.

Uriah Smith no Colégio de Phillips

De 1848 a 1851, Uriah estudou no colégio de Phillips em Exeter, New Hampshire. Ali os alunos iam até o primeiro ano do ensino superior, de modo que, ao entrarem na universidade, estavam um ano adiantados. Ele completou esse curso e, em 1851, trabalhou para conseguir dinheiro a fim de ir para a universidade. Contudo, como os negócios de seu patrão foram à falência, Uriah perdeu seu dinheiro, e, por causa disso, seu tão aguardado plano de se formar no ensino superior foi abandonado.

Srta. Smith no Seminário para Moças

Enquanto Uriah estava no ensino médio, sua irmã estudava num seminário para moças em Charlestown, Massachusetts. Estava no fim de seus estudos ali e, como estava prestes a deixar a escola, foi-lhe feito um convite e a seu irmão para lecionarem, por três anos, numa escola em Mount Vernon, New Hampshire, ganhando mil dólares por ano, acrescidos de alimentação e moradia.

Por essa época, a mãe deles aceitou a "verdade presente". Suas orações por seus filhos possivelmente eram agora mais fortes e fervorosas. Numa visita do irmão Bates a West Wilton, a Sra. Smith lhe expôs o caso de seus filhos, e a conversão deles se tornou um motivo de oração. O irmão Bates esperava, em alguns dias, dar início às reuniões em Somerville, Massachusetts, na casa de Paul Folson, e ficou combinado de que a Sra. Smith iria escrever para sua filha, convidando-a para assistir à reunião. Nesse meio tempo, o irmão Bates e a mãe dos meninos estariam orando para que Deus tocasse o coração da sua filha para que viesse à conferência.

Dois sonhos realizados

O irmão Bates nunca havia entrado na sala onde a conferência seria realizada. Portanto, nada sabia da disposição em que os móveis se encontravam. Na noite anterior à conferência, sonhou que estava na sala e que todas as cadeiras estavam ocupadas, exceto uma ao lado da porta. Também sonhou que mudou o tema que planejara pregar, e falou sobre a questão do santuário. Sonhou que cantaram o primeiro hino, oraram, cantaram o segundo hino, e que em seguida abriu a Bíblia e leu: "Até duas mil e trezentas tardes e manhãs e o santuário será purificado", apontando para a figura do santuário no diagrama. Viu então em seu sonho que a porta se abriu, uma moça entrou e se assentou na cadeira desocupada. Também sonhou que a pessoa era Annie R. Smith e que ela imediatamente se interessou pelo assunto e aceitou a verdade.

A palestra do irmão Bates era no sábado e, como não havia aulas naquele dia, Annie disse: "Só estou indo para agradar minha mãe". Na noite anterior ao sábado, ela tinha sonhado que havia ido à conferência, mas havia se atrasado. Em seu sonho, viu que, ao chegar à porta, a congregação já havia terminado o primeiro hino, havia orado e estava concluindo o segundo hino; e que, ao entrar, observara que todas as cadeiras estavam ocupadas, exceto a que estava junto à porta; viu que um palestrante alto, de aparência nobre e agradável, estava apontando para um gráfico que ela nunca vira antes, e que ele dizia: "Até duas mil e trezentas tardes e manhãs e o santuário será purificado". Também sonhou que o que ele disse lhe despertou grande interesse e que se tratava da verdade.

Ela se dirigiu à reunião com bom tempo de antecedência, mas se perdeu e, por isso, não conseguiu chegar antes do fim do segundo hino. Ao entrar, tudo estava exatamente do jeito que sonhara, e justamente a pessoa que tinha visto em sonho repetia, como no sonho, o texto de Daniel 8:14. Tudo isso imediatamente trouxe convicção a seu coração.

O irmão Bates não havia parado para considerar esse sonho até o momento em que a jovem entrou porta adentro e tomou assento. Ele havia se preparado para falar de outro assunto, mas sua mente estava fixada na questão do santuário. Enquanto repetia o texto, o sonho brilhou em sua mente e, de forma silenciosa, orou pedindo auxílio, de maneira que pudesse falar ao coração dos ouvintes. Explicou de modo bem desimpedido a passagem do tempo durante o desapontamento; e, com esse assunto, Annie estava bem familiarizada. Então, ele passou a expor a verdade da terceira mensagem angélica e do sábado.

Annie Smith aceita a verdade

Ao encerrar a reunião, ele foi até Annie e disse: "Creio que você é a filha da irmã Smith, de West Wilton. Nunca a vi antes, mas seu semblante me parece familiar. Sonhei com você na noite passada". Annie, então, lhe contou seu sonho. Ao sair da reunião, seus sentimentos e aspirações estavam completamente mudados, e ali mesmo aceitou a verdade do sábado.

Retornando ao seminário, arrumou a mala e voltou para casa. Ao saber das necessidades de Tiago White na publicação e em seu trabalho como pregador, sentiu que Deus a chamava para ajudá-lo no escritório. Em agosto de 1851, quando a revista foi transferida de Paris para Saratoga Springs, Nova Iorque, Annie Smith também foi transferida para lá como funcionária.

Sacrifício e consagração

Na *Review*, vol. 2, n.° 7, podemos ler algumas linhas que ela escreveu expressando suas emoções após abandonar seus antigos planos e começar sua obra humilde e despretensiosa. Diz ela:

> Creio que abandonei tudo para seguir ao Cordeiro por onde quer que Ele me indique. A terra perdeu inteiramente sua atração. Minhas esperanças, alegrias e afeições estão todas agora centradas nas coisas divinas e celestiais. Não almejo outro lugar a não ser estar

sentada aos pés de Jesus e aprender dEle; nada além de ser uma serva de meu Pai celestial; nenhum outro prazer do que a paz de Deus, que excede todo entendimento.

O apoio que a irmã Annie proporcionou ao escritório como revisora, etc., foi muito oportuno. Por três anos ela trabalhou fiel e eficientemente, recebendo apenas hospedagem e vestimenta. Ao fim desse período, a tuberculose a havia atingido como uma de suas vítimas. Em meio à devastação resultante dessa prolongada e fatal enfermidade, Annie escreveu alguns belos poemas. O poema mais belo tem por título: "Lar aqui e Lar no Céu". O prefácio desse poema, escrito na véspera de sua morte, em 26 de julho de 1855, expressa tão bem as virtudes da simplicidade e humildade, virtudes estas extensamente desenvolvidas em seu caráter, que não podemos deixar de apresentá-lo na íntegra:

Louvo a meu Deus que enquanto aqui,
Tão bom encargo me concedeu;
E ao cessarem meus dias,
Ajoelhei-me e olhei aos céus.

Que ninguém sobre esta humilde obra lance injúria
Expondo à vista suas falhas;
Pois o infortúnio a fez brotar,
E o orvalho da dor a fez crescer.

Vida doméstica em meio a dificuldades

Em abril de 1852, Tiago White mudou-se de Saratoga Springs para Rochester, Nova Iorque. Foi nesta cidade, na Avenida Mount Hope, n.° 124, que, pela primeira vez, a família retomou a vida doméstica com artigos comprados, em vez de emprestados. O anseio que tinham pelo êxito da obra de publicações era tão grande que se abstiveram de muitos dos confortos comuns da vida. O desejo deles era que o periódico continuasse a ser impresso regularmente e a verdade fosse amplamente divulgada.

Pode-se ler como a família White retomou a vida doméstica nesta carta pessoal escrita por Ellen White a S. Howland em abril de 1852:

Acabamos de nos instalar aqui em Rochester. Alugamos uma casa velha a 175 dólares por ano. Temos o prelo em casa. Se não fosse assim, teríamos que pagar 50 dólares por ano por um escritório. Você iria rir se nos visse e a nossos móveis. Já compramos duas camas velhas por 25 centavos cada. Meu marido me trouxe seis cadeiras velhas, nenhuma igual à outra, pelas quais pagou um dólar. E logo me presenteou com mais quatro cadeiras velhas, que nem tinham assento, pelas quais pagou 62 centavos. A armação era forte e estou colocando os assentos com uma broca. Manteiga é tão cara que não podemos comprá-la, nem podemos gastar com batatas. Usamos compota de frutas em vez de manteiga e nabo em vez de batatas. Nossas primeiras refeições foram feitas na tampa da lareira, colocada sobre dois barris de farinha vazios. Estamos dispostos a sofrer privações se a obra de Deus puder avançar. Cremos que foi a mão do Senhor que dirigiu nossa vinda para cá. Há um vasto campo de trabalho e poucos trabalhadores. Sábado passado nossa reunião foi excelente. O Senhor trouxe refrigério com Sua presença.

Generosidade dos crentes

No primeiro número da *Review* impressa em Rochester, dia 6 de maio de 1852, Tiago White escreveu o seguinte a respeito da mudança de Saratoga para Rochester:

Os irmãos têm fornecido recursos além de nossas expectativas para sustentar o periódico. E embora nossas despesas de mudança de Saratoga Springs e os gastos iniciais para a publicação do periódico nesta cidade tenham sido consideráveis, ainda assim estamos livres de dívidas.

Sacrifício dos obreiros

Na ata que apareceu no número 12, dia 14 de outubro, lemos:

O escritório, porém, não está em débito pelo seguinte motivo: os irmãos Belden e Stowell, que trabalharam no escritório nos últimos seis meses, receberam pouca coisa além da alimentação diária. Outros, também envolvidos na mesma obra, não têm recebido mais do que eles. Certamente cremos que será um prazer a todos os amigos da verdade presente ajudar a compensar a deficiência da receita, de modo que os que, especialmente em nossa ausência, trabalham diligentemente na publicação da *Review and Herald*, cercados por enfermidades, possam ter o apoio adequado.

Adesões em Rochester, Nova Iorque

Durante o verão de 1852, quando a obra de publicações já estava bem encaminhada em Rochester, Tiago White e sua esposa fizeram uma viagem de três meses a cavalo e carroça, em direção ao leste até Bangor, Maine. À medida que avançavam, conduziam reuniões e visitavam os guardadores do sábado que se encontravam dispersos. Antes de retornarem, o irmão J. N. Andrews iniciou no dia 26 de setembro uma série de palestras na avenida Mount Hope, n.° 124. Nessa ocasião, oito adventistas do primeiro dia aceitaram a verdade presente, e o escritor deste livro foi um deles.

A cura de Oswald Stowell

Numa noite de sexta-feira, em outubro, Tiago White e sua esposa voltaram ao lar de sua viagem ao leste. Foi no dia seguinte que os vimos pela primeira vez, na reunião do sábado. Nessa época, Oswald Stowell, que trabalhava no prelo, sofria de um terrível ataque de pleurisia [um tipo de inflamação pulmonar], e estava desenganado por seu médico. Este havia declarado que "não poderia fazer nada por ele". Durante a reunião, Oswald estava numa sala ao lado, em grande agonia física. Ao fim da reunião, ele enviou um pedido para que orassem por ele. Eu, juntamente com outros irmãos, fomos convidados a participar de uns momentos de oração. Ajoelhamo-nos ao lado de sua cama e, enquanto orávamos, o Sr. Stowell foi ungido com óleo pelo irmão White "em nome do Senhor". A presença do Espírito de Deus era muito perceptível, e ele foi imediatamente curado. Ao nos levantarmos, ele estava assentado na cama, batendo na lateral de seu corpo, antes tão dolorida, e dizendo: "Estou completamente curado. Amanhã já posso trabalhar no prelo manual". Dois dias depois ele voltou ao trabalho.

Visão de Ellen White perante a congregação em Rochester

A mesma graça divina que curou o irmão Stowell desceu de modo ainda maior sobre Ellen White. Quando Tiago White olhou para ela, disse: "Ellen está em visão; ela não respira enquanto nessa condição. Se algum de vocês quiser se certificar desse fato, fique à vontade para examiná-la". Ela permaneceu em visão por cerca de uma hora e 20 minutos. Enquanto estava nessa condição, falou algumas palavras e às vezes frases distintas; no entanto, mesmo sob a inspeção mais rigorosa, nenhuma respiração se percebia em seu corpo.

Visão da conduta de um membro ausente

Após Ellen White sair da visão, deu testemunho do que havia visto. Antes do retorno de Tiago White e sua esposa de sua viagem ao leste, alguém de nosso grupo fez uma viagem de negócios ao Estado de Michigan. Portanto, essa pessoa não estava presente na reunião e nunca tinha visto Tiago White ou sua esposa. Ao relatar sua visão, Ellen White contou--nos, dentre outras coisas, o que tinha visto com relação a um homem que, enquanto viajava e ficava longe de casa, tinha muito a dizer sobre a lei de Deus e o sábado, mas ao mesmo tempo quebrava um dos mandamentos. Ela declarou que nunca havia visto esse homem, porém acreditava que o veria a qualquer momento, pois seu caso lhe fora desdobrado. Nenhum de nós, porém, suspeitou que esse homem fosse algum conhecido.

Cerca de seis semanas após a visão, o referido irmão retornou de Michigan. Assim que Ellen White o viu, disse a uma das irmãs: "Este é o homem que vi na visão e de quem lhes falei". Ellen White relatou a visão a esse irmão e lhe disse, em presença de sua esposa e de muitas outras pessoas, como o profeta Natã disse a Davi: "Tu és o homem". Em seguida ele fez exatamente o que Paulo disse que alguns fariam quando repreendidos pelo dom de profecia:

> Porém, se todos profetizarem, e entrar algum incrédulo ou indouto, é ele por todos convencido e por todos julgado; tornam-se-lhe manifestos os segredos do coração, e, assim, prostrando-se com a face em terra, adorará a Deus, testemunhando que Deus está, de fato, no meio de vós (1 Coríntios 14:24, 25).

Depois de ouvir Ellen White relatar os maus atos cometidos por ele, esse irmão caiu de joelhos perante sua esposa e, com lágrimas, disse a ela e aos poucos presentes: "Deus verdadeiramente está com vocês". Fez então uma confissão completa de sua conduta em Michigan, e de como quebrara o sétimo mandamento, a mais de 800 quilômetros de distância, no mesmo momento em que Ellen White contava o fato em visão.

Assim, umas poucas semanas foram suficientes para nos proporcionar forte confirmação dos testemunhos. Não apenas concluímos que eles eram produzidos por um poder sobrenatural, mas que vieram de uma fonte que, em termos claros, reprovava os homens pelo pecado.

Uriah Smith inicia a obra de revisor

Foi durante a publicação do terceiro volume da *Review* que Uriah Smith começou a guardar o sábado e se associou ao escritório da *Review*, onde trabalhou como escritor e editor por longos anos. Sua primeira obra publicada no periódico foi um poema intitulado "A Alarmante Voz do Tempo e da Profecia", publicado em 17 de março de 1853.

Smith ouviu pela primeira vez acerca da terceira mensagem angélica numa reunião realizada em Washington, New Hampshire, nos dias 10 a 12 de setembro de 1852. Após retornar para casa, em West Wilton, estudou cuidadosamente o que tinha ouvido e começou a guardar o sétimo dia a partir do primeiro sábado de dezembro de 1852. Uniu-se ao escritório da Review em Rochester, Nova Iorque, no dia 3 de maio de 1853. Ali, juntamente com sua irmã Annie, trabalhou por hospedagem e vestimentas, em vez de lecionar no colégio por mil dólares por ano, além da hospedagem. Esses são alguns exemplos dos sacrifícios feitos para estabelecer a obra da terceira mensagem angélica em seus primórdios.

Ordenando um ministro

Por volta de 1863, Smith começou a exercitar seu dom de pregar. Em 1866, foi ordenado como ministro do evangelho. Ele trabalhou muito em reuniões campais e conferências em vários Estados, do Atlântico ao Pacífico, como também na obra pastoral da igreja de Battle Creek, sua igreja local. Após a abertura do colégio de Battle Creek, lecionou, ocasionalmente, no departamento de religião daquela instituição. A interesse da *Review and Herald*, atravessou o oceano Atlântico em 1894, visitando vários países na Europa. Passando pela Síria, contraiu uma febre de cujo efeito nunca se recuperou totalmente.

50 anos de incansável trabalho

Por um período de meio século, de 1853 a 1903, o irmão Smith teve conexão editorial quase constante com a *Advent Review and Sabbath Herald*. Na maior parte do tempo, foi o editor-chefe do periódico. Mesmo no dia de sua morte, ao ser atingido por um ataque de paralisia, estava a caminho de seu escritório com um material que havia preparado para impressão. Também contribuiu com vários livros importantes na literatura denominacional. Dentre eles, citamos: *Thoughts on Daniel and the Revelation* [Considerações sobre Daniel e Apocalipse], *Nature and Destiny of Man* [Natureza e Destino do Homem], uma versão ampliada do livro *The Sanctuary and Twenty-three Hundred Days* [O Santuário e as Duas Mil e Trezentas Tardes e Manhãs], *The Marvel of Nations* [O Pasmar das Nações] e *Modern Spiritualism* [Espiritismo Moderno]. O primeiro desses livros foi escrito principalmente das nove à meia noite, após o término do expediente editorial e do escritório.

A morte de Uriah Smith

Sua vida foi útil e bem aproveitada. Descansou de sua obra, tendo dormido em Jesus no dia 6 de março de 1903. Mas, dele, verdadeiramente pode ser dito que "suas obras o seguem", e, "apesar de morto, ainda fala".

URIAH SMITH
3 de maio de 1832 – 6 de março de 1903

Capítulo 21

A Mão-Guia na Obra

"Instruir-te-ei e te ensinarei o caminho que deves seguir"
(Salmos 32:8).

O cuidado de Deus é continuamente manifesto a quem nEle põe sua confiança. Há momentos, entretanto, em que esse cuidado é mais notável, como em livramentos especiais de males e perigos, visíveis e invisíveis, e em evidentes aberturas providenciais para o avanço de Sua verdade. Este capítulo trata desses temas.

A primeira visão em Michigan

No mês de maio de 1853, o irmão White e sua esposa viajaram para Michigan. Era a primeira vez que viajavam para o oeste de Buffalo, Nova Iorque. No último sábado de maio, estavam em Tyrone e, ali, os vários grupos de observadores do sábado daquele Estado foram mostrados a Ellen White numa visão, com advertências quanto a possíveis influências que lhes fariam oposição. Em 2 de junho, ela estava em Jackson, e ali escreveu oito páginas de papel almaço, declarando algumas das coisas que lhe haviam sido mostradas. Ela me entregou uma cópia da visão escrita a lápis, com a condição de que eu lhe fornecesse uma cópia, de boa qualidade, escrita a pena e tinta.

Uma mulher que professava santidade

Entre outras coisas reveladas, foi descrito o caso de uma mulher que estava tentando inserir-se entre nosso povo. Ela declarou que essa mulher professava grande santidade. Ellen White não a conhecia, nem possuía qualquer informação a seu respeito, exceto o que lhe havia sido mostrado em visão. Ela não apenas descreveu a conduta daquela mulher, mas também declarou que, quando repreendida, essa mulher esboçaria um olhar hipócrita e diria: "O Senhor conhece meu coração". Disse que essa mulher viajava pelo país com um rapaz, enquanto seu idoso esposo ficava em casa, trabalhando para sustentá-los em seu mau curso. Ellen White disse que o Senhor lhe mostrou que, "não obstante as pretensões dessa mulher quanto à santidade, ela e o jovem eram culpados de violar o sétimo mandamento". Tendo no bolso a descrição escrita desse caso, esperei com certa ansiedade para ver que rumo as coisas tomariam.

A reunião em Vergennes, Michigan

Realizamos reuniões nas cidades de Jackson, Battle Creek, Bedford e Hastings e, em seguida, viemos a Vergennes, Condado de Kent, onde a mulher morava. Chegamos ao local onde devíamos passar a noite em 11 de junho, pouco antes do sábado. Nosso ponto de parada foi a casa de certo irmão por sobrenome White, que, no passado, fôra ministro da denominação Cristã. Como essa localidade tinha sido recém-ocupada, fizemos arranjos para realizarmos nossas reuniões num grande celeiro recém-construído, uns cinco quilômetros adiante. A mulher da visão vivia a cerca de três quilômetros do local de reuniões.

Testemunho aos fanáticos

No dia 12 de junho, às 10:30 da manhã, nos reunimos no celeiro para a reunião. Ellen White se assentou à extrema esquerda do púlpito. Eu me assentei ao seu lado, e ao meu lado ficou o irmão Cornell. O irmão White estava à direita do púlpito pregando. Após cerca de 15 minutos de sermão, um homem idoso e um jovem entraram juntos, e se assentaram no banco da frente, próximo ao púlpito. Estavam acompanhados de uma mulher alta, morena e magra, que tomou assento perto da porta. Após Tiago White fazer um breve discurso, Ellen White se levantou e introduziu suas considerações, falando sobre o cuidado que os ministros deviam ter para não manchar a obra que lhes foi dada, citando o texto: "Purificai--vos, vós que levais os utensílios do Senhor". Declarou que não era plano de Deus que uma mulher viajasse pelo país com qualquer outro homem que não fosse seu marido. Por fim, afirmou claramente:

> Esta mulher que, há pouco, se assentou próximo à porta, alega que Deus a chamou para pregar. Ela está viajando com esse rapaz que acabou de sentar em frente ao púlpito, enquanto este senhor, seu marido – que Deus tenha compaixão dele! – trabalha pesado em casa para obter os recursos que eles estão usando para levar avante sua iniquidade. Ela professa ser muito santa, – ser santificada –; no entanto, com toda

sua pretensão à santidade, Deus me mostrou que ela e este rapaz são culpados de violar o sétimo mandamento.

Todos os presentes sabiam que Ellen White nunca tinha visto aquelas pessoas até entrarem no celeiro. O fato de destacá-las, descrevendo seu caráter da forma como o fez, exerceu influência sobre a mente dos presentes, aumentando a confiança de todos e confirmando a fé deles nas visões.

Respondeu como previsto

Quando Ellen White deu seu testemunho, olhares ansiosos se voltaram em direção à Sra. Alcott, a mulher repreendida, para ver como receberia o que lhe fora dito e o que iria fazer e dizer. Se fosse inocente da acusação que lhe foi dirigida, ela naturalmente se levantaria e negaria tudo. Se fosse culpada e grosseiramente corrupta, poderia, por maldade, negar tudo, mesmo sabendo que era verdade. Em vez disso, fez exatamente o que o testemunho declarou que faria quando reprovada. Levantou-se lentamente, enquanto todos os olhares estavam fixos nela, e, esboçando um olhar hipócrita, disse lentamente: "O Senhor conhece meu coração", e assentou-se sem dizer mais nada. Sua resposta, sem tirar nem pôr, foi exatamente o que o testemunho havia previsto.

Reconheceu sua culpa

Deus realmente conhecia o coração deles, e eles mesmos sabiam que eram culpados da acusação. Tanto é verdade que o jovem informou posteriormente ao Sr. Gardner, um morador daquele lugar que o questionou minuciosamente sobre o assunto: "Sr. Gardner, o que Ellen White declarou a nosso respeito era bem verdade". E, em Greenville, no ano 1862, a própria mulher confessou à Sra. Wilson ser verdade o que havia sido revelado sobre ela e o rapaz, e acrescentou que "não se atrevia a dizer uma palavra contra a irmã White, a fim de que não se encontrasse lutando contra Deus".

O grupo do Messenger

Durante o outono de 1853, algumas pessoas insatisfeitas, residentes em Michigan, se uniram e começaram a publicar um folheto chamado *Messenger of Truth* [Mensageiro da Verdade]. Aparentemente, a missão desse folheto e de seus encarregados era destruir e difamar, ao invés de construir. Muitas mentiras foram inseridas em suas páginas que nos prejudicavam em nossos esforços em favor da mensagem; e, como esta era a primeira vez que enfrentávamos esse tipo de ataque aberto, imaginávamos ser nosso dever refutar suas caluniosas afirmações. Isso ocupou o tempo que deveria ter sido gasto no avanço da verdade que nos fora comissionada e serviu bem aos propósitos de Satanás, que, sem dúvida, foi o instigador desta oposição. As coisas permaneceram nesse pé até a noite de 20 de junho de 1855, quando o irmão White, sua esposa, o irmão Cottrell e eu havíamos concluído recentemente uma reunião em Oswego, Nova Iorque. Tínhamos sido perturbados, em nossa reunião, por um tal de Lillis, que entrou e circulou alguns documentos caluniosos entre o povo. Mais uma vez veio à tona a questão quanto a nosso dever nesse assunto. Todos os esforços anteriores em responder suas falsidades apenas resultaram na invenção de outras mais.

Orientação e predição do que sucederia

Na reunião de oração realizada naquela noite na casa de John Place, na cidade de Oswego, Ellen White recebeu uma visão. Foi-lhe mostrado que, se nos mantivéssemos dedicados a nosso trabalho, pregando a verdade, independentemente de qualquer grupo, como o "Partido do Mensageiro", eles iriam lutar entre si e seu folheto iria morrer; e quando isso acontecesse, veríamos que nossas fileiras haviam dobrado. Crendo na origem divina do testemunho, prontamente passamos a agir de acordo com ele.

O grupo do Messenger e seu folheto entram em colapso

A causa da verdade avançou rapidamente, ao passo que o "Grupo do Messenger" começou a ter problemas internos. Num curto espaço de tempo, o grupo se dispersou e muitos de seus líderes abandonaram o sábado. Seu folheto logo cessou por falta de apoio e a pessoa que havia atuado como editor durante algum tempo direcionou seus esforços para ser professor de escola. Contudo, não tendo aprendido primeiro a se governar, fracassou totalmente em governar seus alunos. Na tentativa de corrigir um dos rapazes de sua escola, o ex-editor sacou um revólver, que chegou a estalar, mas o tiro não saiu. Para não ser linchado, foi obrigado a fugir, durante a noite, para o Canadá.

Efeito sobre a causa do advento

Nessa época, havia um estado de harmonia e unidade entre o nosso povo maior do que nunca dantes; e ao serem feitos esforços para propagar a mensagem, o caminho se abriu em todas as direções.

No n.° 10, vol. 11, da *Review* de 14 de janeiro de 1858, o editor, referindo-se ao resultado da obra do *Messenger*, disse:

> Na época da insatisfação, quando foram feitos esforços para destruir a *Review*, a propriedade da igreja no escritório era avaliada em apenas 700 dólares. Desde então, aumentou para 5 mil dólares. Na época, havia cerca de mil assinantes pagantes, e agora existem 2 mil, e uma grande lista de pessoas que a recebem "gratuitamente".

Visto que nessa época (1858), o "Grupo do Messenger" já havia se dividido e dispersado, e o *Mensageiro* não mais existia, os números acima são significativos. Assim como o número de assinantes pagantes da *Review* duplicou, o número de crentes mais do que duplicou. Desse modo, cumpriu-se a previsão feita por Ellen White, em junho de 1855.

Sugere-se o uso de tendas para as reuniões

No começo da mensagem, nosso costume era realizar reuniões em salões de escolas, quando não era possível conseguir um lugar melhor. Num lugar assim, em certa ocasião, foi reunida uma multidão tão numerosa que dois salões daquele não seriam suficientes para acomodá-la. A fim de ser ouvido por todos, o orador se posicionou junto a uma janela aberta e pregou aos de dentro e ao público maior que se assentou em suas carroças e sobre a grama. Quando vimos essa grande assembleia, passamos a considerar o uso de tendas para as reuniões.

Primeira reunião de tenda em Battle Creek, Michigan

Assim, em 22 de maio de 1854, numa comissão formada pelo irmão Tiago White e outros, decidiu-se que o plano do uso de tendas para as reuniões seria conveniente. Naquela época, o uso de grandes tendas era extremamente raro para outros fins além de circos, exibições de animais selvagens e shows diversos. Michigan foi o primeiro Estado em que os adventistas do sétimo dia experimentaram dar um passo nessa direção. A primeira reunião de tenda teve início em Battle Creek no dia 10 de junho de 1854. Atualmente, esse tipo de reuniões durante o verão tem crescido a grandes proporções.

Sugerido o uso de tendas

No ano de 1868, deu-se mais um passo ousado. A questão de realizar ou não reuniões campais foi devidamente considerada, e decidiu-se que esta seria uma excelente maneira de prover acomodações, durante as assembleias gerais, aos grandes ajuntamentos de nosso povo. Com uma grande tenda para as reuniões públicas e tendas menores para as famílias, as pessoas ficariam confortavelmente acomodadas e, assim, vários dias poderiam ser usados, com proveito, em encorajamento e adoração.

A primeira reunião campal em Wright, Michigan

A primeira reunião campal foi realizada em Wright, Michigan, nos dias 1-7 de setembro de 1868. Essas importantes reuniões gerais de nosso povo têm crescido tanto que mais de 50 reuniões campais são realizadas anualmente em diversas partes do campo. Essas campais não são realizadas apenas nos Estados Unidos, mas na Europa, Austrália, Nova Zelândia e África do Sul.

A maior reunião do tipo já realizada por nosso povo ocorreu em 1893, em Lansing, Michigan. Nesse grande encontro, havia 3.400 pessoas alojadas em mais de 500 tendas familiares. O equivalente a mais de 125 mil metros quadrados de lona foram utilizados na construção das várias tendas no acampamento.

Livramento de um acidente de trem

No dia seguinte à decisão de comprar nossa primeira tenda de 18 metros (23 de maio de 1854), o irmão White e sua esposa, que se encontravam em Jackson, Michigan, estavam para iniciar sua viagem até Wisconsin, onde iriam trabalhar por certo tempo. Passamos a tarde na casa de D. R. Palmer, localizada perto da estação. Várias vezes durante a tarde o irmão White disse:

> Tenho um sentimento estranho em relação a iniciar esta viagem; mas, Ellen, temos um compromisso e precisamos partir. Se não fosse pelo compromisso, eu preferiria não viajar hoje à noite.

Ao anoitecer, perto da hora em que o trem deveria chegar, tivemos um momento de oração. Todos pareciam impulsionados a orar pela segurança do irmão White e de sua esposa na jornada que empreenderiam. Ao nos levantarmos, o irmão White expressou sua fé em que o Senhor cuidaria deles e os guardaria.

Às 8 horas, fui com eles até o trem para auxiliá-los a conseguir lugar para sentar e guardar as malas. Entramos num vagão cujo encosto dos assentos era alto, chamado na época de "vagão de dormir". Ellen White disse: "Tiago, não posso ficar neste carro, tenho que sair daqui". Ajudei-os a tomar assento na parte central do vagão seguinte. Ellen White assentou-se com suas bagagens no colo, mas disse: "Não me sinto à vontade neste trem". O apito do trem tocou e, dizendo-lhes "tchau" rapidamente, logo parti para a casa de Cyrenius Smith para passar a noite.

Cerca de 10 horas, ficamos todos muito surpresos ao ouvir o irmão White, que supostamente estava a caminho de Chicago, batendo à porta. Ele disse que o trem havia descarrilhado da pista a quase cinco quilômetros a oeste de Jackson; que a maioria dos vagões, com a locomotiva, sofreram perda total; mas, embora muitas pessoas tivessem morrido, tanto ele quanto Ellen escaparam ilesos. Tiago rapidamente conseguiu um cavalo e uma carruagem e, em companhia de Abram Dodge, foi buscá-la. Ele havia carregado Ellen nos braços, atravessando um terreno alagado e pantanoso, e cruzara um pequeno riacho até chegar a um local seguro, longe da cena do desastre.

Logo cedo, na manhã seguinte, eu e o Sr. Dodge fomos ver o acidente. Num ponto onde a estrada atravessa a linha de trem obliquamente, um boi tinha deitado para descansar bem em cima do trilho. A locomotiva não possuía o limpa-trilhos e, ao colidir com o animal, foi lançada fora dos trilhos, descarrilhando para a esquerda. No primeiro choque da locomotiva com o solo, o vagão de bagagem, contendo os livros do irmão White, saltou completamente para fora da linha e não sofreu danos; ao mesmo tempo, o vagão de passageiros, na parte traseira do trem, foi desacoplado do resto do trem sem ação humana, e parou calmamente no trilho. A locomotiva e o tênder [vagão de combustível] deslizaram no chão cerca de 30 a 40 metros até que o motor atingiu o toco de um carvalho com cerca de um metro de diâmetro. A força do trem era tanta que a locomotiva virou de cabeça para baixo, e a parte de trás do tênder guinou para o outro lado do trilho. O corpo do trem, com força total, atingiu os destroços da locomotiva, produzindo assim um segundo impacto. O primeiro vagão que atingiu a máquina era um vagão expresso, que foi esmagado e feito em gravetos. Com todo seu conteúdo, virou uma massa de entulho empilhado em cima e ao redor do tênder. O próximo era um vagão da segunda classe, contendo dezoito passageiros, dos quais um morreu e todos os outros ficaram mais ou menos feridos. Esse vagão foi partido em dois pelo vagão de dormir, que o atravessou. A parte dianteira do vagão de dormir foi despedaçada, e o assento em que Ellen não se sentiu à vontade de ficar foi completamente esmagado.

Evidência de livramento divino

Quando vimos os destroços e, em seguida, o vagão em que o irmão White e sua esposa viajavam no momento do acidente, serenamente separado dos outros, a uns 75 metros de distância dos destroços, sentimos, no coração, o desejo de dizer que Deus ouviu as orações; e quem sabe se Ele não enviou Seu anjo para desengatar o vagão para que Seus servos escapassem ilesos? Este pensamento nos impressionou mais fortemente quando a pessoa responsável pelos freios do trem declarou que não soltou o vagão. Além disso, informou que ninguém estava na plataforma quando isso aconteceu, e que para ele e para toda a tripulação era um mistério como tudo isso veio a acontecer. O que lhes era ainda mais misterioso é que nem a corrente e nem o pino estavam quebrados, e o pino, com sua corrente, estavam postos sobre a plataforma do vagão destruído, como se colocados ali por uma mão cuidadosa.

Ao fim da tarde do dia 24, os trilhos haviam sido suficientemente limpos dos destroços de modo que os trens puderam funcionar como de costume, e Tiago e Ellen entraram novamente no trem e fizeram uma viagem segura para seu compromisso em Wisconsin.

Reprovação aos opositores

As coisas não eram sempre "tranquilas" com o antigo Israel. Tinham inimigos externos que procuravam impedir seu progresso a cada passo. A "multidão mista" e os não consagrados dentro do acampamento eram ferramentas bem disponíveis usadas por Satanás para disseminar descontentamento, contenda, murmuração e rebelião. O fato de que a próspera mão de Deus repousava sobre os que nEle confiavam, e que a vitória acompanhava seus esforços, era a prova de que esse povo tinha achado graça aos Seus olhos – de que a mão do Senhor os estava conduzindo.

Assim também aconteceu na origem e no progresso da mensagem do terceiro anjo. Seu avanço não ocorreu porque as verdades apresentadas eram agradáveis ao coração natural. Pelo contrário, a própria verdade central da mensagem – o sábado do Senhor – entra em conflito com interesses mundanos e egoístas, levando os que obedecem a ela a ficar separados dos negócios seculares dois dias por semana. A causa da verdade presente teve seus inimigos externos, resolutos e obstinados em seus esforços para derrotar a obra. Pode-se dizer a respeito deles, nas palavras do salmista:

> Não fosse o Senhor, que esteve ao nosso lado, Israel que o diga; não fosse o Senhor, que esteve ao nosso lado, quando os homens se le-

vantaram contra nós, e nos teriam engolido vivos, quando a sua ira se acendeu contra nós (Salmos 124:1-3).

Pessoas egoístas e insatisfeitas têm surgido em nossas fileiras de tempo em tempo, declarando que grandes coisas aconteceriam quando seus propósitos fossem realizados. No entanto, assim como fogo de palha, faz muito tempo que suas luzes se apagaram. A causa da verdade presente, entretanto, de modo firme e constante, tem circundado o mundo, aumentando em estabilidade e força a cada avanço realizado.

Os irmãos Stephenson e Hall

Durante o verão de 1855, os irmãos Stephenson e Hall tentaram criar uma rebelião no Estado de Wisconsin. A liderança estava bem ciente de que o objetivo deles era testar todos os pontos de nossa fé por sua doutrina da "Era-por-vir", e que estavam bastante ansiosos de que os adventistas do sétimo dia aprendessem a doutrina de que haveria mais um tempo de graça após a segunda vinda de Cristo.

Predição a respeito desses irmãos

Em 20 de novembro de 1855, foi revelado a Ellen White o procedimento desses irmãos e uma predição do fim que teriam. Estas foram as palavras de Ellen White:

> Pensais vós, ó homens débeis, que podeis impedir a obra de Deus? Homem débil, um toque de Seu dedo pode lançar-te por terra. Ele te suportará apenas por pouco tempo.

Nossos adversários têm afirmado que essa visão declarava que esses homens iriam morrer em breve e, como viveram por vários anos, a visão não tinha se cumprido. Não há nada na visão indicando que morreriam. Eles haviam sido representados na condição de homens buscando impedir a obra da mensagem do terceiro anjo. Embora fossem informados de quão fácil seria para Deus detê-los, é acrescentado: "Ele te suportará por apenas pouco tempo". O que eles fizeram? Em vez de alcançarem sucesso em seu combate, como esperavam, parecem ter sido deixados a tatear na escuridão. Em poucas semanas, abandonaram completamente o sábado e se tornaram seus opositores. Haviam nutrido a esperança de organizar um grupo da "Era-por-vir", cujos líderes seriam eles próprios. Em vez disso, ao abandonar o sábado, perderam completamente a influência que tinham sobre nosso povo. Assim, por seu próprio procedimento, anularam totalmente o que planejaram fazer de início. Nosso povo disse: "Certamente, Deus 'os suportou por apenas pouco tempo'".

Um triste fim de vida

Quanto ao fim desses dois homens, pode ser de proveito apresentar algumas declarações sobre o triste destino que tiveram, declarações feitas por seus próprios irmãos, crentes na "Era-por-vir", com quem se associaram após abandonarem o sábado. Cerca de 37 anos atrás, o Sr. Hall desenvolveu um tipo de demência (ocasionada por amolecimento do cérebro), que surgiu após a perda de muitas propriedades resultante de fraude por parte de terceiros. Ele tem sofrido sob a ilusão de que, se sair ao ar livre, será esmagado ou lançado ao chão. É inofensivo, mas, naturalmente, por muitos anos tem sido totalmente incapaz de realizar a obra ministerial em qualquer ramo que seja.[13]

O irmão Stephenson faleceu há cerca de 16 anos. Por vários anos antes de sua morte, sofreu de insanidade, apesar de inofensivo às pessoas. Antes de chegar a esse estado, fazendo uso da suposta liberdade que possuía "sem a lei", devido à teoria que adotara, abandonou a esposa, uma mulher isenta de qualquer mancha moral, após ter conseguido o divórcio graças aos serviços de um advogado desonesto, e casou-se com uma mulher muito mais jovem do que sua ex-esposa. Esse ato foi uma violação tão flagrante no que diz respeito à moralidade que os próprios irmãos da "Era-por-vir" condenaram seu procedimento e não mais permitiram que ele pregasse.

Essas declarações, provenientes de seus próprios irmãos, a respeito do fim da vida desses homens são expressas aqui com a mais profunda compaixão. No entanto, estes são os fatos concretos, narrados sem maldade ou preconceito. Assim, deixamos que nossos leitores tirem suas próprias conclusões com respeito à aplicação prática do testemunho.

O irmão J. H. Waggoner aceita a mensagem

No ano de 1852, o irmão J. H. Waggoner, editor de um jornal do condado em Wisconsin, aceitou a verdade presente e, no ano seguinte, entregou-se inteiramente à obra pastoral. Em 1857, escreveu dois panfletos muito importantes com cerca de 200 páginas cada. O primeiro deles tinha o título: *The Nature and Tendency of Modern Spiritualism* [O Caráter e a Tendência do Espiritismo Moderno]; e o segundo: *A Refutation of the Age-*

---

[13] Esses fatos foram informados por sua própria família ao irmão Frederickson, de Dakota, em abril de 1892.

-to-Come [Uma Refutação da Era-
-por-Vir]. O primeiro foi não apenas
um meio de salvar muitos de cair nas
ciladas de Satanás, mas, com a bênção de Deus, abriu os olhos de muitos
que não sabiam o que pensar acerca
dessas manifestações modernas.

Sua *"Refutação da Era-por-Vir"*
desmascara completamente as falsas
teorias de um período de graça para
os pecadores após a segunda vinda
de nosso Senhor. Seu livro apresenta
uma refutação tão completa dessa
doutrina que não houve ninguém
que o contestasse, e até o momento
nenhuma tentativa de contestá-lo
nos chegou ao conhecimento. O livro apresenta, de forma muito clara e
concisa, a posição de Cristo como

JOSEPH HARVEY WAGGONER
29 de junho 1820
– 17 de abril de 1889

sacerdote no trono de Seu Pai (segundo a ordem de Melquisedeque),
durante a dispensação presente, e a posição que Ele vai ocupar em Seu
próprio trono, em Seu futuro reino eterno – um trono ao qual não será
associada qualquer mediação sacerdotal.

Posteriormente, o irmão Waggoner escreveu um terceiro panfleto,
de tamanho semelhante, intitulado *The Atonement in the Light of Reason
and Revelation* [A Expiação à Luz da Razão e da Revelação]. Por volta de
1884, ele foi revisado e ampliado para 400 páginas. É um tratado claro e
conciso sobre o tema indicado pelo título.

A partir de então, ele se tornou intimamente ligado à obra editorial,
como escritor e editor. Também continuou seu trabalho ministerial, em-
pregando seus últimos anos de vida na Europa.

Em 17 de abril de 1889, faleceu repentinamente em Basileia, Suíça, logo após concluir seu último livro, *From Eden to Eden* [Do Éden ao
Éden]. No dia 16, trabalhou o dia todo escrevendo, e fez a seguinte ano-
tação em seu diário: "Foi um dia de trabalho duro". As seguintes informações são extraídas do relatório preparado pelos irmãos europeus sobre
as circunstâncias de sua morte:

> Na manhã do dia 17, por volta das cinco e meia, ele caiu morto
> em sua cozinha, sem qualquer sinal de aviso, com parada cardíaca.

Havia trabalhado arduamente para terminar a edição em Inglês de seu novo livro, e planejava ir a Londres, no domingo seguinte, para trabalhar em conexão com o trabalho ali antes de retornar para a América no verão seguinte.

Desde 1854, o irmão Waggoner esteve constantemente, e de forma destacada, perante o público em defesa da verdade, tanto no púlpito como na imprensa. Por ocasião de sua morte, ele quase atingia os 69 anos de idade. Foi sepultado em Basileia, no dia 20 de abril. Assim caiu mais um dos trabalhadores iniciais da causa, que permanecia no posto do dever.

A cura pela fé

No início da primavera de 1858, Ellen White havia sido grandemente afligida por vários dias, ficando de cama em condição de quase total incapacidade. Certa ocasião, por volta da meia-noite, ela desmaiou; a família tentou reavivá-la usando todos os meios conhecidos, mas sem sucesso. Ela havia permanecido por mais de meia hora nessa condição, quando o irmão White, às pressas, chamou o irmão Andrews e a mim para participar de um momento de oração. Em resposta às fervorosas orações à beira do seu leito, o Senhor misericordiosamente a reavivou e restaurou sua saúde. Enquanto louvávamos a Deus, ela foi tomada em visão, ainda deitada na cama. Algumas das coisas que lhe foram mostradas nessa visão podem ser lidas em *Testemunhos para a Igreja,* n.° 5.

Notável manifestação física

Uma notável manifestação física ocorreu nessa visão, que queremos destacar de modo especial. O irmão White e eu estávamos sentados de um lado do leito e o irmão Andrews do outro. Ellen White estava ora com as mãos entrelaçadas sobre o peito, ora com os braços apontando, da forma habitualmente livre e graciosa, em direção às diferentes cenas que via. A parte superior de seu corpo estava levantada da cama, de forma que havia uma distância de aproximadamente 20 a 23 centímetros entre seus ombros e o travesseiro. Em outras palavras, seu corpo, da cintura para cima, estava flexionado em um ângulo de cerca de 30 graus. Ela permaneceu nessa posição durante toda a visão, que durou 30 minutos. Ninguém poderia, em condições normais, posicionar-se assim, sem se apoiar com mãos e braços, muito menos manter-se assim por esse período de tempo. Aqui, novamente, estava uma prova de que um poder, sobre o qual ela não tinha controle, estava ligado à visão.

Outra predição

No dia 1º de outubro de 1858, uma assembleia geral foi realizada pelo irmão e irmã White, e por mim, em Rochester, Nova Iorque. Depois da reunião, acompanhei o casal numa turnê pelo Estado de Nova Iorque e pelos Estados da Nova Inglaterra. Num sábado, Ellen White recebeu uma visão em que lhe foi mostrado, entre outras coisas, que Satanás, em algum momento de nossa viagem, faria um ataque poderoso sobre ela, e que o irmão White e eu deveríamos, pela fé, sustentá-la, e o Senhor a libertaria.

A aflição de Ellen White

Havia aqui mais uma profecia de um evento por acontecer. O que se segue vai mostrar a precisão com que a predição foi cumprida. No primeiro sábado após a reunião de Rochester, estávamos em Roosevelt, e no sábado seguinte, em Brookfield, condado de Madison. Na semana seguinte, realizamos reuniões na espaçosa cozinha do Sr. Ballou, em Mansville, condado de Jefferson. Enquanto viajávamos de trem de Brookfield a Mansville, o rosto de Ellen White ficou inflamado na região logo abaixo dos olhos. Ela sentia tanta dor que, ao chegamos em Mansville, foi obrigada a se deitar. A inflamação aumentou por dois dias, privando-a do sono e impedindo-a de tomar parte nas reuniões. Sua cabeça estava muito inchada a ponto de causar o fechamento dos dois olhos, e seu rosto tão desfigurado que nem tinha a aparência de um ser humano. Em meio a toda esta excruciante dor e extremo nervosismo causado por perda de sono, o inimigo estava arduamente tentando fazer com que ela murmurasse contra Deus. As coisas continuaram assim até o fim das reuniões que estavam agendadas.

Concluídas as reuniões, o irmão White me disse:

> Irmão John, este é aquele ataque que Satanás faria contra minha esposa, do qual fomos avisados em Rochester. Você se lembra da promessa de que, se nos uníssemos e a apoiássemos pela fé, não desfalecendo um momento sequer quando a luta chegasse, o poder do inimigo seria quebrado e ela seria livrada. Vamos entrar agora mesmo e passar um tempo em oração.

Ocorre o livramento previsto

Fomos imediatamente até o quarto onde Ellen White estava acamada e nos unimos em fervorosa oração em seu favor. Os irmãos permaneceram na sala onde realizamos as reuniões em oração silenciosa. Cerca de dez minutos após começarmos a orar, o poder do Senhor desceu e encheu o quarto. Ellen recebeu alívio imediato de qualquer dor e logo pediu alimento. Era cerca de cinco da tarde. Perto das sete, todo o inchaço havia desaparecido de seu rosto e ela participou da reunião naquela noite. Ao que tudo indica, tinha a aparência de estar bem como sempre. A pedido dos cidadãos, foi feito um discurso à noite sobre a "Herança dos Santos". Ao fim da mensagem, Ellen fez uma exortação. Enquanto o irmão White estava no lado de fora com seu filhinho, William Clarence, Ellen foi tomada em visão perante a grande assembleia. Algumas das coisas mostradas a ela naquele momento podem ser lidas no artigo de encerramento do *Testemunho* n.º 5, datado de 21 de outubro de 1858, Mansville, Nova Iorque.

O alívio obtido por Ellen White, na ocasião que acabamos de citar, foi tão eficaz como o previsto na visão dada em Rochester. Nenhuma dificuldade do gênero ocorreu novamente naquela viagem e obtivemos, por toda parte, gloriosas vitórias em favor da verdade.

Predição da Guerra Civil Americana

No sábado, dia 12 de janeiro de 1861, ocorreu a inauguração da igreja Adventista do Sétimo Dia de Parkville, Michigan. Essa data estava exatamente a três meses do dia em que foi disparada a primeira arma em Fort Sumter – evento que marcou a abertura da guerra que resultou na libertação de 4 milhões de escravos africanos na América. O culto contou com a presença do irmão White e sua esposa, os irmãos Waggoner, Smith e o escritor. Quando Tiago White encerrou seu sermão, Ellen White deu uma comovente exortação, e sentou-se em seguida. Enquanto nessa posição, foi tomada em visão. A igreja estava lotada e o ambiente era realmente solene. Após sair da visão, levantou-se e, olhando ao redor, disse:

> Não há ninguém nesta casa que tenha sequer sonhado com as desgraças que hão de vir sobre este país. As pessoas estão caçoando da ordem de secessão da Carolina do Sul, mas acaba de me ser mostrado que um grande número de Estados vão se unir àquele Estado e haverá uma guerra muito terrível. Nesta visão, vi grandes exércitos de ambos os lados reunidos no campo de batalha. Ouvi o estrondo do canhão e vi gente morta e agonizante por todo lado. Então, pude vê-los apressando-se no combate corpo-a-corpo [abaionetando um ao outro]. Então pude ver o terreno após a batalha, todo coberto com gente morta e moribunda. Fui, então, levada às prisões e pude ver o sofrimento daqueles em necessidade, em estado de definhamento. Então, fui levada às casas das pessoas que perderam seus maridos, filhos ou irmãos na guerra. Vi sua aflição e angústia.

Então, olhando lentamente ao seu redor, disse: "Há pessoas neste recinto que perderão seus filhos nessa guerra".

Depoimento da Sra. Ensign quanto à visão

O seguinte depoimento é dado como confirmação do fato acima, como prova de que a previsão foi feita no dia indicado e como ilustração de como a congregação entendeu e circulou tal previsão:

> Este certifica que eu vivia no Condado de St. Joseph, Michigan, em janeiro de 1861, a cerca de dez quilômetros de Parkville. Eu não era adventista. No dia 12 daquele mês, vários vizinhos meus foram a Parkville assistir às reuniões. Quando chegaram em casa, me disseram que havia uma mulher na reunião que estava em transe e que dizia que uma guerra terrível estava vindo sobre os Estados Unidos. Grandes exércitos seriam levantados de ambos os lados, no Sul bem como no Norte, e haveria muitos que sofreriam nas prisões. Extrema necessidade seria sentida em muitas famílias em consequência da perda de maridos, filhos e irmãos na guerra. E havia pessoas no recinto que perderiam seus filhos nessa guerra. Assinado, Martha V. Ensign, Wild Flower, condado de Fresno, Califórnia, 30 de janeiro de 1891.

Juntamente com a predição daquela terrível guerra, Ellen White declarou ainda que os adventistas do sétimo dia

> passariam por sérios apuros em decorrência da guerra, e que era dever de todos orar fervorosamente para que lhes fosse dada sabedoria sobre o que fazer nos tempos difíceis que estavam à frente.

Extensão da Guerra Civil

Na ocasião em que foi dada a visão, o povo do Norte, de modo geral, tinha pouco ou nenhum conhecimento sobre a guerra iminente. Até mesmo o presidente Lincoln, três meses depois (12 de abril de 1861), convocou apenas 75 mil homens, e pelo curto prazo de três meses, após vários Estados se unirem à Carolina do Sul em sua ordem de secessão e a primeira arma ser disparada em Fort Sumter.

O número total de soldados convocados no lado da União durante a guerra foi de 2.859.132. A Enciclopédia Britânica diz que "o exército confederado contava, no início de 1863, com cerca de 700 mil homens", mas que é difícil saber exatamente o total de soldados alistados. Segundo essa fonte histórica, o número de mortos por parte da União é estimado em "cerca de 300 mil homens". Algumas enciclopédias atuais estimam essas perdas em 359.528, envolvendo os mortos em combate e os que

morreram por ferimentos ou doenças contraídas no campo ou nas prisões. Sobre a dívida por parte da União, a Enciclopédia Britânica declara:

> A dívida atingiu o seu pico máximo em 31 de agosto de 1865, to-
> talizando 2.845.907.626,56 de dólares. Mais ou menos 800 milhões
> de dólares da receita haviam também sido gastos principalmente na
> guerra. Estados, cidades, condados e municípios haviam gasto seus
> próprios impostos e acumulado suas próprias dívidas em favor da
> guerra. O pagamento de pensões, por fim, deverá somar 1,5 bilhões de
> dólares. Os gastos da Confederação nunca poderão ser avaliados, e o
> patrimônio destruído pelos exércitos federais e pelos exércitos confe-
> derados dificilmente se pode estimar; e o valor monetário dos escravos
> no Sul (estimado em 2 bilhões de dólares) foi liquidado pela guerra.
> Ao todo, apesar de não ser possível calcular precisamente o custo da
> guerra, 8 bilhões de dólares é uma estimativa moderada (*Encyclopedia
> Britannica*, 9ª ed., vol. 23, p. 780).

Outra confirmação da visão

Quanto à previsão relacionada às pessoas presentes na igreja de
Parkville que perderiam seus filhos na guerra, menciono simplesmente
que, no outono de 1883, encontrei o ancião da igreja de Parkville, que era
também o ancião em janeiro de 1861, quando a visão foi dada. Perguntei-
-lhe se ele se lembrava do que Ellen White tinha dito ao relatar a visão sobre a guerra. "Sim", disse ele, "lembro". "Você poderia me informar quantas
pessoas você conhece que estavam na igreja naquele dia e perderam filhos
na guerra?" Ele prontamente lembrou o nome de cinco pessoas, e disse:
"Sei que estas estavam lá e perderam filhos na guerra; se estivesse em casa e
pudesse conversar com minha família, poderia citar mais nomes". E continuou: "Penso que havia outras cinco pessoas, além dessas que mencionei".

Uns quatro anos ou mais de combate assíduo por parte do Sul,
até perder quase metade de todas as suas forças alistadas por morte em
combate ou por doença, revelaram um notável cumprimento da previsão mencionada acima.

A escravidão e a guerra

Relatando uma visão recebida no dia 4 de janeiro de 1862, Ellen
White declarou:

> Milhares têm sido induzidos a se alistar com o entendimento de que
> esta guerra era para acabar com a escravidão; mas, agora que estão
> comprometidos, descobrem que foram enganados, e que o objetivo
> desta guerra não é abolir a escravidão, mas mantê-la como está.

Isso aconteceu num período em que se exigia que os soldados auxiliassem a retornar a seus senhores todos os escravos que haviam escapado para dentro dos limites da União. Os soldados são representados como dizendo: "Se tivermos sucesso em acabar com esta rebelião, o que terá sido ganho?" Eles respondem desencorajados: "Nada. A causa da rebelião não é removida. Tem-se permitido que o sistema de escravidão, que tem arruinado nossa nação, continue a existir e a fomentar outra rebelião". Essas palavras foram extraídas do *Testemunho* n.° 7, onde se encontra descrito um completo e emocionante relato da guerra sob o título "A Escravidão e a Guerra". Ali não diz que a escravidão jamais seria abolida, mas revela o modo como os soldados, na época, enxergavam a situação. Um pouco mais adiante, no mesmo testemunho, encontra-se a seguinte predição:

Predição sobre a vitória do Norte

E ainda proclamam um jejum nacional! Diz o Senhor: "Porventura, não é este o jejum que escolhi: que soltes as ligaduras da impiedade, desfaças as ataduras da servidão, deixes livres os oprimidos e despedaces todo jugo?" Quando nossa nação praticar o jejum escolhido pelo Senhor, então Ele aceitará suas orações no que diz respeito à guerra; mas, agora, elas não chegam a Seu ouvido.

Os que estão familiarizados com a história da guerra conhecem as derrotas, os desastres, os atrasos, etc., nos esforços do Norte para conquistar as forças do Sul, até a época em que a proclamação de libertação foi feita em 1° de janeiro de 1863. Depois disso, quão rápidas foram as conquistas desde aquele momento até o fim da guerra! Como ficou evidente, para os adventistas que observavam o desenrolar dos acontecimentos, o cumprimento da predição de Ellen White feita em 4 de janeiro de 1862 – exatamente depois que as ataduras da servidão foram removidas, as correntes quebradas e retirado o jugo de sobre o escravo! Era mais do que evidente que Deus havia ouvido as orações do Seu povo, e abençoado os esforços da nação para pôr fim à guerra no momento em que esta escolheu praticar o jejum que agradava a Deus.

Testemunho do ex-governador St. John

O ex-governador John P. St. John, de Kansas, fez a seguinte declaração em Ottawa, Illinois, num discurso que ouvi na tarde de 29 de junho de 1891:

Nunca fiquei tão decepcionado como no momento em que os [confederados] nos derrotaram em Bull Run. Mas era tudo parte do plano de Deus. Se tivéssemos derrotado os [confederados], os políticos teriam buscado fazer as pazes, a União iria continuar com a escravidão e nós a teríamos ainda hoje. Por dois anos os [confederados] tiveram a vantagem. Mas, após Lincoln emitir a famosa Proclamação de Libertação, passamos totalmente para o lado de Deus, e não poderíamos perder.

Capítulo 22

ORGANIZAÇÃO

*"Por esta causa, te deixei em Creta, para que pusesses em ordem
as coisas restantes, bem como, em cada cidade, constituísses
presbíteros, conforme te prescrevi" (Tito 1:5).*

No avanço da mensagem do terceiro anjo, 12 anos se passaram
(1846-1858) antes que nosso povo percebesse a necessidade de
qualquer organização mais formal do que simplesmente a crença na
verdade e o amor cristão. Embora o Senhor tivesse orientado Seu povo a
esse respeito pelo dom profético, parece ter sido necessário a ocorrência
de eventos probantes para despertá-los totalmente para a necessidade
da organização de Associações, igrejas e sociedades que administrassem
os assuntos temporais da causa.

Oposição à organização

Em uma nota de rodapé na página 12 do *Supplement to Experience
and Views* [Suplemento às Experiências e Visões], publicado em 1853, o
irmão Tiago White relata:

> Depois que o tempo [esperado] passou, em 1844, havia grande con-
> fusão, e a maioria se opunha a qualquer tipo de organização, defen-
> dendo que isso era incoerente com a perfeita liberdade do evangelho!
> Ellen White sempre se opôs a todo tipo de fanatismo, e logo decla-
> rou que alguma forma de organização era necessária para evitar e
> corrigir a confusão. Poucos, nos dias atuais, podem ter qualquer ideia
> da firmeza que então se requeria para manter sua posição contra a
> anarquia prevalecente.

A união que há entre os adventistas do sétimo dia tem sido grandemente promovida e mantida graças aos avisos e instruções oportunos
de Ellen White.

George Storrs falando sobre a organização

O texto a seguir, escrito por George Storrs em 1844, nos mostra o que era ensinado sobre o assunto de organização aos que se haviam separado das igrejas sob a proclamação da mensagem do advento:

> Tenham cuidado para não procurar organizar outra igreja. Nenhuma igreja pode ser organizada por invenção humana sem que se torne Babilônia *no momento em que é organizada*. O Senhor organizou Sua própria igreja por meio dos fortes laços do amor. Não há como fortalecê-la mais que isto; e quando esses laços não forem capazes de manter unidos os professos seguidores de Cristo, esses deixam de ser seus seguidores, saindo naturalmente do corpo da igreja (*Midnight Cry*, 15 de fevereiro de 1844).

Organização em tempos apostólicos

Os adventistas do sétimo dia, como mencionamos, não possuíram qualquer organização formal por muitos anos, nem mesmo uma organização eclesiástica. Qualquer pessoa que tivesse a coragem moral de aceitar a verdade, e a ela obedecer sob a pressão de oposição exterior existente na época, era considerada honesta e digna do amor cristão e da comunhão. Nos dias apostólicos, houve um tempo em que ela se tornou necessária, "para que pusesses em ordem as coisas restantes" (Tito 1:5-9). Por volta do ano 65 d.C., Tito foi autorizado a que, "em cada cidade, constituísses presbíteros", onde houvessem fiéis, e Timóteo recebeu instruções bem detalhadas sobre o assunto (1 Timóteo 3:1-15).

O irmão White fala sobre organização

O texto a seguir, escrito pelo irmão Tiago White acerca de organização e disciplina, apareceu na *Review* de 4 de janeiro de 1881:

> A organização foi planejada a fim de garantir unidade de ação, servindo como proteção contra a fraude. Jamais foi intencionada como castigo para forçar obediência, mas para a proteção do povo de Deus. Cristo não empurra Seu povo, Ele os chama. "As minhas ovelhas ouvem a minha voz; eu as conheço, e elas me seguem". Nosso Líder abre o caminho, e chama Seu povo a segui-Lo.
> Credos humanos não podem produzir união. A autoridade da igreja é incapaz de comprimi-la em um só corpo. Cristo jamais designou que mentes humanas fossem moldadas para o Céu pela influência de outras mentes humanas. "Cristo é o cabeça de todo homem". Seu papel é conduzir, moldar e estampar Sua própria imagem sobre os herdeiros da glória eterna. Não importa quão importante a organi-

zação possa ser para a proteção da igreja e para garantir a harmonia de ação, ela não deve vir para tomar das mãos do Mestre a disciplina que só a Ele cabe dar.

Unidade entre dois extremos

O grande segredo de união e eficiência no ministério e na igreja de Deus encontra-se situado entre dois extremos: autoridade da igreja e independência não santificada. O apóstolo Pedro, por meio de um apelo muito solene aos irmãos da sua época, nos declara: "Rogo, pois, aos presbíteros que há entre vós, eu, presbítero como eles, e testemunha dos sofrimentos de Cristo, e ainda coparticipante da glória que há de ser revelada: pastoreai o rebanho de Deus que há entre vós, não por constrangimento, mas espontaneamente, como Deus quer; nem por sórdida ganância, mas de boa vontade; nem como dominadores dos que vos foram confiados, antes, tornando-vos modelos do rebanho. Ora, logo que o Supremo Pastor Se manifestar, recebereis a imarcescível coroa da glória. Rogo igualmente aos jovens: sede submissos aos que são mais velhos; outrossim, no trato de uns com os outros, cingi-vos todos de humildade, porque Deus resiste aos soberbos, contudo, aos humildes concede a Sua graça. Humilhai--vos, portanto, sob a poderosa mão de Deus, para que Ele, em tempo oportuno, vos exalte" (1 Pedro 5:1-6).

A simplicidade e a forma de organização do Novo Testamento

Aqueles que elaboraram o modelo de organização adotado pelos adventistas do sétimo dia trabalharam para adotar, na medida do possível, a simplicidade de expressão e de forma encontradas no Novo Testamento. Quanto mais se manifestar o espírito do Evangelho, mais simples e mais eficiente será o sistema.

A Associação Geral tem a supervisão geral da obra em todos os seus ramos, incluindo as Associações em nível de Estado. Essas Associações têm a supervisão de todos os ramos da obra no Estado, incluindo as igrejas naquele Estado. E a igreja é um corpo de cristãos unidos pelo simples pacto de guardar os mandamentos de Deus e a fé de Jesus.

Oficiais da igreja devem ser seus servos

Os oficiais de uma igreja local são servos daquela igreja, e não senhores, para reinar pela força. "O maior dentre vós será vosso servo" (Mateus 23:11). Estes agentes devem ser exemplos na paciência, vigilância, oração, bondade e liberalidade para com os membros da igreja, devendo manifestar, àqueles aos quais servem, considerável medida daquele amor que se manifesta na vida e nos ensinamentos de nosso Senhor.

Primeiro testemunho a respeito de ordem

No *Supplement to Experience and Views*, publicado em 1853, instrução especial é dada a respeito de ordem na obra evangélica. Na página 15, lemos o seguinte:

> "A igreja deve procurar refúgio na Palavra de Deus e estabelecer-se na ordem evangélica, a qual tem sido esquecida e negligenciada". Isso é necessariamente indispensável para levar a igreja à unidade da fé.

Ordem será necessária perto do fim

Em um testemunho dado em 23 de dezembro de 1860, lemos:

> À medida que nos aproximamos do fim do tempo, Satanás desce com grande poder, sabendo que tem pouco tempo. Seu poder é especialmente exercido sobre o remanescente. Ele pelejará contra eles e buscará dividi-los e espalhá-los, a fim de enfraquecê-los e vencê-los mais facilmente. O povo de Deus precisa agir conscientemente e unir seus esforços. Deveriam ter a mesma intenção e o mesmo bom senso; então seus esforços não serão dispersos, mas falarão convincentemente em favor da causa da verdade presente. É necessário que a ordem seja observada, e que haja união em manter essa ordem, ou Satanás ganhará vantagem (*Testemunhos para a Igreja*, vol. 1, p. 210).

Devemos imitar a ordem angélica

No *Testemunho* n.º 14, publicado em 1868, lemos:

> Quanto mais atentamente imitarmos a harmonia e a ordem da multidão angélica, tanto mais bem-sucedidos serão os esforços desses agentes celestiais em nosso favor. Se não virmos necessidade de ação harmoniosa, e formos desordenados, indisciplinados e desorganizados em nosso modo de agir, os anjos, que são totalmente organizados e se movem em perfeita ordem, não conseguem agir com sucesso em nosso favor. Eles se afastam entristecidos, pois não estão autorizados a abençoar confusão, desordem e desorganização.

Deus ainda é um Deus de ordem

Deixou o Senhor de ser um Deus de ordem? Não. Ele é o mesmo tanto na presente dispensação como na passada. Diz Paulo: "Porque Deus não é Deus de confusão, senão de paz" (1 Coríntios 14:33). Ele é tão específico hoje como então. Deseja que aprendamos lições de ordem e organização a partir da perfeita ordem instituída nos dias de Moisés para benefício dos filhos de Israel (*Testemunhos para a Igreja*, vol. 1, p. 653).

A oração de Cristo em favor da ordem

Em um testemunho escrito em 1882, vemos o mesmo sentimento expresso nestas palavras:

> A preocupação expressa na última oração de nosso Salvador pelos discípulos, antes de Sua crucifixão, foi que imperassem união e amor entre eles. [...] "E não rogo somente por estes, mas também por aqueles que pela Sua palavra hão de crer em Mim; para que todos sejam um, como Tu, ó Pai, o és em Mim, e Eu em Ti; que também eles sejam um em Nós, para que o mundo creia que Tu Me enviaste" [João 17:17-21] (*Testemunhos para a Igreja*, vol. 5, p. 236, 237).

Perigo de independência individual

Em 1885, foi dado o seguinte testemunho:

> Um ponto tem de ser guardado, e esse é a *independência individual*. Como soldados no exército de Cristo, deve haver *harmonia de ação* nos vários departamentos da obra (*Testemunhos para a Igreja*, vol. 5, p. 534).

Satanás se deleita ao destruir a ordem

Em um testemunho especial publicado em 1895, está escrito:

> Oh, como Satanás se alegraria em se introduzir neste povo, desorganizando a obra num tempo em que total organização é essencial, e será o maior poder para afastar rebeliões espúrias e refutar reivindicações não apoiadas pela Palavra de Deus. Queremos manter as fileiras uniformemente, para que não haja quebra do *sistema* de regulamento e ordem.

Ministros recomendados

Em harmonia com os testemunhos que acabamos de citar, um dos primeiros pontos considerados no estabelecimento de ordem entre nosso povo era alguma forma de identificar aqueles que pregavam a mensagem. Nos anos que decorreram entre 1850-1861, foi adotado o plano de conceder um cartão aos ministros que tinham confirmado seu dom e dado evidentes indicações de terem sido aprovados pelo Senhor, e de estarem em harmonia com a totalidade da obra. Tal credencial os recomendaria à comunhão com o povo de Deus em toda parte, simplesmente declarando que haviam sido aprovados na obra do ministério evangélico. Esses cartões foram datados e assinados por dois dos principais ministros conhecidos entre nosso povo como líderes na obra.

Apoio para ministros

No inverno de 1858-1859, foi dada instrução no sentido de que a Bíblia continha um sistema completo para o sustento do ministério e que, se nosso povo estudasse o assunto do ponto de vista bíblico, iria descobrir esse sistema. Consequentemente, realizou-se uma classe bíblica em Battle Creek, dirigida pelo irmão J. N. Andrews. Após estudarem cuidadosamente as Escrituras, em oração, prepararam um artigo e o publicaram na *Review* de 3 de fevereiro de 1859, apresentando um plano que adotava o princípio do dízimo. O assunto foi apresentado num grande encontro de nosso povo, reunido em assembleia geral em Battle Creek, Michigan, dia 6 de junho de 1859, e adotado unanimemente por voto de toda a assembleia.

Aprovado o estabelecimento de ordem

No *Testemunho* n.° 6, de 1861, o Senhor, através de Ellen White, assim falou em referência ao sistema que havia sido adotado pelos adventistas do sétimo dia:

> Não roubem a Deus pela retenção de dízimos e ofertas. O primeiro e sagrado dever é devolver a Deus a devida parcela. Não permitam que alguém introduza suas exigências, levando-os a roubar a Deus. Não permitam que seus filhos roubem suas ofertas do altar de Deus, usando-as para proveito próprio.

O sistema do dízimo para desenvolver o caráter

> O sistema de dízimos, vi, desenvolveria o caráter e manifestaria o verdadeiro estado do coração. Se esse assunto for apresentado aos irmãos de Ohio em seu verdadeiro sentido, e se permitir que eles se decidam por si mesmos, verão sabedoria e ordem no sistema.

Dessa forma, um sistema de finanças foi estabelecido entre os adventistas do sétimo dia para sustentar a obra ministerial, e agora está sendo usado por nosso povo ao redor do mundo.

Na *Review* de 21 de julho de 1859, como resultado de instrução anteriormente dada através dos *Testemunhos*, sugeriu-se, pela primeira vez, que cada Estado realizasse uma reunião anual onde fosse feito um cuidadoso planejamento do trabalho. O objetivo era evitar a confusão tão comum no desempenho da obra ministerial, e contribuir para que a ordem e a sistematização fossem mantidas em nossa obra. Essa sugestão realmente antecipava a formação de organizações em associações estaduais.

Mantendo as propriedades da igreja

Com o avanço da mensagem e o aumento do números de membros, seguiu-se, naturalmente, um acúmulo de propriedades, tornando necessário discutir a questão da manutenção legal das propriedades da igreja. Em um artigo do irmão White, encontrado na *Review* de 23 de fevereiro de 1860, lemos o seguinte:

> Esperamos, no entanto, que não esteja distante o tempo em que este povo estará na condição necessária para colocar no seguro as propriedades da igreja, mantendo as igrejas de forma adequada, de maneira que os que prepararem seus testamentos, ou tiverem intenção de fazê-lo, possam dedicar uma parte ao departamento de publicações. Convocamos nossos pregadores e a liderança para dar atenção ao assunto. Se alguém desaprovar nossas sugestões, podem, por favor, escrever um plano pelo qual, nós, como povo, possamos agir?

Apoiada à ideia de uma organização legal

Durante o verão daquele ano, houve uma discussão razoavelmente amigável sobre o assunto na *Review*. E numa reunião geral dos representantes de nosso povo de Michigan e de vários outros Estados, realizada em Battle Creek nos dias 28 de setembro a 1° de outubro, houve atenta consideração sobre o assunto, e uma discussão aberta e completa sobre a organização legal com a finalidade de manter a propriedade do escritório e dos prédios de igrejas, entre outros tópicos. Essa discussão encontra-se na *Review*, vol. 16, n.° 21, 22 e 23, publicadas nos dias 9, 16 e 27 de outubro de 1860.

Como resultado das ponderações dessa reunião, votou-se, unanimemente, organizar legalmente uma associação de publicação. Nesse contexto, a fim de formar tal corporação o quanto antes possível, uma comissão de cinco pessoas foi eleita pela assembleia reunida.

Um nome denominacional

Esta conferência também considerou o assunto do nome pelo qual nosso povo seria chamado. Esse assunto novamente gerou uma diversidade de opiniões, alguns pleiteando por um nome e outros por outro. O nome "Igreja de Deus" foi proposto, mas essa proposta foi derrubada, pois não apresentava nenhuma das características distintivas da nossa fé, ao passo que o nome "adventistas do sétimo dia" não apenas proclamava nossa fé na iminente vinda de Cristo, mas também revelava que somos guardadores do sábado do sétimo dia. A votação em favor deste último nome foi tão unânime que, quando posto em votação, recebeu apenas um voto contra; a objeção, porém, foi logo depois retirada.

O nome aprovado

No *Testemunho* n.° 6, lemos:

> Não podemos adotar outro nome melhor do que este, que concorda com a nossa doutrina, exprime a nossa fé e nos caracteriza como povo peculiar. [...] O nome Adventista do Sétimo Dia exibe o verdadeiro caráter de nossa fé e será próprio para persuadir aos espíritos indagadores. Como uma flecha da aljava do Senhor, fere os transgressores da lei divina, induzindo ao arrependimento e à fé no Senhor Jesus Cristo.

Vemos, portanto, que o Testemunho resolveu a questão para sempre na mente dos fiéis.

A função do verdadeiro dom

Não é esta a ocupação peculiar da manifestação dos dons do Espírito de Deus? Paulo declarou que os dons foram postos na igreja "com vistas ao aperfeiçoamento dos santos para o desempenho do seu serviço, para a edificação do corpo de Cristo, até que todos cheguemos à unidade da fé", etc. (Efésios 4:12, 13). Quão apropriado é, que, após os fiéis haverem buscado a luz com devoção e humildade, o Espírito se pronunciasse, dizendo: "Este é o caminho. Suas conclusões estão corretas"; e, em seguida, "edificasse" a Igreja ainda mais, como nesse caso, declarando-lhes a real importância da questão, e alguns dos bons resultados que adviriam da decisão tomada.

Organização da igreja

Em um discurso proferido pelo irmão White diante da Assembleia Geral realizada em Battle Creek, em abril de 1861, publicado na *Review* de 11 de junho de 1861, ele introduziu a ideia de uma organização mais completa de nossas igrejas. Por requisição, nove ministros realizaram uma classe bíblica buscando luz sobre o assunto, sendo-lhes solicitado, pela assembleia, que publicassem na *Review* os resultados da investigação. Após apresentarem o testemunho bíblico sobre a ordem na igreja e seus oficiais, passaram a considerar o tema da igualdade de representação dos vários Estados em Assembleia Geral, bem como da representação adequada e igualitária das igrejas nas Associações estaduais. De fato, esta foi a primeira introdução da ideia de haver proporções iguais de delegados devidamente eleitos para as reuniões gerais previamente acertadas.

Organizada a Associação Estadual de Michigan

Em 6 de outubro de 1861, a Associação de Michigan foi organizada pela eleição de um presidente, um secretário e uma comissão executiva composta de três pessoas. Por voto da associação, foi recomendado que as igrejas se filiassem à organização, adotando, como pacto eclesiástico, o seguinte:

> Nós, abaixo assinados, por meio desta, nos associamos como igreja, escolhendo o nome Adventistas do Sétimo Dia, concordando solenemente em guardar os mandamentos de Deus e a fé de Jesus Cristo.

Credenciais dos ministros

Nessa assembleia, decidiu-se, pela primeira vez, que credenciais fossem concedidas a todos os ministros adventistas do sétimo dia, naquele Estado, que estivessem em harmonia com a igreja, e que os ministros carregassem consigo documentos que consistiam num certificado de ordenação e credenciais assinadas pelo presidente e pelo secretário da Associação, as quais deviam ser renovadas anualmente.

Também foi votado que fosse selecionada uma comissão com o fim de preparar uma apresentação com diretrizes ao nosso povo referentes aos procedimentos para a organização de igrejas. Essa apresentação foi publicada na *Review* de 15 de outubro de 1861.

As credenciais dos delegados

No mês de setembro de 1862, a Associação de Michigan realizou a sua primeira sessão em Monterey. Aqui, pela primeira vez, foi apresentada a ideia de receber igrejas nas Associações do modo como os membros são recebidos nas igrejas por votação. Como já havia 17 igrejas organizadas no Estado, estas eram, por votação, recebidas na Associação, e todos os membros dessas igrejas, presentes na assembleia, foram aceitos como delegados.

Os salários dos ministros

Foi também adotado nessa conferência o plano de pagar semanalmente aos ministros certa quantia por serviços prestados. Estes, por sua vez, foram solicitados a relatar o tempo gasto no trabalho em favor da

Associação, com recibos e despesas. A Associação, por sua vez, ao receber esse relatório, faria os devidos ajustes.

Credenciais apresentadas pela primeira vez por delegados

Em 20 de maio de 1863, realizou-se uma Assembleia Geral em Battle Creek, Michigan. Foi a primeira reunião geral da igreja em que os delegados portavam credenciais de seus respectivos Estados. A representação não era, no entanto, em base numérica. Os Estados representados nessa ocasião foram Michigan, Wisconsin, Iowa, Minnesota, Nova Iorque e Ohio.

Constituições da Associação Geral e Estadual

Em 21 de maio, uma constituição foi adotada pela Associação Geral, e, no mesmo dia, uma constituição estadual foi recomendada às Associações estaduais. Isso se deu numa assembleia da Associação de Michigan. Essas constituições forneceram uma base numérica para representação de delegados nas Associações estaduais e na Associação Geral. A constituição estadual, recomendada ali, é praticamente a mesma usada até o momento [1905] por nossas 72 Associações locais ao redor do mundo.

Por ocasião da assembleia da Associação Geral, na primavera de 1864, recomendou-se pela primeira vez às Associações estaduais que uma Comissão Auditora, composta de membros leigos que não fossem obreiros da Associação durante o ano, fosse selecionada para atuar, com a Comissão Executiva, na auditoria e acerto de contas com os ministros. Dessa forma, passo a passo, à medida que surgia a necessidade, a ordem foi estabelecida na obra e na causa de Deus.

Assim, acabamos de traçar brevemente os passos que levaram à organização formal da obra. Isso ocorreu quando a denominação era muito pequena em relação ao tamanho atual.

Quando a Associação Geral foi plenamente organizada, em 1863, o número total de delegados não chegava ao que agora temos anualmente em algumas das pequenas Associações locais.

Objetivo da organização

O objetivo da organização era fazer com que as propriedades da igreja estivessem legalmente em nome da igreja, sendo legalmente administradas, e permitir que os obreiros trabalhassem em harmonia, sem confusão, avançando com planejamento e, portanto, sem distrações. Os mesmos princípios adotados na nossa organização até 1864 foram incorporados na obra que posteriormente se ampliou e se estendeu a outros países e nacionalidades.

A formação de organizações gerais

À medida que a mensagem avançou, as seguintes organizações gerais foram formadas, cujos oficiais eram eleitos nas sessões ordinárias da Associação Geral:

A Associação da Conferência Geral – uma corporação legal composta de 21 membros para manter o título de propriedade das diversas instituições nos Estados Unidos e em outros países.

A Junta de Missões Estrangeiras – para supervisionar e expandir o trabalho missionário em território não englobado pelas Associações organizadas.

A Sociedade Internacional de Folhetos – encarregada da distribuição de materiais de leitura e correspondências, visando à abertura de novas missões.

A Associação de Liberdade Religiosa – cuja principal missão era auxiliar os perseguidos por motivos de consciência, e fazer circular publicações sobre os princípios da liberdade religiosa.

A Associação Internacional da Escola Sabatina – cujo objetivo era a construção e avanço da obra da Escola Sabatina em todos os campos.

A Associação Médico-Missionária e Beneficente – cuja obra visava ao treinamento de médicos e enfermeiros, à condução de hospitais, orfanatos, asilos, etc.

O campo ocupado até 1868

Até 1868, nossa área de atuação incluía a região dos Estados Unidos situada a leste do rio Missouri e a norte do paralelo de latitude correspondente com a fronteira sul do Estado de Missouri. Naquela época, a Comissão da Associação Geral era composta de apenas três membros, um deles atuando como Presidente. As oito Associações locais estavam todas sob a supervisão da Associação Geral, que tinha sua sede em Battle Creek, Michigan.

Reorganização necessária

À medida que a mensagem se estendeu a outras terras, surgiu a necessidade de reorganizar o campo inteiro. Consequentemente, foram tomadas medidas nessa direção em 1897. No entanto, o trabalho de reorganização foi feito de modo mais completo durante os últimos quatro anos. Nesse período, a Associação Geral Europeia foi organizada, possuindo uma Comissão Executiva composta de 14 membros. A Associação Geral original, com sede em Washington, D.C., tem uma Comissão Executiva de 28 membros, representando os diversos interesses da mensagem, substituindo algumas das associações mencionadas acima.

A organização em 1º de janeiro de 1903

Os seguintes pontos extraídos do Yearbook da Associação Geral de 1904, fornecem algumas estatísticas interessantes até 1º de janeiro de 1903:

Naquela época, nosso trabalho organizado possuía duas Associações Gerais, compostas de 14 Uniões, 72 Associações locais e 42 Missões. Estas são distribuídas da seguinte forma: Associações locais na América do Norte, 49; fora da América do Norte, 23. Uniões nos Estados Unidos, oito; em outros países, seis. Missões na América, incluindo Alaska, Havaí e Terra Nova, cinco; Missões fora da América, 37, localizadas da seguinte maneira: 12 na Europa; quatro na África; três na Ásia; duas na América do Sul; duas na África do Sul; e o restante na América Central, México, Antilhas e ilhas do Pacífico. Conectados com essas Missões estão 67 ministros ordenados e licenciados, e 131 igrejas.

Unidade na diversidade

É animador saber que essas diversas organizações, em vários países e nacionalidades, estão todas unidas na promoção da grande causa da verdade e da salvação de pessoas. Não confiamos no mero mecanismo formal de organização, mas em Deus, o autor da ordem. Com Sua bênção sobre a ação conjunta e harmoniosa de Seus obreiros, podemos perceber como é bom e agradável que "tudo […] seja feito com decência e ordem".

Capítulo 23

Instituições de Saúde

"Amado, acima de tudo, faço votos por tua prosperidade e saúde, assim como é próspera a tua alma" (3 João 2).

No sábado, dia 6 de junho de 1863, o irmão White e sua esposa participaram de uma reunião em tenda, conduzida pelos irmãos Cornell e Lawrence, em Otsego, Michigan. Ellen White recebeu ali uma visão na qual lhe foi exposto o tema da reforma da saúde. A partir de então, artigos sobre saúde e estilo de vida saudável foram publicados na *Review*, passando ela a escrever o que lhe havia sido revelado sobre o tema de saúde. Algumas dessas considerações apareceram no *Testemunho* n.° 11 e numa obra intitulada *How to Live* [Como Viver].

O tema do viver saudável, e sua relação com o desenvolvimento físico, mental e espiritual, foi apresentado ao povo de modo proeminente. Na *Review* de 25 de outubro de 1864, o irmão J. N. Andrews fez importantes sugestões sobre o assunto:

J. N. Andrews falando sobre o estilo de vida saudável

Entre as coisas mais essenciais para a boa saúde estão: abandonar todos os itens alimentares prejudiciais e ter uma vida temperante, influenciada por uma boa instrução e por uma consciência sob a orientação de Deus. Nosso corpo é o templo do Espírito Santo. A fim de podermos verdadeiramente glorificá-Lo em nosso corpo e em nosso espírito, quão essencial é que mantenhamos em pleno vigor toda energia de nosso ser! Damos graças a Deus por este assunto estar sendo agora especialmente apesentado a nosso povo. Saúde e força fazem parte de nossos maiores tesouros, e terão as maiores consequências para os que irão testemunhar os grandiosos eventos do tempo da angústia.

O tema de higiene bíblica e temperança cristã não foi defendido apenas nas páginas da *Review*, mas também por nossos pastores.

Na assembleia da Associação Geral realizada em 20 de maio de 1866, a seguinte instrução foi dada por Ellen White (também encontrada no *Testemunho* n.° 11).

Necessidade de estabelecermos uma instituição de saúde

Vi que devemos providenciar um lar para os aflitos e aqueles que desejam aprender a cuidar de seu corpo, visando a prevenir doenças. [...] Ao frequentarem os descrentes uma instituição dedicada ao tratamento bem-sucedido de doenças, e dirigido por médicos observadores do sábado, serão postos sob direta influência da verdade. Familiarizando-se com nosso povo e nossa verdadeira fé, seu preconceito será superado e eles serão favoravelmente impressionados. Colocando-se assim sob a influência da verdade, alguns não apenas obterão alívio para suas enfermidades físicas, mas encontrarão cura para seu coração perturbado pelo pecado.

Previsão de resultados

Quando melhoram sob cuidadoso tratamento, os doentes passam a confiar naqueles que foram instrumentos na restauração de sua saúde. Seu coração se enche de gratidão e a boa semente da verdade encontrará terreno ali. Em alguns casos será nutrida, crescerá e dará fruto para a glória de Deus. Essas preciosas pessoas salvas serão de maior valor do que todos os meios necessários para estabelecer tal instituição. [...] Alguns dos que recobrarem a saúde, ou forem grandemente beneficiados, serão o instrumento para introduzir nossa fé em novos lugares e erguer o estandarte da verdade onde antes teria sido impossível ter acesso, caso não houvessem sido desfeitas as ideias preconcebidas, por sua permanência entre nosso povo com o objetivo de obter saúde.

Estando nosso povo reunido, foi decidido por voto unânime que, assim que possível, uma instituição de saúde deveria ser inaugurada em Battle Creek ou seus arredores, devendo estar sob o gerenciamento médico do Dr. H. S. Lay. Este, além de sua formação prévia em medicina, havia passado mais de um ano no Oriente estudando a cura pela água a fim de utilizar métodos hidroterápicos no tratamento de doenças.

A compra de um local para o Sanatório

Na época, o estabelecimento de uma instituição desse tipo parecia um grande empreendimento, e se não fosse por esse testemunho encorajador acerca dos resultados, teria havido um certo atraso no abraçar este trabalho. Contudo, em vez de atraso, apenas alguns dias após o encerramento da assembleia, a espaçosa casa do juiz Graves foi comprada, contendo oito hectares de terra. Este era seu belo local de residência na parte oeste de Battle Creek. Junto a esse edifício, um prédio adicional de dois andares foi rapidamente construído para servir como salas de banho. Nesses edifícios, foi inaugurado o Instituto da Reforma de Saúde. Na *Review* de 19 de junho de 1866, foi feito o primeiro chamado para a aquisição de ações da instituição. Na mesma edição do periódico, declarou-se que as igrejas de Battle Creek, em Michigan, e Olcott, em Nova Iorque, já haviam comprado ações num total de 2.625 dólares, ou seja, 105 ações a 25 dólares cada. Como não havia lei no Estado de Michigan pela qual se pudesse criar uma sociedade anônima, com o fim de administrar instituições de saúde, a propriedade foi mantida em sistema de fideicomisso, por certo tempo, até que uma corporação pudesse ser criada.

Nossa revista de saúde

No dia 1° de agosto, os administradores iniciaram também a publicação mensal de um periódico de saúde em forma de revista, com 16 páginas, incluindo a capa. Recebeu o nome de *Health Reformer*. Esse periódico é ainda impresso sob o nome de *Good Health*, sendo agora a principal revista de saúde no mundo. Ele não apenas abordava os princípios de saúde e temperança, mas era também um meio de publicidade da instituição de saúde, formalmente aberta para pacientes e pensionistas em 5 de setembro de 1866. Assim, em menos de quatro meses após o momento em que o assunto havia sido mencionado pela primeira vez a nosso povo, a instituição foi comprada, equipada e posta em funcionamento, com 11 mil dólares subscritos em ações, grande parte dos quais já haviam sido pagos.

Organizada uma corporação médica

Durante o inverno de 1866-1867, a Assembleia Legislativa de Michigan aprovou uma lei que permitiu a criação de uma corporação para administrar a instituição de saúde. Em 17 de maio de 1867, deu-se esse passo, aprovaram-se estatutos e os imóveis e outros bens passaram aos depositários devidamente eleitos. A quantidade total de ações subscritas até aquela data era de 26.100 dólares, dos quais 18.264,87 estavam pagos. A instituição tinha um corpo de médicos e auxiliares competentes, e os edifícios estavam quase repletos de pacientes. Muitos deles já tinham abraçado nossa fé, e haviam conhecido nosso povo e a verdade após chegarem à instituição.

Vestuário saudável

Em 1863, a questão de saúde e vestimentas foi revelada a Ellen White. Contudo, em todas as épocas e em todos os países, o coração natural é suscetível à influência do mundo, com sua soberba da vida, suas loucuras e modas. Aquele ano, em nossa própria pátria, não foi uma exceção. Isso se demonstra pela obsessão das mulheres em seguir a moda predominante do uso de saias-balão, cuja forma fazia com que muitas delas parecessem estar andando numa bexiga de ponta-cabeça. Quase ao mesmo tempo, outras duas vestimentas extremistas foram introduzidas, provocando muita discussão. Um breve relato destas irá, talvez, preparar o leitor para compreender melhor o testemunho dado por Ellen White sobre o assunto de vestimentas, encontrado no *Testemunho* n.° 10.

Condenados os extremos na questão do vestuário

O primeiro extremo foi o uso de vestidos contendo uma cauda, medindo de 16 centímetros a meio metro ou mais de comprimento, segundo o gosto do dono. Estas muitas vezes arrastavam no chão, sendo chamadas pelos homens de "limpa-rua". O segundo extremo foi exatamente o oposto, com um estilo o mais próximo possível do usado pelos homens. Essa moda foi adotada por aqueles que seguem a trilha de *Amelia Bloomer,* sendo, assim, chamado de "veste bloomer". Finalmente, o nome foi mudado para "traje americano". Convenções foram realizadas em diferentes lugares pelos defensores desse traje, e muitas de nossas irmãs eram a favor do seu uso. Algumas o usaram.

Testemunho sobre o vestuário

Citarei alguns parágrafos do *Testemunho* n.° 11, que apresentam parte do que foi revelado a Ellen White quanto às vestimentas:

> O leal povo de Deus é a luz do mundo e o sal da Terra, e devem ter sempre em mente que sua influência tem valor. Se trocarem um vestido comprido demais por outro curto demais, destruirão grande parte de sua influência. Os descrentes, a quem é seu dever beneficiar e procurar conduzir ao Cordeiro de Deus, ficariam desgostosos com isso. Muitos melhoramentos podem ser feitos no vestuário feminino com relação à saúde, sem que sejam procedidas mudanças tão grandes que ofendam os observadores.

O traje da reforma

A forma do corpo não deveria ser comprimida, no mínimo que fosse, com espartilhos e cintas. O vestido deve ser totalmente confortável, para que os pulmões e o coração possam desempenhar ação saudável. O vestido deve atingir um pouco abaixo da parte alta da bota, mas curto o suficiente para não varrer a sujeita das ruas e calçadas, sem precisar erguê-lo com a mão. Um vestido ainda mais curto do que esse seria apropriado, conveniente e saudável para as mulheres quando nas lides domésticas, especialmente para as que são obrigadas a executar trabalho ao ar livre.

Vestir o corpo uniformemente

Qualquer que seja o comprimento do vestido, as mulheres devem agasalhar os membros tão completamente como os homens. Isso pode ser feito usando-se calças forradas, franzidas por cordões presos ao redor dos tornozelos, ou calças largas que se afinam na parte inferior. Devem elas ser suficientemente compridas para atingir o nível dos calçados. As pernas e tornozelos são assim protegidos contra as correntes de ar. Se os pés e membros forem mantidos confortáveis com agasalhos quentes, a circulação será uniforme e o sangue se manterá puro e saudável, sem sofrer esfriamento ou bloqueios em sua passagem natural através do sistema circulatório.

O comprimento desse vestido foi apresentado como um tamanho intermediário recomendável entre o vestido com cauda e o traje americano. Não foi dito que todas *devem* usá-lo, mas que *não* devem seguir um curso que destrua sua influência, causando repulsa nas pessoas às quais deviam ajudar. Não foi dito que as mulheres *devem* vestir seus tornozelos na *forma* aqui descrita, mas que isso *poderia* ser feito dessa maneira. Se o mesmo objetivo é atingido de alguma outra maneira, como acontece com anáguas compridas e calças justas de malha, isso estaria em perfeita harmonia com esse testemunho.

Cinco pontos essenciais no vestuário saudável

No estilo de roupas recomendado, notamos que há cinco pontos essenciais para o vestir saudável:

1. Descartar os espartilhos e toda compressão da cintura.
2. Dispensar todas as faixas elásticas nos braços ou membros que impeçam a livre circulação do sangue.
3. Vestir todas as partes do corpo igualmente, especialmente os pés e tornozelos.

4. Pendurar as saias a partir dos ombros, jamais permitindo que fiquem penduradas nos quadris com elásticos.
5. O comprimento do vestido.

Os primeiros quatro pontos são agora defendidos por todos os médicos inteligentes, e quanto ao quinto, tanto a cauda quanto o vestido extremamente curto estão agora descartados.

Sra. Jenness-Miller falando sobre vestimentas

Durante o ano de 1890, a Sra. Jenness-Miller, de Nova Iorque, no periódico mais científico da época na área de vestimentas saudáveis, defendia que as mulheres encurtassem seus vestidos, pouco a pouco, para não fazer uma mudança demasiado abrupta, até que chegassem a mais ou menos a altura da parte alta da bota feminina, justamente o comprimento que o *Testemunho* n.° 11 defendeu.

Endosso do Dr. Trall

Em 1868, havia sido planejado que o Dr. R. T. Trall, da faculdade de Hidroterapia de Florence Heights, em Nova Jersey, fizesse uma série de palestras, por uma semana, a nossos pastores em Battle Creek, Michigan, na última semana de maio. Nesse período, o médico se hospedou na casa do irmão White. Ellen White não assistiu às palestras, mas, como o médico viajaria diariamente na carruagem com o irmão White e sua esposa, e também com o irmão J. N. Andrews, era de se esperar que ele ouvisse as ideias dela acerca de saúde, das doenças e suas causas, dos efeitos dos medicamentos, etc. Ela simplesmente falou o que lhe havia sido apresentado em visão, sem, porém, informar ao médico a fonte de onde obtivera seu conhecimento. O médico declarou que a medicina estava em harmonia com as ideias expressas por ela. O irmão Andrews me contou que, ao concluir a conversa no segundo dia, o médico perguntou a Ellen White onde ela se formara em medicina. Ficou surpreso ao saber que ela nunca estudara essas coisas, mas compartilhava com ele o resultado do que lhe fora mostrado em Otsego, Michigan, em 6 de junho de 1863. Ele lhe assegurou que todas as suas ideias estavam na mais estrita harmonia com a fisiologia e saúde, e que, em muitos dos assuntos, ela tinha ido mais a fundo do que ele. Após cerca de cinco dias de viagens e conversas, o médico perguntou ao irmão White por que o haviam convidado para vir da escola onde lecionava para falar aos pastores em Battle Creek. Declarou, então, que "em assuntos de saúde, Ellen White está tão bem preparada quanto eu para dar-lhes a instrução necessária".

Aprovada pela medicina

Seus numerosos escritos sobre os vários ramos da saúde prática têm estado por anos perante o público, e muitos deles estão agora compilados num volume intitulado *Christian Temperance and Bible Hygiene*. Alguns médicos, dentre os mais especializados, após análise cuidadosa desses escritos, declararam que a medicina está em perfeito acordo com eles. Para a irmã White, os escritos não são resultado de estudo, mas simplesmente de escrever o que o Senhor lhe revelou em visão.

Testemunho do Dr. Kellogg

Como testemunho da harmonia existente entre pesquisas da medicina e o que foi revelado a Ellen White em visão em 1863, vou citar um trecho do prefácio do livro *Christian Temperance*, escrito por J. H. Kellogg, M.D., diretor do famoso sanatório de Battle Creek, em Michigan. Ele declara:

1. Na época em que os referidos escritos surgiram, o tema da saúde era quase totalmente ignorado, não apenas por aqueles aos quais se destinavam, mas pelo mundo de modo geral.
2. Os poucos que defendiam a necessidade de reforma na questão da prática [de exercício] físico propagavam, juntamente com a defesa de princípios reformatórios genuínos, erros muito evidentes, os quais, em alguns casos, chegavam a ser repugnantes.
3. Ninguém, em qualquer lugar, apresentou um corpo sistemático e harmonioso das verdades de saúde, livre de erros grotescos, mas consistente com a Bíblia e os princípios da religião cristã.
Nessas circunstâncias é que surgiram os escritos referidos. Os princípios ensinados não eram impostos por autoridade científica, mas eram apresentadas de forma simples e direta por alguém que não faz qualquer pretensão quanto a possuir conhecimento científico, porém afirma escrever com a ajuda e autoridade da iluminação divina.

Os princípios têm suportado as provas

Como é que princípios apresentados em circunstâncias tão peculiares e com afirmações tão marcantes tenham resistido ao teste do tempo e da experiência? Tal pergunta é bem apropriada. A resposta se pode encontrar em fatos que são suscetíveis à mais ampla verificação. [...] Os princípios, que há 25 anos eram totalmente ignorados, ou alvo de chacota, silenciosamente se estabeleceram na confiança e estima públicas, até que o mundo praticamente se esqueceu de que eles nem sempre foram assim aceitos. Novas descobertas da ciência e novas interpretações de fatos antigos têm continuamente adicionado evidências confirmatórias, até que, no presente momento, cada um dos princípios defendidos há mais de 25 anos é fortificado, da maneira mais forte possível, por evidências científicas.

A prova de que as visões são de origem divina

Certamente devemos considerar como algo digno de nota, extraordinário e indicativo de inequívoca evidência de iluminação e direção divinas o fato de que – em meio aos ensinos confusos e conflitantes, todos alegando a aprovação da ciência e da comprovação experimental, embora repletos de noções excêntricas e impotentes para qualquer benefício devido à grande mistura de erro – uma pessoa, sem reivindicar para si qualquer conhecimento científico ou erudição, pudesse ser capaz de organizar, a partir de uma multidão de ideias desconexas, maculadas pelo erro e propagadas por alguns escritores e pensadores sobre assuntos de saúde, um conjunto de princípios de saúde tão harmonioso, coerente e verdadeiro que os debates, descobertas e pesquisas experimentais nos últimos 25 anos não puderam subverter num único pormenor; ao contrario, só têm contribuído para estabelecer as doutrinas ensinadas. Datado: Battle Creek, Michigan, 1890.

Ampliação da instituição de saúde

Sob a administração de J. H. Kellogg, M.D., que se associou à instituição como diretor em 1876, verificou-se que a demanda por tratamentos era tão grande que, na primavera de 1877, surgiu a necessidade de mais espaço. O nome da instituição foi mudado, em 1876, de *Health Reform Institute* [Instituto de Reforma de Saúde] para *Medical and Surgical Sanitarium* [Sanatório Médico e Cirúrgico], e, em 1878, um novo prédio principal foi construído.

Essa estrutura media 41 x 14 metros, com quatro andares acima do porão. Tinha aquecimento a vapor e iluminação a gás. Pouco após a inauguração, estava quase repleta de pacientes e visitantes.

Até aquele momento, o que havia sido profetizado em 1866, no testemunho de Ellen White acerca da instituição, havia se cumprido de modo notável. Dezenas de pessoas já haviam aceitado a luz da verdade presente, as quais haviam inicialmente entrado em contato com este povo ao virem à instituição em busca de cura.

Retiro Rural de Saúde

Na *Signs of the Times* de 22 de novembro de 1877, M. G. Kellogg, M.D., meio-irmão de J. H. Kellogg, anunciou que havia comprado um terreno na encosta da Montanha Howell, 4 quilômetros ao nordeste de St. Helena, Condado de Napa, na Califórnia, e estava prestes a construir um edifício que seria nomeado "Retiro Rural de Saúde", localizado ao lado de Crystal Springs. Um edifício foi construído durante o inverno de 1877-1878, sendo aberto para o tratamento de pacientes no início de 1878. Esse retiro de saúde, assim como sua instituição gestora, o sanatório em Battle Creek, não apenas cresceu em proporções, mas foi um lugar onde muitos chegaram a conhecer e aceitar a mensagem.

O periódico *Pacific Health*

O verão de 1885 foi um período de avanço bastante significativo na causa da mensagem do terceiro anjo. No dia 1° de maio, o Retiro Rural de Saúde em Santa Helena foi posto sob a direção de um médico com titulação reconhecida oficialmente. No mês de junho, iniciou-se a publicação bimestral do *Pacific Health Journal and Temperance Advocate*, uma revista de 24 páginas sob a supervisão editorial do irmão J. H. Waggoner. Mediante essas iniciativas, nova vida se introduziu na instituição de saúde, a qual, em vez de ter prejuízo, como em anos anteriores, começou a ter, de ano em ano, um lucro líquido anual de 2 mil a 4 mil dólares, até o término do cômputo anual, em abril de 1891, com ganho líquido de mais de 12 mil dólares.

Em 1887, na reunião da Associação do Retiro Rural de Saúde em Santa Helena, fez-se a seguinte declaração quanto às finanças da instituição: 1° de maio de 1885, o patrimônio líquido da instituição era de apenas 5.322,76 dólares, ou seja, 2.547,24 dólares a menos do valor de todas as ações que haviam sido emitidas até aquela data. Em outras palavras, a instituição havia consumido todos os seus lucros e mais 2.547,24 dólares de seus títulos de capital. Em 1° de abril de 1887, o valor da instituição, descontando todas as suas dívidas, era de 21.372,64 dólares, ou seja, em 23 meses havia crescido no valor de 16.049,88 dólares. Desse montante, as ações representavam 5.280 dólares e as doações feitas para a instituição totalizavam 2.497,60 dólares; assim, com o funcionamento da instituição, houve um ganho líquido de 8.272,28 dólares. Nessa época, o periódico *Pacific Health* era publicado mensalmente, com 32 páginas incluindo a capa, e acabou sendo de utilidade ainda maior na promoção dos interesses e princípios da instituição.

Trabalho beneficente

No *Medical Missionary* de janeiro de 1891, referindo-se ao sanatório de Battle Creek, o Dr. J. H. Kellogg disse:

Os tratamentos de caridade [gratuitos] prestados durante os 25 anos de existência da instituição, corresponde consideravelmente a mais de 100 mil dólares, um valor várias vezes maior do que o capital originalmente investido.

Além da obra de caridade mencionada, a instituição enviou palestrantes, enfermeiros, instrutores de escolas culinárias, e outras pessoas que foram treinadas para diversas áreas da obra missionária.

Apelo em favor dos órfãos

Na assembleia da Associação Geral, em 8 de março de 1891, o Dr. Kellogg fez um veemente apelo em favor dos órfãos. Declarou: "Vejo que sou nomeado como 'delegado geral' e representarei os não representados, isto é, os órfãos, não havendo ninguém para cuidar deles".

Presente de 30 mil dólares da Sra. Haskell

No *Home Missionary* de janeiro de 1892, apareceu um forte apelo com o propósito de prover uma casa para as crianças órfãs. Naquela edição estavam os nomes dos que se comprometeram para o estabelecimento da casa, cuja quantia levantada era 17.716 dólares, os quais, segundo imaginavam os organizadores, representavam um valor muito baixo para tão grande empreendimento; assim, temia-se que houvesse um atraso na execução do trabalho. Mas Aquele que vê o fim desde o princípio, que possui "o gado sobre milhares de montanhas", ordenou os eventos de tal modo que uma senhora rica, a Sra. Caroline E. Haskell, de Chicago, viúva do Sr. Frederick Haskell, a qual não pertencia à nossa fé, ao ouvir desta obra de caridade que se tencionava executar, colocou, imediatamente, à disposição da comissão de construção a soma de 30 mil dólares, com a simples condição de que fosse totalmente utilizado na construção de um orfanato segundo os planos previamente delineados, e que fosse conduzido com um espírito amplo e liberal, e que a instituição fosse chamada de *Haskell Memorial Home*, em memória de seu falecido marido.

Com os recursos assim providos, a Associação Médico-Missionária e Beneficente foi capaz de construir e inaugurar o orfanato num período de um ano. O edifício foi dedicado em 25 de janeiro de 1894. Desde essa época, na maior parte do tempo, o número de pessoas que compunha a família de órfãos, auxiliares e professores chegava, em média, a 100 pessoas.

O *James White Memorial Home*

Além do cuidado e apoio a esses órfãos, o Sanatório de Battle Creek administra outra instituição de caridade, chamada *James White Memorial Home* [Casa Memorial Tiago White], onde mais de 20 idosos e desabrigados recebem cuidado e conforto.

Missionários da saúde

Nessa linha de trabalho, deu-se mais um passo arrojado no momento em que se empreendeu o treinamento de médicos-missionários. Em aprovação desse esforço no soerguimento da humanidade, Ellen White, escrevendo de Preston, na Austrália, em 16 de setembro de 1892, declarou:

> Desejaria que houvesse uma centena de pessoas em preparo onde existe uma. Assim devia ser. Tanto homens como mulheres podem ser muito mais úteis como médico-missionários do que como missionários sem instrução médica.

O número de pessoas buscando o preparo para entrar numa vida de serviço dessa natureza aumentou grandemente desde que esse testemunho foi escrito.

Crescimento na obra de saúde

No *Medical Missionary* de janeiro de 1894, há uma breve declaração apresentando fatos interessantes acerca do crescimento da obra de saúde. Lemos assim:

> O Instituto de Reforma da Saúde foi organizado em 1866. [...] Comprou-se uma casa modesta, uma residência particular num local agradável e sadio na parte alta de Battle Creek, cidade de Michigan em crescimento. Dois médicos, dois auxiliares de banho, um enfermeiro (não treinado), três ou quatro ajudantes, um paciente, qualquer quantidade de inconvenientes, e uma grande dose de fé no futuro da instituição e nos princípios sobre os quais foi fundada, este foi o início do empreendimento presente. Foi conhecido como o Health Reform Institute.
>
> No local do chalé original, há agora um edifício com dimensões de 95 metros de comprimento e 30 metros de profundidade, com seis andares, com capacidade para 300 hóspedes, equipado com todos os apetrechos que a ciência moderna pode sugerir para o cuidado e recuperação dos enfermos. Dez médicos, a maioria dos quais especialistas em suas respectivas áreas, constituem o corpo médico. Enfermeiros e outros ajudantes formam uma família com mais de 300 pessoas, e o patronato da instituição representa todos os Estados da União e mui-

tos convidados de outras terras. Suas portas estão sempre abertas para o missionário, de casa ou do estrangeiro, seja qual for seu nome, e a família raramente fica sem um ou mais desses convidados.

O Sanatório

O hospital foi construído em 1888, um prédio com dimensões de 30 x 18 metros, de cinco andares de altura. Três dos pisos superiores do edifício são usados para o departamento cirúrgico do sanatório, quartos de pacientes e enfermaria. Os escritórios para a obra caritativa da instituição também se encontram aqui. 20 chalés, vários dos quais com aquecimento a vapor e, como no edifício principal, com iluminação elétrica, estão dispostos ao redor do prédio, estando repletos de pacientes ou alunos. Uma escola para a formação de enfermeiros médico-missionários foi organizada em 1° de julho de 1884. Durante os primeiros seis meses, 35 alunos foram matriculados.

Predição do envio de obreiros

Numa carta escrita de Tramelan, Suíça, em 6 de fevereiro de 1887, falando da instituição de saúde localizada em Santa Helena, Califórnia, Ellen White disse o seguinte:

> Deus disse que se os homens ligados a esta instituição caminhassem humilde e obedientemente, fazendo a vontade de Deus, esta se sustentaria e prosperaria, e dela se enviariam missionários para abençoar outros com a luz que Deus lhes deu. Estes, no espírito de Jesus, destruirão os ídolos nos lugares altos, desvendarão a superstição, e plantarão a verdade, pureza e santidade, onde agora são estimulados apenas o erro, a autoindulgência, a intemperança e a iniquidade.

Citamos essas palavras por se aplicarem, com força semelhante, a outras instituições.

Sucesso na obra de saúde

Em um testemunho especial, dado à igreja em 1891, lemos: "As bênçãos de Deus repousarão sobre todo esforço feito para despertar o interesse na reforma de saúde, pois é necessária em toda parte. Deve haver um reavivamento sobre este assunto, pois Deus Se propõe realizar muito por meio deste instrumento".

Colégio Médico-Missionário Americano

Passo a passo a luz progrediu sobre o modo racional de tratamento de enfermidades, até que, em junho de 1895, criou-se uma demanda para a organização de uma instituição educacional de medicina. Para atender a essa demanda, organizou-se o Colégio Americano Médico-Missionário com o propósito especial de capacitar médicos para trabalharem sob a direção da Associação Médico-Missionária e Beneficente dos adventistas do sétimo dia, tanto na pátria quanto em campos estrangeiros. A cerimônia de inauguração foi realizada em Battle Creek, em 30 de setembro de 1895, e o colégio foi aberto no dia seguinte, 1° de outubro, com uma turma de 40 alunos.

No anúncio sobre o colégio, lemos o seguinte:

> O colégio está incorporado em Chicago, segundo as leis do Estado de Illinois. O curso de estudos será tão completo como o das melhores escolas de medicina nos Estados Unidos. A instrução será dada, parte em Chicago, e parte em Battle Creek, Michigan.

Quanto àqueles que estavam se preparando para o trabalho médico--missionário, lemos o seguinte no Medical Missionary de agosto de 1895:

> A classe dos enfermeiros agora em formação na Escola de Treinamento para Enfermeiros no Sanatório de Battle Creek conta com mais de 250 alunos. Qualquer um dentre eles que estiver capacitado a se envolver na obra médico-missionária tem uma posição garantida. Enfermeiros estão sendo procurados para as ilhas do Mar do Sul, Índia, Caribe, América do Sul, 25 ou 30 para os Estados do sul dos Estados Unidos e para nossas grandes cidades.

Crescimento da obra médico-missionária

Na cerimônia de formatura da classe de Enfermagem Missionária do Sanatório, realizada no Tabernáculo, em 5 de novembro de 1895, o Dr. Kellogg declarou:

> Há 12 anos, em uma cerimônia deste tipo, graduaram-se dois enfermeiros. No presente momento, há um exército de 300 a 400 enfermeiros. Há 19 médicos no sanatório, e 22 em instituições semelhantes de certa forma ligadas ao sanatório e sob a supervisão da Associação Médico-Missionária e Beneficente. 53 dos nossos enfermeiros estão em diversos países estrangeiros, na Suécia, México, Costa do Ouro Africana, Austrália, África do Sul, Dinamarca, Índia, Nova Zelândia, Samoa e Guiana Britânica. Há 63 estudantes de medicina agora em formação. 41 deles estão aqui, 22 na Universidade de Michigan e em outras escolas. 22 enfermeiros se formam aqui hoje à noite, os quais estão totalmente capacitados a sair como enfermeiros aprovados.

Ao traçar o crescimento de nossas instituições de saúde até 1902, vemos que o Sanatório de Battle Creek, com suas escolas de medicina e de treinamento para enfermeiros, é a maior instituição do gênero no mundo, sendo propriedade dos adventistas do sétimo dia.

Sanatório destruído pelo fogo

Na noite de 18 de fevereiro de 1902, o edifício principal, com seus excelentes equipamentos e amplo hospital, foi consumido pelo fogo. Naquela ocasião, havia 400 pacientes e enfermos no hospital, mas graças aos esforços heroicos dos médicos, enfermeiros e auxiliares, e com a proteção especial do Senhor, todos eles foram retirados dos edifícios sem ferimentos graves.

O novo Sanatório

Outro prédio, maior e mais substancial do que o anterior, foi construído no local dos edifícios antigos. A pedra fundamental da estrutura atual foi lançada em 12 de maio de 1902, e o edifício foi dedicado em 31 maio de 1903. Os administradores da instituição dizem que o novo edifício

é tão sólido e duradouro quanto é possível ser um edifício feito com ferro, pedra, tijolo e cimento.

O equipamento da instituição, em todos os detalhes, é o mais moderno, completo, higiênico, conveniente e sólido que se possa ter, e acredita-se que, na sua forma atual, concluída, o Sanatório de Battle Creek oferece comodidades e conveniências para enfermos que certamente são imbatíveis.

O objetivo dos administradores da instituição tem sido reunir, num só lugar e sob condições favoráveis, todos os novos métodos e aparelhos para o tratamento dos doentes reconhecidos pela medicina racional, e utilizar esses métodos de forma consciente e inteligente.

Muitos sanatórios a serem estabelecidos

A luz enviada a este povo é que o Senhor deseja que haja muitos sanatórios, moderados em tamanho, distribuídos pelo mundo inteiro, ao invés de haver umas poucas instituições gigantes. Temos a alegria de informar que um passo inicial foi dado na abertura de pequenos sanatórios em várias partes do mundo, especialmente durante a última década. No Yearbook da Associação Geral do ano de 1904, há uma lista de mais de 50 dessas instituições menores.

Lista de sanatórios

Embora possa ser uma questão de interesse relatar as circunstâncias que levaram ao estabelecimento dessas pequenas instituições, em função do espaço, precisamos contentar-nos com uma lista dos países onde estão localizadas, bem como o número encontrado em cada país. Há, nos Estados Unidos, 35; Grã-Bretanha, 3: Alemanha, 1; Suíça, 1; Dinamarca, 1; Noruega, 1; Suécia, 1; África do Sul, 1; Austrália, 2, Nova Zelândia, 1; Ilha de Samoa, 1; México, 1; Índia, 1; Japão, 1.

Lista de salas de tratamento

Além desses sanatórios, há 22 salas de tratamento; 17 delas estão nos Estados Unidos, uma em Jaffa, uma em Jerusalém, Palestina; uma em Guadalajara, México; uma em Kimberley, África do Sul e uma em Rockhampton, Austrália. Além dessas, há 26 restaurantes vegetarianos onde as pessoas podem encontrar comida totalmente vegetariana e também receber alguma instrução com relação ao estilo de vida apropriado.

Essas estatísticas, com relação ao progresso dos princípios da reforma de saúde, mostram como o Senhor pode "realizar uma grande obra por meio deste instrumento", como predito por Deus em 1866; mostram também, como predito em 1863, como "os princípios da reforma de saúde" podem contribuir para "preparar pessoas para a trasladação na vinda do Senhor". Que essas instituições de saúde possam aumentar cem vezes mais, e logo cumprir aquilo para que foram designadas e projetadas.

Capítulo 24

Outras Previsões Cumpridas

"Considerai, eu vos rogo, desde este dia em diante, desde o vigésimo quarto dia do mês nono, desde o dia em que se fundou o templo do Senhor, considerai nestas coisas. Já não há semente no celeiro. Além disso, a videira, a figueira, a romeira e a oliveira não têm dado os seus frutos; mas, desde este dia, vos abençoarei" (Ageu 2:18, 19).

O avanço seguro e firme da mensagem do terceiro anjo, desde seu estabelecimento inicial, pode muito bem ser comparada com à prosperidade experimentada por Zorobabel desde o dia que lançou a pedra fundamental do templo.

Perspectiva não promissora

Quando o povo judeu, com bolsas e celeiros vazios, foi chamado a construir o templo do Senhor, aos olhos humanos a perspectiva não parecia muito promissora. Quando, pela fé, obedeceram ao chamado e fizeram o trabalho de boa vontade, a mão prosperadora de Deus se manifestou a eles. À medida que delineamos os eventos na ascensão da terceira mensagem, discernimos a mão de Deus dirigindo os que escolhem Seu caminho. Apesar de estarem destinados a passar por aflições, o cuidado de Deus por Seu povo e Sua obra é sempre evidente para os que nEle confiam.

Testemunho revelando o caráter dos ouvintes

Em 24 de novembro de 1862, foram realizadas duas reuniões simultâneas na casa de William Wilson, de Greenville, Michigan, com a finalidade de organizar duas igrejas para os que aceitaram a verdade do sábado naquela vizinhança. A reunião da igreja de Greenville foi conduzida pelo irmão White e sua esposa em uma das salas, enquanto o irmão Byington e eu ficamos encarregados da reunião da igreja de West Plains numa outra sala. Ao procedermos com os passos preliminares numa sala, podíamos ouvir a voz de Ellen White dando seu testemunho na outra sala. Estávamos enfrentando certas dificuldades em nossa reunião quando, no momento certo, Ellen abriu a porta e disse:

> Irmão Loughborough, olhando para este grupo, vejo que tenho testemunhos para algumas das pessoas presentes. Quando você estiver pronto, entrarei e falarei.

Sendo este o tempo exato em que precisávamos de ajuda, ela entrou. Além de mim e do irmão Byington, ela conhecia o nome de apenas três pessoas que ali estavam. Os outros eram desconhecidos, e nunca os vira antes, exceto em visão.

Descrição da vida do Sr. Pratt

Levantando-se para falar, ela disse:

> Vocês vão precisar me desculpar se, ao relatar o que tenho a dizer, eu descrever a pessoa de vocês, pois não sei seus nomes. Ao ver o semblante de vocês, surge perante mim aquilo que foi do agrado do Senhor me revelar a seu respeito. Aquele homem no canto, com um olho [alguém se manifestou e disse: "Ele se chama Pratt"], faz altas profissões de fé e grandes pretensões quanto à religião, mas nunca foi convertido. Não o recebam na igreja em sua condição atual, pois ele não é um cristão. Gasta ociosamente grande parte de seu tempo em lojas e em vendas, discutindo a teoria da verdade, enquanto sua esposa, em casa, tem que cortar lenha, cuidar do jardim, etc. Em seus negócios, ele promete coisas que não cumpre. Seus vizinhos não têm confiança em sua profissão de religião. Seria melhor para a causa da religião que, em sua condição atual, ele nada dissesse dela.

A alegria do irmão Barr

Continuando, ela disse:

> Este idoso irmão [ao ela apontar para ele, alguém disse: "Irmão Barr"] foi-me mostrado em marcante contraste com o outro homem. Ele é muito exemplar em sua vida, cuidadoso em manter todas as suas promessas e cuida bem de sua família. Mal ousa falar da verdade a seus vizinhos, por medo de arruinar a obra e causar dano. Não consegue enxergar como o Senhor pode ser tão misericordioso para lhe perdoar os pecados, e julga-se indigno até mesmo de pertencer à igreja.

Então, ela lhe disse:

> Irmão Barr, o Senhor me ordenou dizer-lhe que você já confessou todos os pecados que conhecia e que Ele perdoou seus pecados há muito tempo, se você apenas acreditar.

O olhar de tristeza no semblante do irmão rapidamente se dissipou. Ele olhou com um sorriso e disse, em sua simplicidade: "Perdoou?" "Sim", respondeu Ellen White, "e foi-me dito que lhe dissesse: 'Venha e una-se à igreja, e quando tiver oportunidade, fale uma palavra em favor da verdade. Ela terá um bom efeito, pois seus vizinhos têm confiança em você'". Ele respondeu: "Eu o farei".

Então, ela disse: "Se o Sr. Pratt pudesse, por algum tempo, assumir uma posição semelhante à que o irmão Barr vinha ocupando, isso lhe faria bem".

Assim, foi removida uma das causas de nossa dificuldade em nos organizar. Antes de seu testemunho, não conseguíamos fazer com que o Sr. Barr consentisse em se unir à igreja. Por outro lado, observou-se que todos se opunham a receber o Sr. Pratt; entretanto, ninguém se sentiu livre para explicar o motivo de sua oposição.

Curado um ciúme de família

Em seguida, ela se dirigiu a um homem de pele amarelada, assentado num lado da sala e apontou então para uma mulher de feições finas, no lado extremo oposto, referindo-se a eles como marido e mulher. Delineou algumas coisas que aconteceram anteriormente em sua vida, antes que fizessem qualquer profissão quanto a crer na verdade. Disse que essas coisas haviam sido ampliadas por Satanás na mente da mulher até que esta se tornou insana. Ellen White declarou:

> Vi que esta mulher passou um ano no hospício; mas, após recuperar sua razão, permitiu que estes mesmos sentimentos de ciúmes lhe atormentassem a mente, provocando grande tristeza a seu marido, o qual fez tudo o que podia para mostrar-lhe que ele lhe era fiel e que ela não tinha razão alguma para afastá-lo como anda fazendo.

Num instante a mulher correu para o outro lado da sala e, de joelhos, implorou ao marido que a perdoasse. Eles eram quase desconhecidos naquela parte do país; o grupo não tinha noção de sua história passada. No entanto, aqueles que estavam mais familiarizados com essa família, percebiam que havia um distanciamento entre eles, mas desconheciam a razão.

Semelhante a Eliseu e Hazael

Após Ellen White dar seu testemunho, o trabalho de organização da igreja foi logo concluído. O Sr. Barr entrou para a organização animadamente, ao passo que o Sr. Pratt foi deixado de fora. Quando a reunião terminou, ele disse com bastante veemência: "Deixem-me dizer uma coisa: não adianta tentar fazer parte desse povo e agir como hipócrita; isso não é possível".

A descrição do caráter das pessoas, como no exemplo acima, forçosamente nos relembra um caso semelhante, registrado nos dias do profeta Eliseu (2 Reis 8:7-15). Ben-Hadade, rei da Síria, enviou seu servo Hazael a Eliseu a fim de saber se iria se recuperar de sua doença. Eliseu tinha visto o caso de Hazael em visão e, assim que o homem chegou perante ele, vendo sua fisionomia, tudo lhe veio à mente de maneira vívida.

O irmão White é acometido por paralisia

Na quarta-feira, 16 agosto de 1865, como resultado de trabalho excessivo e perda do sono, o irmão White teve um súbito ataque de paralisia. Como as instituições de saúde entre o nosso povo ainda não haviam sido estabelecidas, ele foi levado a Dansville, Nova Iorque, para uma instituição de saúde chamada: "Nosso Lar na Encosta" [Our Home on the Hillside]. Sua esposa e este escritor ficaram com ele ali de 14 de setembro a 7 de dezembro. Visto que os tratamentos fornecidos pela instituição lhe trouxeram pouco alívio, fomos para uma casa muito hospitaleira, de Bradly Lamson, em Lake View, Rochester, Nova Iorque, onde permanecemos cerca de três semanas. Ficamos felizes por encontrar ali o irmão J. N. Andrews, que acabava de retornar à cidade, após passar vários meses no Maine.

Orações pelo irmão White

Diariamente, na parte da tarde, as famílias do irmão Andrews e do Sr. Orton uniram-se a nós em momentos de oração com o irmão White e em favor dele. Isso continuou até 25 de dezembro. Enquanto o mundo exterior se alegrava e festejava naquele Natal, a igreja de Rochester o comemorava como um dia de jejum e oração em favor do irmão White. Tivemos reuniões, de manhã e à tarde, na casa do irmão Andrews, na rua New Main e, à noite, os que antes estiveram orando com o irmão White, reuniram-se com ele novamente na casa do Sr. Lamson.

Visão recebida na noite de Natal

A reunião naquela noite foi poderosa. O irmão White foi muito abençoado e Ellen White recebeu uma visão maravilhosa, na qual muitas coisas lhe foram mostradas. Entre estas estavam instruções ao irmão White de como proceder, de modo a exercer sua fé em Deus, que tão evidentemente estendera Sua mão para operar em seu favor a fim de que recuperasse a saúde.

Predição do ataque de Satanás

Aos que estiveram orando pelo irmão White, Ellen White declarou:

O propósito de Satanás era destruir meu marido e lançá-lo na sepultura. Por intermédio dessas fervorosas orações, seu poder foi quebrado. Foi-me mostrado que Satanás está irado com este grupo que, por três semanas, perseverou em fervorosa oração em favor desse servo de Deus. E, agora, Satanás está determinado a fazer um forte ataque ao grupo. Foi-me ordenado dizer a vocês: "Vivam muito próximo de Deus, a fim de estarem preparados para o que possa vir sobre vocês".

Premonições de J. T. Orton

No primeiro dia de janeiro de 1866, o irmão White e sua família partiram de trem para Battle Creek, Michigan. Eu permaneci no oeste de Nova Iorque o restante do inverno. Desde a noite em que a visão foi dada, o Sr. J. T. Orton teve a impressão de que sua vida estava em perigo, porém não sabia de que forma. Ele relatou essa sensação para várias pessoas. No domingo à noite, dia 4 de março, ele retornou a Rochester vindo de Parma, onde comparecera a uma reunião que durou dois dias, em companhia do Sr. E. B. Sanders (que hoje, em 1905, vive em São José, Califórnia). O Sr. Orton pediu então ao irmão Sanders que caminhassem na rua mais iluminada enquanto andavam pela cidade, "pois", disse ele, "tenho, constantemente, a impressão de que alguém vai tentar me matar". No entanto, não parecia ter qualquer noção de quem desejava tirar sua vida.

Retornei a Rochester, vindo de Parma, no dia 7 de março e me hospedei com o Sr. Lamson, genro do Sr. Orton. No dia 8, ele e a Sra. Orton nos visitaram. Fizemos então arranjos para ir de trem, na manhã seguinte, para Lancaster, Condado de Erie, onde eu realizaria a cerimônia de casamento de seu único filho. Passamos o dia de modo agradável; contudo, foi um dia solene.

Assassinato de J. T. Orton

Eles saíram da residência do Sr. Lamson às 5 da tarde e, às 7:30 da tarde, chegou um mensageiro informando-nos de que o Sr. Orton tinha sido brutalmente atacado por um desconhecido, em seu próprio celeiro, enquanto cuidava de seus cavalos. Fomos apressadamente ao local e descobrimos que ele tinha sido cruelmente espancado na cabeça com uma estaca de carroça acorrentada, e estava inconsciente. Ele faleceu às 12:35 daquela noite. Até hoje não se sabe quem cometeu tal ato cruel. Certamente não foi feito por dinheiro, pois seu bolso estava intacto, assim como sua carteira, que continha 45 dólares. Este foi um grande choque para a Sra. Orton, de cujos efeitos ela jamais se recuperou. Sua saúde física rapidamente se deteriorou e ela não viveu muito tempo após a morte de seu marido.

Cumprimento da predição feita naquele Natal

Poucos meses após essa memorável noite de Natal, das nove pessoas que se envolveram naquelas três semanas de oração, seis delas estavam em seus túmulos. E, assim, de modo surpreendente, foi cumprida outra predição.

Alívio aos desesperados

Na madrugada de 12 de dezembro de 1866, Elias Stiles, de North Liberty, Indiana, veio à minha casa, pedindo-me para voltar com ele e ajudar a aliviar, se possível, a James Harvey, que estava desesperado, crendo que não havia esperança para o seu caso. Sabendo que Ellen recebera ampla instrução em sua última visão, e que muitos casos lhe haviam sido mostrados profeticamente, respondi ao irmão: "É possível que a irmã White tenha visto algo sobre este caso e, em caso afirmativo, se ela puder escrever, isso será mais convincente do que qualquer coisa que eu possa dizer-lhe".

Imediatamente fomos buscá-la e, sem que eu mencionasse qualquer palavra sobre a condição do Sr. Harvey, perguntei-lhe: "Irmã White, você teve alguma luz, em qualquer das visões que recebeu, acerca do caso do irmão James Harvey?" "Sim", disse ela, "eu tive; e tenho sido impressionada, por alguns dias, de que preciso escrevê-la e lhe enviar". Ela, então, passou a contar-nos o que tinha visto. Eu disse: "Eu o verei pela manhã e, se você puder escrever o que lhe foi mostrado, posso entregar-lhe". Com esse combinado, fomos embora e, à noite, voltamos novamente. Ela havia terminado de escrever e nos fez o favor de ler o testemunho em voz alta.

Testemunho ao desesperado James Harvey

O testemunho afirmava claramente que o Sr. Harvey seria levado a um estado de saúde fragilizado e que Satanás procuraria lançá-lo em desespero, tentando persuadi-lo de que já não havia misericórdia para ele, nem qualquer esperança em seu caso. Entretanto, ela viu que ele tinha feito tudo ao seu alcance para corrigir os erros de sua vida passada e que Deus lhe havia perdoado; e, além disso, quando fosse tentado a tirar sua vida, ela viu que anjos de Deus estavam voando em torno dele, dirigindo sua atenção para a esperança em Deus e no Céu. No testemunho, havia muitas palavras semelhantes de conforto e encorajamento.

Com esse documento em minha posse, fomos pela manhã a North Liberty. No caminho, o Sr. Stiles me disse que o Sr. Harvey queria me ver, mas que havia dito que eu não teria nenhuma palavra de esperança para ele, e que, quando o encontrasse, eu concordaria com ele de que seu caso era sem esperança, que ele era um homem perdido, e, então, como o [sacerdote] Eli, do antigo [Israel], ao lhe ser dito que a arca de Deus fora tomada, ele deveria cair para trás e morrer.

Chegamos à casa do Sr. Harvey por volta das três da tarde. Quando o encontrei, disse-lhe: "Irmão Harvey, como vai você?" Da maneira mais lamentável, ele respondeu: "Perdido! *Perdido!* PERDIDO!!!" Então eu disse: "Não, você *não* está perdido. Há esperança em seu caso!" Ao ouvir minha resposta, expressou-se, num tom diferente: "Por três semanas tenho pensado que não havia esperança para mim e que estava perdido, e hoje, enquanto ia da fazenda para a cidade, ao passar sobre a ponte na lagoa do moinho, algo parecia me dizer: 'Você está perdido! *Não há esperança* para você! Pule na represa e se afogue!' Pensei que fazer uma coisa dessas traria vergonha à causa de Cristo, e, assim, fui impedido de me suicidar".

Rápido livramento

"Bem, irmão Harvey, você não está perdido!" disse eu. "Tenho aqui um testemunho direto do Céu, declarando que você *não está perdido!*" Ele respondeu: "Então, vou ouvi-lo". Assim, li o testemunho perante ele, declarando, primeiramente, que nenhuma palavra me havia sido informada. Ao completar a leitura, sua face se iluminou com um sorriso, e disse: "Então, há esperança no meu caso. Eu acredito em Deus".

Após a leitura, tivemos um momento de oração, de onde ele saiu um homem transformado e feliz. Ele nos disse que aquela carta descrevia o funcionamento de sua mente nas últimas três semanas, melhor do que ele seria capaz de fazê-lo. Assim, por esse intermédio, o amor de Deus foi demonstrado ao livrar do desespero esse irmão.

Campo de trabalho ampliado

Até 1868, o campo de trabalho dos adventistas do sétimo dia tinha sido confinado aos Estados Unidos, na parte ao norte da fronteira sul do Estado do Missouri e ao leste do rio Missouri. Numa reunião em que se discutia os campos e a distribuição do trabalho, durante a assembleia da Associação Geral realizada em Battle Creek, Michigan, em 28 de maio, foi decidido enviar dois obreiros e uma tenda de 18 metros para a Califórnia. O irmão D. T. Bourdeau e o escritor chegaram a São Francisco em 18 de julho do mesmo ano.

Abertura da Missão da Califórnia

Gostaria de destacar algo em conexão com a abertura da missão da Califórnia, que ilustra bem a utilidade prática do dom de profecia. Paulo, ao falar dos dons espirituais, incluindo o dom de profecia, declara que eles são para "o aperfeiçoamento dos santos para o desempenho do seu serviço, para a edificação do corpo de Cristo" (Efésios 4:12). Certamente o caminho mais viável para aperfeiçoar os santos é apontar-lhes seus erros, de modo que possam abandoná-los e serem lavados de seus pecados no precioso sangue de nosso Senhor Jesus Cristo. Para esse fim, por meio do dom de profecia, tem-se proporcionado auxílio no desempenho do serviço ministerial em todos os movimentos da causa da verdade presente, apontando aos servos do Senhor os defeitos em seu *modo* de trabalho, e como, usando outros métodos, poderiam ser mais eficientes na conversão de almas.

Testemunho sobre como trabalhar na Califórnia

Pouco depois de chegarmos à Califórnia, recebemos uma carta de Ellen White, na qual relatava uma visão que lhe fora dada em Battle Creek, sexta-feira à noite, dia 12 de junho, um dia que havíamos passado em Lancaster, Nova Iorque, antes de partirmos para a Califórnia. Ela nunca tinha visitado a Califórnia e não tinha conhecimento pessoal dos hábitos do povo. Na verdade, até então, ela nunca tinha passado a oeste do rio Missouri. Qualquer conhecimento que possuísse sobre o que lá se passava era proveniente do que o Senhor Se agradou em lhe revelar.

Na instrução em sua carta, ela delineou as maneiras liberais do povo da Califórnia e qual seria o efeito de trabalhar entre eles num plano restrito e mesquinho. Ao pregar para o povo da Califórnia, eles deveriam ser abordados levando-se em conta o espírito liberal com que trabalham, sem, contudo, agir de maneira esbanjadora.

Predito o plano de vitória

Olhando, agora, em retrospectiva, penso nos últimos 37 anos desde que a obra foi iniciada na Califórnia, na situação daquele momento, na condição das pessoas e na maneira pela qual teríamos conduzido nosso trabalho se não tivéssemos recebido aquele testemunho. Ao testemunhar os resultados de seguir as instruções dadas, posso afirmar que nossa causa avançou mais em três meses do que teria avançado em um ano graças à ajuda "no desempenho do serviço" pela instrução recebida através do dom de profecia. Até a primavera de 1871, como resultado dos esforços no condado de Sonoma, surgiram cinco igrejas de observadores do sábado.

A primeira tenda de reuniões em São Francisco

Em junho do mesmo ano, erguemos nossa primeira tenda pela primeira vez em São Francisco. Como o irmão Bourdeau havia retornado para o Leste, outro obreiro de Michigan foi enviado a fim de tomar seu lugar. Chegou dia 17 de junho e uniu-se imediatamente a mim no trabalho na cidade. Após algumas semanas de empenho na tenda, continuamos nossas reuniões em salões alugados até 1º de dezembro de 1871. Como resultado desse trabalho, mais de 50 pessoas aceitaram a mensagem em São Francisco.

Problemas internos na Califórnia

Até essa data, nossas provações na Califórnia vinham mais de oposição externa; agora, porém, um teste de fé inesperado, de caráter diferente, surgira para nosso povo. Certo companheiro de obra insistiu em seguir um curso de ação que eu tinha certeza que traria vergonha a ele mesmo e também à causa. Tínhamos inimigos implacáveis na cidade que vigiavam cada passo que dávamos e estavam prontos a usar qualquer ação imprudente para nos prejudicar. Tornou-se, portanto, extremamente necessário atender à admoestação do apóstolo de evitar "toda a aparência do mal" [ACF].

Independência perigosa

Eu não afirmei que aquele irmão tinha, de fato, pecado em sua forma de agir, mas concluí que nossos inimigos tirariam proveito do que ele alegava ser inocente. Ele assumiu a posição de que tinha o direito de "agir como quisesse" no assunto, especialmente quando se admitiu que não havia nenhum pecado na sua forma de agir. Assim continuaram as coisas até 23 de janeiro de 1872, quando parti do condado de Sonoma para São Francisco a fim de verificar o que poderia ser feito para acalmar a situação.

A essa altura, como eu temia, nossos inimigos estavam fazendo uso da conduta desse irmão, e ele estava assumindo a posição de que isso "não era da conta deles", que iria mostrar-lhes que possuía uma mente própria e poderia andar nas ruas como lhe aprouvesse e *com quem* quisesse, sem se sujeitar aos comentários que faziam. Por meio de trabalho pessoal, tentei mostrar-lhe que aquele modo de agir não daria resultado e que esse espírito independente resultaria em mal. Ele tinha amigos que simpatizavam fortemente com ele, e alguns deles começaram a adotar uma posição que o submeteria a uma censura ainda maior. Grande parte da igreja viu o perigo de sua teimosia e estava pronta a me apoiar nos esforços que eu fazia para impedir que a causa sofresse desonra.

Marcada uma reunião de investigação

Assim permaneceram as coisas até o sábado, dia 27 de janeiro, quando foi decidido que seria feita uma investigação do caso e tomadas algumas medidas decisivas pela igreja a fim de salvá-la do estigma que esse espírito desafiador provavelmente produziria. Uma reunião foi marcada para o domingo, dia 28 de janeiro, às 9 horas da manhã, na qual iríamos analisar a situação e considerar nosso dever, como igreja, em referência à mesma. Ao que tudo indicava, uma divisão naquela igreja seria inevitável. Passei grande parte daquela noite em oração a Deus, pedindo que Ele operasse em nosso favor.

Uma confissão escrita

Na manhã do dia 28, ao sair para a reunião, encontrei aquele obreiro na calçada, perto de onde me hospedara, chorando. Disse ele: "Irmão Loughborough, não irei à reunião de hoje".

"Você não vai à reunião?" disse eu; "ela vai tratar do seu caso".

"Sei disso", respondeu ele, "mas estou completamente errado. Você está certo na posição que tomou com relação a meu caso. Aqui está uma carta de confissão que escrevi à igreja. Quero que você leve a carta e leia para eles. Será melhor para você e para os que possam estar inclinados a simpatizar comigo que eu não esteja lá".

"O que causou essa grande mudança em você desde ontem?", perguntei.

O recebimento de uma maravilhosa visão

Ele respondeu: "Fui ao correio ontem à noite, após o sábado, e recebi uma carta da irmã White, vinda de Battle Creek, Michigan. É um testemunho que ela escreveu para mim". Entregando-me o testemunho, ele disse: "Leia isto, e você verá como Deus considera o meu caso".

Ele pediu que eu contasse à igreja que ele havia recebido um testemunho da irmã White reprovando-o por sua conduta, e que ele havia aceito o testemunho, pois era verdadeiro.

A convincente natureza da visão

O testemunho era parte de uma visão dada a Ellen White em Bordoville, Vermont, dia 10 de dezembro de 1871. Ela começou a escrever a parte relativa ao caso deste irmão em 27 de dezembro de 1871, mas por algum motivo, a conclusão do documento foi adiada até 18 de janeiro de 1872, momento em que foi concluído e enviado pelo correio de Battle Creek. Naquela época, demorava cerca de nove dias para que as cartas chegassem por terra de Michigan à Califórnia.

Na visão, muitas coisas são reveladas a Ellen White de maneira profética [ou seja, fatos ainda por acontecer]. Foi assim nesse caso. No momento da visão, a situação aparentava apenas uma vaga ideia do que realmente se desenvolveu quando o testemunho chegou a São Francisco. Comparando as datas, podemos ver que o auge do problema em São Francisco ocorreu após o testemunho ter sido enviado de Michigan. Nossos irmãos em São Francisco prontamente perceberam que ninguém poderia ter escrito para Battle Creek, contando o problema a Ellen White, em tempo suficiente de ela escrever essa carta, pois tal situação ainda não existia.

Esse fato teve grande influência sobre os irmãos daquele lugar, convencendo-os de que havia um poder divino com conexão com a visão. Eu não tinha escrito uma palavra sequer, sobre o problema em São Francisco, ao irmão White ou a sua esposa, e o obreiro declarou não ter escrito nada. Os irmãos comentaram: "Se o obreiro tivesse escrito, não teria contado sobre si as coisas que foram apresentadas".

Como a visão foi escrita

Posteriormente, quando ficamos sabendo sobre a escrita e o envio do testemunho, tornou-se ainda mais evidente que o Senhor, o autor da visão, tinha um plano quanto ao momento da escrita e envio do testemunho, de modo que chegasse apenas no momento certo.

Bem cedo, na madrugada do dia 18 de janeiro de 1872, Ellen White foi despertada com o testemunho acima vividamente impresso em sua mente. A impressão lhe era tão distinta como se alguém tivesse dito: "Escreva imediatamente aquele testemunho para a Califórnia e envie no próximo correio; ele é necessário". Ao repetir-se pela segunda vez, ela se levantou, vestiu-se apressadamente e terminou de escrever. Pouco antes do desjejum, entregou a carta a seu filho Willie, dizendo: "Leve esta carta ao correio, mas não a coloque na caixa de correio. Entregue-a ao agente de correio, e certifique-se de que ele a coloque na mala de correspondências que sai nesta manhã". Ele posteriormente mencionou ter pensado que as instruções pareciam um tanto peculiares, porém não questionou, mas fez como lhe fora ordenado e "pôde ver a carta ser posta dentro da mala de correspondências".

Prova de que Deus estava dirigindo

Conhecendo, então, nossa situação em São Francisco, você prontamente verá a importância de que a carta fosse enviada exatamente naquela remessa. Havia, na época, apenas uma remessa terrestre de correio por dia. Se a carta tivesse chegado no domingo à noite, dia 28, em vez de sábado à noite, dia 27, haveria, sem dúvida, uma triste ruptura na igreja. Se ela tivesse vindo várias semanas antes, mesmo logo após a visão ter sido dada, a igreja não perceberia tão facilmente sua importância.

Esse testemunho apresentava evidentes sinais da mão do Senhor, não apenas pela carta haver chegado no momento adequado para corrigir efetivamente os erros existentes, mas, ao ser humildemente aceita e posta em prática pelo irmão, exerceu poderosa influência em trazer unidade e estabilidade para aquela jovem igreja.

Escrevendo as visões

Esse exemplo também ilustra algo que a própria Ellen White havia dito quanto a escrever o que lhe era mostrado. Ela diz:

> Tenho sido despertada do meu sono com uma vívida sensação de assuntos previamente apresentados à minha mente; e tenho escrito, à meia-noite, cartas que têm atravessado o continente e, ao chegar em um momento de crise, têm salvado a causa de um grande desastre (*Testemunhos para a Igreja*, vol. 5, n.º 33, página 671).

Capítulo 25

Instituições Educacionais

"Adquire a sabedoria, adquire o entendimento e não te esqueças das palavras da minha boca, nem delas te apartes. Não desampares a sabedoria, e ela te guardará; ama-a, e ela te protegerá. O princípio da sabedoria é: Adquire a sabedoria; sim, com tudo o que possuis, adquire o entendimento" *(Provérbios 4:5-7).*

A escola do professor G. H. Bell

A obra educacional da denominação tem, na atualidade, atingido proporções relativamente grandes. Assim como os outros ramos da causa já mencionados, este teve um começo muito pequeno. Em 1868, o professor G. H. Bell abriu uma escola no antigo prédio comercial, situado na esquina nordeste das ruas Washington e Kalamazoo, em Battle Creek. Além disso, na primavera de 1871, por ocasião do encerramento da assembleia da Associação Geral, um curso de treinamento com quatro semanas de duração foi oferecido aos ministros, projetado para ajudar as pessoas envolvidas no trabalho ministerial e da igreja.

Necessidade de uma escola denominacional

Na *Review* de 16 de abril de 1872, apareceu um artigo intitulado "Será que precisamos de uma escola denominacional?", no qual se mostrava claramente a necessidade de termos uma escola assim. Na *Review* de 16 de julho, foi anunciado que a escola havia sido inaugurada com 12 alunos, cujo número, duas semanas depois, havia aumentado para 25, e um curso noturno de gramática teve início com 50 pessoas. O segundo período letivo dessa escola teve início em 16 setembro do mesmo ano, com 40 alunos. Em 16 de dezembro, a escola havia crescido tanto que precisou ser transferida para a igreja, onde foram anexadas mesas dobráveis à parte de trás dos bancos. Havia também uma seção de educação básica que se reunia na galeria da igreja, com 63 alunos.

Arrecadando dinheiro para um colégio

Em março de 1873, a Associação Geral gastou um bom tempo considerando se era próprio ou não arrecadar fundos para a construção de edifícios adequados para uma escola denominacional que pudesse preparar obreiros para os diversos campos. Havendo a decisão sobre o assunto sido favorável, uma comissão foi nomeada para se responsabilizar pela arrecadação dos recursos necessários. Naquela época, de tempos em tempos, importantes artigos sobre o tema apareceram na *Review*, escritos pelos irmãos Butler, White e outros, e uma grande soma de dinheiro foi levantada para o projeto da escola, como resultado dos esforços dos irmãos Butler e Haskell nas diversas reuniões campais.

Outra assembleia da Associação Geral foi realizada em 16 novembro de 1873. Ali foi relatado que 52 mil dólares já haviam sido arrecadados para o Fundo Educacional Adventista do Sétimo Dia, a ser utilizado para a compra do terreno e construção de edifícios adequados na próxima estação apropriada para construção. Na mesma sessão, uma comissão de sete foi escolhida, por voto, para formar uma Sociedade Educacional e procurar um local para os edifícios.

Na assembleia que acabamos de mencionar, George I. Butler foi eleito presidente da Associação Geral e Sidney Brownsberger, secretário. A comissão eleita pela Associação Geral foi composta por G. I. Butler, S. N. Haskell, e Lindsay Harmon. Os nomes de Tiago White, Ira Abbey, J. N. Andrews e Uriah Smith foram adicionados para atuarem, junto com a Comissão da Associação Geral, como o Comitê dos Sete, que foi incorporado com o nome de "A Sociedade Educacional da Igreja Adventista do Sétimo Dia". A partir desse momento, o professor Brownsberger esteve ligado ao colégio de Battle Creek até ser chamado para dirigir um colégio a ser inaugurado em Healdsburg, Califórnia.

A compra de doze acres para o Colégio

Em 31 de dezembro de 1873, essa comissão comprou doze acres de terra na parte oeste de Battle Creek, dos quais sete hectares formaram o campus do Colégio de Battle Creek. A escola de Battle Creek abriu seu período letivo de inverno nas salas do terceiro edifício em 15 de dezembro de 1873, com 110 alunos matriculados.

A necessidade de escolas denominacionais

Falando sobre nossa necessidade, como denominação, de escolas apropriadas para educação, Ellen White escreveu em 1873:

Todas as faculdades da mente devem ser postas em uso e desenvolvidas, a fim de que homens e mulheres tenham mente bem equilibrada. O mundo está cheio de homens e mulheres unilaterais, que ficaram assim porque uma parte de suas faculdades foi cultivada, ao passo que outras foram diminuídas pela inatividade. A educação da maioria dos jovens é um fracasso. Estudam em demasia, ao passo que negligenciam o que diz respeito à vida prática.

Necessidade de educação simétrica

A aplicação constante ao estudo, segundo a maneira em que as escolas são agora dirigidas, está incapacitando a juventude para a vida prática. A mente humana precisa ter atividade. Se não estiver ativa na direção certa, estará ativa na direção errada. A fim de conservá-la em equilíbrio, o trabalho e o estudo devem estar unidos nas escolas. Deveriam ter sido tomadas providências nas gerações passadas para uma obra educacional em maior escala. Relacionados com as escolas, deveria ter havido estabelecimentos de manufatura e de agricultura, como também professores de trabalhos domésticos. E uma parte do tempo diário deveria ter sido dedicada ao trabalho, de modo que as faculdades físicas e mentais pudessem exercitar-se igualmente. Se as escolas houvessem sido estabelecidas de acordo com o plano que mencionamos, não haveria agora tantas mentes desequilibradas (*Testemunhos para a Igreja*, vol. 3, n.° 22, p. 153).

Colégio de Battle Creek

O prédio do Colégio de Battle Creek foi construído durante o verão e o outono de 1874. Era uma estrutura de tijolos, com três andares acima do subsolo, com área de 23 x 23 metros, no formato de uma cruz grega. Foi concluído e dedicado conforme os devidos procedimentos no dia 4 de janeiro de 1875. A escola iniciou-se nessas instalações com mais de 100 alunos e sete professores capacitados para os vários departamentos. Ao começar o ano letivo de 1877, foi anunciado que 200 alunos estavam matriculados. O relatório da Sociedade Educacional, apresentado na assembleia da Associação Geral em outubro de 1880, revelou que um total de 1.400 alunos foram matriculados nesse colégio desde 1873 a dezembro de 1880.

Abertura de duas novas escolas

Na assembleia da Associação Geral ocorrida em dezembro de 1882, foi anunciado que duas outras escolas denominacionais haviam sido abertas naquele ano, sob o amparo da Associação Geral, sendo uma delas o Colégio Healdsburg, localizado em Healdsburg, na Califórnia, inaugurado em 11 de abril; e a outra, South Lancaster Academy, localizada em South Lancaster, em Massachusetts, inaugurada em 19 de abril.

Colégio de Healdsburg

Na *Review* de 15 de janeiro de 1884, apareceu uma declaração muito interessante a respeito da escola denominacional localizada na Costa Oeste:

> Em setembro de 1881, a Associação da Califórnia decidiu abrir uma escola denominacional e nomeou uma comissão para levar avante o empreendimento. Por abril de 1882, os irmãos haviam adquirido um amplo terreno e um edifício bem conveniente contendo dez salas; contrataram dois professores, e as atividades da escola se iniciaram com 33 alunos. Durante o ano escolar (começando em 29 de julho de 1882), a escola foi reconhecida como faculdade, comprou-se um lote adicional de cinco acres, foi construído um espaçoso salão [para dormitório], o corpo docente passou a contar com seis professores e 152 alunos foram matriculados. Desde sua abertura, cerca de 27 mil dólares foram doados para o empreendimento, e a maior parte foi paga pelo povo da Califórnia.

Academia de South Lancaster

O povo da Nova Inglaterra abriu sua escola na igreja de South Lancaster, Massachusetts. Graças aos esforços incansáveis do irmão S. N. Haskell e aos sacrifícios de nosso povo da Nova Inglaterra, um conjunto de prédios escolares estava pronto para a dedicação no outono de 1884. Um total de cinco edifícios pertenciam, então, à Associação da Academia de South Lancaster, e dois deles eram completamente novos. O prédio de aulas media 18 x 20 metros, e o outro, o recém-construído dormitório, media 11 x 27 metros. Estes foram dedicados em 19 de outubro de 1884.

Essa instituição, após 21 anos de serviço ativo, ainda prospera e já enviou diligentes obreiros na causa do Mestre a várias partes do mundo. O diretor atual [em 1905] é Frederick Griggs, que também atua como secretário do Departamento de Educação da Associação Geral.

A escola de treinamento em Londres (na Inglaterra)

Como a obra em Londres, Inglaterra, continuou a avançar e a aumentar em força, considerou-se prudente, durante o verão de 1887, abrir uma escola de treinamento para obreiros bíblicos, ligada à prática de estudos bíblicos. Desta escola, obreiros foram enviados a outras partes do Reino Unido e de suas colônias. Uma florescente escola também está sendo conduzida no Salão Duncombe, ao norte de Londres, sob a direção do Prof. H. R. Salisbury, que obteve sua educação no colégio de Battle Creek, Michigan.

Expansão do Colégio de Battle Creek

A falta de espaço no colégio de Battle Creek foi tal que, no verão de 1886, tornou-se necessário aumentar, de forma significativa, o prédio da faculdade e, no ano seguinte (1887), construir um dormitório para moças (conhecido como o Salão Oeste). O Salão Oeste contém quartos para 150 estudantes, e o refeitório tem capacidade para 225 pessoas. O Salão Sul, construído em 1884, serve como dormitório masculino. No início do período letivo de inverno, 1886-1887, havia 568 estudantes matriculados.

Em 1885, o Prof. W. W. Prescott foi colocado na direção do colégio de Battle Creek e, pouco depois, foi nomeado para o cargo de Secretário de Educação da denominação. Esta realmente foi uma decisão sábia. O colégio de Battle Creek não foi o único beneficiado, mas, mediante o trabalho desse secretário, com a bênção de Deus, maior união e eficiência foram introduzidas no trabalho de todas as nossas escolas denominacionais.

Colégio Missionário Emanuel

O colégio de Battle Creek foi ativo até o ano de 1901, quando o terreno e os edifícios foram vendidos para a Associação do Colégio Médico-Missionário Americano. Um novo colégio corporativo foi prontamente formado, por nome de Colégio Missionário Emanuel.[14] Conseguiu-se uma fazenda perto de Berrien Springs, no sudoeste de Michigan, onde os edifícios foram construídos pelos alunos, e uma próspera escola passou a funcionar. O firme propósito dessa escola é oferecer uma "educação integral", em harmonia com as instruções citadas na primeira parte deste capítulo. O grande desejo e objetivo dos professores do Colégio Missionário Emanuel é qualificar obreiros, totalmente preparados, para trabalhar em qualquer parte do mundo aonde a providência de Deus os possa chamar.

---

[14]   Atual Universidade Andrews, em Michigan.

Escola Bíblica Central, Chicago

Em uma edição da *Review* de março de 1887, o irmão G. I. Butler propôs que fosse construído um prédio para a missão em Chicago, Illinois, destinado a servir como escola bíblica para a instrução de obreiros bíblicos e, ao mesmo tempo, podendo ser usado como capela e casa de missões para nosso povo naquela cidade. No outono e no inverno de 1888-1889, o estabelecimento foi construído. Seu custo, incluindo o terreno, a casa, os móveis, etc., foi cerca de 28 mil dólares. Inaugurou-se oficialmente no dia 4 de abril de 1889, com um treinamento para colportores. No momento da dedicação, anunciou-se que nosso povo estava ciente de pelo menos mil pessoas que já tinham aceitado a verdade presente, em várias partes do país, a partir dos esforços de obreiros bíblicos.

Essa escola foi habilmente conduzida por G. B. Starr até a primavera de 1891. Então, com professores nomeados pela Comissão da Associação Geral, prosseguiu em seu trabalho até o ano de 1893, quando se verificou que o edifício era inadequado para atender à crescente demanda por ensino bíblico. Devido a arranjos feitos para adicionar uma escola bíblica ao Colégio de Battle Creek, o edifício de Chicago foi vendido para a Associação Médico-Missionária e Beneficente. O edifício foi ampliado e equipado para ser um sanatório de pequeno porte e, agora, constitui a filial de Chicago do Sanatório de Battle Creek.

Union College, Nebraska

A assembleia da Associação Geral de 1889 considerou a proposta de construir um colégio numa localidade conveniente às nove Associações dos seguintes Estados: Iowa, Minnesota, Kansas, Missouri, Nebraska, Dakota, Texas, Colorado e Arkansas. A assembleia nomeou então uma comissão encarregada de selecionar um local conveniente para a escola. Quando os cidadãos das cidades como Des Moines, em Iowa, Fremont e Lincoln, em Nebraska, e outros lugares, souberam o que estávamos prestes a fazer, competiram uns com os outros no oferecimento de doações, tão desejosos que estavam de ter o colégio situado em sua própria cidade. Visto que, além de ser considerada a localidade mais provável, a cidade de Lincoln, em Nebraska, fez a oferta mais liberal, a escola foi instalada ali.

O edifício principal, o prédio de salas de aulas do Union College [Colégio da União], é uma estrutura de 43 x 26 metros. A altura, desde o chão até o topo da cúpula, é de 30 metros. Além desse prédio, há dois dormitórios, cada um medindo 32 x 32 metros, com três andares de altura.

Esperava-se que os recursos advindos de terrenos doados deveriam cobrir pelo menos metade da despesa de instalação desse colégio central da denominação, em que obreiros seriam preparados em departamentos separados de inglês, escandinavo e alemão, por professores em sua língua nativa. Os edifícios foram dedicados em 24 de setembro de 1891, e a escola teve início em 30 de setembro. As matrículas durante o primeiro ano foram de 301 alunos. Em 1892, a escola começou suas atividades com 222 alunos e as matrículas para o ano foram de 553. Destas, 71 foram do departamento alemão, e 85 do escandinavo.

Há uma fazenda ligada ao colégio, proporcionando oportunidade de trabalho aos estudantes que desejam seguir em linhas agrícolas. O colégio também possui uma padaria que produz, até certo ponto, alimentos saudáveis. Durante o ano de 1903, uma associação foi organizada com a finalidade de publicar artigos e livros nos idiomas alemão, sueco e dinamarco-norueguês. Esta associação possui sua casa de impressão e é responsável por todo o material americano da denominação impresso para essas nacionalidades. O trabalho é realizado principalmente pelos estudantes. Eles não apenas são instruídos na questão de impressão, mas ganham experiência ao *fazerem*, de fato, trabalho missionário.

A obra médica também está representada em conexão a essa instituição. Economizando espaço, descobriu-se que a escola poderia dispensar um de seus grandes dormitórios e, portanto, com pouca despesa, foi posto em operação um sanatório que está realizando excelente trabalho.

Colégio Walla Walla

Esta escola fica perto da cidade de Walla Walla, no Estado de Washington, e foi dedicada em 8 de dezembro de 1892. Havia sido inaugurada no dia anterior, com 101 alunos matriculados. Esse número aumentou durante o ano para 185 alunos. Há uma pequena fazenda e outros empreendimentos industriais ligados a essa escola. Atualmente, está numa condição bem próspera, realizando excelente trabalho. O diretor atual [1905] é o prof. J. L. Kay.

Escola australiana

Em 24 de agosto de 1892, foi inaugurada uma escola em Melbourne, na Austrália, em prédio alugado, tendo cinco professores. O senhor L. J. Rousseau, do Colégio de Battle Creek, Michigan, foi o primeiro diretor dessa escola. No ano de 1894, a escola contava com 89 alunos matriculados.

Mudança para Avondale

Devido ao desejo de unir trabalho e estudos, julgou-se prudente transferir a escola para outra localidade. Assim, da grande cidade de Melbourne, dirigiram-se a Avondale, em Cooranbong, New South Wales, um distrito rural, onde adquiriram uma fazenda e construíram edifícios adequados. Atualmente, a escola está sendo conduzida, com êxito, no plano industrial.

Cumpre-se a predição sobre Avondale

Ao fundar e estabelecer essa escola, o objetivo da comissão era conduzi-la, tanto quanto possível, em harmonia com as instruções dadas com respeito às escolas industriais. Deveria ser uma "escola modelo", assegurando-se, vez após vez, que, se devidamente administrada, seria um sucesso, não apenas como escola, mas como produção agrícola, pois a própria terra, considerada inútil, seria produtiva. O tempo, com a bênção do Senhor, demonstrou a veracidade da previsão. Não obstante as severas secas, por vários anos consecutivos, trazendo desastre para as atividades agrícolas e péssimas colheitas por todo o redor, a fazenda Avondale manteve-se verde e produtiva. Este foi um acontecimento tão notável que oficiais do governo vieram se informar acerca dos métodos agrícolas utilizados para produzir esse maravilhoso sucesso.

O relatório sobre o andamento da escola, para o ano de 1903, revela um aumento de 50 por cento em número de matrículas. As finanças também estavam em boas condições: despesas todas pagas e um saldo de 1.500 dólares em caixa a ser utilizados em benefício da escola. O prof. C. W. Irwin tem sido o administrador e diretor da escola por quase quatro anos.

Academia de Mount Vernon

Em 1893, a Associação Geral aprovou uma resolução em favor da abertura de uma escola em Mount Vernon, Ohio. Esta escola está ligada a alguns empreendimentos industriais, e relata-se que está fazendo um bom trabalho. As matrículas para o ano de 1894 totalizaram 140. O prof. J. W. Loughhead serviu durante vários anos como diretor da escola, até ser chamado a Washington, D.C. O endereço dessa escola é Academia, Ohio.

Escola Industrial de Keene

Também em 1893, foi aprovada a abertura de uma escola industrial em Keene, Texas. Adquiriu-se uma fazenda de mais de 130 acres, construíram-se os edifícios e a escola teve início sob a direção do Prof. C.

B. Hughes e seus assistentes. Ela é conduzida em harmonia com o plano de unir trabalho e estudo. Em 1894, foram matriculados 160 alunos. Esta escola também tem sido um evidente sucesso.

Colégio Claremont Union

Esta escola está localizada em Kenilworth, perto da Cidade do Cabo, na África do Sul. Seu corpo docente foi selecionado principalmente do Colégio de Battle Creek. Foi inaugurada em 1894, com 90 alunos. Ao final do primeiro ano escolar, o número de alunos aumentou tanto que foi necessário ampliar o prédio escolar para conseguir mais espaço. Atualmente, o colégio se encontra sob a supervisão do prof. C. H. Hayton.

Os adventistas do sétimo dia também dirigiram uma escola primária, em Claremont, com 70 alunos e uma escola paroquial em Beaconsfield, a qual, em 1894, contava com 30 alunos matriculados.

Resumo da obra educacional em 1895

O seguinte relatório foi apresentado à Associação Geral pelo secretário de Educação em fevereiro de 1895:

> Podemos sumarizar os estabelecimentos educacionais da denominação da seguinte forma: Há cinco colégios localizados em: Battle Creek, Michigan; College View, Nebraska; Healdsburg, Califórnia; College Place, Washington e Kenilworth, África do Sul. Há quatro academias [escolas de Educação Básica] exercendo o papel de escolas primárias e secundárias neste país: em South Lancaster, Massachusetts; Mt. Vernon, Ohio; Keene, Texas e Graysville, Tennessee. [...] Além destas, há a Escola Bíblica australiana; uma escola no México em conexão com a missão médica; a escola para as crianças nativas nas Ilhas Pitcairn; a escola em Raiatea, do grupo Sociedade; no Sul do Oceano Pacífico, em Bonacca, nas Ilhas da Baía no Mar do Caribe; cerca de 15 escolas paroquiais no país e no exterior, duas Escolas Bíblicas da Associação Geral e um grande número de escolas de colportores e de Associações locais não organizadas regularmente.

Sumariando o número de alunos nos estabelecimentos de ensino regular e nas escolas da denominação, o secretário afirmou: "Com estimativas conservadoras, atualmente há mais de 3 mil alunos, de todas as idades, matriculados em escolas adventistas do sétimo dia".

Resumo das instituições de ensino em 1903

A obra e as instituições educacionais entre os adventistas do sétimo dia têm crescido na proporção de outros ramos da mensagem. Como revelado no Yearbook da Associação Geral de 1904, há, nessa data, nove colégios [Ensino Superior] e academias [Educação Básica] nos Estados Unidos, e cinco em outros países. Estes localizados em outros países encontram-se em: Avondale, New South Wales; Kenilworth, Claremont, perto da Cidade do Cabo, África do Sul; Holloway, em Londres, ao norte da Inglaterra; Nyhyttan, Järnboås, na Suécia; Friedensau, perto de Magdeburg, na Alemanha.

Temos 14 escolas intermediárias [Ensino Fundamental] nos Estados Unidos e cinco em outros países. Estas estão localizadas em Copenhagem, Dinamarca; Honolulu, Havaí; Diamante, Entre Rios, Argentina, América do Sul; Curitiba, Brasil, América do Sul; Brusque, Brasil, América do Sul.

Além das instituições educacionais mencionadas acima, há 357 escolas paroquiais locais conduzidas pela denominação. Destas, 317 estão nos Estados Unidos e 40 em outros países. Se tivéssemos estatísticas atuais precisas, esses números seriam grandemente aumentados. Muitas escolas foram abertas desde o fim de 1902. A Associação de Nebraska, por exemplo, relatou possuir dez escolas paroquiais. Em fevereiro de 1904, o relatório deles apresentava "24 escolas paroquiais", um aumento de 14 em uma Associação.

Verdadeiramente, a mão do Senhor tem guiado e aberto caminho de modo maravilhoso para a obra educacional entre este povo. Que Deus conceda sabedoria aos que são chamados a administrar este ramo de Sua obra, para que as diversas escolas sejam conduzidas em harmonia com o plano por Ele delineado. Dessa forma, haverá multidões de obreiros eficientes e bem desenvolvidos para o Mestre, em vez de homens e mulheres desenvolvidos apenas "unilateralmente" em educação e caráter. "O Senhor deu a palavra", declara o salmista, e "grande é a falange [exército] das mensageiras das boas-novas" (Salmos 68:11).

Capítulo 26

Nossas Missões Estrangeiras

"Como está escrito: Hão de vê-Lo aqueles que não tiveram notícia dEle, e compreendê-Lo os que nada tinham ouvido a Seu respeito" (Romanos 15:21).

Nossa primeira missão localizada fora dos Estados Unidos foi inaugurada em 1874, quando o irmão J. N. Andrews foi enviado à Suíça, iniciando ali o trabalho.

CAMPO DA EUROPA CENTRAL

Oito países foram incluídos nesta missão: Suíça, França, Itália, Turquia, Bélgica, Espanha, Portugal e Grécia, um território com 140 milhões de pessoas.

Pode ser interessante, a esta altura, mencionar as circunstâncias que levaram nosso povo a iniciar uma missão de território tão vasto, quando a denominação ainda possuía poucos membros.

O irmão Czehowski

No ano de 1865, M. B. Czehowski, um padre católico polonês que havia se convertido e aceitado a verdade presente, desejou que nosso povo o enviasse como missionário à Europa Central. Como isso era, naquela ocasião, inviável, ele apresentou seu caso para os adventistas do primeiro dia de Boston, Massachusetts, que, talvez, o consideraram completamente desconectado de nosso povo. Seja como for, eles providenciaram os meios necessários e o enviaram a sua tão desejada missão.

Guardadores do sábado na Suíça

Em 1866, ele pregou sobre a verdade do sábado e a mensagem do terceiro anjo em Tramelan, na Suíça, o que resultou ali num grupo de observadores do sábado. Logo depois, foi anunciar a mensagem na Hungria.

Ele não informou aos irmãos de Tramelan sobre nossa obra na América, mas Albert Vuilleumier, um dos que compunham o grupo, sabia ler o Inglês. Por acaso, Albert viu uma cópia da *Advent Review*. Desse modo, teve início a comunicação entre os dois países.

O irmão Erzenberger é enviado à América

Em 1869, James Erzenberger, de Tramelan, foi enviado à América com o objetivo de aprender o Inglês e familiarizar-se melhor com as doutrinas e costumes dos adventistas do sétimo dia. Chegou a Battle Creek em 18 de junho e permaneceu um ano e meio na América. Saiu de Nova Iorque, em sua viagem de volta, dia 9 de setembro de 1870. Em junho do mesmo ano, Ademar Vuilleumier também visitou o país, onde permaneceu cerca de quatro anos. Retornando a sua pátria, foi acompanhado pelo irmão Andrews. Eles chegaram em Neuchâtel em 16 outubro de 1874.

Em 1875, o irmão D. T. Bourdeau e sua família partiram da América rumo à França, onde lhes fora designado trabalhar.

Um periódico em francês

No ano seguinte, em julho de 1876, iniciou-se em Basileia, na Suíça, a publicação de um periódico na língua francesa, intitulado *Les Signes des Temps* [Os Sinais dos Tempos]. No dia 13 de maio de 1882, seis anos mais tarde, o irmão Haskell partiu de Nova Iorque para a Europa. Nessa viagem missionária, passou algum tempo na Suíça.

O irmão Whitney na Basileia; morte do irmão Andrews

Em 26 de julho de 1883, o irmão B. L. Whitney e sua família chegaram a Basileia, pois havia sido determinado pela comissão da Associação Geral que ele devia assumir a administração dessa missão para aliviar o irmão Andrews, cuja saúde declinava rapidamente. Poucos meses depois, em outubro daquele ano, o irmão Andrews faleceu.

Apesar de não ter usufruído as vantagens de escolas superiores e universidades no início da vida, o irmão Andrews foi bem preparado, constituindo no que o mundo chama de autodidata, alguém que venceu pelo próprio esforço. Por sua aplicação aos estudos, dominava o latim, o grego e o hebraico, e, anos depois, o francês. Essa língua foi de grande auxílio para que pudesse inaugurar e dar seguimento à obra na Missão Central Europeia, onde trabalhou durante os últimos seis anos de sua vida, escrevendo e publicando a *Sinais dos Tempos* em francês, bem como pregando nessa língua. Foi enquanto trabalhava assim que caiu sob a mão da morte.

Dr. Kellogg na Europa

Na primavera de 1883, o Dr. J. H. Kellogg visitou a Europa, com o objetivo de realizar pesquisas médicas. Passou alguns dias em cada uma de nossas missões. Sua presença era fonte de grande encorajamento aos obreiros. Os conselhos que deu, especialmente acerca da obra em Basileia, foram muito apreciados pelo irmão Andrews.

O irmão Butler visita a Europa

Na assembleia da Associação Geral, realizada em outubro de 1883, foi recomendado que se iniciasse, o mais rápido possível, a publicação de um periódico na Inglaterra. Como resultado de outro voto aprovado nessa mesma assembleia, os irmão G. I. Butler, M. C. Wilcox, e A. C. Bourdeau viajaram para a Europa e Inglaterra a fim de auxiliar no trabalho que lá se desenvolvia. O irmão Butler desembarcou em Glasgow, na Escócia, dia 27 de fevereiro de 1884. Um de seus objetivos, ao visitar as missões estrangeiras, era observar pessoalmente as dificuldades para o avanço da obra no exterior, e descobrir como superá-las. Também passou algum tempo em Basileia e no campo da Europa Central. A. C. Bourdeau trabalhou entre o povo francês que habitava nos vales dos Alpes, entre os valdenses; M. C. Wilcox, por sua vez, associou-se à obra editorial e de publicações na Inglaterra, permanecendo ali até o fim de 1886.

Uma publicadora em Basileia

Em 1884, a editora *Imprimere Polyglotte* (o nome significa: "Imprimindo em muitas línguas"), foi estabelecida em Basileia. Em março de 1885, H. W. Kellogg foi autorizado pela comissão da Associação Geral a visitar Basileia e comprar os equipamentos necessárias para a publicadora. Ele o fez e, assim, foi estabelecida uma publicadora bem equipada, pertencente à Igreja Adventista do Sétimo Dia, na antiga cidade de Basileia.

Enquanto o irmão Butler visitava a Europa, um jornal alemão chamado *Herold der Wahrheit* foi impresso no escritório da publicadora de Basileia. No mesmo ano, um jornal Romeno, *Avarülu Present* [Verdade Presente], e ainda outro em italiano, chamado *L'Ultimo Messagio* [As Últimas Mensagens], foram publicadas no mesmo escritório. Os dois últimos eram trimestrais, com 16 páginas. Na Associação Suíça, em outubro de 1884, relatou-se que haviam sido impressas e distribuídas, durante o ano, 146 mil cópias desses periódicos. Até 1895, quando a publicadora (em consequência da perseguição que ocorreu em Basileia) foi transferida para a cidade de Hamburgo, na Alemanha, eram publicados livros e panfletos em mais de 11 línguas diferentes: francês, alemão, italiano, romeno, espanhol, boêmio, russo, holandês, húngaro, armênio, turco e greco-turco. Assim, segundo o significado de seu nome, esta instituição publicava "em muitas línguas".

Ellen White visita a Europa

No dia 3 de setembro de 1885, Ellen White, com seu filho W. C. White e família, chegaram a Basileia. Por um ano e meio viajaram por aqueles antigos países, visitando as missões da Europa Central, prestando-lhes serviço de inestimável valor.

Organizada a Associação Suíça

Em 10 de setembro de 1885, a Associação Suíça foi organizada. De acordo com um relatório emitido naquela época, anunciou-se que a associação era composta de um ministro ordenado, sete licenciados, dez igrejas e 224 membros. O dízimo que havia sido arrecadado no ano anterior era de 1.645,11 dólares. Além disso, haviam recebido 2.041,22 em doações para a obra.

O irmão Waggoner na Europa

Ellen White, W. C. White e família voltaram à América em 1886. No mesmo ano, o irmão J. H. Waggoner foi convidado a trabalhar na Missão Central Europeia. Ele passou mais de dois anos neste campo, durante os quais vivia na cidade de Basileia. Faleceu nessa cidade, em 20 de abril de 1889.

A saúde debilitada do irmão Whitney, e sua subsequente morte (9 de abril de 1889), foi outro terrível golpe para esta missão.

O irmão Robinson na Europa

D. A. Robinson, que estava trabalhando na Inglaterra, foi escolhido como sucessor do irmão Whitney. Trabalhou de forma eficiente neste campo por cerca de seis anos, quando, a convite da Associação Geral, partiu para a Índia, em 1895. Sua saída tornou necessária a nomeação de outro superintendente.

O irmão Holser escolhido como superintendente

H. P. Holser foi o homem escolhido para o cargo e, além dessa responsabilidade, foi também escolhido como administrador de toda a Missão Central Europeia. Nesse campo, trabalhou incansável e eficientemente até 1901, quando também sucumbiu à devastação da doença. Morreu em Canyon City, no Colorado, dia 11 de setembro de 1901.

Apesar dessas circunstâncias adversas, a missão cresceu e o trabalho avançou, como se vê num relatório apresentado à Associação Geral em 1895, que afirma que a Associação Central Europeia é composta de 19 igrejas, com 484 membros e um dízimo de 4.378,18 dólares relativo ao ano anterior. Nessa data, tinham quatro ministros ordenados e cinco licenciados.

MISSÃO RUSSO-ALEMÃ

Em 1870, J. H. Linderman, pastor de uma igreja perto de Elberfeld, na Prússia, juntamente com 40 de seus membros, como resultado de seu estudo da Bíblia, passaram a guardar o sábado do sétimo dia, sem conhecerem no mundo outro grupo de cristãos que o guardava. Foi de maneira um tanto peculiar que nosso povo ficou sabendo dessa história. Um pedinte bateu à porta da casa da missão em Basileia no sábado. A família estava estudando a lição da escola sabatina com as Bíblias abertas. A cena impressionou o homem e levou-o a fazer perguntas.

O grupo em Elberfeld

Ao descobrir que não se tratava de judeus, mas cristãos, guardadores do sábado do sétimo dia, o pedinte noticiou em Elberfeld acerca desse grupo. O irmão Andrews achou prudente verificar a informação e partiu para a Prússia, no início de 1875, em companhia do irmão Erzenberger, onde encontraram o grupo mencionado. O irmão Erzenberger permaneceu por algum tempo trabalhando naquela parte da Alemanha e, em 8 de janeiro de 1876, oito pessoas foram batizadas em Elberfeld, sendo este o primeiro batismo de adventistas do sétimo dia na Alemanha.

Já em 1882, a verdade começou a ganhar terreno na Rússia, através de material de leitura enviado por irmãos alemães que viviam na América para seus amigos nas colônias alemãs da Rússia.

O irmão Conradi na Europa

Em 1885, o irmão L. R. Conradi partiu da América para o campo da Europa Central, a fim de trabalhar entre os alemães. Em 28 de junho de

1886, saiu de Basileia, indo para Criméia, na Rússia. Dali, em companhia do irmão Perk, partiu para Berdebulat, onde duas irmãs foram batizadas e uma igreja de 19 membros foi organizada. Esta foi a primeira Igreja Adventista do Sétimo Dia na Rússia.

Os irmãos Conradi e Perk são presos

Logo em seguida, os irmãos Conradi e Perk foram presos por ensinar doutrinas contrárias à fé ortodoxa e ficaram detidos por cinco semanas em Perekop. Após serem soltos (por intervenção do ministro dos Estados Unidos), o irmão Conradi visitou o leste da Rússia e depois voltou para a Suíça.

Trabalho ao longo do rio Volga, na Rússia

Foi durante esse mesmo ano que o irmão Laubhan começou a trabalhar na Rússia, próximo de sua casa, localizada no rio Volga. Em 1880, o irmão Klein, do Estado de Kansas, começou a trabalhar na parte alemã da Rússia e, assim, foram levantados obreiros para este difícil campo. Embora os irmãos tenham sido aprisionados e expatriados, a obra tem sido abençoada pelo Senhor de modo notável.

O sucesso dos colportores na Alemanha

No ano de 1880, os colportores começaram a trabalhar na Prússia Renana, Württemberg, Baden, e Alsácia. Tão bem sucedidos foram os oito ou dez animados e fiéis obreiros que, em um ano, 3 mil exemplares do livro *Vida de Cristo* haviam sido vendidos, 2 mil do livro *Do Éden ao Éden* e 12 mil panfletos. Como resultado desse trabalho, em quase todo lugar onde os livros foram vendidos e lidos, uma ou mais pessoas abraçaram a verdade.

Nova Missão em Hamburgo

Em maio de 1889, foi iniciada pelo irmão Conradi a obra missionária em Hamburgo, na Alemanha, e, em pouco tempo, foi inaugurada uma escola de treinamento para obreiros. No outubro seguinte, foi organizada uma escola sabatina com 28 membros. Foi durante esse ano que o irmão Haskell visitou aquela missão e uma igreja de 20 membros foi organizada, bem como estabelecido um depósito de livros.

Por esse tempo, o irmão J. T. Boettcher estava empenhado na obra alemã em Barmen. Um relatório foi apresentado à Associação Geral, em 1890, afirmando que na missão russo-alemã havia nove igrejas organizadas, num total de 422 membros, além de 75 guardadores do sábado que ainda não se haviam organizado. Em 7 de abril do mesmo ano, mais 12 foram batizados, unindo-se à igreja de Hamburgo. Em dezembro, o número de membros dessa igreja havia crescido para 40. O montante recebido na venda de livros do depósito em Hamburgo, Holanda, Rússia e em várias partes da Alemanha foi de 5 mil dólares.

Sucesso na Europa

Lenta, mas firmemente, o trabalho avançou na Missão Central Europeia, como mostrado no relatório apresentado na assembleia da Associação Geral em 1891. Havia, nessa época, cinco igrejas na Alemanha, com um total de 140 membros, dos quais 64 faziam parte da igreja de Hamburgo. O dízimo recolhido foi de mil dólares. Os livros vendidos a bordo, pelo missionário de navios em Hamburgo, totalizaram 500 dólares, enquanto as vendas dos colportores naquele ano, em todo o campo, foram de 6 mil dólares. 150 pessoas haviam aceitado a verdade na Áustria, e na Rússia havia 13 igrejas com um total de 400 membros.

Cinco russos observadores do sábado são banidos

Por esse tempo (1891), cinco membros de uma igreja russa, incluindo o diretor da igreja, foram presos por ensinar doutrinas contrárias à igreja estabelecida de seu país, sendo condenados a cinco anos de exilio na Transcaucásia. Deviam ser acorrentados entre si e andar 800 quilômetros a pé. Sua fé os sustentou nessa prova e eles estavam felizes no Senhor. Durante o ano, preparou-se um panfleto na forma de Estudos Bíblicos em Russo, com temas como: "os sofrimentos de Cristo", "o sono dos mortos", "qual o dia, e por quê?" e "podemos saber?"

Por ocasião da assembleia da Associação Geral de 1895, o número de membros na Alemanha havia crescido para 368 e os dízimos do ano anterior totalizavam 2.327,43 dólares.

Mais guardadores do sábado na Rússia

Na Rússia, apesar de muitos terem emigrado para outros países, os membros haviam aumentado para 467, os quais devolveram um total de 841,60 dólares em dízimos.

Na declaração feita pelo secretário de missões estrangeiras, na semana de oração em 1896, ficamos sabendo que

> os números quase dobraram no campo russo-alemão ano passado, sofrendo um acréscimo de mais de 400. Em Berlim, na Alemanha, havia

60 pessoas frequentando os cultos aos sábados. A construção da capela da missão em Hamburgo fortaleceu ali o trabalho. Em Munique, na Baviera, vários aguardavam o batismo. Havia crentes em Leipzig, Königsberg, Magdeburgo, Posen, Stuttgart e outras cidades importantes da Alemanha. Há também um grupo em Roterdã, na Holanda. Na Rússia, os colportores receberam autorizações da parte do governo. Literaturas foram traduzidas para as línguas da Letônia e Estônia. O periódico alemão tinha se mudado de Basileia para Hamburgo e, naquele escritório, estavam publicando a verdade em 14 línguas.

Batismo na Hungria

Naquele ano, ocorreu o primeiro batismo na Hungria e a primeira cerimônia de ordenação na Boêmia. Uma missão naval foi estabelecida em Galați, na Romênia, para o Danúbio e o Mar Negro.

Colportando na Alemanha

No *Home Missionary* de Dezembro de 1895, o irmão Spies, referindo-se à obra da colportagem no campo alemão, declarou:

> Os encarregados da obra da colportagem, quando ela iniciou neste campo, não cessaram de *promovê-la*, embora assegurados, por alguns dos principais editores e escritores de Leipzig, que "a venda de livros por assinatura seria um fracasso".
> Em agosto de 1887, a primeira edição do *Vida de Cristo* foi disponibilizada na língua alemã. Nessa época, ocorreu um treinamento para colportores em Basileia. Esse evento marcou o início da obra da colportagem, não só na Alemanha, mas em toda a Europa. Hoje já publicamos a sétima edição desse livro em língua alemã.
> Desde 1° de janeiro de 1895, 12 novos colportores entraram no campo. Em junho de 1895, o relatório mostrou que houve 50 por cento de aumento nas vendas. No momento, esforços especiais estão sendo feitos para a distribuição de *Harold der Wahrheit*, o nosso periódico alemão. Algumas igrejas não muito grandes solicitam de 50 a 200 cópias, e as vendem, tendo até mesmo experiências muito agradáveis com os compradores. Na *Review* de 18 de fevereiro de 1896, o irmão Conradi disse: "Chegamos ao fim de 1895 com 1.500 observadores do sábado no campo russo-alemão".

MISSÃO ESCANDINAVA

No ano de 1887, o irmão John Matteson inaugurou a missão para o povo escandinavo. No dia 6 de junho, ele chegou a Vejle, em Jutlândia, na Dinamarca. Ao chegar lá, encontrou algumas pessoas que tinham começado a guardar o sábado como fruto da leitura de periódicos e panfletos enviados por amigos seus da América.

Ao traçar a origem desse trabalho, vemos que, em 1850, quatro pessoas, que haviam se mudado da Noruega para os Estados Unidos, começaram a guardar o sábado do Senhor. Residiam em Oakland, Wisconsin. Duas dessas pessoas eram o pai e a mãe do irmão O. A. Olsen. Em 1863, John Matteson começou a guardar o sábado do sétimo dia. Ele morava em Poysippi, Wisconsin. Nos seis meses seguintes, mediante seu trabalho, cerca de 40 dinamarqueses-noruegueses haviam abraçado as doutrinas da Igreja Adventista do Sétimo Dia. O primeiro pregador entusiasta que se uniu a ele no ministério foi J. F. Hanson, de Minnesota.

O primeiro livro publicado em dinamarquês-norueguês

No ano de 1866, o irmão John Matteson escreveu aos gerentes do escritório da Review and Herald, perguntando se fariam a impressão de panfletos e folhetos na língua escandinava. Foi, então, informado de que a falta de fundos no escritório impedia tal empreendimento. Havia, porém, pessoas de seu país em Wisconsin e Minnesota que estavam tão ansiosas para terem a verdade impressa em sua língua materna que, apesar de viverem em circunstâncias econômicas medianas e totalizando menos de 50 pessoas em número, conseguiram mil dólares em dinheiro, e lhe entregaram para esse fim. Com o dinheiro e uma quantidade de material cuidadosamente preparado, o irmão Matteson veio a Battle Creek e novamente pediu que fossem impressos. Uma vez que estava preparado para responder às objeções anteriormente feitas, seus desejos foram realizados e, em 18 de março de 1867, começou a ler em voz alta para J. N. Andrews e eu o manuscrito, preparado para o seu livro, *Liv og Dog* (Vida e Morte), pois éramos, na época, membros da Comissão de Publicações. Em outras palavras, ele nos falava em Inglês aquilo que seu manuscrito dizia em dinamarquês-norueguês.

O irmão Matteson torna-se tipógrafo

Na época, não havia qualquer tipógrafo reserva que pudesse configurar os tipos móveis para ele. Assim, o irmão Matteson solicitou o privilégio de aprender, ele mesmo, a configurá-lo. Continuou o trabalho até ter cerca de mil páginas de panfletos e folhetos impressos em sua própria língua.

Com estes novos recursos para divulgar a verdade entre seu povo, Matteson saiu com renovada coragem, realizando reuniões em vários Estados. A partir de então, a obra avançou muito rapidamente entre os escandinavos.

O primeiro periódico estrangeiro

A obra entre os dinamarqueses-noruegueses assumiu tais proporções que se tornou necessária a publicação de um periódico mensal para lhes fornecer instrução e encorajamento em sua própria língua. Assim, em 1º de janeiro de 1872, foi publicada, no escritório da Review and Herald, uma revista mensal dinamarquesa de 24 páginas, por nome de *Advent Tidende* [Novas do Advento]. No ano seguinte, o tamanho da revista aumentou para 32 páginas. Foi o primeiro periódico publicado pela Igreja Adventista do Sétimo Dia em língua estrangeira.

Em 1874, o interesse entre os fiéis de língua sueca foi tão grande que se passou a publicar uma revista mensal, em sua língua, com 16 páginas, chamada *Svensk Herold*.

Na ocasião em que o irmão Matteson ingressou na missão aos povos escandinavos (junho de 1877) no velho mundo, 266 cópias do *Tidende* estavam sendo mensalmente enviadas da América para a Dinamarca e 60 para a Noruega. Por meio da leitura dessas revistas, grande número de pessoas já estava guardando o sábado na Escandinávia. Como resultado do trabalho desse irmão no decorrer de um ano na Dinamarca, grupos de crentes foram estabelecidos em diversos lugares.

Uma publicadora na Noruega

Depois disso, o irmão Matteson foi para a Noruega, onde, no dia 7 de junho de 1879, organizou uma igreja com 38 membros, como resultado de seu trabalho em Oslo. Por esse tempo, o irmão J. P. Jasperson, dos Estados Unidos, se uniu a ele no ministério. Também nesse ano foi organizada uma associação de publicações na Noruega e adquirida uma propriedade para um escritório de publicações, uma sala de reuniões para cultos da igreja e outros aposentos de moradia por 14.580 dólares. Por certo tempo, uma pequena publicação, chamada *Tidernes Tegn*, foi emitida semanalmente do escritório em Oslo.

No início do outono de 1880, o irmão Matteson viajou para os Estados Unidos em busca de ajuda para ampliar a obra na Escandinávia. Ele participou da assembleia da Associação Geral daquele ano e, muito animado, retornou à Europa em abril de 1881. Logo após seu retorno, adquiriu-se uma prensa cilíndrica para o escritório em Oslo.

Revistas de saúde em dinamarquês e sueco

Iniciou-se imediatamente a publicação de uma revista de saúde em dinamarquês, chamada *Sundheds Bladet*. Em 1883, Matteson publicou uma revista semelhante em sueco e um periódico religioso, chamado *Sanningens Härold*. Em 1884, a obra ali possuía equipamentos no valor de 2.563 dólares. Durante esse ano foram impressos e distribuídos 115 mil periódicos no total, além de muitos milhares de panfletos e alguns livros.

O irmão Haskell na Escandinávia

O trabalho nos países escandinavos recebeu muita ajuda com a visita do irmão Haskell em 1882, e, em 1884, foram consideravelmente auxiliados pelo trabalho dos irmãos G. I. Butler, B. L. Whitney, A. B. Oyen e E. G. Olsen.

Ellen White proporciona grande auxílio à Escandinávia

Em 1885, Ellen G. White e seu filho W. C. White visitaram a Escandinávia. Isso foi de inestimável valor para a obra nesse campo. Alguns começaram a crer na ideia de que os pobres desse país eram incapazes de devolver o dízimo e que era inútil tentar vender os livros. O testemunho dado por Ellen White foi oportuno e bem recebido pelo povo, como fica evidente na resposta dada com estas palavras: "Tudo o que falou o Senhor faremos e obedeceremos". Durante essa visita, uma completa mudança se operou em todo o campo escandinavo, gerada, principalmente, pelos incansáveis esforços de Ellen White.

Um novo escritório na Noruega

Em 1886, O. A. Olsen e N. Clausen visitaram os países escandinavos, sendo que Clausen permaneceu ali por um bom tempo. Em 1885, um novo edifício foi erguido em Oslo e, ao fim de um ano, em setembro de 1886, a venda de livros e folhetos havia gerado a soma de 5.386,68 dólares, ao passo que o montante recebido das assinaturas de periódicos foi de 3.146,03 dólares.

Vinte e cinco igrejas na Escandinávia

Um relatório apresentado à Associação Geral, em 1889, declarou que, no campo escandinavo, havia 25 igrejas, com 926 membros, com um total de dízimos de 2.548,75 dólares. Havia também seis ministros, quatro licenciados e 52 colportores. A venda de livros na Noruega e Suécia em um trimestre foi de 2.161,26 dólares.

Escola em Oslo

Por este tempo, havia uma escola em Oslo, com 50 alunos. Em 1891, O. A. Olsen e E. J. Waggoner realizaram ali uma escola de treinamento bíblico com 100 alunos matriculados. Nessa escola, proporcionava-se instrução completa na obra de colportagem.

Quarenta igrejas na Escandinávia em 1895

Seis anos depois, em 1895, temos um relatório apresentado por D. A. Robinson, então superintendente distrital do campo estrangeiro, que mostra um crescimento da obra tão evidente e marcante durante esse período que citamos as seguintes palavras:

> A Escandinávia tem 40 igrejas e 1.458 membros. O dízimo arrecadado no ano foi de 5.585,55 dólares. Há 15 ministros ordenados, 11 licenciados e as vendas de livros durante o ano somam 40 mil dólares. Este grande resultado se deve principalmente aos esforços dos colportores; e isso num país onde, em 1885, os vendedores de livros, e até mesmo ministros de nossa fé, afirmavam ser impossível a venda de livros pela colportagem.

Três Associações escandinavas

Atualmente, há três Associações no campo escandinavo, as quais foram organizadas nas seguintes datas: Dinamarca, 30 maio de 1880; Suécia, 12 março de 1882; e Noruega, 10 de junho de 1887. O irmão John Matteson, responsável pelo início da missão escandinava e pioneiro de grande sucesso naquela obra, após trabalhar de modo tão dedicado e abnegado pela prosperidade daquele povo, foi atingido por essa doença fatal, a tuberculose, e morreu em El Monte, na Califórnia, dia 30 de março de 1896, aos 61 anos de idade.

MISSÃO BRITÂNICA

William Ings, original de Hampshire, na Inglaterra, mas americano em espírito e educação, tendo vivido nos Estados Unidos desde a infância, veio de Basileia, na Suíça, a Southampton [na Inglaterra] em 23 de maio de 1878. Nessa ocasião, permaneceu ali apenas duas semanas e retornou ao continente por um curto prazo. Logo depois, porém, voltou a Southampton, onde, após quatro meses de distribuição de panfletos de casa em casa e de realizar qualquer trabalho missionário que fosse necessário, relatou que havia dez pessoas guardando o sábado. Em 30 de dezembro daquele ano, minha esposa e eu chegamos a Southampton, onde unimos nossos esforços aos dele, realizando reuniões durante o inverno no Shirley Hall e em nossa própria casa alugada. No verão de 1879, conduzimos reuniões de tenda em Southhampton. Foi ali que a Srta. Maud Sisley (atualmente chamada Sra. Boyd) ingressou na obra, dando estudos bíblicos e indo de porta em porta. Como fruto desse trabalho, muitos aceitaram a verdade. No inverno seguinte, realizamos reuniões num salão de uma chácara em Ravenswood, edifício onde residíamos e usávamos também como depósito.

Reuniões de tenda na Inglaterra

No verão de 1880, o irmão Andrews, embora com a saúde fragilizada, veio da Suíça a fim de auxiliar nas reuniões de tenda em Romsey, onde outras pessoas abraçaram a mensagem. Em 11 de janeiro de 1880, foi organizada um departamento de publicações. Os membros ficaram muito interessados nessa obra e distribuíram muita literatura. No dia 8 de fevereiro de 1880, realizamos nosso primeiro batismo, com seis batizandos. Até 2 de julho de 1881, 29 pessoas haviam sido batizadas em Southhampton.

Aumenta o número de obreiros na Inglaterra

Por voto da assembleia da Associação Geral, realizada no Outono de 1881, A. A. John e esposa, George R. Drew e a Srta. Jennie Thayer foram para a Inglaterra como missionários. Durante o ano de 1882, o irmão Haskell visitou o campo europeu, passando alguns dias com os obreiros na missão Inglesa, onde prestou grande auxílio mediante conselhos e orientações.

Em março de 1882, um suplemento britânico à revista *Signs of the Times,* de duas páginas, começou a ser impresso e anexado a milhares de cópias dessa revista, enviadas dos Estados Unidos. Estas eram usadas na obra missionária na Grã-Bretanha. Um relatório do trabalho, de 1° de outubro de 1883, mostra que, nessa data, havia 100 pessoas guardando o sábado. O dízimo coletado, desde o início da missão, foi de 2.078,71 dólares.

Trabalho missionário a bordo

Por cortesia dos proprietários de navios, o irmão Ings foi autorizado a enviar pacotes de panfletos e periódicos *gratuitamente* para 80 dos principais portos da "Companhia peninsular e oriental de navios a vapor", na África do Sul, Índias orientais e ocidentais, América Central e Ilhas da

Baía [em Honduras]. Foi pela influência dessas publicações enviadas que se despertou, pela primeira vez, na ilha de Demerara, o interesse na mensagem. Recebemos esta informação por cartas escritas dessa ilha.

O livro *História do Sábado* é posto em bibliotecas inglesas

Também foi posta uma cópia do livro *História do Sábado*, escrito pelo irmão Andrews, em 60 bibliotecas públicas e salas de leitura espalhadas pela Grã-Bretanha. Assim, a história ainda está sendo contada, por esses livros, aos que estão dispostos a lê-los.

Em 1884, o irmão Butler visitou a Inglaterra, acompanhado de outros obreiros que iriam trabalhar ali. Os irmãos S. H. Lane e Robert Andrews partiram a navio de Boston, em 9 de maio de 1885, para se juntar à missão na Grã-Bretanha. A visita de Ellen White à Inglaterra foi uma fonte de força e encorajamento aos obreiros. Ela e seu filho passaram ali algumas semanas antes de retornarem à América, vindos do campo Europeu.

Iniciada a revista *Present Truth* na Inglaterra

No início de 1884, logo após a chegada do irmão Butler à Inglaterra, decidiu-se começar em Grimsby, com M. C. Wilcox como editor, uma revista quinzenal de oito páginas, intitulada *The Present Truth*. Este é agora publicado em Londres, na Inglaterra, semanalmente, com 16 páginas, com uma tiragem de cerca de 18 mil cópias.

Em 1889, o irmão Holser relatou que a Missão Britânica consistia em oito igrejas, com 200 pessoas guardando o sábado, das quais 65 estavam em Londres. O dízimo recolhido no ano anterior fora de 1.244,58 dólares. Havia dois ministros ordenados, dois licenciados, dois missionários a bordo de navios e sete obreiros bíblicos. Foi nessa época que os irmãos William Hutchinson e Francis Hope ingressaram na missão inglesa.

Pacific Press em Londres

Durante o ano de 1890, a Publicadora Pacific Press, de Oakland, Califórnia, abriu uma filial no endereço Paternoster Row, n.° 48, em Londres, e um escritório de impressão no endereço Holloway Road, n.° 451. As vendas no primeiro ano, em preços de atacado, foram de 9.556,89 dólares.

Em fevereiro de 1895, o irmão Robinson relatou o seguinte:

> Na Grã-Bretanha há 11 igrejas, 363 membros, cinco ministros e um licenciado. O dízimo no ano anterior foi de 5.077,20 dólares, uma média de 13,98 dólares por membro. A propriedade do escritório de pu-

blicações agora pertence à Sociedade Internacional de Folhetos Ltda., uma sociedade anônima inglesa, e é por ela administrada.

Em dezembro de 1895, o Secretário de Missões Estrangeiras relatou que havia 560 membros em toda a Grã-Bretanha. Houve um aumento de mil dólares nos dízimos daquele ano. Nessa data, oito grupos se reuniam aos sábados em diversos lugares em Londres.

Assim, o trabalho nesse campo avançou, às vezes quase imperceptivelmente. As sementes não brotam tão rapidamente em alguns tipos de solo quanto em outros. Sua germinação é mais lenta, mas seu crescimento é mais firme e robusto. Assim também acontece com a verdade da terceira mensagem angélica nesse reino. Sua semente foi lançada, criou raízes e cresceu lentamente até que atingiu agora proporções relativamente grandes.

MISSÃO AUSTRALASIANA

Em 10 maio de 1885, os irmãos S. N. Haskell, J. O. Corliss e família, M. C. Israel e família, William E. Arnold e Henry Scott partiram de São Francisco para inaugurar uma missão no campo australiano. 11 anos antes, em 1874, numa reunião realizada em Battle Creek, Ellen White disse que muitas nações ainda iriam receber a verdade, e que tinha visto prensas funcionando e livros e revistas sendo impressos em diversos países. Ao ser-lhe feita a pergunta de quais os países a que se referia, respondeu que a Austrália era o único nome que conseguia lembrar.

Bible Echo

Sob o diligente trabalho do irmão Haskell e seus auxiliares, a mensagem avançou tão rapidamente que se considerou necessária a publicação de um periódico na Austrália. Foram então tomadas medidas para a publicação. Assim, a partir de janeiro de 1886, passou a ser impressa a revista mensal de 16 páginas em Melbourne, chamada *Bible Echo and Signs of the Times* [O Eco da Bíblia e os Sinais dos Tempos]. A tiragem do primeiro número foi de 6 mil cópias, enquanto a edição normal era de apenas 3 mil.

A primeira igreja organizada na Austrália

No domingo, dia 10 de abril de 1886, foi organizada a primeira igreja Adventista do Sétimo Dia na Austrália. Estavam presentes 18 pessoas que haviam preenchido a ficha batismal e outras sete que tinham pedido batismo. Essas foram batizadas no sábado seguinte, e a cada sábado, por algumas semanas, novos membros eram acrescentados até chegar a 55.

Em maio de 1886, o número total de membros era 90. Além destes, havia umas 35 pessoas, em outros lugares, que estavam guardando o sábado.

No escritório de publicações havia duas excelentes prensas e um motor, tudo pago e de propriedade dos adventistas do sétimo dia nessa terra tão distante – a cerca de 11 mil quilômetros de nosso grande escritório localizado em Oakland, na Califórnia.

Durante 1886, a mensagem se estendeu à Nova Zelândia. Um relatório do campo australiano afirma que havia 50 observadores do sábado na Nova Zelândia. O montante recebido da venda de livros no escritório foi de 700 dólares. Além disso, os colportores venderam 400 exemplares de *O Grande Conflito* na Nova Zelândia, e mil exemplares na Austrália do livro *Thoughts on Daniel and the Revelation* [Considerações sobre Daniel e Apocalipse, de Uriah Smith].

Um escritório na Austrália

No relatório apresentado dia 19 julho de 1889, lemos o seguinte: Foi terminada a construção de um escritório de impressão em Melbourne, com uma capela para os cultos da igreja.

Entrada na Tasmânia

Uma associação foi organizada tanto na Austrália quanto na Nova Zelândia e o trabalho se estendeu à Tasmânia por meio dos irmãos Israel e Steed. Desde então, três igrejas já foram organizadas ali, com um total de 136 membros. Além destes, há outros guardadores do sábado que estão espalhados, os quais ainda não foram organizados em igrejas.

O dízimo arrecadado no campo australiano naquele ano foi de 9.371 dólares. Havia 15 colportores no campo, cujas vendas de livros chegaram a 19.500 dólares.

Na segunda viagem que o irmão Haskell fez ao redor do mundo, visitou novamente a Austrália, assistindo à assembleia que realizaram em agosto de 1889 e, de muitas maneiras, prestou eficiente auxílio, que foi muito apreciado pelo grupo recém-organizado. Diversos obreiros americanos têm visitado a Austrália, de quando em quando, em favor da grandiosa causa: a edificação e o fortalecimento da obra de Deus.

Ellen White na Austrália

No outono de 1891, Ellen White, seu filho W. C. White, o irmão G. B. Starr e outros saíram da Califórnia rumo à Austrália, chegando a esse continente em dezembro, em meados do verão. O testemunho de Ellen White, a despeito da enfermidade física que a acompanhou durante os nove anos de sua permanência naquele país, ajudou grandemente a adequar o trabalho ao espírito e teor da mensagem do terceiro anjo. Durante o tempo em que estavam na Austrália, o irmão J. O. Corliss novamente se uniu ao trabalho aqui e W. A. Colcord e outros ingressaram no campo como ministros, professores, etc.

O irmão Olsen na Austrália

Durante a administração do irmão O. A. Olsen como presidente da Associação Geral, este visitou todas as nossas principais instituições ao redor do mundo. Isto exigiu que viajasse extensivamente, circundando o globo! Ele utilizou essa oportunidade para familiarizar-se com as condições e necessidades das várias missões, de modo a estar mais bem preparado para atendê-las de maneira imparcial. Foi durante essa viagem, em 1893, que ele passou várias semanas na Austrália.

Associação da União Australasiana

Durante esse tempo foi organizada a União Australasiana, composta pelas Associações da Austrália e Nova Zelândia e pelos campos de missões australianas. Essa União se reúne a cada dois anos e é conduzida de modo semelhante às Uniões em outros países. Durante o ano de 1893, o pequeno grupo de colportores que estavam nesse campo vendeu uma edição de 5 mil cópias do livro *Caminho a Cristo* e uma segunda edição foi impressa. No verão de 1894-1895, em apenas quatro meses, conseguiram vender assinaturas de 4 mil de nossas publicações.

O irmão Prescott na Austrália

Em 1895, W. W. Prescott, o Departamental de Educação da igreja, passou alguns meses nessa União, dedicando muito tempo e atenção a esse ramo da obra. Nesse meio tempo, dirigiu um treinamento em educação que foi para eles de grande benefício.

O irmão W. C. White apresentou o seguinte relatório anual à Associação Geral:

> A União Australiana é composta por 17 igrejas, com 1.074 membros, cujo dízimo do ano anterior totalizou 9.810,10 dólares. Há ali 12 ministros ordenados, dois licenciados, três obreiros bíblicos e 50 colportores, os quais venderam, durante o ano, um total de 28.731,11 dólares em livros. Durante o ano, a colônia de Nova Gales do Sul, com seis

igrejas e 321 membros, foi separada da Associação da Austrália, sendo nomeada de Associação da Nova Gales do Sul.

MISSÃO SUL-AFRICANA

Na assembleia da Associação Geral realizada em Battle Creek, em 1886, analisou-se a possibilidade de abrir uma missão na África do Sul. A ideia foi aprovada e, no início do verão de 1887, foi feito um esforço para estabelecer o trabalho naquela terra distante, onde algumas poucas pessoas, que já haviam começado a guardar o sábado, solicitavam que lhes fossem enviados obreiros.

Os irmãos Boyd e Robinson vão para a África do Sul

Para esse propósito, em 11 de maio, o irmão C. L. Boyd e família, o irmão D. A. Robinson e esposa e outros obreiros partiram da cidade de Nova Iorque rumo à África, passando por Liverpool e Londres. Três anos mais tarde, na assembleia da Associação Geral, o Sr. P. W. B. Wessels contou que, quando esses obreiros chegaram à África, havia cerca de 40 pessoas guardando o sábado do quarto mandamento como resultado da leitura de publicações sobre o tema e do estudo da Bíblia.

Os irmãos Robinson e Boyd iniciaram o trabalho missionário na Cidade do Cabo, o qual se estendeu daí por quase 1.300 quilômetros na direção nordeste até Kimberley, nas minas de diamantes.

Até o ano de 1889, havia apenas dois ministros, um licenciado, quatro igrejas e 80 membros, com um dízimo total de 2.798,36 dólares. Durante esse ano, o irmão Ira J. Hankins, dos Estados Unidos, trabalhou na Cidade do Cabo com bons resultados, e o Sr. e a Sra. Druillard vieram de Nebraska para unir-se ao trabalho nesse campo, gozando dos esforços e privações que cabem aos que são chamados a fazer trabalho pioneiro em novos campos. A Sra. Druillard trabalhou principalmente no depósito de livros, cujo departamento lhe foi entregue para que o administrasse, enquanto o Sr. Druillard se ocupou da obra missionária em geral. Durante o ano, ele vendeu livros num total de 750 dólares em navios que ali aportavam.

O irmão Haskell na África

Em agosto deste mesmo ano o irmão Haskell chegou à cidade do Cabo e passou cinco bons meses visitando e trabalhando com os diversos grupos de membros na África do Sul. Por meio dessa visita, a causa foi fortalecida e edificada, e seu próprio coração foi encorajado, pois pôde ver o fruto do seu trabalho. O interesse na obra educacional foi despertado a tal ponto que 12 estudantes da África vieram para a América a fim de estudarem em nossas escolas.

Nesse meio tempo, a colportagem recebeu a devida atenção. Um treinamento foi organizado na Cidade do Cabo, dirigido por E. M. Morrison, proporcionando nova vida e energia a este importante ramo da mensagem. Logo após o término do treinamento, 13 colportores, em seis meses, venderam e entregaram livros num total de 5.621,28 dólares. Na verdade, eram tantos os pedidos que o escritório de Londres não conseguia preparar livros rápido o suficiente para atender à demanda.

No ano de 1892, o irmão A. T. Robinson se uniu à obra na África do Sul. A obra, então, havia crescido tanto que foi preciso substituir o depósito antigo por um maior. Assim, foi construído um novo prédio, suficientemente grande para que nele se realizassem cultos da igreja.

Um colégio na África

Assim, a obra continuou a avançar passo a passo, até que, em Claremont, um subúrbio da Cidade do Cabo, foi construído um colégio que custou 35 mil dólares. A única ajuda solicitada aos irmãos que viviam nos Estados Unidos foi que enviassem um grupo de professores qualificados para ministrar um curso superior, e eles mesmos arcariam com os custos. A solicitação foi atendida e o colégio foi inaugurado dia 1° de fevereiro de 1893.

Associação Sul-Africana

A Associação Sul-Africana foi organizada em 1892 e, em 1893, foi votado, durante a assembleia da Associação Geral, que ela se integrasse à Associação Geral. Tinha, então, cinco igrejas e 138 membros, cujo dízimo, no ano anterior, foi de 34.077,32 dólares. Nessa ocasião, estava representada por Peter Wessels, que generosamente doou à Associação Geral 16 mil dólares, um valor superior ao que havia sido investido pela Associação Geral a fim de iniciar o trabalho na África do Sul. Além disso, ele e um de seus irmãos doaram 40 mil dólares para começar a obra de beneficência na cidade de Chicago.

Na assembleia de 1895, o secretário de Missões Estrangeiras declarou, em referência ao campo Africano:

> A Associação na África do Sul foi organizada há apenas dois anos. Mas, nesse período, já foram enviados 12 obreiros para o campo, dois dos quais foram para o interior como missionários de autossustento, e os outros trabalhando em vários departamentos. Eles possuem um

florescente colégio, um orfanato e um sanatório em construção. As estatísticas mostram que há 184 membros.

Periódicos na África do Sul

O tema da liberdade religiosa na África do Sul despertou nosso povo a publicar, nos últimos meses, dois periódicos: um em língua holandesa, chamado *De Wachter*, e o outro em Inglês, chamado *The South African Sentinel and Gospel Echo*, este último com tiragem de 4 mil exemplares.

União Sul-Africana

Em janeiro de 1903, foi organizada a União Sul-Africana, composta pelas Associações da Colônia do Cabo e Natal-Transvaal, além das missões Basutoland e Matabeleland. Há 15 igrejas e 595 membros, nove grupos ainda não organizados com 90 membros e 30 guardadores do sábado ainda isolados, um total de 715, com um dízimo total de 7.850 dólares. Havia 39 obreiros, dos quais 21 estavam na folha de pagamento das várias Associações.

CAMPO POLINÉSIO

No ano de 1876, Tiago White e este escritor enviaram um pacote de revistas *Signs of the Times* e alguns panfletos, acompanhados de uma carta, à ilha Pitcairn. Essas publicações foram colocadas em um navio que iria rodear o Cabo Horn em direção a Nova Iorque. Eles nos garantiram que o navio pararia em Pitcairn e que o pacote seria entregue ali. Não conhecíamos pessoa alguma na ilha e nada sabíamos da ilha em si, exceto sua reputação de possuir habitantes devotos e piedosos. Os panfletos foram enviados a esmo.

Visita a Pitcairn

Não tivemos notícias das pessoas ou de nossa literatura até que o Sr. John I. Tay visitou a ilha, no ano de 1886, dez anos depois, quando soubemos que, como resultado da leitura da *Signs* e dos panfletos, todos na ilha, em determinado momento, quase haviam decidido mudar o seu dia de adoração do primeiro dia da semana para o sétimo dia, e guardar o sábado do Senhor. Mas isso eles não fizeram até que o Sr. Tay os visitasse. Já fazia um bom tempo que ele se sentira profundamente impressionado a visitar a ilha, mas nada sabia pessoalmente a respeito das pessoas que ali moravam, nem de seu interesse já despertado em conhecer a verdade.

Após retornar à América, pleiteou pela construção de um navio para transportar missionários de uma ilha para outra no Oceano Pacífico. Foi à assembleia da Associação Geral de 1889 com essa ideia em mente, onde defendeu a causa das ilhas polinésias. A assembleia, vendo a utilidade do empreendimento, votou levantar, mediante doações, a soma de 12 mil dólares, com os quais construir ou comprar um navio para trabalhar entre as ilhas do Oceano Pacífico.

A construção do navio Pitcairn

Assim, no verão de 1890, foi construído o navio Pitcairn, perto de Benicia, cerca de 50 quilômetros de Oakland, Califórnia, a um custo de 12.035,22 dólares. Em nove meses o dinheiro foi levantado, doados pelas escolas sabatinas especificamente para esse propósito. Nunca antes se havia ofertado com tanta alegria e entusiasmo. O navio foi dedicado em Oakland, no dia 25 de setembro de 1890. Cerca de 1.500 pessoas se reuniram a bordo do navio e no cais para assistir à cerimônia.

A primeira viagem do Pitcairn

A embarcação fez sua primeira viagem saindo de São Francisco em direção a seu distante campo de trabalho no dia 20 de outubro. A bordo, como missionários, encontravam-se E. H. Gates e esposa, A. J. Reed e esposa, John I. Tay e esposa, e uma equipe missionária com o Capitão Marsh. Esta embarcação foi primeiramente à Ilha Pitcairn, 6.400 quilômetros ao sul de São Francisco, onde chegou em 25 de novembro. Quando o navio deixou a ilha, em 17 de dezembro, 82 adultos tinham sido batizados e organizados numa igreja Adventista do Sétimo Dia. Em seguida, fez o seu caminho passando pelos grupos que se encontravam no arquipélago da Sociedade, Ilhas Cook, Samoa, Friendly e Fiji, distribuindo livros religiosos e panfletos de saúde aos que falavam Inglês. Por oito meses, até setembro de 1891, os missionários venderam 1.900 dólares em livros, além de distribuir *gratuitamente* uma grande quantidade de literatura.

Os missionários foram distribuídos da seguinte maneira: o irmão Reed foi para o Taiti; o irmão Gates manteve-se em Pitcairn para completar a obra já iniciada; enquanto o Sr. Tay escolheu trabalhar na ilha de Fiji. Referindo-se à obra em Fiji, o irmão Fulton, escrevendo na Review de 14 de abril de 1904, afirmou: "Existem hoje mais de 150 guardadores do sábado neste campo missionário". O navio navegou de Fiji para Aukland, na Nova Zelândia, para reparos e melhorias necessárias, além do abastecimento com livros.

Morte de missionários

Após uma ausência de um ano, 11 meses e 18 dias, o *Pitcairn* voltou para São Francisco, onde aportou no dia 9 outubro de 1892. Durante este período, o Capitão Marsh havia falecido, tendo sido enterrado na Nova Zelândia. O Sr. Tay estava com pneumonia, da qual nunca se recuperou. Ele também descansou em paz e foi sepultado na longínqua terra de Fiji. Assim, duas preciosas vidas foram logo entregues à Missão Polinésia.

Os missionários, localizados em Papaete, no Taiti, se regozijaram em ver frutos quase imediatos de seu trabalho. Puderam, então, enviar a sua terra natal um feliz relatório de que 40 pessoas haviam se convertido e uma Igreja Adventista do Sétimo Dia havia sido organizada.

A segunda viagem do Pitcairn

Em 17 de janeiro de 1893, o navio partiu de São Francisco em sua segunda viagem, com os seguintes missionários: B. J. Cady e esposa, J. M. Cole e esposa, C. E. Chapman e esposa, e M. G. Kellogg. A Srta. Hattie Andre, de Ohio, acompanhou-os para trabalhar como professora na ilha Pitcairn. No outono de 1893, o Sr. Cady abriu uma escola em Raiatea, uma ilha do Arquipélago da Sociedade (pertencente à Polinésia Francesa), com 60 alunos. No final do primeiro período letivo, o número aumentara para 105. No início do segundo período, havia 120 alunos frequentando a escola.

A terceira viagem do Pitcairn

O terceiro cruzeiro do navio Pitcairn aconteceu em 1893-1894. Os missionários para essa viagem foram G. C. Wellman, sua esposa e Lillian White, todos de Michigan, indo para Raiatea a fim de auxiliar o Sr. Cady em seu trabalho. O Sr. Stringer e esposa foram como missionários autos-sustentáveis e ficaram em Rurutu. O Dr. Caldwell e sua esposa ficaram em Raratonga (onde o povo guardava o sábado no lugar do domingo), enquanto o irmão Buckner e esposa, da Califórnia, foram deixados em Pitcairn. Durante sua permanência com esse povo, introduziram-se muitas novas atividades industriais, que representaram um grande benefício aos habitantes. Em primeiro lugar, foi construído um moinho de vento para moer o milho, que fornecia também energia eólica para o funcionamento de máquinas. Isso tornou possível a realização de muitas atividades até então desconhecidas pelos habitantes da região.

A quarta viagem do Pitcairn

Em 15 dezembro de 1895, o Secretário de Missões Estrangeiras declarou o seguinte:

O *Pitcairn* está agora no porto, após retornar de sua quarta viagem. [...] O trabalho foi iniciado em nove localidades diferentes e é realizado pelos seguintes obreiros: Na Ilha Pitcairn, os *professores* E. S. Butz e esposa, e Hattie Andre. Na Ilha Norfolk, alguns missionários autossustentáveis vindos da Austrália. Nas Ilhas da Sociedade, o *irmão* B. J. Cady; *médicos-missionários*: o Sr. e Sra. R. A. Prickett. Em Raratonga, os *médicos-missionários* Dr. J. E. Caldwell e esposa, as Srtas. Lillian White e Maude Young, os *professores* G. O. Wellman e esposa, e o irmão J. D. Rice e esposa. Em Fiji, o irmão J. M. Cole e esposa. Nas Ilhas Friendly, o irmão E. Hilliard e esposa. Em Rurutu, o Sr. e a Sra. Stringer, missionários autossustentáveis. No Havaí, o irmão E. H. Gates e esposa; os professores H. H. Brand e esposa. Em Samoa, o Dr. F. E. Braucht e esposa, além de D. A. Owen com seu filho e filha, como missionários autossustentáveis.

O *Pitcairn* vendeu e distribuiu gratuitamente uma grande quantidade de literatura durante suas quatro viagens. Em consequência, surgiram guardadores do sábado em muitos lugares. Igrejas foram organizadas nas ilhas Pitcairn, Norfolk e Taiti.

Venda do Pitcairn

Devido a novas facilidades para se chegar ao campo da Polinésia, inexistentes por ocasião da construção do navio, este foi vendido e outros meios utilizados para a realização do trabalho. O irmão E. H. Gates é agora superintendente do campo e relata progresso nos diversos grupos.

ÍNDIAS OCIDENTAIS [Região do Caribe]

No inverno de 1889, o Sr. William Arnold, dos Estados Unidos, iniciou o trabalho de colportagem nas Índias Ocidentais. Enquanto assim trabalhava, conseguiu os nomes e endereços de 1.200 pessoas, e os enviou para a Sociedade Internacional de Folhetos para utilização no trabalho missionário. Mediante o envio de correspondências e publicações para esses endereços, despertou-se o interesse na verdade, abrindo caminho para anunciar o evangelho pela pregação da Palavra.

Em resposta ao chamado para a obra ministerial, o irmão D. A. Ball, em novembro de 1890, foi trabalhar em Barbados [no Caribe] e em outros lugares. Várias pessoas aceitaram a verdade como resultado de seu trabalho. Em 1892, o Sr. Patterson, da Califórnia, foi colportar nessas ilhas, vendendo, com muito sucesso, o livro *Bible Readings for the Home Circle* [Estudos Bíblicos para o Lar]. Em 1893, B. B. Newman viajou da Florida para a Jamaica, a fim de assumir a superintendência da obra de colportagem durante a ausência do Sr. Arnold. Os Srs. Evans e Hackett também se dirigiram para a região naquele mesmo ano, visando trabalhar nesse ramo da obra. No mês de maio, o irmão Haysmer e esposa chegaram a esse campo para trabalhar onde houvesse oportunidade. Logo depois, o Sr. Arnold retornou, desta vez para trabalhar oferecendo livros sobre saúde. Até julho de 1895, apenas na Jamaica, haviam sido alcançados 8.200 dólares com a venda de livros de saúde, enquanto a venda de livros religiosos atingia 7.654, totalizando 15.854 dólares. Essa distribuição de uma quantidade tão grande de literatura ajudou muito no estabelecimento de uma igreja bem organizada em Kingston, com 75 membros, abrindo caminho para o trabalho ministerial em outras partes da ilha.

Trinidad

O trabalho foi iniciado aqui de modo semelhante ao da Jamaica. No ano de 1889, o Sr. F. B. Grant e sua esposa foram convidados a visitar a ilha com o objetivo de introduzir ali nossa literatura denominacional. O irmão Flowers e sua esposa também foram convocados, e logo os seguiram para trabalhar segundo as oportunidades. Tiveram muito êxito, até que o irmão Flowers foi acometido de febre e morreu, em 29 de junho de 1894. O irmão E. W. Webster foi escolhido como seu sucessor, partindo de Nova Iorque em agosto de 1895.

Em 1896, os obreiros das Índias Ocidentais eram: O irmão A. J. Haysmer e W. W. Eastman na Jamaica, além de vários colportores nas Ilhas Bahamas. Nas Pequenas Antilhas, o irmão E. Van Deusen e esposa, com F. C. Parmlee e esposa como obreiros bíblicos, e os Srs. Bean e Hackett como colportores. Em Trinidad, o irmão E. W. Webster e esposa, com a Srta. Stella Colvin como médica-missionária. Os resultados: 110 observadores do sábado na Jamaica e 50 em Trinidad, na região de Couva; uma igreja em Barbados e um grupo em Antigua, nas Pequenas Antilhas.

AMÉRICA CENTRAL

O irmão F. J. Hutchins e esposa deixaram os Estados Unidos rumo às ilhas da Baía [em Honduras], em 16 de novembro de 1891. Havia, nessa época, principalmente em Roatán, cerca de 20 pessoas que guardavam o sábado do quarto mandamento, tendo a atenção voltada para esta verdade após lerem materiais sobre o assunto que lhes foram enviados pelo correio. Três anos depois, em 1894, W. A. Miller e esposa partiram da Califórnia para Bonacca, onde trabalharam como professores numa escola inaugurada em 4 julho de 1894, construída por adventistas do sétimo dia. Uma média de 34 alunos frequentaram a escola no primeiro período letivo. Em 1895 a escola se tornou autossustentável, uma vez que o número de alunos subiu para 45.

Na assembleia da Associação Geral de 1895, o irmão Hutchins relatou haver 100 pessoas nas ilhas que seguiam a mensagem, além de duas igrejas construídas e pertencentes aos adventistas do sétimo dia. Devido à escassez de terra, muito valiosa para o cultivo, uma dessas igrejas foi construída sobre a água. A propriedade desses dois edifícios, bem como da escola, foram transferidas à Associação Geral. O valor total das propriedades, na ilha, pertencentes à Associação Geral, foi estimado em 1.789,60 dólares. Os livros ali vendidos até 1895 totalizavam 2.243 dólares.

Um pequeno barco para a América Central

Percebendo a Associação Geral a conveniência e vantagens de possuir um pequeno navio para transportar missionários de uma ilha para outra, votou-se a construção de um barco para a obra nas Ilhas da Baía, com um custo que não excedesse os 3 mil dólares.

Em 1896, havia apenas quatro obreiros na América Central: o irmão F. J. Hutchins e esposa, e o irmão J. A. Morrow e esposa, em Honduras. Em Belize (anteriormente chamada Honduras Britânicas) também havia um grupo de crentes que guardavam o sétimo dia de acordo com o quarto mandamento. A maior parte do trabalho nesse campo tem sido realizada nas ilhas do Mar do Caribe. Milhares de dólares em livros foram ali vendidos, e 60 pessoas se regozijavam com a verdade da mensagem do terceiro anjo.

Morte do irmão Hutchins

Por cerca de 12 anos o irmão Hutchins trabalhou fiel e dedicadamente na América Central. Por fim, sucumbiu à doença e agora descansa no Senhor, aguardando o chamado do Mestre, chamado que despertará os fiéis.

AMÉRICA DO SUL

Foi através da página impressa que a mensagem adventista do sétimo dia foi introduzida na América do Sul. Em outubro de 1891, os Srs. Snyder, Stauffer e Nowlin começaram a trabalhar como colportores na

Argentina. Em 1893, por voto da Associação Geral, o irmão F. H. West-phal, de Illinois, um ministro alemão, se uniu ao trabalho nesse campo; e em 1894, Frank Kelley, da Califórnia, foi para a Colômbia como missionário de autossustento. Alguns meses depois, outros obreiros os seguiram, iniciando assim uma nova missão. Em 1896, apresentou-se o seguinte relatório sobre a obra nesse campo: O Chile tem um ministro: o irmão G. H. Baber, que chegou ali em 19 de outubro de 1895, e dois colportores: F. W. Richards e F. H. Davis. Na Argentina, há também dois ministros: F. H. Westphal e Jean Vuilleumier e dois colportores: O. Oppegard e C. A. Nowlin, além de quatro obreiros bíblicos: Lucy Post, o Sr. e a Sra. Snyder, e John McCarthy. O Brasil tem dois ministros: o irmão H. W. Thurston e F. H. Graff, e três colportores: A. B. Stauffer, J. F. Berger e A. J. A. Berger. A Guiana Britânica tem dois ministros: o irmão W. G. Kneeland e o irmão P. Giddings, e dois médicos-missionários: o Dr. B. J. Fercoit e esposa.

Em 1896, foram vendidos mil dólares em livros no Chile, e 30 guardadores do sábado aceitaram o sábado e outras verdades através de literatura adquirida dos colportores. No Brasil e na Argentina, as vendas de livros haviam chegado ao valor de 10 mil dólares, e ainda melhor, havia 100 pessoas guardando o sábado. Uma igreja e cinco escolas sabatinas tinham sido organizadas. Na Argentina havia três igrejas organizadas em Buenos Aires, Crespo e San Cristobal. Havia também uma igreja organizada na Guiana Britânica, e 50 guardadores do sábado, num total de 150 adventistas do sétimo dia na América do Sul.

SOCIEDADE MISSIONÁRIA DO SUL

Estritamente falando, essa sociedade não pode ser chamada de estrangeira, apesar de estar evangelizando um povo de origem estrangeira (os afro-americanos) nos Estados Unidos da América. Muito se deve aos perseverantes esforços de James Edson White, sob a bênção de Deus, pelos resultados já alcançados.

No inverno de 1893, quando eu servia como presidente da Associação de Illinois, o irmão [Edson] White veio a mim com um intenso desejo de trabalhar em favor dos negros localizados na parte sul dos Estados Unidos. Enquanto passava algumas semanas em Chicago, ele pediu que lhe dessem o privilégio de trabalhar entre os negros daquela cidade. De bom grado seu pedido foi atendido, e foi ali que, realmente, teve início sua obra entre este povo que tanto sofreu.

Navio missionário do irmão Edson White

Desde aquele momento, ele começou a orar e fazer planos para a obra no sul do país. Enquanto estudava, seus planos amadureceram, culminando na construção de um navio a vapor, perto do Lago Michigan, chamado *Morning Star* [Estrela da Manhã]. Com esta "Betel" flutuante, foi para Chicago, e desceu pelos rios Illinois e Mississippi, chegando a Vicksburg, no Estado do Mississippi, dia 10 de janeiro de 1895. Ali, com alguns companheiros, começou uma obra em terreno virgem.

Obra da Sociedade Missionária do Sul

A seguinte citação foi extraída de um relatório apresentado pelo irmão White à assembleia da Associação Geral em 9 de abril de 1903, no qual apresenta os resultados e a situação, naquela data, do trabalho missionário no Sul:

> Nossa sociedade construiu e está conduzindo agora cinco escolas em Mississippi. [...] Estas escolas estão localizadas em Vicksburg, Yazoo City, Columbus e Jackson. [...] Nossos obreiros também trabalharam em Nashville, Memphis e Edgefield Junction, no Tennessee, e em Louisville e Bowling Green, em Kentucky.

Trabalhadores do Sul

> Neste momento, temos 27 obreiros nos diferentes departamentos da Sociedade. Cinco ministros ordenados foram preparados na obra da Sociedade Missionária do Sul. [...] 13 professores de escola têm se preparado para sua obra em diversas maneiras. [...] Um jovem está sendo educado pela Sociedade como médico, na Faculdade de Medicina Meharry, em Nashville, e outro está recebendo auxílio em seu curso na mesma escola. [...] Foram preparados alguns bons obreiros bíblicos. Alguns professores estão se tornando hábeis obreiros nesse departamento.

Navio *Morning Star*

> O *Morning Star* é minha propriedade pessoal, construído com meu próprio dinheiro. E ainda mais, todas as despesas de funcionamento do barco têm sido pagas com minha própria renda. Também anuncio que o custo de vida no barco também foi custeado por mim. Muitas vezes nosso grupo numerava de dez a 18 pessoas. [...] Mesmo o salário de todos os obreiros da Sociedade, por anos, foi pago por minha própria renda, e não por doações.

Dinheiro para a Missão do Sul

Alguém pode perguntar: "Onde você conseguiu esse dinheiro?" O Senhor nos deu. Alguns livretos foram produzidos. Primeiro, o *Gospel Primer* [Cartilha do Evangelho], cujo projeto original se destinava ao ensino dos negros. Esperávamos vender alguns milhares de exemplares, mas, para nosso espanto, chegou a quase um milhão de cópias. Minha mãe [Ellen White] nos ajudou com o livro *Christ our Savior* [Vida de Jesus], que vendeu umas 300 ou 400 mil cópias. 200 ou 300 mil exemplares de *Best Stories* [Melhores Histórias] foram vendidos. Estima-se que um número suficiente de *Coming King* [O Rei Vindouro] tenha circulado para fazer uma coluna de seis quilômetros e meio de altura. Com os direitos autorais desses livros, além de muitas outras iniciativas e projetos de trabalho, construímos o *Morning Star*.

EM MUITAS TERRAS

México

Nossa obra neste país começou no ano de 1894, com o estabelecimento de uma missão médica em Guadalajara. Em 1896, contávamos com os seguintes trabalhadores: o irmão D. T. Jones e esposa, que cuidavam da missão; Ora A. Osborne, Sra. A. Cooper, Kate Ross e um auxiliar nativo como professores; Dr. J. A. Neal, A. Cooper, Sra. A. J. Rice, Sra. Bartlett e a Sra. Rachel Flowers como médicos missionários. Os rendimentos da missão eram provenientes de uma média de 40 pacientes por dia, e 40 alunos frequentavam a escola da missão. Um novo sanatório estava sendo construído nessa data a um custo de 12 mil dólares.

África Central

Em 1893, a causa da mensagem do terceiro anjo tinha avançado tanto que a Comissão da Associação Geral se sentiu justificada em recomendar o estabelecimento de uma missão na África Central. Foi então votado "que, assim que possível, uma missão seja inaugurada em Matabeleland" [no Zimbábue]. Em harmonia com essa decisão, em 1894, um grupo de adventistas do sétimo dia entrou naquele país e selecionou uma fazenda de 12 mil acres. Na assembleia de 1895, o irmão C. B. Tripp e esposa, W. H. Anderson e esposa, e o Dr. A. S. Carmichael foram escolhidos como missionários para esse campo longínquo. Eles imediatamente iniciaram os preparativos e, depois de uma próspera e longa viagem, chegaram a seu destino em 26 de julho de 1895.

Costa do Ouro

Por vários anos, da costa oeste da África chegava o pedido macedônico [ver Atos 16:9] de ajuda aos adventistas do sétimo dia. A leitura de publicações adventistas tinha despertado o interesse na verdade, mas, até cerca de 1894, nenhuma ajuda tinha sido enviada. O irmão Sanford e o Sr. Rudolph foram convidados pela Comissão da Associação Geral para assumir o trabalho que há tanto esperava. Adentraram o campo com zelo e coragem. No entanto, pouco tempo depois, o irmão Sanford foi acometido da febre, que ali é tão disseminada a ponto de o país ser chamado de "o túmulo do homem branco". Sofreu três surtos de febre e, então, a fim de poder sobreviver, foi obrigado a retornar aos Estados Unidos. Outros foram enviados para a costa oeste, entre os quais estavam o irmão D. U. Hale, George F. Kerr e esposa, e G. P. Riggs. Este último, porém, foi tão enfraquecido pela enfermidade que perdeu a esperança de que viveria; buscou, então, rapidamente refúgio na Inglaterra na esperança de ser beneficiado por uma mudança de clima. Todavia, ele e seus amigos ficaram desapontados, pois seu estado de saúde piorou gradualmente até falecer, sendo sepultado ali. Este também aguarda a chegada do Doador da vida.

Índia

No dia 12 de janeiro de 1890, Haskell partiu do porto de Durban, na costa sudeste da África, para Calcutá, Índia, China e Japão. Antes disso, Percy T. Magan, seu secretário, passou a viajar com ele. O objetivo dessa viagem à Índia era obter informações, de modo que pudessem oferecer orientações e conselhos quando ativas investidas missionárias fossem feitas naquele campo pelos adventistas do sétimo dia. Com o propósito de estabelecer uma missão na Índia, a Associação Geral, em 1893, recomendou que William Lenker se dirigisse a esse país como colportor. Em conformidade com essa recomendação, dirigiu-se para lá, introduzindo a literatura dos adventistas do Sétimo dia nesse país. Numa data posterior, o Sr. Lenker relatou que, até 1896, ele, juntamente com outras quatro pessoas, tinham colportado em várias partes da Índia e conseguido vender 10 mil dólares em publicações. Visando mostrar o interesse gerado pelos livros que foram vendidos, contou que, enquanto colportava nos arredores de Madras, na costa oeste da Índia, "um pregador nativo andou quase 100 quilômetros para adquirir uma cópia do livro *Thoughts on Daniel and the Revelation* [Considerações sobre Daniel e Apocalipse], de Uriah Smith".

Geórgia Burrus na Índia

Em 1895, a Srta. Geórgia Burrus partiu da Califórnia rumo à Índia. Chegando lá, imediatamente começou o estudo da língua Bengali e logo entrou na obra missionária. Até 1896, várias pessoas tinham passado a guardar o sábado do Senhor mediante associação com nossos obreiros.

Em 1896, o campo contava com o trabalho do irmão D. A. Robinson e esposa. As Srtas. May Taylor e Geórgia Burrus eram obreiras bíblicas. Os Srs. Lenker e Masters eram colportores. Haviam adquirido um edifício adequado para a sede da missão e feito solicitações, à terra natal, para que enviassem médicos, enfermeiros e socorro para as necessidades que surgiam. O Sr. Brown, juntamente com outros, atendeu a esse pedido. Tanto ele como o irmão D. A. Robinson morreram em Karmatar, em Bengala, Índia, dia 31 de dezembro de 1899.

Ilhas Sandwich, no Havaí

No ano de 1884, o Sr. La Rue e Henry Scott, com recursos próprios, foram para o Havaí como missionários. Começaram fazendo trabalho missionário pessoal e vendendo livros. Isso despertou tal interesse na ilha que a Associação Geral, em novembro de 1885, votou que o irmão William Healy fosse ao Havaí na próxima temporada e que se solicitasse, à Associação da Califórnia, o empréstimo de uma tenda para a realização de reuniões. Com esta bagagem, o irmão Healy e os que já estavam na ilha conduziram uma série de reuniões em tenda durante o verão de 1886. Como resultado desse esforço, várias pessoas aceitaram a mensagem. O Sr. La Rue permaneceu em Honolulu até 1889, quando partiu para Hong Kong, na China.

Obra chinesa no Havaí

Pouco apoio pastoral havia sido fornecido à ilha até a assembleia da Associação Geral em março de 1895, quando se votou que "o irmão Gates e sua esposa, juntamente com o Sr. e a Sra. Brown, sejam enviados a Honolulu como professores para os chineses, a fim de se empenharem na obra missionária". A obra de ensino começou imediatamente, e o irmão Gates, apesar de estar com a saúde fragilizada, fez o que pôde para promulgá-la. Um médico e algumas enfermeiras logo os seguiram, dando um bom começo ao trabalho nessa linha.

Resumo das Missões, 1° de janeiro de 1903

O secretário de Missões Estrangeiras apresentou em 31 de dezembro de 1902 o seguinte relatório a respeito do desempenho da mensagem em países estrangeiros:

A União Australiana, composta pelas Associações de Victoria, Nova Gales do Sul, Nova Zelândia, Queensland, Sul da Austrália, Tasmânia e Austrália Ocidental.

A Associação Geral Europeia, composta pela União Alemã, Alemanha Ocidental, Alemanha Oriental, Sul da Alemanha, Holanda e Bélgica Flamenga, Austro-Hungria e Bálcãs, Suíça-Alemã, Sul da Rússia, Norte da Rússia e Rússia Central.

A União Escandinava, composta pela Dinamarca, Noruega, Suécia, Finlândia e Islândia.

A União Britânica, abrangendo o norte e sul da Inglaterra, Irlanda, Escócia e País de Gales.

A União Franco-Latina, incluindo a Suíça-Francesa, França e Itália.

A Missão Oriental, composta pelo Egito, Síria e Turquia.

A União Sul-Africana, composta pela Colônia do Cabo, Natal-Transvaal, Basutoland e Matabeleland.

Diversos: Bermudas, Brasil, Guiana Inglesa, Suriname, América Central (Sul), China, Fiji, Índia, Jamaica, Japão, Antilhas Pequenas, México, Nyassaland, Pitcairn, Porto Rico, Rio da Prata, Raratonga, Samoa, Arquipélago da Sociedade, Sumatra, Tonga, Trinidad, Costa Oeste (América do Sul) e Costa Oeste (África).

O número de obreiros ativos nesses diversos campos, incluindo ministros, licenciados, obreiros bíblicos e colportores é 754.

Pontos estratégicos estabelecidos

A partir dessas breves declarações sobre nossas missões, podemos dizer, como o fez o Secretário de Missões Estrangeiras, no ano de 1896:

> Com essas posições estratégicas agora ocupadas pela mensagem em quase todas as partes do mundo, Deus, por Seu infinito poder, *pode* realizar uma grande e poderosa obra num *curto* espaço de tempo. Ele *abreviará* Sua obra em justiça.

Capítulo 27

Outros Testemunhos Confirmados

"Pôs-se Josafá em pé e disse: Ouvi-me, ó Judá e vós, moradores de Jerusalém! Crede no Senhor, vosso Deus, e estareis seguros; crede nos Seus profetas e prosperareis" (2 Crônicas 20:20).

Anos atrás, um testemunho, dado mediante o dom de profecia, afirmava que, antes do fim, as páginas impressas desta verdade seriam "espalhadas como folhas de outono". Muitos se questionavam como isso seria possível, a menos que os crentes na verdade fossem, de alguma forma, organizados para o trabalho. Na providência de Deus, grandes resultados são frequentemente alcançados a partir de humildes começos, e foi assim no desenvolvimento do sistema de trabalho que surgiu entre nós.

Sociedade Missionária e de Folhetos

Por volta de 1870, a ideia de uma sociedade missionária e de folhetos foi sugerida como resultado do procedimento de algumas irmãs devotas em South Lancaster, Massachusetts. Estas irmãs experimentaram, por certo tempo, o plano de enviar nossas revistas e folhetos denominacionais para diversas pessoas que não fossem de nossa fé, subsequentemente escrevendo-lhes cartas. Como resultado, várias pessoas aceitaram a verdade, levando o irmão S. N. Haskell a questionar-se: "Por que razão todo o nosso povo não faz o que essas irmãs fizeram?" Especialmente durante o ano de 1871, esse assunto foi abordado nas colunas da *Review*. Na assembleia especial da Associação Geral, realizada em 29 de dezembro de 1871, o irmão Haskell estava presente e explicou a utilidade prática do movimento; foi aprovada então uma resolução que recomendava o estabelecimento de sociedades de folhetos. Os irmãos S. N. Haskell, W. H. Littlejohn, J. N. Andrews, J. H. Waggoner e I. D. Van Horn foram indicados para compor a comissão de planejamento para a formação de tais sociedades.

Esse movimento marcou um novo começo na obra de proclamação da mensagem. Até então, o ensino da verdade se havia limitado, quase que exclusivamente, aos esforços feitos por pregadores. Durante vários anos, o irmão Haskell trabalhou arduamente, estudando e introduzindo planos para que a Sociedade Missionária e de Folhetos tivesse êxito. É justo afirmar que ele foi, de fato, o pioneiro nesse ramo. Esse mérito não se restringe apenas em relação às Sociedades Missionárias e de Folhetos em nível estadual, mas foi esse irmão que, em 1878, apresentou à assembleia da Associação Geral, reunida em Battle Creek, o plano para uma Sociedade de Folhetos, posteriormente chamada de Sociedade Internacional de Folhetos, cujo campo de trabalho fosse o território não abrangido por nossas Associações, não apenas nos Estados Unidos, mas também em países estrangeiros.

Secretárias eficientes – Maria Huntley

Deus, em Sua providência, preparou eficientes secretárias que foram de grande auxílio ao irmão Haskell nesta iniciativa. A irmã Maria Huntley trabalhou incansavelmente, até mesmo quando, anos depois, estava sob grande sofrimento físico, vindo a falecer em seu posto do dever há 14 anos. Mediante seus esforços, muitas das vias de entrada aos campos estrangeiros foram abertas. Outras secretárias se uniram nessa mesma obra, e, devido ao aumento do campo de trabalho, surgiu a necessidade de secretárias em diferentes idiomas.

O efeito sobre as igrejas locais

Mas o resultado mais importante da criação da Sociedade de Folhetos foi a influência que exerceu no sentido de criar e aumentar o espírito missionário entre as igrejas locais. Forneceu a todos a oportunidade de fazer alguma coisa por correspondências e distribuição de materiais impressos, e sentir a influência de trabalhar diretamente em favor da salvação de almas.

Testemunho a respeito da obra de publicações

Para exemplificar o tipo de instruções dadas, mediante o espírito de profecia, a respeito da obra missionária e de folhetos, citamos os Testemunhos n.° 29 e 30:

Se há um trabalho mais importante do que outro, é o de colocar nossas publicações perante o público, levando-o assim a examinar as Escrituras. A obra missionária – introduzir nossas publicações nas famílias, conversar e orar com e por elas – é uma boa obra, e educará homens e mulheres para fazerem trabalho pastoral.

Nem todos se adaptam a esta obra. Os que possuem o melhor talento e habilidade, que lançarão mão da obra inteligente e sistematicamente, e a levarão avante com perseverante energia, são os que devem ser escolhidos. Deve haver um plano mais completamente organizado, e este deve ser fielmente executado. As igrejas em toda a parte devem sentir o mais profundo interesse pela obra missionária e de folhetos.

A obra de publicações é um bom trabalho. É obra de Deus. De maneira alguma deve ser subestimada; mas há contínuo perigo de pervertê-la de seu verdadeiro objetivo. Colportores são necessários para trabalhar no campo missionário. Pessoas de maneiras grosseiras não estão qualificadas para essa obra. Homens e mulheres que possuem tato, boa conversa, aguda percepção e mente perspicaz são os que podem ser bem-sucedidos.

A venda de mais de 8 milhões de dólares em livros, panfletos e folhetos, durante 12 anos, por nossas igrejas e colportores, é poderosa evidência do valor prático da obra da Sociedade Missionária e de Folhetos.

Profecia *versus* sabedoria mundana

Houve uma profecia dada em relação ao trabalho no campo europeu que está se cumprido tão literalmente que é digna de nota. Tanto obreiros quanto o povo haviam afirmado que o trabalho não poderia ser realizado ali, especialmente na Escandinávia, do modo como se fazia nos Estados Unidos. Para surpresa deles, Ellen White disse que ele não só *poderia* ser realizado com êxito, mas que poderia ser feito do mesmo modo como nos Estados Unidos. Disse também que o Senhor lhe havia mostrado que se fossem fiéis em devolver os dízimos, mesmo nos pequenos rendimentos recebidos, Deus lhes faria prosperar muito além de suas expectativas. Disse-lhes também que os colportores poderiam vender livros por assinatura na Escandinávia e que isso seria um sucesso. Administradores de editoras, naqueles países, declaravam: "Isto é impossível", pois "jamais haviam vendido livros assim". O tempo revelou que aquilo que o anjo do Senhor havia revelado a Ellen White quanto a esse assunto era muito superior à sabedoria dos publicadores e editores mundanos. Desde seu início, o sucesso tem acompanhado a obra de colportagem nesses países. Alguns dos que decidiram entregar à causa um décimo dos seus escassos rendimentos tornaram-se colportores, e não apenas conseguem se sustentar, mas ganham mais do que nunca, e, consequentemente, podem devolver dízimos ainda maiores.

Na campanha de 1895, foram vendidos pelos colportores mais de 40 mil dólares em livros impressos em nossa editora em Oslo, na Noruega. Lembre-se de que esta é outra profecia cumprida, e isto mesmo em face de protestos de todos os lados, tanto na Igreja como fora dela, que afirmavam que tal trabalho não poderia ser feito.

Em referência ao trabalho das sociedades de folhetos, instituído a partir de 1871, é seguro dizer que quase tantas pessoas foram levadas à verdade por esses esforços quanto pelo esforço pessoal dos ministros. Por esses métodos a mensagem está sendo publicada a todas as nações e línguas da terra.

Joias e obra de folhetos

Um acontecimento interessante foi relatado pela Sociedade Missionária e de Folhetos da Califórnia, em abril de 1873. Notificaram o fato de que joias haviam sido doadas por pessoas que tinham aceitado a verdade, e que, até aquela data, após serem derretidas, analisadas, e vendidas por seu valor em ouro e prata, tinham gerado a soma de 200 dólares, todos investidos em panfletos, folhetos e periódicos, os quais foram distribuídos. A sociedade já sabia de 20 pessoas que haviam sido alcançadas por meio da literatura adquirida com a venda das joias. Um dos que haviam aceitado a verdade por meio da literatura foi John I. Tay, de Oakland, na Califórnia.

São Francisco: um ponto missionário

Em 1875, um testemunho importante foi dado para a igreja de São Francisco ao qual chamamos a atenção, por estar tendo agora um cumprimento tão impressionante. Desde o início, essa igreja necessitava alugar salões para os cultos, a um custo considerável e com certas inconveniências, pois não se podiam realizar neles séries de evangelismo, visto que esses salões, na maior parte do tempo, eram alugados para outro fins.

Nas noites de 14 e 20 de abril de 1875, os líderes da igreja de São Francisco se reuniram na casa da Sra. J. L. James, na rua 5, perto da Rua do Mercado. Ali Ellen White nos relatou o que lhe havia sido mostrado em visão acerca da situação. Declarou que São Francisco sempre seria um ponto missionário onde a obra poderia ser feita; e que, se o assunto fosse conduzido de modo prudente, pessoas continuariam a aceitar a verdade. Se uma casa de culto fosse construída, para a qual as pessoas pudessem ser convidadas e onde a obra pudesse acontecer, o número de membros aumentaria, e isto, por sua vez, ajudaria a pagar as despesas e quitar as dívidas geradas pela construção.

Dando continuidade, Ellen White afirmou que lhe fora revelado que, quando instasse com a igreja de São Francisco quanto à importância de construir uma igreja, isso soaria para a pobre igreja como um passo no escuro; mas foi-lhe ordenado dizer-lhes que, ao agirem, veriam a providência de Deus abrindo o caminho diante deles, passo a passo, e que amigos surgiriam para auxiliá-los durante todo o trajeto até que a dívida fosse totalmente compensada.

Sendo eu um dos poucos presentes durante as referidas reuniões, posso dizer que a ideia de aqueles irmãos, quase todos da classe pobre, construírem uma igreja de 11 x 24 metros, numa cidade onde o preço mínimo de um terreno representaria um gasto de, pelo menos, 6 mil dólares, parecia de fato "um passo no escuro". Foram induzidos a dar o passo unicamente pela total confiança que tinham de que o testemunho apresentado a eles por Ellen White vinha do Senhor e certamente se cumpriria.

Devido a minha ligação com o projeto, desde o seu início até hoje, posso afirmar que o testemunho acima foi cumprido em cada detalhe. Ao sairmos à procura de um terreno, conseguimos comprar um de 6 mil por 4 mil dólares. Uma irmã disse que doaria mil dólares se conseguisse vender sua propriedade. Colocou, imediatamente, a propriedade nas mãos de um agente imobiliário, que lhe informou que o preço era demasiado baixo. Dentro de duas semanas, a propriedade foi vendida por mil dólares a mais do que o valor que imaginara a princípio, e ela cumpriu sua promessa. Outra pessoa, um pobre irmão que não via como a igreja poderia ser construída, disse: "Se Deus diz que deve ser feito, Ele abrirá o caminho de alguma maneira". Depois disso, esse irmão constatou, para seu espanto, que o espólio de um de seus parentes havia sido resolvido, e que este lhe deixara uma herança de 20 mil dólares. Doou mil dólares para a construção e comprou um terço do terreno da igreja para ali construir sua própria casa, trazendo assim um duplo alívio ao grupo.

Um favor significativo

Assim poderíamos mencionar muitas doações e favores recebidos ao prosseguirem com a construção do edifício. Basta dizer que o gasto total, incluindo o terreno, foi de aproximadamente 14 mil dólares, dos quais mais de metade foi recebida em doações antes do término da construção. Como a Rua Laguna, onde o edifício foi erguido, ficava numa parte da cidade onde havia falta de edifícios para fins escolares, o conselho escolar da cidade passou a alugar as salas do primeiro piso para funcionar como escola, antes mesmo de ser posto o telhado. Os 75 dólares ao mês de aluguel, recebidos durante quase dois anos, foram suficientes para pagar os juros e as despesas de manutenção, permitindo que o grupo aplicasse os fundos que conseguisse levantar apenas para o pagamento da dívida restante.

Instalações de tratamento hidroterápico

Atualmente, resta uma pequena parte da dívida, e no porão da igreja temos equipamentos para uma sala completa de tratamento hidroterápico gratuito, completamente livre de embaraços financeiros, muito mais valioso do que a dívida restante, a qual em breve será apenas história.

A parte do testemunho sobre pessoas aceitando a verdade tem sido maravilhosamente cumprida. Não apenas dezenas, mas centenas de pessoas receberam a luz da verdade naquela cidade e estão agora dispersas em várias partes do mundo. Cada vez que visito a igreja em São Francisco, vejo de dois a dez novos conversos, e ainda não é o fim.

A morte de Tiago White

Por volta de 1880, Ellen White foi instruída a dizer a seu marido, o irmão Tiago White, que ele deveria deixar muitos dos cuidados e responsabilidades que tinha levado até então, passando-os a outras mãos mais jovens, enquanto deveria "preparar-se para sua transformação final", significando que em breve encerraria sua jornada terrestre. Ele começou a atender a esta instrução e o fez bem a tempo, pois, em 1881, sua obra terminou e ele adormeceu em Jesus. Em 31 de julho, ele foi acometido de febre malária. No dia 3 de agosto, foi levado de sua casa para o Sanatório de Battle Creek, onde recebeu todos os cuidados e atenção possíveis, mas de nada adiantou. Continuou a piorar. Desde o início de sua doença, tinha o pressentimento de haver chegado sua "transformação final".

A declaração de Uriah Smith

Falando desse evento, Uriah Smith declarou:

> As circunstâncias de sua morte dificilmente poderiam ter sido mais favoráveis. Enquanto ainda estava consciente, durante os últimos três dias de sua enfermidade, ele afirmou não sentir dor. Vários amigos sinceros e chorosos permaneceram dentro e fora do edifício, enquanto naquela agradável tarde de sábado sua vida lentamente se esvaiu. Como ao cair num sono tranquilo, assim desceu para a morte; e quan-

do tudo terminou, uma doce paz parecia pairar sobre cada feição. Era como se a seguinte oração houvesse sido respondida:

Permite-me dormir por hora,
antes que Teu Céu sem noite venha;
dá-me um dia de descanso na Terra,
antes que à obra do Céu me atenha.

Faleceu dois dias após completar 60 anos de idade. A estima em que era tido em Battle Creek foi evidenciada no fato de que pelo menos 2.500 pessoas estiveram presentes no seu funeral, dia 13 de agosto, e em ter sido seguido ao seu último lugar de descanso, no cemitério de Oak Hill, por uma procissão de 95 carruagens e uma multidão de pessoas a pé.

De muitos depoimentos dados após sua morte, e publicados na *Review*, citamos a seguinte citação, escrita pelo irmão S. N. Haskell:

> Quando penso no bom senso que demonstrava em quase qualquer emergência, sua ternura de coração e nobreza de alma manifestas aos errantes, e mesmo aos que o tinham prejudicado, ao ver evidências de que haviam se arrependido, e o amor que manifestava por aquilo que acreditava ser correto, posso verdadeiramente dizer: *Caiu um pai em Israel.* E, enquanto descansa, a causa, e também muita gente, irá perceber quanta falta fazem seus conselhos e cuidado paternal.

Quando morreu, nossos inimigos alegaram que a proclamação da mensagem deveria agora parar. Mas assim não foi; as instituições que, pela divina Mão, ele havia estabelecido, deveriam crescer ainda mais, como "as árvores da plantação do Senhor", das quais deveriam se estender ramos numerosos e frutíferos.

Predição de legislação religiosa

58 anos se passaram desde que os que anunciavam a mensagem do terceiro anjo afirmaram que viria um tempo, de acordo com a profecia de Apocalipse 13, em que o povo seria perseguido, nos Estados Unidos e no resto do mundo, por guardar os mandamentos de Deus. Num livro escrito por Ellen White, intitulado *Primeiros Escritos*, lemos o seguinte a este respeito:

> Disse o anjo: "Olha!" Minha atenção foi dirigida para os ímpios, ou incrédulos. Estavam todos em grande agitação. O zelo e poder de Deus os haviam despertado e enraivecido. Havia confusão de todos os lados. Vi que tomavam medidas contra a multidão que tinha a luz e o poder de Deus. As trevas intensificavam-se em redor deles; no entanto, permaneciam firmes, aprovados por Deus, e nEle confiantes. Vi-os

perplexos; a seguir ouvi-os clamando ardorosamente a Deus. Dia e noite não cessava seu clamor. "Seja feita, ó Deus, Tua vontade! Se for para glorificar Teu nome, promove um meio para livramento de Teu povo! Livra-nos dos ímpios que nos rodeiam. Eles nos destinaram à morte, mas Teu braço pode trazer salvação" (*Primeiros Escritos*, p. 272).

Vi então os principais homens da Terra consultando entre si, e Satanás e seus anjos ocupados em redor deles. Vi um escrito, exemplares do qual foram espalhados nas diferentes partes da Terra, dando ordens para que se concedesse ao povo liberdade para, depois de certo tempo, matar os santos, a menos que estes renunciassem a sua fé peculiar, abandonassem o sábado e guardassem o primeiro dia da semana (Ibid., p. 282-283).

Perseguição nos EUA

Nossos adversários têm afirmado que jamais haverá perseguição nos Estados Unidos, pois a Constituição deste país declara que "o Congresso não fará nenhuma lei quanto a um estabelecimento de religião, ou proibindo o seu livre exercício". E, além disso, a "Carta de Direitos" da maior parte dos Estados proíbe legislação religiosa. Mesmo em face de oposições como essas, nosso povo tem continuado a proclamar a mensagem de alerta e a preparação necessária para enfrentar o conflito.

Em 1863, foi criada uma organização cujo objetivo era conseguir mudar a Constituição dos Estados Unidos e a legislação do país, de modo a adaptá-las para a aplicação e execução de leis de caráter religioso. Essas ideias conquistaram adeptos tão rapidamente, e o princípio de forçar as pessoas a "fazer o certo" ganhou tanto terreno, especialmente no que diz respeito à guarda do domingo, que séria perseguição já teve início em muitos Estados, inclusive com prisões, mesmo naqueles cujas leis dominicais fazem provisão aos que guardam outro dia por motivo de consciência. Há casos de pessoas que foram presas por não guardar o domingo.

Cento e dezesseis pessoas presas

Tenho comigo uma lista de 116 detenções de adventistas do sétimo dia nos Estados Unidos, no período de 1878 a março de 1896. Destes, 109 foram condenados. Muitos destes foram presos por um período de 20 a 60 dias, e cerca de 12 foram obrigados a fazer trabalho forçado na turma de detentos, juntamente com assassinos, ladrões e os piores tipos de criminosos. Em todos os casos, admitiu-se que os que foram detidos constituíam os melhores cidadãos, mesmos por parte daqueles que lhes sentenciavam.

Associação de Liberdade Religiosa

Em 21 de julho de 1889, foi organizada em Battle Creek, Michigan, a Associação Nacional de Liberdade Religiosa, cujo objetivo era se opor à legislação religiosa, divulgar informações para as massas sobre a verdadeira relação entre a religião e o governo civil, e prestar auxílio aos que são perseguidos por motivo de consciência. Esta associação fez extensa obra na divulgação de literatura, esclarecendo às pessoas os deveres e perigos, em nossa própria nação, nos tempos em que vivemos. De fato, ela fez um grande trabalho na divulgação das advertências contidas na mensagem de Apocalipse 14:9-12.

Auxiliados por revistas seculares

As perseguições que então assolavam os adventistas do sétimo dia apareceram nas colunas editoriais de periódicos como o *Sun* e *World*, publicados em Nova Iorque, e o *Inter Ocean*, de Chicago etc. Apareceram artigos falando livremente sobre o tratamento injusto dado a um cidadão americano pelo fato de ele obedecer a sua própria consciência e guardar o dia especificamente citado pelo mandamento. Assim, por meio de artigos de jornal, esse assunto foi exposto perante milhões de leitores. Em um mês a verdade central da mensagem do terceiro anjo foi levada à atenção de mais pessoas do que tínhamos sido capazes de alcançar em mais de 20 anos.

A ira do homem redundando em louvor a Deus

Assim, vemos que os esforços dos homens para impedir a obra de Deus e aprovar leis que apoiassem um sábado rival ao que Deus ordenara no quarto mandamento serviram para abrir caminho a fim de que a verdade avançasse mais rapidamente.

Refletindo sobre o que havia sido feito em apenas poucos meses por meio da perseguição, duas passagens da Bíblia nos vêm à mente. Uma diz: "Porque nada podemos contra a verdade, senão em favor da própria verdade" (2 Coríntios 13:8); e a outra: "Pois até a ira humana há de louvar-Te; e do resíduo das iras Te cinges" (Salmos 76:10).

Predição de leis dominicais

No *Testemunho* n.° 32, impresso em 1885, há uma declaração sobre *como* as leis dominicais seriam aprovadas nos Estados Unidos. Diz assim: "A fim de se fazerem populares e conseguirem apoio, os legisladores hão de ceder à *demanda* por leis dominicais". (*Testemunhos para a Igreja*, vol. 5, n.° 32, p. 451). Consideremos, por um momento, como isso já aconteceu.

Legislação em referência à Feira de Exposição Internacional

Em 1892, foi feita uma *demanda* ao Congresso Nacional para que este proibisse a abertura aos domingos da Feira de Exposição Internacional, realizada em Chicago, Illinois, de maio a outubro do mesmo ano. Essa lei foi aprovada dia 19 de julho de 1892, devido à pressão popular mencionada acima. E convém lembrar que esta foi a *primeira* vez que o Congresso dos Estados Unidos da América do Norte promulgou uma lei sobre a questão do dia de descanso.

As igrejas enviaram imensas listas de nomes, solicitações e telegramas, não apenas apresentando um abaixo-assinado, mas gentilmente (?) informando aos parlamentares "que nós, por meio desta, prometemos a nós mesmos e uns aos outros, que, daqui por diante, iremos nos recusar a votar em qualquer membro do Congresso, ou apoiá-lo para qualquer cargo ou função de confiança, quer seja senador ou deputado, que votar a favor de qualquer tipo de verba para a Feira de Exposição internacional, exceto nas condições descritas aqui nestas resoluções". As condições eram de que a Feira fechasse aos domingos.

Discursos no Congresso dos EUA em 1892

Como amostra dos discursos apresentados na tribuna do Congresso, quando o projeto de lei foi aprovado, vamos ler o seguinte:

> Gostaria de ver a negação [dessa demanda] em branco e preto, conforme proposta pelo Congresso dos Estados Unidos. Escrevam-na. Como vocês a escreveriam? [...] Proponham as palavras, se tiverem coragem; defendam-na, se tiverem coragem. *Quantos dos que votassem nela retornariam aqui futuramente?* Nenhum, eu espero. Se vocês se opuserem a isso, colocarão a si mesmos em perigo.

Declarações ousadas feitas pelas igrejas protestantes

Os que fizerem a demanda e conseguiram que o Congresso aprovasse esse projeto de lei, consideraram o fato como uma vitória importante em seu esquema da legislação religiosa. Isso é evidente pela própria declaração de um destacado ministro, logo após um sermão que pregou em Pittsburg, na Pensilvânia, no qual disse:

> Que a igreja tem influência sobre grupos políticos ou governamentais foi eficazmente demonstrado na questão da recente Feira de Exposi-

ção Internacional, quando o Senado dos Estados Unidos, a mais alta organização do país, ouviu a voz da religião e aprovou o projeto de lei que forneceria à Feira Internacional a verba de 5 milhões de dólares, com a ressalva, instituída pela igreja, de que os portões da grande exposição não fossem abertos aos domingos. Esse grande e maravilhoso fato sugere à mente dos cristãos que, se isso foi feito, o mesmo pode acontecer com outras medidas igualmente necessárias. A igreja está continuamente ganhando poder e sua voz será ouvida no futuro de modo muito mais frequente que no passado.

Assim, vemos que o testemunho dado em 1885 foi e está se cumprindo.

União de católicos e protestantes

Nesse contexto, consideremos outra previsão feita em 1885, também encontrada no *Testemunho* n.° 32:

> Quando o protestantismo estender os braços através do abismo, a fim de dar uma das mãos ao poder romano e a outra ao espiritismo, quando por influência dessa tríplice aliança os Estados Unidos forem induzidos a repudiar todos os princípios de sua Constituição, que fizeram deles um governo protestante e republicano, e adotar medidas para a propagação dos erros e falsidades do papado, podemos saber que é chegado o tempo das operações maravilhosas de Satanás e que o fim está próximo (*Testemunhos para a Igreja*, vol. 5, n.° 32, p. 451).

Para percebermos como a primeira parte dessa previsão já está sendo cumprida, precisamos apenas ressaltar o que está acontecendo ao nosso redor. Veja os protestantes, ministros e povo buscando a aprovação dos católicos, convidando-os a frequentar suas sociedades, etc. Precisamos lembrar que, em 1885, quando o testemunho foi dado, dificilmente se poderia ver qualquer vestígio do que agora se vê.

Para ilustrar como os protestantes estão buscando o apoio e auxílio dos católicos, apresento um trecho do periódico intitulado *Star*, da Cidade de Kansas, em Missouri, do dia 18 de março de 1896.

Metodistas e o dia de São Patrício

Foi feito um discurso na Casa de Ópera de Coate, da Cidade de Kansas, em Missouri, no Dia de São Patrício, 17 de março de 1896, pelo Dr. Mitchell, pastor da principal Igreja Metodista da Cidade de Kansas. O *Star* faz referência a uma parte do discurso como sendo uma "pequena cena dramática". O Dr. Mitchell foi fortemente aplaudido ao dizer o seguinte:

A intolerância é filha da ignorância. Somos intolerantes porque não conhecemos suficientemente nosso próximo. Nós, protestantes, fomos ensinados a acreditar em coisas indizíveis sobre os católicos, e também eles o foram em relação a nós. Contudo, ao nos chegarmos perto o bastante para olhar nos olhos uns dos outros e darmos as mãos uns aos outros, descobrimos nossas noções equivocadas uns dos outros. Se conhecêssemos melhor uns aos outros, nos amaríamos mais. Temos ficado distantes e adotado uma postura crítica. Que vergonha para os seguidores do bendito Cristo. Todos os cristãos foram resgatados pelo mesmo sangue precioso, somos sustentados pela mesma graça divina e esperamos alcançar o mesmo Céu. Irmãos, melhor seria que nos familiarizássemos uns com os outros aqui em baixo.

O *Star* continua:

O Dr. Mitchell, em seguida, virou-se para o Padre Dalton [sacerdote católico], que estava assentado atrás dele, e, estendendo a mão, disse: "Aqui, irmão Dalton, está minha mão". O Padre Dalton levantou-se e apertou sua mão, e, de mãos apertadas, disse: "Seria uma vergonha terrível se, depois de termos vivido tanto tempo na mesma cidade aqui na Terra, precisássemos, ao chegarmos ao Céu, que um anjo nos apresentasse um ao outro. Vamos nos familiarizar enquanto estamos aqui na Terra". A plateia aplaudiu e, depois que o Padre Dalton tomou assento, o Dr. Mitchell continuou seu discurso.

Algo grande e decisivo

Citamos outro texto, este escrito por Ellen White em Melbourne, na Austrália, em 18 de fevereiro de 1892:

Todo o Céu me é apresentado como que estando a observar o desenrolar dos acontecimentos. Uma crise está para ser revelada no grande e prolongado conflito no governo de Deus na Terra. Algo grande e decisivo deverá ocorrer, e sem demora.

O Juiz Brewer declara que esta é uma "Nação Cristã"

11 dias depois do texto acima ter sido escrito, antes que ele chegasse aos Estados Unidos, ocorreu um evento que tanto protestantes quanto católicos consideram *determinante* no destino da nação. Refiro-me à decisão da Suprema Corte dos Estados Unidos, que afirmou: "Esta é uma nação cristã". Isso ocorreu no dia 29 de fevereiro pelo presidente da Suprema Corte, o Juiz Brewer. Como já mencionamos, a lei do fechamento da Feira de Exposição Mundial aos domingos foi aprovada no dia 19 de julho do mesmo ano. Os ministros que tão fortemente advogaram a aprovação dessa lei fizeram veementes apelos sob o pretexto de que, visto que

a Suprema Corte havia declarado que esta era uma nação cristã, era de se esperar que o dia de descanso cristão fosse protegido contra a profanação. A mesma justificativa foi apresentada pelo Partido da Reforma Nacional. Como esta é uma nação cristã, deveria reconhecer a Deus e Suas leis como base de seu governo, etc. Algo realmente grande e decisivo neste conflito final aconteceu, e isto, "sem demora".

Profetas antigos

Parecia haver dois tipos de visões dadas por Deus a seus servos, os profetas. Um deles é chamado de "visão aberta" (na qual o profeta podia ser visto pelas pessoas enquanto estava em visão). O outro tipo é chamado "visão da noite". Como exemplo da primeira, citamos 1 Samuel 3:1, onde se relata a história do menino Samuel. Ali lemos: "Naqueles dias, a palavra do Senhor era mui rara; as visões [abertas - "*open visions*", KJV] não eram frequentes".

Visões abertas

Foi neste tipo de visão (visão aberta) que a mão do Senhor estava sobre o profeta Ezequiel. Os anciãos de Judá, assentados diante dele, o viram em visão aberta (ver Ezequiel 8:1). Em outra ocasião, o profeta Daniel entrou em visão em presença dos governantes caldeus. Se tivessem permanecido ali, poderiam tê-lo visto em visão, mas "caiu sobre eles grande temor, e fugiram e se esconderam" (Daniel 10:7).

Visões noturnas de Ellen White

As primeiras visões de Ellen White foram todas visões abertas. Mas a partir de 1884, o tipo de visões mudou nesse aspecto, sendo agora o que é chamado nas Escrituras de "visões da noite", que não se limita a sonhos. Nessas visões, o mesmo anjo brilhante aparece, dando-lhe instruções, como em anos anteriores nas visões abertas. Muitos exemplos de "visões da noite" estão registrados na Bíblia, como podemos facilmente ver em Gênesis 46:2, Daniel 2:19 e 7:13, Atos 16:9, 18:9, 23:11 e 27:23-25.

Nessas visões noturnas de Ellen White, muitas previsões importantes foram feitas, que se cumpriram com precisão, como já mencionamos. Falaremos agora de algumas visões posteriores.

A mudança para Washington

Em 1893, Ellen White disse:

> Muitos interesses estão se acumulando em Battle Creek. Se esses interesses fossem repartidos e localizados em outras cidades, onde a luz e o conhecimento pudessem ser uma benção para outros lugares, isto estaria de acordo com a vontade de Deus. O Senhor não quer uma segunda Jerusalém em Battle Creek. Serão necessárias fortes reformas e transferência de instalações e instituições, se se quiser fazer a vontade de Deus.

Na assembleia da Associação Geral em Oakland, na Califórnia, em março de 1903, ela disse:

> Durante anos tem sido dado o alerta a nosso povo, "Saiam de Battle Creek". Mas por causa dos muitos interesses aqui estabelecidos, era conveniente ficar, e os homens não conseguiam ver por que deveriam sair. Em resposta à pergunta feita acerca de nos estabelecermos em outro lugar, respondo: sim. Que os escritórios da Associação Geral e a obra de publicações sejam removidos de Battle Creek. Não sei onde será o lugar, se na costa atlântica ou em outra parte. Mas direi o seguinte: Nunca coloquem uma pedra ou tijolo em Battle Creek para reconstruir ali o escritório da Review. Deus tem um lugar melhor para ele.

Depois de ouvir essa instrução, a assembleia votou "que os escritórios da Associação Geral sejam removidos de Battle Creek, Michigan, para algum lugar na costa atlântica".

No concílio realizado em Battle Creek, logo após a assembleia, foi votado "que demos preferência a situar a sede do escritório da Associação Geral nos arredores da cidade de Nova Iorque". Uma vasta comissão foi então selecionada para procurar um local viável. A comissão comunicou sua intenção a Ellen White, e perguntou se ela tinha mais luz a esse respeito. Ela respondeu:

> Que o Senhor nos ajude a proceder com entendimento e oração. Tenho certeza de que Ele deseja que saibamos, e isto em breve, onde devemos situar nossa casa publicadora. Estou convencida de que o único caminho seguro é estarmos prontos para avançar assim que a "nuvem" avançar. Oremos para que Ele nos dirija. Ele nos tem mostrado, por Sua providência, que Sua vontade é que saiamos de Battle Creek. [...] Há necessidade de se efetuar a obra em Nova Iorque, mas não posso dizer se nossa publicadora deve ser ali estabelecida. Não devo considerar a luz que tenho recebido como sendo suficientemente clara para favorecer tal mudança.

Após quase duas semanas de buscas pela cidade de Nova Iorque e cidades vizinhas, a comissão não conseguiu encontrar um local adequado para a casa publicadora. Chegou, então, uma carta de Ellen White, datada de 30 de maio, que dizia:

> Ao procurarem nossos irmãos um local para a casa publicadora da Review and Herald, devem eles fervorosamente buscar ao Senhor. Devem avançar com grande cautela, vigilância e oração, e com um senso constante de sua própria fraqueza. Não devemos depender de opiniões humanas. Devemos buscar a sabedoria que Deus concede. [...]
> Com respeito a estabelecer a instituição em Nova Iorque, preciso dizer: Sejam cuidadosos. Não sou a favor de que esteja perto de Nova Iorque. Não posso agora dar todas as minhas razões, mas estou certa de que, qualquer lugar a menos de 50 quilômetros de distância daquela cidade seria próximo demais. Estudem os arredores de outros lugares. Tenho certeza de que as vantagens de Washington, D.C., deveriam ser cuidadosamente investigadas.
> Não deveríamos estabelecer essa instituição numa cidade, nem nos subúrbios de uma cidade. Deveria ser estabelecida num distrito rural, onde possa estar cercada por terras.

Predição de oferta favorável

Com essa informação, a comissão iniciou sua busca em Washington, com espírito de oração, quando uma terceira carta chegou com a seguinte instrução:

> Temos orado por luz a respeito de situarmos nossa obra no Leste, e esta nos veio de maneira bem clara. Foi-me dada luz clara de que se nos oferecerão à venda lugares nos quais muito dinheiro foi investido por homens que dele podiam livremente usar. Os proprietários desses lugares morrem, ou sua atenção se volta para algum outro assunto, e a propriedade é oferecida à venda a um preço muito baixo. [...]
> Pela luz que me foi dada, sei que, no presente momento, a sede da Review and Herald deveria estar perto de Washington.

Encontrado o local predito

Com essa mensagem em mãos, a comissão passou a procurar por um lugar no Distrito de Columbia [Washington D.C.], mas não encontravam terreno algum por menos de mil dólares o acre. Finalmente, sua atenção foi chamada para Tacoma Park. Segue abaixo o relatório da comissão:

> Encontramos uma área de cerca de 50 acres, a pouca distância do Distrito, mas dentro dos limites da cidade de Tacoma Park, a qual poderíamos comprar por 6 mil dólares, a 120 dólares o acre. Exami-

namos extensamente o local. Descobrimos que, alguns anos atrás, o terreno havia sido escolhido por um médico de Boston para a construção de um sanatório. Disseram que ele gastou cerca de 60 mil dólares na compra e limpeza do terreno de todos os arbustos, troncos e lixo. Problemas financeiros o impediram de realizar seus planos e a terra passou às mãos de um senhor que a adquiriu, mediante hipoteca, pelo valor de 15 mil dólares.

Os cidadãos de Tacoma Park, representados pelo prefeito e alguns líderes, nos deram sinceras boas-vindas ao local e a garantia de cooperação amistosa na realização de nossos planos.

Em todas as nossas viagens e buscas, não encontramos outro local que se encaixasse tão completamente às especificações dos testemunhos como este. Cremos que a providência de Deus nos dirigiu ao lugar que Ele deseja que ocupemos.

Tendo em vista o cumprimento dos muitos testemunhos apresentados neste e no capítulo anterior, vamos "crer no Senhor nosso Deus, e estaremos seguros; crer nos Seus profetas, e prosperaremos", para que estejamos preparados para os eventos ainda futuros, e não sejamos por eles pegos de surpresa.

Capítulo 28

Uma Porta que Ninguém Pode Fechar

"Eis que diante de ti pus uma porta aberta, e ninguém a pode fechar; tendo pouca força, guardaste a Minha palavra e não negaste o Meu nome" (Apocalipse 3:8).

Tais são as palavras dirigidas aos cristãos no período de Filadélfia. Esta é a igreja que surgiu pela proclamação da iminente vinda de Cristo, daqueles que conservaram o que tinham ouvido sobre o assunto. Da igreja de Sardes (antecessora imediata de Filadélfia), é-nos dito:

> Lembra-te, pois, do que tens recebido e ouvido, guarda-o e arrepende-te. Porquanto, se não vigiares, virei como ladrão, e não conhecerás de modo algum em que hora virei contra ti (Apocalipse 3:3).

A igreja de Sardes, portanto, ouviu a doutrina da iminente vinda do Senhor. Os que se apegaram ao que tinham ouvido avançaram na verdade ao ser "removido" o candelabro de ouro, e constituíram a igreja de Filadélfia. A respeito destes, lemos:

> Porque guardaste a palavra da Minha perseverança, também Eu te guardarei da hora da provação que há de vir sobre o mundo inteiro, para experimentar os que habitam sobre a Terra. Venho sem demora. Conserva o que tens, para que ninguém tome a tua coroa (Apocalipse 3:10, 11).

É a esta igreja de Filadélfia que Ele diz: "Eis que tenho posto diante de ti uma porta aberta, a qual ninguém pode fechar".

Vemos aqui que as Escrituras afirmam de modo enfático que, na providência de Deus, os que são movidos para alertar o mundo acerca da vinda do Senhor, rogando ao povo que se preparem para encontrar com Deus, têm o favor especial de Deus em Sua obra. Os homens podem tentar impedir e frustrar seus esforços, fechando a "porta à palavra"; mas a voz de Deus continua a soar acima de todo clamor: "Eis que *tenho posto* diante de ti uma porta aberta, a qual ninguém pode fechar".

Progresso de setenta e quatro anos

Nas páginas precedentes deste livro, revimos brevemente os acontecimentos de um período de 74 anos (1831-1905), traçando o início e avanço das mensagens do advento e, especialmente, da mensagem do terceiro anjo. Mostramos como essa mensagem, que partiu da obscuridade e pobreza, tem avançado rapidamente, com força e poder, de ano em ano, até chegar a ter uma obra missionária que circunda o planeta. Certamente, não é por ser agradável ao coração carnal que a mensagem tem prosperado, já que apresenta, em sua linha de frente, o sábado do Senhor, cuja observância envolve pesada cruz e exige separação dos negócios mundanos no dia mais movimentado da semana. Também não é pela falta de oposição que a mensagem tem avançado, pois encontrou oposição desde o início, e da mais terrível espécie, tanto de pessoas de fora quanto de pessoas não consagradas que, por algum tempo, adentraram nossas fileiras. Quanto às situações ocasionadas por planos e esforços de inimigos externos, podemos muito bem dizer, segundo as palavras de Davi, o salmista:

> Não fosse o Senhor, que esteve ao nosso lado, Israel que o diga; não fosse o Senhor, que esteve ao nosso lado, quando os homens se levantaram contra nós, e nos teriam engolido vivos, quando a sua ira se acendeu contra nós; as águas nos teriam submergido, e sobre a nossa alma teria passado a torrente; águas impetuosas teriam passado sobre a nossa alma. Bendito o Senhor, que não nos deu por presa aos dentes deles. Salvou-se a nossa alma, como um pássaro do laço dos passarinheiros; quebrou-se o laço, e nós nos vimos livres. O nosso socorro está em o nome do Senhor, criador do céu e da terra (Salmos 124:1-8).

Socorro no Senhor

O Senhor declara ter colocado diante de Seu povo "uma porta aberta, a qual ninguém pode fechar". Portanto, não é de admirar que a mensagem tenha avançado rapidamente. Esta é a mensagem de Deus ao povo, e precisa ter êxito. Em Apocalipse 7:2, a obra de preparar um povo que permaneça em pé no grande dia da ira de Deus é simbolizada por um anjo que subia "do nascente do sol" ou, como alguns traduzem, "subindo como o sol". Pensemos no amanhecer do dia: primeiro aparecem os raios de luz no leste; estes se unem em crescente brilho até ser visto o grande e distinto disco solar. Ao assim subir ao zênite o "Rei do Dia", sua luz, calor e poder tornam-se cada vez mais vívidos.

Tal tem sido o progresso da mensagem do terceiro anjo desde 1848, quando suas verdades centrais foram tomando forma. A partir daí, mostramos como houve um maravilhoso crescimento, constante e acentuado. Isso só se pode explicar se entendermos que o Senhor está confirmando Sua palavra aos que, neste momento em que nossa salvação está tão próxima, tomam o cuidado de guardar "o sábado, não o profanando" (Isaías 56:2) e desviam seus pés de fazer sua própria vontade no santo dia de Deus. Assim, pela "fé de Jesus", como declara a mensagem do terceiro anjo de Apocalipse 14, eles guardam todos "os mandamentos de Deus". Destes, declara o Senhor por meio do profeta Isaías: "Então, romperá a tua luz como a alva, a tua cura brotará sem detença, a tua justiça ["O Senhor, Justiça Nossa", Jeremias 23:6] irá adiante de ti, e a glória do Senhor será a tua retaguarda" (Isaías 58:8). Com essas garantias, como poderíamos esperar outra coisa, senão que a obra fosse um sucesso? "Se Deus é por nós, quem será contra nós?" (Romanos 8:31).

Como podem prosperar?

Quando pensamos em José Bates, em 1846, começando a escrever o primeiro livro adventista sobre o sábado, tendo à sua disposição apenas 12 centavos e meio de dólar, que ele teve de gastar antes que terminasse o primeiro dia em que começou a escrever; ou quando pensamos em Tiago White, imprimindo seu primeiro panfleto, *The Present Truth*, com o dinheiro que ganhara cortando feno, e enviando-o *gratuitamente* a todos os interessados, com a mensagem impressa de que aquela verdade iria até os confins da terra – olhando para esses pequenos começos, alguém pode indagar, usando as palavras do povo nos dias de Amós: "Como subsistirá Jacó? Pois ele é pequeno" (Amós 7:2). Contrastando esse começo com a situação da igreja em 1905, ano em que a publicação das verdades da mensagem ocorre em 20 casas publicadoras, espalhadas em várias partes do mundo, muitas vezes forçadas a operar em capacidade máxima a fim de atender à demanda por materiais impressos, podemos realmente dizer: Eis "uma porta aberta" que ninguém conseguiu fechar.

Dos que, no passado, declararam que a obra jamais prosperaria, podemos dizer, nas palavras do profeta Zacarias ao reprovar os que tentavam impedir a reconstrução de Jerusalém: "Quem despreza o dia dos humildes começos"? (Zacarias 4:10). Das coisas que pareciam montanhas de dificuldades em seu caminho, Deus declarou, por intermédio do profeta:

Montanha convertida em vale

Quem és tu, ó grande monte? Diante de Zorobabel serás uma campina; porque ele colocará a pedra de remate, em meio a aclamações: Haja graça e graça para ela! (Zacarias 4:7).

Assim tem sido com a obra da mensagem do terceiro anjo, e assim será até ser trazida "a pedra angular", ou seja, até que se termine a obra.

Pense nas poucas pessoas em 1846, pobres em recursos financeiros, pobres em todo sentido exceto na fé em Deus e no tesouro da verdade, e veja a que proporções sua obra tem crescido. Pense nos recursos que temos hoje: livros prontos, traduzidos e impressos nas diversas línguas do planeta, e as centenas de colportores levando esses livros aos lares das pessoas a um volume de 400 mil dólares por ano. Se a bênção de Deus continuar sobre o trabalho, podemos olhar para o futuro tendo a certeza de *sucesso*. Com instalações e agentes como esses, aumentando a cada mês, temos confiança em Cristo de que podemos esperar tudo o que Salomão cantou sobre a igreja de Deus ao sair ela de sua condição desértica "encostada ao seu amado", e aparecer "formosa como a lua, pura como o sol, formidável como um exército com bandeiras" (Cantares 8:5; 6:10).

Socorridos pelo dom de profecia

Não temos presenciado apenas a providência de Deus abrindo o caminho para a propagação da verdade, e Sua benção acompanhando de modo marcante os esforços para avançar na direção providencial indicada, mas temos testemunhado, desde o início e progresso da mensagem do terceiro anjo, como Deus Se comunicou com Seu povo mediante o dom de profecia. Este não se manifestou como se fosse uma nova revelação, para tomar o lugar da Bíblia, ou perverter seus ensinos, mas como guia seguro para nos mostrar, no tempo em que vivemos, onde se encontra o perigo de nos afastarmos da simplicidade do evangelho de Cristo, de seguirmos a inclinação deste século e de nos contentarmos com uma *forma* de piedade, mas sem o seu poder.

Tomando como exemplo os antigos profetas (Tiago 5:10), que servem de regra de teste para qualquer manifestação do gênero, percebemos que as razões da manifestação profética hoje são as mesmas que as do passado: a permanente tendência de afastar-se da verdade em razão das doutrinas e práticas peculiares da época. O apóstolo Paulo, falando da manifestação dos dons espirituais estabelecidos na igreja por Deus, declara serem eles com vistas ao aperfeiçoamento dos santos, para o desempenho do seu serviço, para a edificação do corpo de Cristo, até que todos cheguemos à unidade da fé e do pleno conhecimento do Filho de Deus, à perfeita varonilidade, à medida da estatura da plenitude de Cristo, para que não mais sejamos como meninos, agitados de um lado para outro e levados ao redor por todo vento de doutrina, pela artimanha dos homens, pela astúcia com que induzem ao erro. Mas, seguindo a verdade em amor, cresçamos em tudo naquele que é a cabeça, Cristo, de quem todo o corpo, bem ajustado e consolidado pelo auxílio de toda junta, segundo a justa cooperação de cada parte, efetua o seu próprio aumento para a edificação de si mesmo em amor. (Efésios 4:12-16).

As objeções levantadas contra as manifestações do dom de profecia em nossos dias certamente poderiam ser usadas, com força igual, nos tempos antigos; ou seja, poderia ser dito: "Já possuímos as Escrituras, e, portanto, não temos necessidade de tais dons". No entanto, estas mesmas Escrituras nos afirmam que Cristo estabeleceu esses dons na igreja a fim de serem exercitados até quando "vier o que é perfeito [a condição perfeita]" (1 Coríntios 13:10), e que "não vos falte *nenhum dom*, aguardando vós a revelação de nosso Senhor Jesus Cristo" (1 Coríntios 1:7).

Que necessidade temos de profetas?

O antigo Israel poderia dizer que tinha a lei moral de Deus, escrita por Seu próprio dedo em tábuas de pedra, além de estatutos, juízos e instruções dadas a Moisés pela boca de Deus e cuidadosamente escritas. De que mais necessitavam? Mas apesar de possuírem todas essas verdades tão excelentes, Deus Se agradou em lhes falar "muitas vezes e de muitas maneiras [...] pelos profetas" (Hebreus 11:1).

Podemos notar que o testemunho apresentado por cada um dos profetas como Isaías, Jeremias, Ezequiel, Daniel, Oséias, dentre outros, ensinava o mesmo grandioso princípio da obediência a Deus; entretanto, cada profeta trazia reprovações peculiares ao povo de sua época, em virtude da tendência que as pessoas tinham de se desviarem dos princípios sagrados pelas atrações dos costumes vigentes na época em que a profecia era dada.

A necessidade dos dons

Embora alguém possa dizer: "Não temos apenas a excelente instrução do Antigo Testamento, mas também as palavras do próprio Salvador, e dos apóstolos. Por que precisaríamos de mais luz?" O fato é que estes mesmos apóstolos apontaram para os últimos dias, em que "sobrevirão tempos *difíceis*", em que os homens terão uma "*forma* de piedade, negando-lhe, entretanto, o poder". Eles nos declaram ainda que "alguns apostatarão da fé, por obedecerem a espíritos enganadores e a ensinos de demônios" (2 Timóteo 3:1-5; 4:1).

Em vista de tudo isso, as pessoas a quem Paulo se refere em sua carta aos Tessalonicenses como crentes que não estarão em trevas, e a quem o dia de Cristo não apanhará de surpresa, como um ladrão, pois são filhos da luz, a essas é dada a exortação de julgarem "todas as coisas" (observe-se que o verso anterior menciona as "profecias") e a reter "o que é bom" (1 Tessalonicenses 5:5, 20, 21). Isso equivale a dizer-lhes que o povo que estiver aguardando a vinda do Senhor Jesus Cristo, que por fim se encontrará preparado para aquele dia, terá, em seu meio, manifestações "genuínas" e autênticas do dom de profecia.

Sinais do fim

Vivemos num momento em que podemos ver em toda parte abundantes sinais de que a vinda do Senhor está próxima. Vivemos no exato período em que haveria de surgir um povo que guardaria todos os mandamentos, o qual também teria "o *testemunho* de Jesus", "o espírito de profecia" (cf. Apocalipse 12:17 com 19:10). E o que vemos acontecendo? Vemos que, durante os últimos 60 anos, surgiu exatamente esse povo, proclamando justamente essa mensagem, e que, entre eles, manifestou-se o dom de profecia. Ao testarmos o dom manifestado em Ellen White por meio das regras que a Bíblia nos apresenta, vemos que ele passa em todos os testes, nos mínimos detalhes. Em todos os escritos de Ellen White, do início ao fim, não se pode achar uma única linha que forneça a mínima licença para o pecado, ou que tolere, no mínimo grau que seja, qualquer desvio da Palavra de Deus. Esses escritos jamais se colocaram acima da Bíblia, mas constantemente nos exortam ao mais diligente estudo da Palavra de Deus, apontando-a como o grande parâmetro pelo qual nosso caso será examinado no juízo final. Em seus escritos, Cristo é exaltado perante nós como o único modelo que devemos seguir. Ela declara da maneira mais enfática possível que Cristo é a nossa única esperança de vitória aqui, o nosso único refúgio da ira vindoura, o único nome e o único meio pelo qual podemos ser salvos.

Homenagem pessoal

O seguinte testemunho, a respeito de Ellen White e sua obra, foi escrito em 1877 por alguém que a conhecia e que havia estudado sua obra por muitos anos. E após minha experiência de 53 anos de atenta observação do dom profético de Ellen White, dou o meu aval incondicional a todos os pontos de vista aqui expressos:

Quanto ao caráter cristão da irmã White, peço licença para dizer que acho que conheço um pouco a esse respeito. Faz 18 anos que a conheço, mais que a metade do período da história de nosso povo. Estive com sua família vez após vez, e, em certas ocasiões, durante semanas. Eles também vieram à nossa casa e estiveram com nossa família muitas vezes. Já viajei com eles a quase todas as partes; estive com eles em particular e em público, em reuniões e fora delas, e tive as melhores oportunidades de conhecer um pouco da vida, do caráter e do ânimo do casal White. Como ministro, tenho tido que lidar com todos os tipos de pessoas, de caráter dos mais variados, de modo que penso poder julgar um pouco acerca do caráter de uma pessoa, pelo menos após anos de conhecimento pessoal.

Conheço a irmã White como uma mulher despretensiosa, modesta, bondosa e nobre. Esses traços de seu caráter não são um simples fingimento a ser cultivado, mas brotam de modo tranquilo e gracioso de sua disposição natural. Ela não é presunçosa, cheia de justiça própria, nem convencida, como os fanáticos sempre são. Estes eu sempre percebo que estão cheios de pretensões e orgulho, prontos a dar sua opinião, gabando-se de sua santidade, etc., mas sempre notei em Ellen White o oposto de tudo isso.

Amiga dos pobres

Qualquer pessoa, dentre as mais pobres e humildes, pode ir a ela livremente em busca de conselho e conforto, sem ser rejeitada. Ela está sempre cuidando dos necessitados, destituídos e sofredores, provendo--lhes às necessidades e defendendo-lhes a causa.

Nunca conheci alguém que tivesse o temor de Deus tão constantemente diante de si. Ela nada empreende sem antes elevar a Deus fervorosa oração. Estuda a Palavra de Deus de modo aplicado e constante. Já ouvi a irmã White pregar centenas de vezes, já li seus testemunhos por completo, e a maioria deles, diversas vezes, e nunca encontrei uma sentença imoral ou qualquer coisa que não fosse estritamente pura e cristã, nada que causasse um afastamento da Bíblia e de Cristo. Pelo contrário, neles encontrei os mais ardentes apelos em favor da obediência a Deus, do amor a Jesus, da crença nas Escrituras e de seu estudo constante. Seus testemunhos me têm sido, muitas vezes, de grande benefício espiritual. Na verdade, nunca me aconteceu de lê-los e não me sentir repreendido por minha falta de fé em Deus, falta de devoção e falta de empenho na salvação de almas. Se possuo algum discernimento espiritual, declaro que os testemunhos são do mesmo espírito e do mesmo teor que as Escrituras.

Durante 30 anos [e agora podemos dizer sessenta anos] nosso povo tem lido e crido nestes testemunhos. Mas qual tem sido seu impacto sobre o povo? Será que eles o afastaram da lei de Deus? Será que o levaram a desistir da fé em Cristo ou a abandonar a Bíblia? Será que fizeram desse povo um povo corrupto ou imoral? Eu sei que ele pode ser comparado favoravelmente com qualquer outra denominação cristã. Uma coisa tenho notado: que mesmo os piores opositores das visões da irmã White admitem que ela é uma cristã. Não entendo como eles podem admitir isso. Tentam consertar dizendo que ela está enganada. São incapazes de indicar uma única mancha em toda a sua vida, nem sequer uma sentença imoral em todos os seus escritos. Não podem senão admitir que muitos de seus escritos são excelentes, e que qualquer pessoa que viva tudo o que ela diz seria uma boa cristã, a caminho do Céu. Tudo isso seria muito estranho caso ela fosse um instrumento do diabo, inspirada por Satanás, ou se seus escritos fossem imorais ou fantasias de sua própria mente.

Pessoas desconhecidas dão testemunho de seus escritos

À medida que nossos periódicos são publicados, contendo os escritos de Ellen White, eles são buscados pelas pessoas mais humildes, devotas e tementes a Deus. Relatando o que leram, elas dizem:

Estamos especialmente interessadas nos escritos de Ellen White. Eles são tão práticos, tão cheios de instruções calculadas a conduzir a pessoa para mais perto do Senhor, tornando-a mais humilde, devota e temente a Deus. Esses escritos seguem tão de perto o estilo das Escrituras que, ao lê-los, temos a impressão de que Ellen White é uma pessoa *inspirada* ao escrever algo assim.

Tal é o testemunho encontrado em dezenas de casos de pessoas que estão se correspondendo com nossos missionários, pessoas que nem sequer suspeitam de que as ideias de Ellen White são recebidas em visões de Deus.

Fonte de oposição

Tendo apresentado a impressão causada por este dom, surge a pergunta: De onde e porquê se levantou a oposição à manifestação deste dom? E qual tem sido o fim desses que se opõem? Após cuidadosas observações, desde 1852, percebi que a maior parte da oposição surgia dos que eram reprovados por seus defeitos de caráter, por maus hábitos, ou por algum curso errôneo em seu modo de vida. Muitos dos que eram reprovados argumentavam não serem tão maus quanto o testemunho os representava, e que iriam mostrar que podiam se apegar à verdade mesmo opondo-se à repreensão dada. O tempo mostrou que a grande maioria deles renunciou a sua fé e abandonou completamente as fileiras. Alguns viram seu erro e se apegaram com mais firmeza à verdade. Surge então a questão: Se os que se opõem a este dom são guiados pelo Senhor, por que razão perdiam sua espiritualidade e se afastavam de Deus? A regra do Salvador é que a árvore deve ser conhecida pelos seus frutos. Ele enfaticamente afirma que a "má árvore" não pode "produzir frutos bons" (Lucas 6:43).

Fracasso da oposição

Lembramos de casos em que se levantou oposição organizada contra os testemunhos de Ellen White, declarando que teriam grande sucesso em seu trabalho tão logo se livrassem dos testemunhos. O que vimos, entretanto, foi um completo fracasso na realização de suas esperanças. Após anos de lutas, não apresentaram qualquer evidência de que estavam disseminando a verdade do sábado perante o mundo num nível superior ao dos seus colegas que vinham realizando essa obra havia 49 anos. Se a obra que faziam era especialmente ordenada por Deus, por que não foram mais prósperos em sua mensagem?

Onde está o sucesso?

Por outro lado, quando olhamos para essa mensagem que proclama ao mundo os mandamentos de Deus e a fé de Jesus – mensagem esta ligada ao dom de profecia, com seus conselhos, instruções, e reprovações – vemos que ela fez rápido e contínuo progresso desde seu início até o presente. Atendendo aos conselhos do Senhor por intermédio desse dom e avançando em Sua força, a mensagem, como já vimos, tem circundado o mundo, e rapidamente avança a "cada nação, e tribo, e língua, e povo" (Apocalipse 16:14).

Olhando para o progresso passado desta causa, podemos dizer que esta promessa da Palavra de Deus foi confirmada: "Toda arma forjada contra ti não prosperará" (Isaías 54:17). Verdadeiramente a mão de Deus tem se manifestado no sucesso que acompanhou o surgimento e o progresso deste grande movimento adventista até agora. Quanto ao futuro, confiamos no seguro cumprimento de Sua palavra: "Eis que tenho posto diante de ti uma porta aberta, a qual ninguém pode fechar" (Apocalipse 3:8). Com essa confiança, podemos cantar com toda a segurança:

Pois Ele esteve conosco, e ainda está;
e prometeu estar conosco até o fim.

ADVENTIST PIONEER LIBRARY

Para maiores informações, visite:
www.APLib.org
www.EditoraDosPioneiros.com.br

ou escreva para:
contato@aplib.org
contato@editoradospioneiros.com.br

Made in the USA
Middletown, DE
05 December 2021

54379188R00225